Introduction à la configuration de routeurs Cisco

Laura Chappell

CISCO SYSTEMS
CISCO PRESS

CAMPUSPRESS
FRANCE

D1406492

Publié par CampusPress France
19, rue Michel Le Comte
75003 PARIS
Tél. : 01 44 54 51 10

Mise en pages : TyPAO

ISBN : 2-7440-0671-8
Copyright © 1999
CampusPress France

Tous droits réservés

Titre original : *Introduction to Cisco Router Configuration*

Traduit de l'américain par :
Christian Soubrier

ISBN original : 1-57870-076-0
Copyright © 1999 Cisco Systems, Inc.

Tous droits réservés

Macmillan Technical Publishing
201 West 103rd Street
Indianapolis, IN 46290 USA

Table des matières

Partie I. Introduction à l'interconnexion de réseaux

Partie II. Suites de protocoles de réseau

Partie III. Réseaux étendus

Partie IV. Annexes

Avant-propos

En avril 1998, Cisco Systems, Inc. a présenté une nouvelle initiative en matière de développement professionnel, baptisée Cisco Career Certifications. Ces certifications répondent à un besoin croissant, au niveau mondial, en experts de réseaux davantage et mieux formés. Fondées sur notre programme Cisco Certified Internetwork Expert (CCIE), l'outil de certification réseau le plus respecté dans l'industrie, les certifications Cisco Career s'obtiennent pour différents niveaux de compétences techniques.

Avec le présent ouvrage, *Introduction à la configuration d'un routeur Cisco*, Cisco Press propose en un seul volume les cours de préparation Cisco les plus populaires de même nom assurés par des instructeurs. Ce livre ne prétend pas remplacer ces cours mais plutôt compléter et renforcer les sujets qui y sont présentés.

Nous, Cisco et Cisco Press, avons choisi d'apporter ensemble cette somme d'informations sous forme d'un livre pour mettre à la disposition de nos clients, et plus généralement de notre grande communauté d'utilisateurs, un autre outil d'apprentissage. Bien qu'une publication ne puisse pas remplacer un environnement d'étude avec un instructeur, nous reconnaissons que tout le monde ne réagit pas de la même manière à une même forme d'enseignement. Notre point de vue est que la présentation de ces sujets de cours sous forme publiée améliorera le transfert de connaissances au profit de notre public de professionnels des réseaux.

Cet ouvrage est le premier d'une série de nombreux compléments de cours prévus par Cisco Press. L'ensemble de ces ouvrages permettra d'atteindre les objectifs principaux de formation Cisco sur un plan mondial, à savoir former la communauté des professionnels des réseaux et lui permettre de concevoir et de maintenir des réseaux évolutifs et fiables. Les certifications Cisco Career et les cours qui les préparent visent à satisfaire ces objectifs au moyen d'une approche dirigée et progressive vers l'obtention de la certification. Les livres que Cisco crée en partenariat avec Cisco Press se fondent sur les mêmes critères de qualité de contenu que ceux exigés pour nos cours et autres certifications.

Notre souhait est que notre lectorat reconnaisse une valeur à nos publications à mesure qu'il se forgera des connaissances en matière de conception de réseaux.

Thomas M. Kelly, Director,
Worldwide Training Cisco Systems, Inc., Août 1998

Introduction

A mesure que les interréseaux gagnent en taille et s'étendent pour gérer un plus grand nombre de sites, de protocoles et de systèmes d'exploitation, le rôle que jouent les équipements d'interconnexion le long du chemin des données est crucial. Bien les comprendre et savoir les configurer pour les intégrer à des réseaux fiables et efficaces sont des exigences essentielles pour toute personne responsable d'un système de communication en réseau. Cisco Systems, le premier concepteur et fournisseur d'équipements d'interconnexion, affirme son engagement à soutenir les administrateurs, concepteurs et installateurs de réseaux dans l'emploi de ses produits.

L'organisation du contenu de ce livre et ses objectifs sont calqués sur ceux du cours Cisco *"Introduction to Cisco Router Configuration"* qui connaît un grand succès. A ce titre, il introduit en détail l'interconnexion des réseaux locaux (LAN) et étendus (WAN) au moyen de routeurs Cisco, examine les bases techniques et les spécifications fonctionnelles des protocoles d'interconnexion les plus fréquemment utilisés aujourd'hui, y compris de TCP/IP, Novell IPX et AppleTalk. Il étudie également les techniques d'interconnexion de réseaux étendus. Tout au long de l'ouvrage, les principes généraux importants présentés sont appuyés par des spécificités de configuration des routeurs Cisco.

De nombreux exemples de configuration ont été inclus pour illustrer les techniques d'administration et de dépannage de réseaux interconnectés. Si votre intention est d'exploiter ce livre comme soutien à la préparation de l'un des examens de certification Cisco, vous trouverez les tests de fin de chapitre d'une grande utilité. Ils ont été conçus pour vous aider à évaluer votre compréhension des concepts développés dans le chapitre et votre capacité à appliquer les techniques existantes pour configurer les routeurs Cisco. Des astuces, avertissements et concepts élémentaires se présentant sous forme d'encadrés à l'intérieur des chapitres soulignent les détails importants.

Une suite intitulée *"Advanced Cisco Router Configurations"* (Cisco Press) apporte des détails plus avancés sur la gestion de trafic et la configuration de routeur.

A qui se destine ce livre

Ce livre contient un grand éventail de détails techniques sur les modèles, les processus de routage et les configurations qui les intégrent. Il peut servir de guide de référence général pour toute personne impliquée dans la conception, l'installation ou la gestion d'interréseaux exploitant les protocoles TCP/IP, IPX/SPX, AppelTalk, SNA, DECnet et Banyan VINES. Si vous prévoyez de passer un ou plusieurs examens de la certification Cisco, en particulier l'examen CCNA (*Cisco Certified Network Associate*), ce livre représente un point de départ logique.

Même si vous n'utilisez pas les routeurs Cisco, ce livre peut améliorer la compréhension des technologies sous-jacentes qui ont une influence sur les réseaux de communication et leur sécurité.

Partie I : Introduction à l'interconnexion de réseaux

La Partie I apporte les bases requises pour pouvoir élaborer et configurer un réseau multiprotocole. Elle examine les différentes couches de fonctionnalités et introduit les séquences de démarrage et les options de configuration pour les routeurs Cisco.

Le Chapitre 1, "Modèle d'interconnexion de réseaux", introduit des concepts qui permettent de passer des interréseaux locaux aux interréseaux globaux. Il introduit les processus de communication mis en oeuvre sur les réseaux locaux, étendus et internationaux. Vous apprendrez de quelle façon les données sont préparées et empaquetées pour être transportées de bout en bout, et comment elles sont adressées pour être routées sur l'interréseau.

Le Chapitre 2, "Applications et couches supérieures", se concentre sur les communications orientées connexion et sans connexion définies par la couche transport du modèle OSI. Il examine aussi les fonctions des couches supérieures, telles que le formatage de texte et des données, la conversion d'image, audio et vidéo. Les mécanismes de contrôle de flux et d'évitement de congestion sont également étudiés.

Le Chapitre 3, "Couches physiques et liaison de données", examine les fonctionnalités assurées par les routeurs d'interréseau. Vous apprendrez la différence qui existe entre les sous-couches MAC (*Media Access Control*, Contrôle d'accès au média) et LLC (*Logical Link Control*, Contrôle de lien logique) de la couche liaison de données. Vous étudierez les fonctionnalités fondamentales et les spécifications définies pour Ethernet/802.3, Token Ring/802.5 et les réseaux FDDI. Ce chapitre introduit aussi diverses technologies des réseaux étendus (WAN), parmi lesquelles SDLC, HDLC, LAPB, Frame Relay, PPP, X.25 et les communications RNIS.

Le Chapitre 4, "Couche réseau et détermination du chemin", traite de la couche qui définit les fonctionnalités de routage et compare les technologies existantes pour les réseaux TC/IP, IPX/SPX et AppleTalk. Il décrit les problèmes de routage, comme la formation de boucles et le comptage à l'infini, ainsi que les solutions possibles, telles que les techniques *split horizon* (horizon éclaté), *poison reverse* (inversion de poison), les temporisateurs de retenue (*hold-down*) et les mises à jour déclenchées. Il introduit et compare les protocoles de routage par état de lien, par vecteur de distance, et les protocoles hybrides.

Le Chapitre 5, "Fonctionnement de base des routeurs", se consacre aux procédures spécifiques à Cisco requises pour démarrer et configurer un routeur au moyen d'un port de console, d'un port auxiliaire, d'un terminal virtuel, ou d'un serveur TFTP. Il examine les méthodes qu'un routeur Cisco utilise pour obtenir ses données de configuration, ainsi que les relations entretenues entre le processus de démarrage et les mémoires RAM/DRAM, NVRAM, Flash et ROM. Il décrit aussi la procédure permettant de faire passer le routeur du mode EXEC utilisateur au mode EXEC privilégié. Il se conclut sur les procédures permettant de vérifier les informations de démarrage, d'interfaces et d'état des protocoles.

Le Chapitre 6, "Configuration d'un routeur", examine le processus de chargement des fichiers de configuration et de changement des modes du routeur. Il examine la configuration des mots de passe ainsi que les étapes utilisées pour configurer ou désactiver une interface et vérifier les modifications intervenues dans la configuration. Il présente aussi comment gérer l'environnement de configuration au moyen d'images de secours et des divers modes de configuration.

Le Chapitre 7, "Découverte de routeurs Cisco", étudie le protocole CDP (*Cisco Discovery Protocol*, Protocole de découverte Cisco) et ses fonctions lui permettant de prendre connaissance des autres routeurs Cisco présents sur le réseau. Vous apprendrez à l'utiliser sur un routeur local et sur un nœud de routage adjacent.

Partie II : Suites de protocoles de réseau

La Partie II présente en détail les protocoles d'interconnexion des réseaux les plus populaires : TCP/IP, Novell IPX et AppleTalk. Dans cette section, vous examinerez le système d'adressage, la découverte de services et les techniques de routage utilisées par chacune de ces suites de protocoles.

Le Chapitre 8, "Présentation de TCP/IP", définit les éléments de la pile TCP/IP en plaçant un accent particulier sur les protocoles des couches réseau et transport, IP (*Internet Protocol*), UDP (*User Datagram Protocol*) et TCP (*Transmission Control*

Protocol). Il étudie aussi les éléments associés de la suite TCP/IP, tels que ARP (*Address Resolution Protocol*) et ICMP (*Internet Control Message Protocol*), car les routeurs les gèrent en général.

Le Chapitre 9, "Adressage IP", traite de l'adressage IP qui utilise les catégories standards de masques par défaut et les diverses techniques de subdivision d'adresse pour créer des sous-réseaux. Il donne des exemples permettant de planifier la conception d'un interréseau de Classe B ou de Classe C en prenant en compte son expansion future et les limitations d'une stratégie d'adressage fondée sur des classes. Il examine aussi le mode de diffusion broadcast, général et dirigé, comme défini par le format d'adresse IP utilisé. Pour finir, il illustre l'utilisation de techniques permettant de tester les communications entre équipements TCP/IP au moyen des deux versions de l'utilitaire Ping, simple et étendu.

Le Chapitre 10, "Configuration du routage IP", explique comment les routeurs IP prennent connaissance des adresses de destination de réseau et leur assignent une métrique de distance. Il présente et compare les protocoles de routage RIP et IGRP et propose des exemples de configuration. Il compare aussi les composants généraux des protocoles de routage internes et externes.

Le Chapitre 11, "Configuration de Novell IPX", introduit les techniques de routage des réseaux IPX et le système d'adressage sur 10 octets mis en oeuvre sur les réseaux NetWare. Il examine aussi le protocole SAP (*Service Advertising Protocol*), le processus GNS (*Get Nearest Server*) et des méthodes d'encapsulation en ce qui concerne leur relation avec les fonctionnalités de routage de cet environnement. Il présente comment configurer l'équilibrage de charge et les coûts de chemin et valider la configuration du routeur.

Le Chapitre 12, "Configuration d'AppleTalk", examine la pile de protocoles AppleTalk et ses fonctions, ainsi que les réseaux AppleTalk non étendus et étendus. Il en présente les processus d'adressage, de découverte de services et d'impression en réseau.

Le Chapitre 13, "Gestion du trafic par listes d'accès", définit les objectifs du filtrage et de la gestion de trafic sur les réseaux locaux (LAN) et étendus (WAN). Il explique le rôle et l'emploi des listes d'accès étendues et en donne des exemples pour contrôler le trafic de réseaux TCP/IP, Novell IPX et AppleTalk.

Partie III : Réseaux étendus

Le Chapitre 14, "Introduction aux connexions de réseaux étendus", examine les types de communications série utilisées aujourd'hui ainsi que les éléments impliqués dans l'établissement, la maintenance et l'authentification d'appel. Il donne des détails importants sur la mise en oeuvre de liaisons PPP (*Point-to-Point Protocol*), l'authentification et la vérification de configuration.

Le Chapitre 15, "Configuration de X.25", traite de la pile de protocoles, des composants logiques, de l'adressage, de l'encapsulation et des types de circuits du réseau X.25. Il donne des détails complets de configuration, comme la taille des paquets X.25 et les paramètres de fenêtre de communication.

Le Chapitre 16, "Configuration de Frame Relay", traite de la terminologie Frame Relay et de l'exploitation de configurations point à point et multipoint. Il passe en revue les topologies en étoile et les configurations totalement et partiellement maillées. Il examine les problèmes d'accessibilité rencontrés sur les communications Frame Relay.

Informations de version

Le contenu de ce livre se fonde sur celui du cours *"Introduction to Cisco Router Configuration"* qui couvre la version du système Cisco IOS v. 11.3. Même si certaines informations font référence aux versions antérieures, les exemples proposés dans ce cours s'appuient sur la version 11.3. Pour obtenir davantage d'informations sur les options et commandes de configuration de routeur Cisco, reportez-vous à la documentation Cisco maintenue en ligne sur le site **www.cisco.com**.

I

Introduction à l'interconnexion de réseaux

Chapitres

Modèle d'interconnexion de réseaux

Les administrateurs de réseaux sont aujourd'hui confrontés à de formidables défis provenant d'une augmentation des exigences et des capacités des réseaux. Ce chapitre débute par un bref historique de l'évolution des réseaux et des améliorations résultantes dans les services proposés aux utilisateurs. Certaines constantes perdurent dans cette évolution rapide, comme les principes de conception et le modèle utilisé par les technologies de réseau pour permettre à des équipements de divers fabricants de communiquer entre eux. La seconde partie de ce chapitre traite de ces sujets et inclut une présentation du modèle de référence ISO/OSI (*International Organization for Standardization/Open Systems Interconnection*, Organisation internationale de normalisation/Interconnexion de systèmes ouverts).

Evolution des réseaux

L'évolution des réseaux se résume pour une grande part à une amélioration des fonctions et capacités. Chaque nouvelle étape de l'évolution de l'informatique en réseau inclut et étend les fonctionnalités de l'étape précédente, comme les méthodes de communication et les vitesses d'accès. Il en est ainsi depuis les années 60.

1960 – 1970 : traitement centralisé

Durant les années 60 et au début des années 70, la communication informatique était généralement mise en œuvre au moyen de terminaux passifs connectés à un hôte central, ou mainframe. La puissance de traitement et la majeure partie des ressources mémoire étaient situées sur l'hôte, raisons pour lesquelles les terminaux étaient qualifiés de passifs. Cet environnement informatique centralisé nécessitait des lignes d'accès à faible vitesse, qui étaient empruntées par les terminaux pour communiquer avec l'hôte. Cette technologie de réseau permettait aux utilisateurs d'accéder à des données et des ressources d'impression centralisées partagées.

Les ordinateurs IBM avec des réseaux SNA (*Systems Network Architecture*) et les ordinateurs non IBM avec des réseaux de données publics X.25 sont des exemples typiques de cet environnement. La Figure 1.1 illustre un simple environnement de communication basé sur des hôtes.

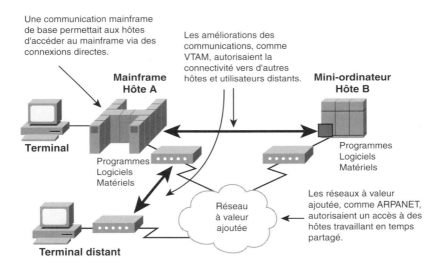

Figure 1.1

Dans les années 60 et jusqu'au début des années 70, un seul ordinateur représentait le dépôt central de toutes les ressources sur un réseau.

Sur un seul ordinateur, l'accès aux ressources, l'exécution de programmes, et la copie de fichiers sont des tâches relativement simples. L'ordinateur doit identifier l'utilisateur demandeur et le dispositif ou le programme de destination, puis coordonner l'accès entre eux. Dans ce scénario, l'ordinateur est le maître de toutes les ressources et peut à ce titre facilement les gérer et les organiser.

Sur un réseau, même s'il n'est constitué que de deux ordinateurs, la coordination des ressources devient beaucoup plus complexe. Le transport des informations nécessite l'intervention de nombreux processus, parmi lesquels l'adressage, la détection des erreurs et leur correction, la synchronisation, ou encore la coordination des transmissions.

1970 – 1980 : réseaux

L'introduction du PC a révolutionné les communications et les réseaux d'ordinateurs traditionnels. A l'origine, les PC étaient des dispositifs autonomes qui permettaient à chaque utilisateur de disposer sur son ordinateur de capacités de traitement et d'importantes ressources mémoire. A mesure que les entreprises prirent conscience de la souplesse et la puissance de ces machines, leur utilisation s'intensifia.

Néanmoins, certaines ressources de réseau comme les imprimantes et les disques durs, pour les applications gourmandes en mémoire, n'étaient pas rentables pour tous les ordinateurs. Les réseaux locaux, ou LAN (*Local Area Network*), évoluèrent principalement pour permettre le partage de ces ressources coûteuses. A ce titre, ils autorisèrent la combinaison des meilleures caractéristiques des PC autonomes et de l'informatique centralisée.

L'importance stratégique des réseaux interconnectés fut rapidement comprise. Les entreprises commencèrent à envisager l'idée de relier entre eux les LAN auparavant isolés (voir Figure 1.2). Les réseaux interconnectés servirent de base aux applications d'entreprise, comme la messagerie électronique et le transfert de fichiers. Celles-ci améliorèrent à leur tour la productivité et la compétitivité d'ensemble.

Outre les PC et les réseaux locaux, les mini-ordinateurs et les réseaux étendus (WAN, *Wide Area Network*) partagés évoluèrent aussi dans les années 70 et 80. Les mini-ordinateurs, souvent éloignés du dépôt de données central, ont favorisé l'émergence du traitement distribué, autorisant le traitement véritable de l'information à avoir lieu sur un terminal doté d'un processeur et de mémoire. Les systèmes VAX de DEC (*Digital Equipment Corporation*) et les réseaux DECnet sont typiques de cette époque.

En règle générale, les applications provenant d'environnements informatiques différents (tels que mainframe et LAN) demeurent séparées et indépendantes les unes des autres. Différents protocoles de communication ont été développés pour gérer les communications entre ces environnements. Par exemple, l'environnement de mainframe utilisait SNA comme méthode de communication alors que les réseaux locaux utilisaient IPX/SPX (*Internetwork Packet Exchange/Sequenced Packet Exchange*) de Novell et TCP/IP (*Transmission Control Protocol/Internet Protocol*).

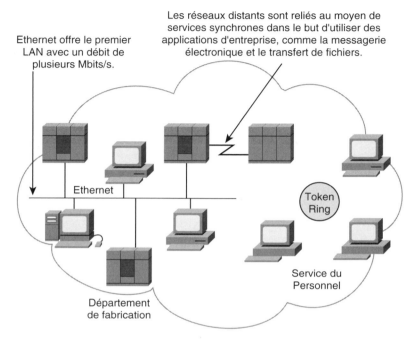

Ethernet offre le premier LAN avec un débit de plusieurs Mbits/s.

Les réseaux distants sont reliés au moyen de services synchrones dans le but d'utiliser des applications d'entreprise, comme la messagerie électronique et le transfert de fichiers.

Ethernet

Token Ring

Département de fabrication

Service du Personnel

Figure 1.2

Les réseaux LAN et WAN permirent aux différents services d'une même entreprise de communiquer entre eux.

IPX/SPX et TCP/IP ont tous deux été conçus pour permettre l'interconnexion de plusieurs réseaux au moyen de routeurs. Cela encouragea le développement de réseaux locaux au sein des départements et entreprises.

1980 – 1990 : interréseaux

Les interréseaux relient des réseaux locaux et étendus, des systèmes informatiques, des logiciels, et toutes sortes d'équipements différents pour former une infrastructure de communication d'entreprise. Par exemple, la Figure 1.3 illustre un réseau constitué de mainframes, de mini-ordinateurs, et de machines de type PC reliés par l'intermédiaire de plusieurs médias et interconnectés au moyen de liaisons WAN privées et publiques (Internet). Cet interréseau transporte des informations partout au sein de l'entreprise et vers des partenaires et clients extérieurs. Faisant office d'autoroute de l'information pour l'entreprise, l'interréseau est devenu un atout stratégique fondamental et un avantage compétitif.

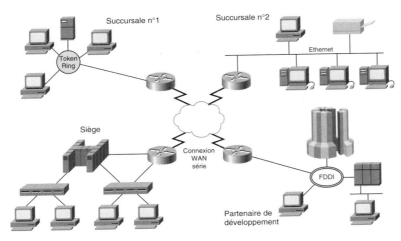

Figure 1.3
Les interréseaux actuels combinent une variété de dispositifs, de types de média, et de méthodes de transmission.

Les routeurs sont des éléments essentiels des interréseaux, car ils rendent possibles (ou impossibles) les communications entre les réseaux locaux et étendus. Il est important que vous compreniez leur fonctionnement afin de pouvoir les configurer correctement et choisir les protocoles de routage les plus appropriés pour un interréseau donné.

Les interréseaux combinent aujourd'hui une variété de dispositifs, types de média, et méthodes de transmission. Pour bon nombre d'entreprises, les réseaux actuels sont un mélange ad hoc d'anciennes et nouvelles technologies. Par exemple, les anciens réseaux IBM pourraient presque fonctionner en parallèle avec les réseaux locaux interconnectés, le commerce électronique, et les systèmes de messagerie plus récents. Les réseaux locaux, les réseaux de données publics, les liaisons louées, et les canaux de mainframe à haute vitesse ont été ajoutés aux interréseaux "au dernier moment", souvent sans se préoccuper de la conception, de la gestion, et de l'efficacité globale du réseau. A mesure que les applications ont migré des hôtes centraux vers les serveurs distribués, elles ont entraîné un changement au niveau des schémas de trafic.

Dans la plupart des sociétés, l'approche de la communication informatique change rapidement, en réponse aux nouvelles technologies, à l'évolution des exigences de travail, et au besoin de transfert instantané des connaissances. Pour cette raison, l'interréseau, quelle que soit la forme qu'il adopte, doit être souple, évolutif, et capable de s'adapter à n'importe quel niveau organisationnel (succursale ou siège). Il doit également avoir été précisément conçu pour refléter les schémas de trafic de réseau prévus. Les ingénieurs et les administrateurs de réseau doivent connaître et comprendre de quelle manière les paquets de données sont routés à travers un réseau, afin de garantir la mise en œuvre d'un système d'interconnexion le plus efficace possible permettant de gérer les exigences de réseaux en augmentation croissante actuellement.

CONCEPT CLÉ

Les interréseaux éliminent les obstacles liés aux connexions de réseau physiques, aux plates-formes matérielles, ou aux logiciels.

1990 : interconnexion mondiale de réseaux

La plus grande contrainte qui pèse sur les réseaux dans un futur immédiat est la mondialisation du commerce, et le support des applications nécessaires pour gérer des affaires en interne ainsi qu'avec des clients répartis dans le monde entier. Il n'est pas rare de voir une société avoir besoin de plus d'une centaine d'applications pour pouvoir fonctionner dans le cadre d'un interréseau mondial.

Les études montrent que les réseaux requièrent toujours davantage de bande passante pour pouvoir gérer ces applications et connexions d'interréseaux supplémentaires. Les réseaux devront satisfaire ces besoins, mais aussi offrir de faibles retards, une bande passante à la demande, et d'autres nouveaux services. De nouveaux dispositifs prendront place auprès des routeurs en tant qu'outils de réseau additionnels. Les réseaux actuels et futurs auront davantage de fonctions distribuées et devront proposer une intégration de la voix, des données, et de la vidéo.

Examinez la Figure 1.4. Cet interréseau mondial supporte une variété de dispositifs et d'applications dont les besoins varient en termes de bande passante et de vitesse. Pour la transmission de données vidéo et audio et le transfert d'importants fichiers graphiques, par exemple, le chemin des données doit permettre des communications de bout en bout fiables à faibles retards, au moyen de la technologie de commutation ATM (*Asynchronous Transfer Mode*, mode de transfert asynchrone). Les données des mini-ordinateurs et ordinateurs portables, qui nécessitent généralement le support d'un trafic sporadique, peuvent être routées à travers le monde *via* des connexions série.

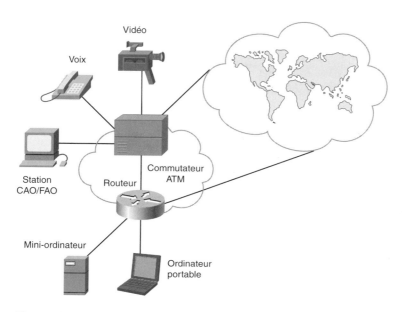

Figure 1.4

Les interréseaux mondiaux doivent supporter une variété de types de trafic.

Les caractéristiques suivantes sont typiques des réseaux mondiaux :

■ utilisation accrue de graphiques et de l'imagerie ;

■ fichiers plus gros ;

■ programmes plus gros ;

■ informatique client-serveur ;

■ trafic de réseau sporadique.

L'interconnexion mondiale des réseaux offrira un environnement pour des applications émergentes qui nécessiteront encore plus de bande passante. Bon nombre d'entre elles dépendent de l'évolution d'exigences multimédia, telles que les images à haute définition, la vidéo plein écran, ou les composants audio numérisés.

Types de réseaux et équipements

Les interréseaux mondiaux actuels peuvent être classés en trois types distincts :

■ les réseaux locaux ou LAN (*Local Area Network*) ;

■ les réseaux étendus ou WAN (*Wide Area Network*) ;

■ les réseaux d'entreprise.

Chaque type de réseau utilise un ensemble différent de dispositifs d'interconnexion. Bien que ce livre traite principalement des routeurs, vous devez connaître les autres dispositifs employés par chaque type d'interréseau, et comprendre de quelle manière ils sont associés aux routeurs et comment leur trafic pourrait ou non être routé à travers un interréseau.

Réseaux locaux

Les réseaux locaux, ou LAN, sont conçus pour fonctionner au sein d'une zone géographique limitée et autorisent plusieurs utilisateurs à accéder simultanément à un média à forte bande passante. Généralement, les LAN connectent physiquement des dispositifs adjacents et sont contrôlés de façon privée par une administration locale.

Voici les principales caractéristiques des réseaux locaux :

■ Ils sont mis en œuvre dans un immeuble ou sur un étage. A mesure que les postes informatiques de LAN de plus en plus puissants exécutent des applications elles aussi plus puissantes, la tendance est à une réduction de la taille des réseaux locaux individuels pour les connecter au moyen de routeurs.

■ Ils permettent à plusieurs ordinateurs de bureau (habituellement des PC) d'accéder à un média à forte bande passante.

■ Une entreprise possède les médias et les connexions exploités au sein du réseau local. Elle peut, si elle le souhaite, contrôler le réseau de façon privée.

■ Des services locaux sont généralement disponibles. Il arrive rarement que les réseaux locaux interrompent leur fonctionnement ou limitent l'accès aux stations de travail connectées.

La Figure 1.5 illustre un exemple de réseau local constitué de deux réseaux connectés (réseau A et réseau B). Ce LAN relie des dispositifs physiquement adjacents sur le média.

Les équipements LAN comprennent :

■ Des commutateurs qui connectent les segments et dispositifs LAN et aident à filtrer le trafic. Les ponts, qui étaient auparavant utilisés pour fournir une connectivité entre les segments, ont été largement remplacés par des commutateurs pouvant se connecter aux segments, mais aussi directement aux ordinateurs.

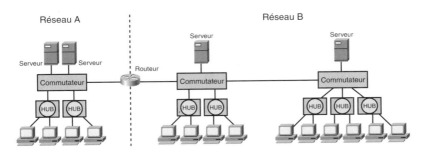

Figure 1.5

Les réseaux locaux servent généralement à connecter des ressources de réseau privé.

■ Des hubs qui concentrent les connexions LAN et permettent d'exploiter des médias en cuivre à paire torsadée.

■ Des concentrateurs de groupes de travail qui offrent un débit de 100 Mbits/s sur un câblage à fibre ou en cuivre.

■ Des commutateurs Ethernet et Token Ring qui offrent une bande passante duplex et dédiée aux segments ou aux ordinateurs.

■ Des routeurs qui offrent de nombreux services, comme l'interconnexion de réseaux et le contrôle de messages broadcast.

■ Des commutateurs ATM qui assurent une commutation de cellules à haute vitesse.

Réseaux étendus

Les réseaux étendus, ou WAN, sont conçus pour intégrer dans leur fonctionnement un large éventail d'opérateurs de télécommunications, et offrent généralement un accès par l'intermédiaire d'interfaces série opérant à de faibles vitesses. Les WAN peuvent être conçus pour fournir une connectivité temporaire (*dial-on demand*, ouverture de ligne à la demande) ou bien permanente à travers des zones géographiques étendues, voire dans le monde entier.

Voici les principales caractéristiques des réseaux étendus :

■ Il fonctionnent au-delà de la portée géographique du réseau local. Ils utilisent les services d'opérateurs.

■ Ils utilisent des connexions série de différents types pour accéder à la bande passante sur des zones géographiques étendues.

■ Une entreprise paie l'opérateur ou le fournisseur de services pour les connexions utilisées sur le réseau étendu. Elle peut choisir les services qu'elle souhaite utiliser. Les tarifs des opérateurs sont habituellement réglementés.

■ Ils interrompent rarement leur fonctionnement, mais comme l'entreprise doit payer pour les services utilisés, il se peut qu'elle limite l'accès aux stations connectées. Tous les services WAN ne sont pas disponibles partout.

La Figure 1.6 illustre un exemple de WAN reliant plusieurs LAN situés dans des villes différentes. Ce réseau étendu connecte des dispositifs distants physiquement par l'intermédiaire d'un réseau RNIS (Réseau Numérique à Intégration de Services). Par exemple, le WAN autorise les utilisateurs des sites distants à accéder aux serveurs A, B et C du siège de l'entreprise.

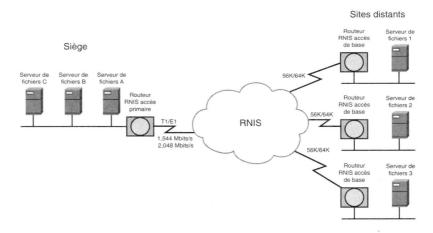

Figure 1.6

Un réseau local RNIS offre des services d'ouverture de ligne à la demande, d'un siège d'entreprise vers trois sites d'agences distantes.

Les équipements WAN comprennent :

■ Des routeurs qui offrent de nombreux services, comme l'interconnexion de réseaux et le contrôle d'interfaces WAN.

■ Des commutateurs qui se connectent à la bande passante du WAN pour les réseaux X.25 et Frame Relay, ainsi que les communications voix, données, et vidéo. Ces commutateurs peuvent répartir la bande passante selon les priorités de service allouées, se rétablir suite à une panne, et fournir des systèmes de conception et de gestion de réseau.

- Des modems qui assurent l'interface pour des service de qualité voix ; des unités de services de canal (CSU, *Channel Service Unit*) et des unités de services de données (DSU, *Data Service Unit*) qui assurent l'interface pour des services T1/E1 ; des adaptateurs terminaux (TA, *Terminal Adapter*) et des terminaisons numériques de réseau (TN1, *Network Termination-1*) qui assurent l'interface pour des services RNIS.

- Des serveurs d'accès qui concentrent les communications utilisateur analogiques (ou modems) entrantes et sortantes et fournissent d'autres services, comme la traduction de protocoles entre Telnet et PAD de X.25.

- Des multiplexeurs qui partagent un service WAN entre plusieurs canaux.

- Des commutateurs ATM qui assurent une commutation de cellules à haute vitesse.

Réseaux d'entreprise

L'entreprise est une société, une agence, un fournisseur de services, ou toute autre organisation qui regroupe ses données, sa communication, son informatique, et ses ressources de stockage. Un réseau d'entreprise contient généralement une combinaison hybride de composants de réseau privés et publics. Tous les dispositifs LAN et WAN décrits précédemment peuvent être présents dans un réseau d'entreprise.

Les développements d'un réseau d'entreprise incluent :

- Des LAN interconnectés pour permettre l'intégration des applications client-serveur avec les anciennes applications des centres de données de mainframe.

- Des besoins utilisateur en bande passante accrue sur les LAN, qui peuvent être regroupés au niveau d'un commutateur et fournis sur un média dédié.

- L'intégration de réseaux séparés initialement pour faire coexister sur un même réseau le trafic continu des applications utilisant la voix et la vidéo.

- Les technologies de relais pour le service WAN, avec une croissance rapide du Frame Relay et une croissance plus progressive du relais de cellules, comme ATM par exemple.

Cisco a été la première société à offrir un ensemble de produits adapté à l'échelle d'un réseau d'entreprise tout entier, à savoir qui fonctionne depuis le poste de travail jusqu'au commutateur du central des opérateurs de télécommunications. Les produits

Cisco ont toujours supporté les aspects LAN de l'entreprise. Avec le StrataCom, Cisco a acquis les composants manquants opérant au sein du nuage WAN.

Objectifs de conception des réseaux

Qu'il soit local, étendu, ou d'entreprise, un réseau se résume à un ensemble de composants matériels et logiciels. Comme mentionné précédemment, les réseaux mondiaux d'aujourd'hui et de demain doivent être conçus en vue de répondre aux seules exigences de l'entreprise qu'ils supportent. Le rôle d'un administrateur de réseau est de créer et d'affiner la conception de base. Pour cela, il doit remplir trois objectifs :

- **Connectivité.** L'interréseau doit être au service de ceux qui en dépendent dans l'entreprise. Indépendamment de l'étendue des connexions de médias, des vitesses de transmission, et autres détails techniques, le réseau relie les ressources qui étaient auparavant séparées.

- **Performances fiables.** L'entreprise devient de plus en plus dépendante de ses outils d'interconnexion, comme l'interface de l'opérateur, la capacité de distribution des mises à jour de logiciels de réseau, les utilitaires de journalisation et de surveillance des performances, les mécanismes de redondance et de secours, et les fonctions permettant de sécuriser l'accès aux ressources. Rendre le réseau fiable est essentiel pour garantir la compétitivité de l'entreprise.

- **Contrôle de gestion de réseau.** Un interréseau offre des fonctionnalités essentielles, et augmente également les ressources sensibles. Les administrateurs s'interrogent continuellement sur la manière d'améliorer le contrôle de gestion du réseau au moyen de tâches comme la mesure et l'analyse des performances, l'évaluation de l'utilisation des ressources et des exigences d'exploitation, l'identification des problèmes, et la création de rapports de sécurité. Une fois le réseau en place et opérationnel, les mesures de dépannage commencent.

- **Evolutivité.** Plusieurs obligations auxquelles sont soumis les réseaux rappellent que la souplesse est un objectif de conception important. Par exemple, l'expansion et la consolidation des réseaux requiert le dépassement des limites physiques et géographiques. Ainsi, à mesure que les entreprises chercheront à fournir de nouveaux services et produits pour une économie mondiale accessible par réseau, elles auront besoin d'applications de réseau nouvelles ou différentes. Les réseaux doivent être conçus pour être évolutifs, c'est-à-dire pour anticiper les besoins à venir et évoluer progressivement et de façon rentable.

Modèle en couches

Pour qu'un interréseau multifabricant complexe puisse être opérationnel, ses équipements doivent être capables de communiquer entre eux. L'industrie des réseaux utilise un modèle, appelé modèle de référence OSI (*Open Systems Interconnection*, interconnexion de systèmes ouverts), qui établit les lignes directrices de cette communication. Cette section examine le concept d'encapsulation des données et décrit son fonctionnement à mesure que les données circulent à travers les différentes couches du modèle OSI.

Etant donné que les fonctions de routage opèrent au niveau de la couche réseau du modèle, celle-ci revêt une importance particulière dans cet ouvrage. Toutefois, toutes les couches sont présentées ici et détaillées dans les autres chapitres, car vous devez acquérir une compréhension globale de la hiérarchie des processus qui définissent le fonctionnement d'un réseau.

Pourquoi un modèle en couches ?

La plupart des environnements de communication distinguent les fonctions de communication du traitement des applications. Cette séparation des différentes fonctionnalités de réseau porte le nom d'*organisation en couches*. Pour le modèle OSI, sept couches numérotées indiquent des fonctions distinctes (voir Figure 1.7).

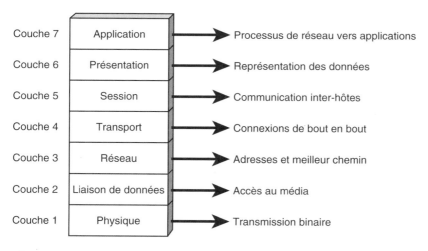

Couche 7	Application	Processus de réseau vers applications
Couche 6	Présentation	Représentation des données
Couche 5	Session	Communication inter-hôtes
Couche 4	Transport	Connexions de bout en bout
Couche 3	Réseau	Adresses et meilleur chemin
Couche 2	Liaison de données	Accès au média
Couche 1	Physique	Transmission binaire

Figure 1.7

Le modèle OSI comprend sept couches qui définissent les fonctionnalités de réseau.

Un autre exemple est la pile de protocoles TCP/IP (*Transmission Control Protocol/ Internet Protocol*) dont les fonctions sont représentées par un modèle à cinq couches portant chacune un nom, défini par le département américain de la défense (DoD, *Department of Defense*). Quel que soit le nombre de couches, plusieurs raisons expliquent cette division des fonctions de réseau :

■ Séparer les aspects étroitement liés du fonctionnement du réseau en des éléments moins complexes.

■ Définir des interfaces standards pour une compatibilité Plug and Play et une intégration multifabricant.

■ Permettre aux ingénieurs de porter leurs efforts de conception et de développement sur les fonctions modulaires, autorisant le déploiement de nouvelles applications et services sans avoir à modifier la conception de chaque couche inférieure.

■ Favoriser la symétrie entre les différentes fonctions modulaires d'interconnexion afin qu'elles puissent interopérer.

■ Eviter que les changements apportés dans une zone n'affectent les autres zones pour que chacune puisse évoluer plus rapidement.

■ Ramener la complexité de l'interconnexion de réseaux à des sous-ensembles de mécanismes plus faciles à cerner.

─── **CONCEPT CLÉ** ──

Un modèle en couches offre un cadre de travail, mais ne définit pas une application ou un protocole d'interconnexion. C'est-à-dire que les applications et les protocoles ne se conforment pas directement au modèle de référence OSI, mais aux standards développés à partir des concepts qu'il définit.

───

Les fabricants utilisent les définitions des fonctions de chaque couche du modèle OSI comme lignes directrices pour la conception de leurs produits de réseau. Les sections suivantes examinent ces fonctions en s'appuyant sur le service de fichiers NFS (*Network File System*, système de fichiers de réseau) comme exemple d'application à mettre en correspondance avec certaines couches du modèle. NFS offre une approche distribuée pour l'accès au système de fichiers UNIX.

Couche application

Cette couche fournit des services de réseau aux applications utilisateur. Par exemple, l'interface utilisateur de NFS peut être associée à cette couche du modèle.

Couche présentation

Cette couche fournit une représentation des données et assure un formatage du code. Elle garantit que les données qui proviennent du réseau pourront être utilisées par l'application et que les informations envoyées par celle-ci pourront être transmises sur le réseau. Des exemples de ces représentations incluent ASCII, EDBCDIC, JPG, TIFF, et le cryptage. XDR (*eXternal Data Representation*) est le protocole de présentation de SUN pour NFS.

Couche session

Cette couche établit, maintient, et gère les sessions entre applications. Par exemple, les tâches d'initialisation, de terminaison, d'interruption, de reprise, et d'abandon d'une session sont des fonctions définies par cette couche. La fonctionnalité RPC (*Remote Procedure Call*, appel de procédures à distance) est implémentée au niveau de la couche session de la pile NFS.

Couche transport

Cette couche segmente et réassemble les données en un flot continu. Elle définit des transmissions de données de bout en bout fiables et non fiables, comme TCP (*Transmission Control Protocol*) orienté connexion et UDP (*User Datagram Protocol*) sans connexion.

Couche réseau

Cette couche détermine le meilleur chemin de transmission des données d'un endroit à un autre. Elle gère l'adressage des dispositifs et garde trace de leur emplacement sur le réseau. Le routeur fonctionne à ce niveau. IP (*Internet Protocol*) est un exemple de protocole qui offre les fonctionnalités définies par cette couche.

Couche liaison de données

Cette couche s'occupe de la transmission physique sur le média. Elle gère la notification des erreurs, la topologie du réseau, et le contrôle de flux. Ethernet, Token Ring, et FDDI sont des méthodes d'accès au média qui offrent les fonctionnalités définies par cette couche.

Couche physique

Cette couche fournit les moyens électriques, mécaniques, procéduraux et fonctionnels nécessaires à l'activation et la maintenance de la liaison physique entre des systèmes. Les câbles, les signaux, les interceptions, et les répéteurs sont des exemples d'éléments servant d'interface avec le média physique.

Communication entre couches homologues

Chaque couche d'un système émetteur utilise son propre protocole pour communiquer avec sa couche homologue sur le système récepteur. Les protocoles échangent des informations, appelées unités de données de protocole ou PDU (*Protocol Data Unit*), entre couches homologues. Une couche donnée peut employer un nom plus spécifique pour ses PDU.

Dans TCP/IP, par exemple, la couche transport de TCP communique avec la fonction TCP homologue au moyen de segments (voir Figure 1.8).

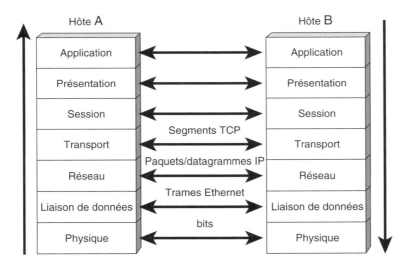

Figure 1.8

TCP/IP spécifie les unités de données de protocole de la couche transport comme étant des segments TCP.

Cette communication entre protocoles de couches homologues est mise en œuvre grâce à l'utilisation des services des couches sous-jacentes. La couche immédiatement sous-jacente à n'importe quelle couche offre ses services à cette dernière. Chaque service de couche inférieure récupère les informations de la couche supérieure au sein des PDU, qu'elle échange avec sa couche homologue.

Par conséquent, les segments TCP sont inclus dans les paquets (également appelés datagrammes) de la couche réseau échangés entre homologues IP. A leur tour, les paquets IP sont inclus dans les trames de la couche liaison de données échangées directement entre les dispositifs connectés. Pour finir, ces trames doivent devenir des bits lorsque les données sont transmises par le protocole de la couche physique par l'intermédiaire du matériel.

Encapsulation des données et en-têtes

Chaque couche du modèle OSI s'appuie sur la fonction de service de la couche sous-jacente. Afin de fournir un service, cette dernière utilise l'encapsulation pour placer les PDU provenant de la couche supérieure dans son champ de données. Ensuite, elle peut ajouter tous les en-têtes et en-queues nécessaires à l'exécution de sa fonction. La Figure 1.9 illustre les en-têtes ajoutés par chaque couche. Si vous avez l'occasion d'employer un utilitaire d'analyse sur votre réseau, vous pourrez observer les en-têtes imbriqués dans le paquet.

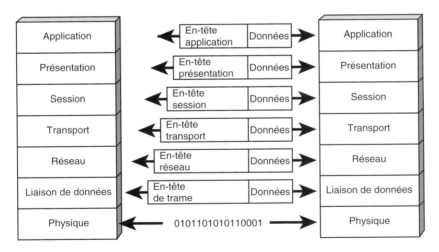

Figure 1.9
Les en-têtes sont ajoutés devant les données à mesure qu'elles sont transmises à travers les couches vers le bas de la pile.

La couche liaison de données fournit à la couche réseau un service qui consiste à encapsuler les informations de cette dernière dans une trame. L'en-tête de cette trame contient les informations nécessaires (comme l'adresse physique) à la couche liaison de données pour accomplir ses fonctions.

La couche physique fournit aussi un service à la couche liaison de données. Celui-ci inclut l'encodage de la trame en une série de uns et de zéros pour la transmission sur le média, généralement un câble.

A mesure que les interréseaux exécutent des services pour les utilisateurs, le flot et l'empaquetage des informations change. En commençant par le niveau transport, cinq étapes d'encapsulation ont lieu :

1. Construction des données.

2. Empaquetage des données pour un transport de bout en bout.

3. Ajout de l'adresse de réseau dans l'en-tête de la couche réseau.

4. Ajout de l'adresse locale dans l'en-tête de la couche liaison de données.

5. Conversion en bits pour la transmission.

Examinez chacune de ces étapes pour observer de quelle manière les données sont affectées à mesure qu'elles sont préparées pour la transmission. Par exemple, supposez qu'un client Netscape soit en train de naviguer sur un serveur Web (voir Figure 1.10). L'opération de navigation sur le serveur requiert l'utilisation de HTTP (*HyperText Transport Protocol*) entre les hôtes.

Etape 1 : construction des données

Un utilisateur émet une requête pour ouvrir une page spécifique en envoyant l'URL (*Uniform Resource Locator*) au processus démon de l'hôte jouant le rôle de serveur Web. La requête, comprenant l'URL, est convertie en des données pouvant traverser l'interréseau.

Etape 2 : empaquetage des données pour un transport de bout en bout

Les données sont empaquetées pour le sous-système de transport. Un en-tête de la couche transport est ajouté au début des données. Dans cet exemple, il s'agit d'un en-tête TCP qui indique que les données sont dirigées vers un processus serveur HTTP.

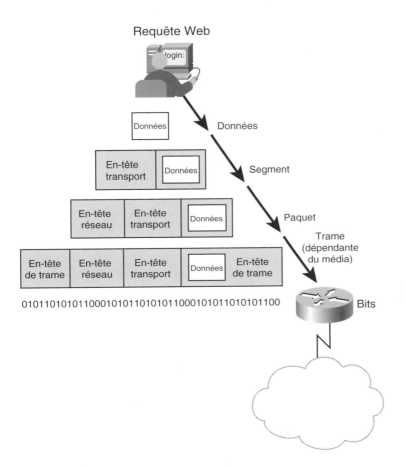

Figure 1.10

Un utilisateur navigue sur un serveur Web avec un client Netscape. A chaque niveau du modèle OSI, les informations appropriées sont encapsulées dans l'en-tête pour garantir que la requête HTTP parvienne à destination.

Etape 3 : ajout de l'adresse de réseau dans l'en-tête de la couche réseau

Les données sont placées dans un *paquet* ou *datagramme* pour que la fonction de transport puisse les diriger sur l'interréseau. Le paquet inclut un en-tête de la couche réseau contenant les adresses source et de destination logiques (par exemple, les adresses IP). Ces adresses aident les équipements de réseau à acheminer les paquets à travers le réseau sur un chemin choisi.

Dans l'exemple de la Figure 1.10, il s'agit d'un en-tête IP contenant l'adresse IP de l'utilisateur de Netscape (adresses source) et l'adresse IP du serveur HTTP (adresses de destination).

Etape 4 : ajout de l'adresse locale dans l'en-tête de la couche liaison de donnée

Chaque équipement de réseau doit placer le paquet dans une *trame* afin de pouvoir communiquer par le biais de l'interface locale avec une autre interface spécifique sur le réseau. Le trame rend possible une connexion directe avec l'équipement connecté suivant sur la liaison. Le type de trame doit correspondre au type de liaison de données. Par exemple, si vos données sont envoyées sur un réseau Ethernet utilisant le type de trame Ethernet II, le paquet sera placé dans une trame de ce type.

Dans l'exemple de la Figure 1.10, la requête HTTP sera adressée au routeur local dans une trame Ethernet II.

Etape 5 : conversion en bits pour la transmission

La trame est ensuite convertie en une série de uns et de zéros pour la transmission sur le média, habituellement un câble. Certaines fonctions de synchronisation permettent aux dispositifs de distinguer les bits définis à "1" et à "0" à mesure qu'ils traversent le média.

Le média sur l'interréseau physique peut varier en fonction du chemin emprunté. Par exemple, la requête HTTP peut provenir d'un réseau local, traverser une épine dorsale de campus, emprunter une liaison WAN à faible vitesse et une autre à haute vitesse, jusqu'à atteindre sa destination sur un LAN distant.

Résumé

Maintenant que vous avez acquis une compréhension de base sur la façon dont les différents protocoles interagissent au niveau des différentes couches du modèle OSI, le prochain chapitre traite plus en détail des quatre couches supérieures, en se concentrant plus particulièrement sur la couche transport, car les routeurs sont parfois impliqués dans des fonctionnalités de cette couche.

Gardez à l'esprit les critères de conception présentés dans ce chapitre : connectivité, fiabilité, contrôle de gestion du réseau, et évolutivité. Ces principes renseignent sur les protocoles, processus, et fonctionnalités d'interconnexion que vous rencontrerez dans les prochains chapitres. N'oubliez pas non plus les contraintes que la mondialisation et l'évolution des fonctions ajoutent aujourd'hui à la tâche de conception des réseaux.

Test du Chapitre 1

Durée estimée : 15 minutes

Réalisez tous les exercices suivants pour tester votre connaissance des sujets traités dans ce chapitre. Les réponses sont données dans l'Annexe A.

Question 1.1

Définissez les trois types de réseaux qui forment les interréseaux d'aujourd'hui.

_____

_____

_____

Question 1.2

Quelles sont les sept couches du modèle OSI ?

Couche 7 : _____

Couche 6 : _____

Couche 5 : _____

Couche 4 : _____

Couche 3 : _____

Couche 2 : _____

Couche 1 : _____

Question 1.3

Comment les données de la couche réseau peuvent-elles être définies ? Choisissez deux réponses.

A. Segments

B. Paquets

C. Bits

D. Datagrammes

E. Trames

Question 1.4

Parmi les affirmations suivantes, laquelle décrit le mieux les fonctions définies par la couche réseau du modèle OSI ?

A. Définit la représentation des données et le formatage du code.

B. Envoie/reçoit des informations binaires par l'intermédiaire d'interfaces.

C. Définit l'adressage de réseau et détermine le meilleur chemin à travers l'interréseau.

D. Synchronise les communications entre applications sur différents hôtes.

Question 1.5

Quelle ligne représente les étapes de la conversion des données en bits pour la transmission ?

A. Données, segments, trames, datagrammes, bits.

B. Données, trames, segments, bits.

C. Données, paquets, trames, datagrammes, bits.

D. Données, segments, paquets, trames, bits.

2

Applications et couches supérieures

Ce chapitre examine les quatre couches supérieures du modèle de référence OSI : application, présentation, session, et transport, avec un intérêt plus particulier pour cette dernière. Bien qu'elles ne concernent pas directement le routage, vous comprendrez mieux les aspects de base importants du comportement d'un réseau en ayant connaissance des interactions et des relations qui existent entre ces couches. Il est essentiel que vous compreniez la couche transport, car les routeurs sont parfois impliqués dans certaines de ses fonctions.

Couche application

La couche application (couche 7) du modèle OSI supporte les composants de communication d'une application. Le terme *application* utilisé dans ce sens ne se réfère pas aux programmes informatiques, tels que des traitements de texte, des graphiques de présentation, des feuilles de calcul, ou des bases de données. Il concerne des applications de réseau comme celles listées ci-dessous :

- transfert de fichiers ;

- messagerie électronique ;

- accès distant ;

- processus client-serveur ;

■ localisation d'informations ;

■ administration du réseau.

Les applications informatiques ne peuvent pas utiliser directement le réseau sous-jacent. Un programme de traitement de texte, par exemple, peut par contre incorporer une application de réseau, comme un composant de transfert de fichiers, pour permettre à un document d'être transmis électroniquement sur des équipements de télécommunication. Ce composant donne au traitement de texte la qualité d'application dans le contexte OSI et appartient à la couche 7 du modèle de référence.

De nombreuses applications de réseau offrent des services pour la communication d'entreprise. Néanmoins les besoins de mise en réseau, dans les années 90 et après, dépassent souvent le cadre de l'entreprise. L'échange d'informations et le commerce interentreprises implique de plus en plus l'utilisation d'applications de réseau (voir Figure 2.1).

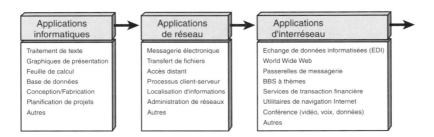

Figure 2.1

Lorsque des applications informatiques utilisent à la fois des composants d'applications de réseau et d'interréseau, elles deviennent des applications d'interréseau d'entreprise.

Les composants d'applications d'interréseau incluent :

■ L'échange de données informatisées, ou EDI (*Electronic Data Interchange*), qui offre des standards et des processus spécialisés pour améliorer le flux de circulation des informations de commande, d'expédition, d'inventaire, et de comptabilité entre les entreprises.

■ Le World Wide Web, qui relie des milliers de serveurs utilisant une variété de formats texte, graphique, vidéo et son. Les navigateurs comme Internet Explorer et Netscape Navigator simplifient l'accès aux pages et leur visualisation.

■ Les passerelles de messagerie électronique, qui peuvent utiliser le standard X.400 ou le protocole SMTP (*Simple Mail Transfer Protocol*) pour échanger des messages entre différentes applications de courrier électronique.

■ Des milliers de BBS (*Bulletin Board Service*) à thèmes, qui mettent en contact des personnes pouvant dialoguer entre elles, poster des messages, et partager des logiciels du domaine public.

■ Des services de transaction, destinés à aider la communauté financière à obtenir et vendre des informations relatives aux placements, aux marchés financiers, aux matières premières, aux devises, et aux crédits auprès de souscripteurs.

■ Des applications à usage spécifique comme Gopher, Fetch, et WAIS (*Wide Area Information Server*), qui permettent de trouver plus facilement les ressources sur Internet.

■ Des applications de conférence, qui permettent à des personnes situées dans différentes régions de communiquer à travers l'échange de vidéo en direct ou préenregistrée, de la voix, de données, et de fax.

Couche présentation

La couche présentation fournit des services de formatage et de conversion de code. Le formatage de code garantit que les applications disposent d'informations significatives pour le traitement. Si nécessaire, cette couche peut traduire de multiples formats de représentation pour le texte, les données, l'audio, la vidéo, et les graphiques (voir Figure 2.2).

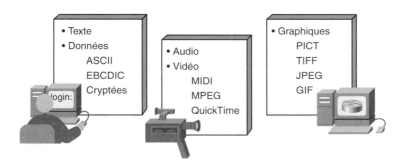

Figure 2.2

La couche présentation gère la conversion et le formatage d'éléments textuels, graphiques, vidéo, ou audio.

Formatage et conversion de texte et de données

La couche présentation ne s'occupe pas seulement du format et de la représentation des données utilisateur, mais aussi de la structure de données utilisée par les programmes. Par conséquent, elle négocie la syntaxe de transfert des données pour la couche application.

Par exemple, elle effectue la conversion de la syntaxe entre des systèmes dont les représentations de texte et de caractères sont différentes, comme EBCDIC et ASCII. Un autre exemple d'environnement de présentation est le langage HTML (*Hypertexte Markup Language*), qui décrit de quelle manière les informations multimédia utilisées sur le Web devraient apparaître lorsqu'elles sont visualisées dans un navigateur comme Internet Explorer ou Netscape Navigator.

Les fonctions de cette couche incluent également le cryptage des données. Certains processus et codes convertissent les données afin que leur contenu soit protégé des destinataires non autorisés lorsqu'elles sont transmises. D'autres routines compressent le texte ou convertissent les images graphiques en flots de bits pour les envoyer sur le réseau.

Formatage et conversion de graphiques

Les formats graphiques incluent PICT, un format d'image utilisé pour transférer des graphiques QuickDraw entre des programmes pour Macintosh ou PowerPC ; TIFF (*Tagged Image File Format*), un format de graphique standard pour des images bitmap à haute résolution ; et JPEG, un standard de format d'image défini par le groupe Joint Photographic Experts Group.

Formatage et conversion audio et vidéo

Pour l'audio et la vidéo, les standards de la couche présentation incluent MIDI (*Musical Instrument Digital Interface*) pour la musique numérisée. Le standard MPEG (*Motion Picture Experts Group*), utilisé pour la compression et le codage de la vidéo animée pour les CD, le stockage numérique, et les débits allant jusqu'à 1,5 Mbits/s, connaît une acceptation grandissante. QuickTime gère les données audio et vidéo pour les programmes pour Macintosh ou PowerPC.

Couche session

La couche session établit, gère, et met fin aux sessions de communication entre applications. Elle coordonne essentiellement les demandes de service et les réponses qui sont échangées lorsque des applications communiquent entre des hôtes différents.

Par exemple, cette couche peut configurer l'échange pour qu'il soit semi-duplex ou duplex, définir et regrouper des données formatées, et offrir certains mécanismes de reprise de session ou de points de reprise entre les applications coordonnées par les hôtes.

La Figure 2.3 décrit une communication entre deux hôtes différents. La couche session a établi la communication comme étant semi-duplex (demandes et réponses alternées) et a inclus un point de reprise (numéro de session) pour garantir que les demandes et les réponses correspondent.

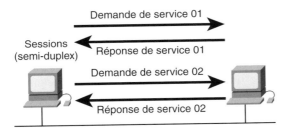

Figure 2.3

La couche session coordonne les demandes et les réponses de service.

Voici des exemples de protocoles et d'interfaces de la couche session :

- **SQL** (*Structured Query Language*). Langage de base de données développé par IBM pour permettre aux utilisateurs de spécifier plus facilement leurs besoins en informations sur des systèmes locaux et distants.

- **RPC** (*Remote Procedure Call*). Mécanisme de redirection pour les environnements de services distribués. Les procédures RPC sont construites sur les clients puis exécutées sur les serveurs.

- **ASP** (*AppleTalk Session Protocol*). Etablit et maintient les sessions entre un client et un serveur AppleTalk.

- **DNA SCP** (*Digital Network Architecture Session Control Protocol*). Protocole de la couche session pour DECnet.

Couche transport

La couche transport définit une connectivité de bout en bout entre des applications d'hôtes. Les services de transport incluent quatre fonctionnalités de base :

- **Segmentation des applications de couche supérieure.** Les services de transport peuvent segmenter et réassembler plusieurs applications de couche supérieure dans un même flot de données de la couche transport.

- **Etablissement de services de bout en bout.** Ce flot de données de la couche transport fournit des services de transport de bout en bout. Il constitue une connexion logique entre les points d'extrémité de l'interréseau, à savoir l'hôte source ou émetteur et l'hôte de destination ou récepteur.

- **Envoi de segments d'un hôte vers un autre.** A mesure que la couche transport envoie ses segments, elle peut aussi garantir l'intégrité des données à travers le calcul de sommes de contrôle sur les données et fournir des mécanismes de contrôle de flux. Le contrôle de flux permet d'éviter qu'un hôte, à l'une des extrémités de la connexion, n'inonde les tampons de l'hôte qui se trouve de l'autre côté. Les inondations peuvent provoquer une perte des données.

- **Garantie de la fiabilité des données (optionnel).** Les services de transport permettent également aux utilisateurs de demander un transport fiable des données entre les systèmes communiquant. Un tel transport garantit que le flot de données envoyé par une machine sera délivré par l'intermédiaire d'une liaison opérationnelle sur une autre machine, sans problèmes de duplication ou de perte d'informations. La fiabilité des données peut également garantir que celles-ci soient reçues dans le même ordre qu'elles ont été envoyées. Une relation orientée connexion entre deux systèmes communiquant est nécessaire pour pouvoir bénéficier d'un transport fiable. Les sessions orientées connexion sont traitées en détail plus loin dans ce chapitre.

Les prochaines sections examinent les technologies de la couche transport disponibles pour contrôler et optimiser les communications.

Multiplexage

Le *multiplexage* se réfère à la capacité de plusieurs applications à se partager la connexion utilisée pour le transport. La raison d'être de l'organisation en couches du modèle OSI est aussi de permettre la mise en œuvre de cette fonctionnalité.

Le service de transport est implémenté segment par segment, chacun d'eux étant autonome. Plusieurs applications peuvent envoyer des segments successivement selon la règle "premier arrivé, premier servi". Ils peuvent avoir comme destination le même hôte, ou bien plusieurs hôtes différents.

Le logiciel sur la machine source doit configurer le numéro de port nécessaire à chaque application avant la transmission (voir Figure 2.4). Lors de l'envoi d'un message, l'ordinateur source inclut des bits supplémentaires qui codent le type de message, le programme d'origine, et les protocoles utilisés. Chaque application qui envoie un segment de données emploie le même numéro de port défini préalablement.

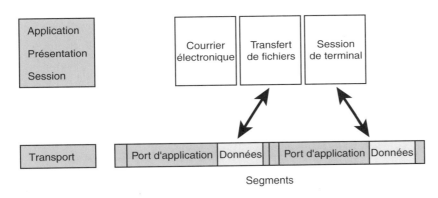

Figure 2.4

Les fonctionnalités de la couche transport autorisent le multiplexage de données d'applications dans un même flot de données.

Lorsque l'ordinateur de destination reçoit le flot de données, il peut séparer les segments individuels et réassembler ceux de chaque application. Ce processus permet à la couche transport de transmettre les données à son application homologue de destination.

TCP (*Transmission Control Protocol*) utilise des numéros de ports pour le multiplexage entre les couches transport et application. Ces numéros, listés dans le RFC 1700, sont organisés en plages. Les ports 1 à 1023 sont appelés ports réservés, ou connus, et sont dédiés à des protocoles particuliers. Par exemple, si le transfert de fichiers graphiques se fait *via* FTP, la valeur initiale du port de l'application est 20. La session de terminal Telnet utilise le port 23. Le Tableau 2.1 liste les numéros de ports de certains protocoles couramment utilisés.

Tableau 2.1 : Numéros de ports définis pour TCP

Numéro	*Protocole*
Port 20	FTP (*File Transfer Protocol*) [données par défaut]
Port 21	FTP [contrôle]
Port 23	Telnet
Port 25	SMTP (Simple Mail Transfert Protocol)
Port 53	DNS (Domain Name Server)
Port 67	Serveur de protocole Bootstrap/DHCP
Port 68	Client de protocole Bootstrap/DHCP
Port 69	TFTP (Trivial File Transfer Protocol)
Port 70	Gopher
Port 80	HTTP World Wide Web
Port 119	NNTP (Network News Transfer Protocol)
Port 123	NTP (Network Time Protocol)
Port 161	SNMP (Simple Network Management Protocol)
Port 162	SNMP TRAP
Port 179	BGP (Border Gateway Protocol)

Les numéros de ports contenus dans la plage 1024 à 65 535 peuvent être enregistrés par commodité, mais ne sont pas exclusivement assignés à des protocoles. Il peuvent avoir, et ont souvent d'ailleurs, un sens au niveau local.

Les autres suites de protocoles, comme IPX/SPX de Novell, possèdent des définitions semblables, mais utilisent le terme de *socket* à la place de celui de port.

Sessions orientées connexion

Pour pouvoir bénéficier de services de transport fiables, deux utilisateurs de la couche transport doivent établir une session orientée connexion. En fait, l'une des deux machines effectue un appel qui doit être accepté par l'autre.

Pour que la transmission des données puisse débuter, les programmes émetteur et récepteur informent leurs systèmes d'exploitation respectifs qu'une connexion va être initiée. Les modules de protocole des deux systèmes d'exploitation communiquent en échangeant des messages à travers le réseau pour synchroniser les paramètres de connexion, vérifier que le transfert est autorisé, et confirmer que les deux parties sont prêtes. Une fois la phase de synchronisation accomplie, on considère que la connexion est établie, et la transmission des informations commence. Durant le transfert, les deux machines continuent à communiquer avec leur logiciels de protocole afin de vérifier que les données sont reçues correctement.

La Figure 2.5 décrit une connexion typique entre des systèmes émetteur et récepteur. Le premier segment de négociation (*handshake*) demande la synchronisation. Les deuxième et troisième segments acquittent la demande de synchronisation initiale, et synchronisent les paramètres de connexion dans le sens inverse. Le dernier segment de négociation est un acquittement utilisé pour informer la destination que les deux parties reconnaissent qu'une connexion a été établie. Lorsque la connexion a été établie, la transmission peut commencer.

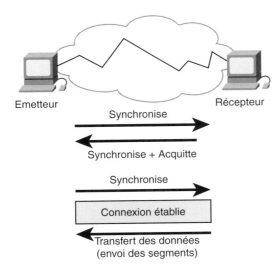

Figure 2.5

Dans une session orientée connexion, le processus d'établissement d'une connexion doit être réussi avant que des données ne puissent être échangées entre les homologues.

A titre d'exemple, les applications TCP/IP qui requièrent des communications orientées connexion utilisent la routine d'établissement de connexion de TCP. Celle-ci met en œuvre une négociation en trois temps (*three-way handshake*). Le côté qui souhaite établir une connexion envoie un paquet de demande de séquence de synchronisation. L'hôte destinataire répond par une demande de séquence de synchronisation et d'acquittement. Pour finir, l'initiateur envoie un acquittement.

Contrôle de flux et de congestion

Au cours de la transmission des données un problème de congestion peut survenir, et ce pour deux raisons différentes. Tout d'abord, il arrive qu'un ordinateur très rapide génère du trafic plus rapidement que le réseau ne parvient à l'acheminer. Ensuite, si de nombreux ordinateurs ont besoin au même moment d'envoyer des datagrammes par l'intermédiaire d'une même passerelle ou vers une même destination, ces dernières feront l'objet d'une congestion, même si aucune source n'est véritablement à l'origine du problème.

Lorsque les datagrammes arrivent plus vite que l'hôte ou la passerelle ne peut les traiter, ils sont stockés en mémoire de façon temporaire. S'ils font partie d'une petite salve, leur mise en tampon permet de résoudre le problème. Par contre, si le trafic se poursuit, l'hôte ou la passerelle finit par épuiser ses ressources mémoire et doit supprimer les autres datagrammes qui continuent d'arriver. Dans ce cas, l'hôte ou la passerelle devient le goulet d'étranglement.

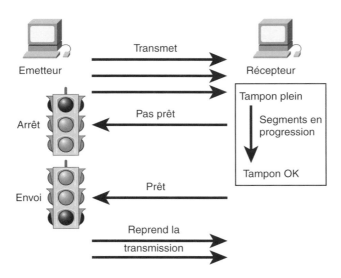

Figure 2.6

Lorsque le tampon du récepteur est plein, ce dernier envoie un message indiquant qu'il ne peut gérer davantage de données.

Pour éviter que des données ne soient perdues, la fonction de transport peut envoyer un indicateur "pas prêt" (*not ready*) vers l'émetteur (voir Figure 2.6).

Agissant comme un feu rouge, l'indicateur "pas prêt" signale à l'émetteur qu'il doit stopper l'envoi de segments vers son homologue. Lorsque ce dernier peut gérer des segments supplémentaires, il envoie un indicateur de transport "prêt" qui équivaut à un signal d'envoi. A la réception de l'indicateur, l'émetteur peut reprendre la transmission des segments.

Contrôle de flux et fenêtrage

Lors d'un transfert de données fiable orienté connexion, même dans sa forme la plus élémentaire, les segments de données doivent être livrés au récepteur dans le même ordre que celui dans lequel ils ont été envoyés. Le protocole concerné échoue si des segments de données sont perdus, endommagés, dupliqués, ou reçus dans le désordre. La principale solution consiste pour le destinataire à accuser réception de chaque segment.

Si l'émetteur doit attendre un acquittement après l'envoi de chaque segment, le débit risque d'être trop faible. Comme il dispose d'un intervalle de temps après la transmission de chaque segment et avant le traitement de tout acquittement reçu, il l'exploite pour envoyer davantage de données. Le nombre de segments que l'émetteur est autorisé à maintenir en suspens — c'est-à-dire n'ayant pas encore reçu d'acquittement — est connu sous le nom de *fenêtre*.

Le fenêtrage est une méthode permettant de contrôler la quantité d'informations transmises de bout en bout. TCP/IP utilise un champ de fenêtre (*Window*) dans l'entête TCP pour indiquer l'espace de mémoire tampon disponible pour les données entrantes. Lorsque la taille de la fenêtre est équivalente à 0 (zéro), l'émetteur doit stopper l'envoi jusqu'à ce qu'il reçoive un paquet indiquant une taille différente de zéro.

La Figure 2.7 compare une taille de fenêtre de 1 à une taille de fenêtre de 3. Avec la première, l'émetteur attend un accusé de réception pour chaque segment de données envoyé. Avec la seconde, il peut transmettre trois segments avant d'attendre un acquittement.

Le fenêtrage est un service de bout en bout entre émetteur et récepteur. Dans la Figure 2.7, ces deniers sont des stations de travail sur un petit réseau. Aucun routeur n'intervient dans la fonction de fenêtrage entre les deux machines, ce qui convient puisqu'il est peu probable, voire impossible, que leurs acquittements et paquets se mélangent lors de l'échange.

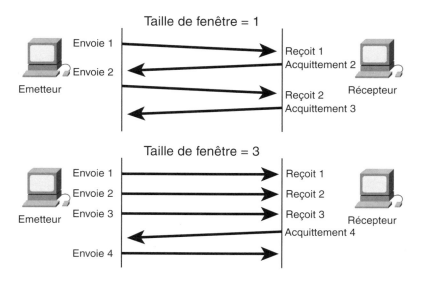

Figure 2.7

Des tailles de fenêtre plus importantes augmentent l'efficacité des communications.

Acquittement positif

L'acquittement positif avec retransmission est l'une des techniques permettant de garantir la livraison fiable des flots de données. Cette fonction requiert que le récepteur communique avec la source, en envoyant un message d'acquittement lorsqu'il reçoit les données. L'émetteur conserve un enregistrement de chaque segment qu'il envoie et attend de recevoir un acquittement avant de transmettre le segment suivant.

Ce système, qui consiste à attendre un acquittement avant d'envoyer davantage de données, est appelé *système d'acquittement attentiste*. Il est utilisé par les protocoles de couche transport TCP et SPX.

L'émetteur active également un temporisateur lorsqu'il envoie un segment, et retransmet ce dernier si le temporisateur expire avant qu'il n'ait reçu un acquittement.

Dans la Figure 2.8, l'émetteur envoie les segments 1, 2, et 3. Le destinataire en accuse réception en demandant le segment numéro 4. Lorsqu'il reçoit l'acquittement, l'émetteur envoie les segments 4, 5, et 6. Si le segment numéro 5 ne parvient pas à destination, le récepteur acquitte par une demande d'envoi du segment en question. L'émetteur retransmet ce segment et doit recevoir un acquittement avant de poursuivre avec la transmission du segment numéro 7.

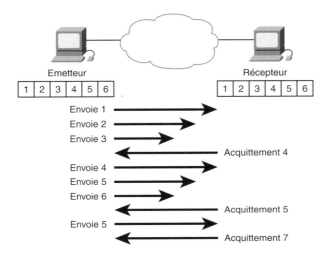

Figure 2.8

L'émetteur doit attendre de recevoir un acquittement de l'ensemble des données transmises avant d'en envoyer d'autres.

Divers protocoles gèrent la retransmission de différentes façons. Certains demandent la retransmission des segments manquants uniquement, d'autres de l'ensemble des segments. Comme vous pouvez vous en douter, un protocole qui demande seulement les segments manquants est plus efficace.

─── **CONCEPT CLÉ** ───

Souvenez-vous que le contrôle de flux est mis en œuvre au moyen du fenêtrage, alors que la fiabilité passe par la détection des erreurs et la retransmission.

───

Résumé

Ce chapitre a examiné les couches supérieures du modèle OSI, en insistant plus particulièrement sur la couche transport. Les fonctionnalités de routage sont définies au niveau de la couche réseau qui sera traitée plus en détail au Chapitre 4. Toutefois, un routeur peut agir au niveau de la couche transport comme point de terminaison pour les communications TCP. Par exemple, un routeur peut fonctionner en tant qu'émetteur ou récepteur pour le fenêtrage dans le cadre d'un trafic bidirectionnel synchronisé ou pour le transport de la voix sur TCP.

Le prochain chapitre concerne les couches physiques et liaison de données.

Test du Chapitre 2

Durée estimée : 15 minutes

Réalisez tous les exercices suivants pour tester votre connaissance des sujets traités dans ce chapitre. Les réponses sont données dans l'Annexe A.

Question 2.1

Donnez trois exemples de chaque type d'application.

Applications informatiques :

_____

_____

_____

Applications de réseau :

_____

_____

_____

Applications d'interréseau :

_____

_____

_____

Question 2.2

Associez les composants de transport suivants avec leurs fonctions :

A. Contrôle de flux

B. Fenêtrage

C. Retransmission

D. Multiplexage

E. Etablissement de connexion

F. Acquittement positif

F 1. Garantit la réception et l'intégrité des données.

C 2. Survient à expiration du temporisateur de réception ou lorsqu'une erreur est détectée.

E 3. Se rapporte souvent au processus de négociation en trois temps.

D 4. Permet à de nombreuses applications d'utiliser un même flot de données.

B 5. Utilise la mise en mémoire tampon et le contrôle de congestion pour empêcher les données d'inonder la mémoire et d'être perdues avant de pouvoir être traitées.

A 6. Contrôle la quantité de données transmises de bout en bout en définissant le nombre de segments pouvant être envoyés avant qu'un acquittement ne soit nécessaire.

Question 2.3

L'hôte A a réussi à établir une session orientée connexion avec l'hôte B. Il envoie trois paquets de données (données1, données2, et données3) à l'hôte B. L'un d'eux, données2, est impliqué dans une collision qui s'est produite durant le processus de transmission.

Comment le transfert des données devrait-il reprendre ?

_____

_____

_____

_____

_____

3

Couches physiques
et liaison de données

Ce chapitre examine les deux premières couches du modèle OSI : physique (couche 1) et liaison de données (couche 2). Il étudie leurs fonctionnalités dans le cadre des trois topologies les plus couramment implémentées, Ethernet, Token Ring, et FDDI. Pour finir, il présente les technologies WAN de base disponibles aujourd'hui.

Fonctions de base des couches physiques et liaison de données

La couche liaison de données assure le transport des données sur la liaison physique. Pour cela, elle gère les aspects suivants :

- adressage physique ;
- topologie de réseau ;
- gestion de lignes ;
- notification d'erreurs ;
- accès méthodique au média physique ;
- contrôle de flux (optionnel).

La couche physique définit les exigences électriques, mécaniques, procédurales et fonctionnelles nécessaires à l'activation, la maintenance, la désactivation du lien physique entre des systèmes.

Elle spécifie des caractéristiques telles que :

■ les niveaux de tension ;

■ les débits ;

■ les distances de transmissions maximales ;

■ les connecteurs physiques.

Ces exigences et caractéristiques ont été codifiées dans des standards. Par exemple, EIA/TIA-232 normalise une connexion physique pour l'accès de qualité voix.

Vous comprendrez mieux les couches physiques et liaison de données en distinguant les protocoles WAN des protocoles LAN. Par conséquent, pour le reste de ce chapitre, les fonctions de ces couches, et les standards qui les représentent, sont traitées dans des sections séparées. Certains standards sont utilisés avec des liaisons LAN et d'autres avec des liaisons WAN (voir Figure 3.1).

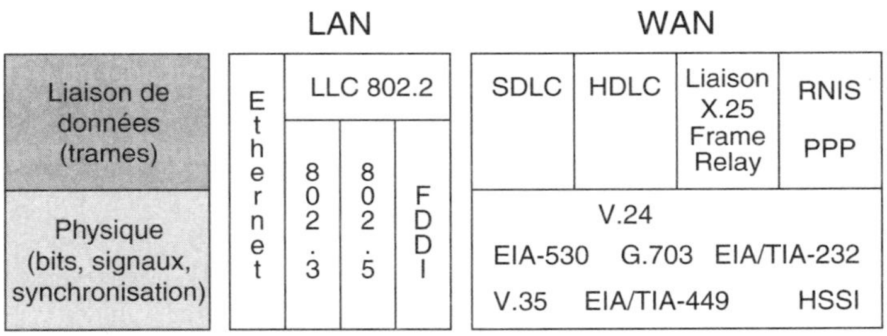

		LAN				WAN			
Liaison de données (trames)	Ethernet	LLC 802.2			SDLC	HDLC	Liaison X.25 Frame Relay	RNIS PPP
Physique (bits, signaux, synchronisation)		802.3	802.5	FDDI	V.24 EIA-530 G.703 EIA/TIA-232 V.35 EIA/TIA-449 HSSI			

Figure 3.1
Il existe des standards distincts des couches physiques et liaison de données pour les réseaux LAN et WAN.

Standards LAN et organismes de normalisation

Aujourd'hui, on doit la majeure partie du travail accompli dans le domaine des standards LAN à l'IEEE (*Institute of Electrical and Electronics Engineers*). Le comité IEEE 802 a été formé en février 1980 (sa dénomination étant tirée des deux derniers chiffres de l'année et du mois) en vue de normaliser les technologies LAN.

Il comprend les sous-comités suivants :

■ **802.1.** Couvre les fonctionnalités communes à tous les réseaux locaux, telles que le protocole spanning-tree (arbre recouvrant) spécifié dans la spécification IEEE 802.1D.

■ **802.2.** Est responsable de la sous-couche LLC (*Logical Link Control*).

■ **802.3.** Est responsable des réseaux locaux utilisant la méthode d'accès CSMA/CD (*Carrier Sense Multiple Access/Collision Detect*, accès multiple par écoute de la porteuse avec détection des collisions). Ethernet est un exemple de réseau CSMA/CD.

■ **802.4.** Concerne les réseaux avec bus à jeton. Le bus à jeton à été développé par la société General Motors pour la fabrication assistée par ordinateur et n'est pas beaucoup utilisé aujourd'hui.

■ **802.5.** Est responsable des réseaux Token Ring. Le réseau Token Ring d'IBM et les standards IEEE 802.5 sont équivalents en termes de fonctionnalités.

Un autre type de technologie LAN couramment employé actuellement se base sur FDDI (*Fiber Distributed Data Interface*). Ce standard a été proposé par l'ANSI (*American National Standards Institute*).

L'association TIA (*Telecommunications Industry Association*) est l'organisme officiel chargé des standards pour les équipements de télécommunication connectés au réseau de télécommunication américain. TIA travaille étroitement avec l'association EIA (*Electronic Industries Association*), fondée en 1944. L'UIT (Union Internationale des Télécommunications), dont le siège se trouve à Genève en Suisse, est une organisation internationale permettant aux gouvernements et au secteur public de coordonner les réseaux et services de télécommunication mondiaux.

Le Tableau 3.1 liste les adresses Web de ces organismes de standardisation.

Tableau 3.1 : Adresses Web des organisations de standards informatiques et de télécommunication

ANSI	**www.ansi.org**
EIA	**www.eia.org/eng/enghome.htm**
IEEE	**www.ieee.org**
TIA	**www.tiaonline.org**
UIT	**www.itu.ch**

Sous-couches LAN de la couche liaison de données

Les protocoles LAN sont implémentés au niveau des deux premières couches du modèle de référence OSI : physique et liaison de données. Le comité IEEE 802 a subdivisé cette dernière en deux sous-couches : LLC (*Logical Link Control*, contrôle de lien logique) et MAC (*Media Access Control*, contrôle d'accès au média) [voir Figure 3.2]. Cette section examine en détail ces deux sous-couches.

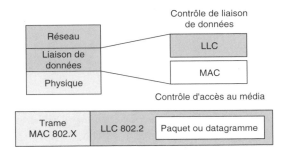

Figure 3.2

La sous-couche LLC assure l'interface avec les fonctions logicielles de la couche supérieure, et la sous-couche MAC avec les fonctions matérielles de la couche inférieure.

Fonctions de la sous-couche LLC

Cette sous-couche, spécifiée par l'IEEE en tant que norme 802.2, sert aux environnements qui requièrent des services sans connexion et orientés connexion au niveau de la couche liaison de données. Elle gère la communication entre des équipements sur une seule liaison de réseau. Elle définit les champs permettant à plusieurs protocoles de couches supérieures de se partager l'utilisation de la couche liaison de données.

La sous-couche LLC repose au-dessus des autres protocoles 802 afin d'offrir une interface souple. Les protocoles de couches supérieures, comme IP pour la couche 3, peuvent fonctionner de façon autonome, indépendamment du type spécifique de média LAN. Cette indépendance est possible car, contrairement à la sous-couche MAC, LLC ne se limite pas à un protocole 802 particulier. Au lieu de ça, elle peut s'appuyer sur les couches inférieures pour assurer l'accès au média.

Cette sous-couche utilise un ensemble de champs, DSAP (*Destination Service Access Point*, point d'accès au service de destination) et SSAP (*Source Service Access Point*,

point d'accès au service source), pour définir une liaison vers les couches supérieures du modèle OSI.

Les options de cette sous-couche incluent le support de connexions entre des applications s'exécutant sur le réseau local, le contrôle de flux vers la couche supérieure au moyen d'indicateurs prêt/pas prêt, et les bits de contrôle de séquence.

Fonctions de la sous-couche MAC

Cette sous-couche fournit un accès méthodique au média LAN.

Afin que plusieurs stations puissent se partager le même média et s'identifier mutuellement, elles doivent posséder une adresse unique. La fonction la plus importante de la sous-couche MAC est de définir pour chaque interface LAN une adresse matérielle ou de liaison de données unique, appelée *adresse MAC*.

Sur la plupart des cartes réseau LAN, l'adresse MAC est gravée dans la mémoire ROM. Lorsque la carte réseau s'initialise, son adresse est copiée dans la RAM.

Avant d'explorer en détails les adresses MAC, vous devez détenir quelques notions de base sur l'adressage physique et logique sur les réseaux.

Adressage physique et logique

La localisation des dispositifs informatiques sur un interréseau est un des aspects essentiels de n'importe quel système de réseau. Plusieurs schémas d'adressage sont utilisés dans ce but, en fonction de la famille de protocole mise en œuvre. En d'autres termes, l'adressage AppleTalk est différent de l'adressage TCP/IP, qui à son tour diffère de l'adressage IPX, etc.

Il existe deux types importants d'adresses : *adresses de couche liaison de données* et *adresses de couche réseau*. Les premières, également appelées *physiques* ou *matérielles*, sont uniques pour chaque connexion de réseau. Sur la plupart des réseaux locaux, ces adresses résident en fait dans le circuit de la carte.

Comme la majorité des systèmes informatiques disposent d'une seule connexion physique, ils ne possèdent aussi qu'une seule adresse de liaison de données. Les routeurs et autres équipements physiquement connectés à plusieurs réseaux peuvent en avoir plusieurs. Comme leur nom l'indique, ces adresses existent au niveau de la couche 2 du modèle OSI et sont gérées par la sous-couche MAC.

Les *adresses de couche réseau*, également appelées *virtuelles* ou *logiques*, existent au niveau de la couche 3 du modèle OSI. Contrairement aux adresses de liaison de données, qui utilisent habituellement un espace d'adressage linéaire, elles sont généralement hiérarchiques. C'est-à-dire qu'elles s'apparentent à des adresses postales, où l'emplacement d'une personne est indiqué par un pays, une ville, un code postal, une rue, un numéro, puis un nom. Un bon exemple d'espace d'adresse linéaire est le système de numérotation de la Sécurité sociale, qui attribue à chaque individu un numéro unique.

Adresses MAC

L'adresse MAC est exprimée sur 48 bits et 12 chiffres hexadécimaux (voir Figure 3.3).

Les six premiers chiffres hexadécimaux (trois premiers octets) contiennent un identifiant, ou code de fabricant, également connu sous l'acronyme OUI (*Organizational Unique Identifier*). Pour garantir leur caractère unique, ces identifiants OUI sont administrés par l'IEEE. Les derniers chiffres hexadécimaux sont gérés par chaque fabricant et représentent souvent le numéro de série de l'interface.

Le code fabricant attribué à Cisco est 0x00000c. L'adresse MAC de la Figure 3.3 est celle d'une interface fabriquée par Cisco.

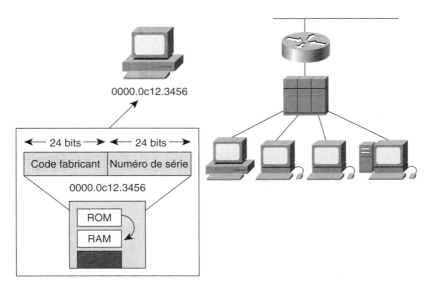

Figure 3.3

L'adresse MAC est gravée dans la ROM de la carte réseau.

Voici des exemple d'adresse MAC pour différents fabricants :

■ Cisco : 00-00-0c-12-34-56.

■ Sun : 08-00-20-12-34-56.

■ Apple : 08-00-07-12-34-56.

Recherche de l'adresse MAC

Avant qu'une trame ne puisse être échangée avec le dispositif directement connecté, l'émetteur doit d'abord "résoudre" l'adresse logique en une adresse de liaison de données, ou MAC. La *résolution d'adresse* établit une correspondance entre ces deux adresses différentes. Un protocole de résolution d'adresse souvent implémenté est ARP (*Address Resolution Protocol*). Il a été défini dans le RFC 826 et est utilisé sur les réseaux TCP/IP.

La Figure 3.4 illustre deux scénarios dans lesquels un équipement émetteur découvre l'adresse MAC du dispositif cible en diffusant une requête de résolution d'adresse.

Dans le premier scénario, l'hôte Y et l'hôte Z se trouvent sur le même réseau local. Y envoie en diffusion une requête sur le LAN, indiquant qu'il recherche l'adresse de liaison de données de Z. Comme il a envoyé un message en diffusion, tous les équipements traitent la requête, y compris Z. Toutefois, comme celle-ci est destinée à Z uniquement, il sera le seul à y répondre en spécifiant son adresse MAC. Lorsque Y reçoit la réponse de Z, il enregistre son adresse MAC en mémoire locale. La prochaine fois que l'hôte Y aura besoin de communiquer avec l'hôte Z, il récupérera en mémoire l'adresse MAC de ce dernier.

Dans le second scénario, l'hôte Y et l'hôte Z ne sont pas situés sur le même réseau local, mais peuvent communiquer par l'intermédiaire du routeur A. Lorsque Y envoie sa requête en diffusion, le routeur A reconnaît l'adresse logique comme étant celle de Z sur un autre LAN. Comme le routeur A sait qu'il transmet les paquets destinés à Z, il envoie sa propre adresse MAC en réponse à la requête. Lorsque Y reçoit la réponse, il consigne l'adresse MAC du routeur A en mémoire. La prochaine fois que l'hôte Y aura besoin de communiquer avec l'hôte Z, il récupérera en mémoire l'adresse MAC du routeur A.

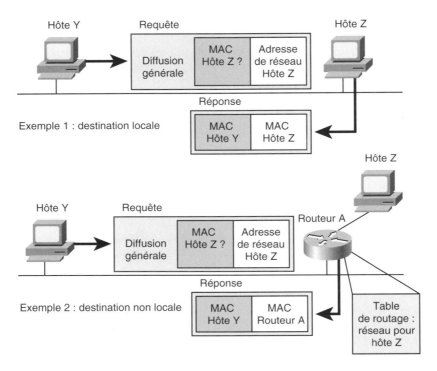

Figure 3.4

Une machine peut envoyer une requête en diffusion pour localiser une autre machine.
Si un routeur répond, la machine de destination n'est pas locale.

CONCEPT CLÉ

Les adresses matérielles sont utilisées pour échanger des paquets entre des machines locales. Les adresses logiques sont utilisées pour transmettre un paquet de bout en bout sur un interréseau.

Il est important de comprendre de quelle manière les routeurs utilisent les adresses matérielles et logicielles, car elles définissent le chemin de données sur lequel un paquet sera routé.

Cette discussion sur la résolution des adresses concerne surtout TCP/IP. Comme vous le verrez plus tard, d'autres protocoles, comme IPX, n'ont pas besoin de ce type de recherche au niveau liaison de données pour trouver des adresses.

Il existe en fait trois méthodes différentes permettant d'obtenir une adresse MAC :

■ Un nœud émet une requête et reçoit une réponse de la part de ARP. Il s'agit de la méthode illustrée Figure 3.4.

■ Un nœud est informé de l'adresse d'une autre station au moyen d'un paquet Hello.

■ Les adresses sont assignées de façon prévisible, comme sur les réseaux DECnet.

Technologies LAN courantes

Cette section poursuit la discussion sur les fonctionnalités de la couche liaison de données en les examinant dans le contexte des technologies LAN, sans oublier de traiter celles de la couche physique. Voici les technologies LAN les plus fréquemment mises en œuvre :

■ Ethernet ;

■ Token Ring ;

■ FDDI.

Ethernet et IEEE 802.3

La majorité des réseaux locaux exploitent actuellement la technologie Ethernet. Xerox développa initialement Ethernet et fut rejoint par DEC (*Digital Equipment Corporation*) et Intel pour définir la spécification Ethernet I en 1980. Le même groupe publia par la suite la spécification Ethernet II en 1984. La spécification Ethernet décrit une méthode d'accès CSMA/CD.

Le sous-comité IEEE 802.3 a adopté Ethernet comme modèle pour sa spécification de LAN CSMA/CD. Par conséquent, Ethernet II et IEEE 802.3 utilisent le média physique de façon identique.

Les deux spécifications diffèrent au niveau de leur description de la couche liaison de données. IEEE 802.3 la divise en deux entités séparées : la sous-couche MAC et la sous-couche LLC. La spécification Ethernet II ne distingue pas de sous-couches et n'offre pas non plus de services LLC. Ces différences n'empêchent pas les fabricants de développer des cartes réseau supportant la couche physique commune, l'adressage MAC, et les composants logiciels qui reconnaissent les différences de spécification relatives à la sous-couche LLC.

Ethernet et IEEE 802.3 sont maintenant administrés par le comité IEEE 802.3.

Couche physique Ethernet/802.3

Les standards Ethernet et IEEE 802.3 définissent un réseau local à topologie en bus pouvant fonctionner selon un débit de signalisation en bande de base de 10 ou 100 Mbits/s (Fast Ethernet) ou 1000 Mbits/s (Gigabit Ethernet). Une ancienne version d'Ethernet qui fonctionnait à 3 Mbits/s est devenue obsolète. Plusieurs standards de câblage ont été définis, parmi lesquels :

■ 10Base2 (connu sous le nom d'Ethernet Fin ou Thin Ethernet) autorise des segments de réseau de 185 mètres maximum sur un câble coaxial.

■ 10Base5 (connu sous le nom d'Ethernet Epais ou Thick Ethernet) autorise des segments de réseau de 500 mètres maximum sur un câble coaxial.

■ 10BaseT transporte les trames Ethernet sur un câblage peu coûteux à paire torsadée.

■ 100BaseFX est une implémentation à 100 Mbits/s d'Ethernet sur un câblage à fibre optique.

■ 100BaseT4 est une implémentation à 100 Mbits/s d'Ethernet sur un câblage de Catégorie 3, 4, ou 5 à quatre paires torsadées.

■ 100BaseTX est une implémentation à 100 Mbits/s d'Ethernet sur un câblage de Catégorie 5 et de Type 1.

■ 100VG-AnyLAN est la spécification IEEE de l'implémentation à 100 Mbits/s d'Ethernet et Token Ring sur un câblage UTP (*Unshielded Twisted Pair*, paire torsadée non blindée) de Catégorie 3 à quatre paires, UTP de Catégorie 5 à deux ou quatre paires, STP (*Shielded Twisted Pair*, paire torsadée blindée), ou fibre. La sous-couche MAC n'est pas compatible avec celle du standard 802.3.

La Figure 3.5 illustre certains d'entre eux.

Les standards 10Base5 et 10Base2 offrent un accès à plusieurs stations de travail situées sur le même segment. Celles-ci y sont rattachées par l'intermédiaire d'un câble qui court à partir d'un connecteur AUI (*Attachment Unit Interface*) sur la station vers un transceiver directement relié au câble coaxial Ethernet. Sur certaines interfaces, le connecteur AUI et le transceiver sont placés dans la station elle-même, auquel cas aucun câble n'est requis.

Comme le standard 10BaseT offre un accès à une seule station, les autres stations rattachées au LAN Ethernet au moyen d'un câblage 10BaseT sont presque toujours reliées à un hub. Dans une configuration avec hub, ce dernier est semblable à un segment Ethernet.

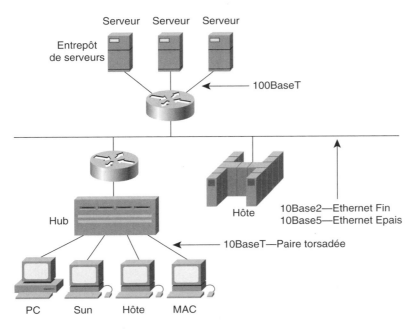

Figure 3.5

Un réseau peut utiliser une combinaison de différents types d'accès Ethernet/802.3.

Interface Ethernet/802.3

Les liaisons de données Ethernet et IEEE 802.3 assurent le transport des données sur un lien physique reliant deux machines. Chaque machine sur un réseau dispose d'une ou plusieurs interfaces avec le média de câblage physique. Les interfaces, comme celles de stations de travail ou de serveurs, sont généralement identifiées par leur adresse MAC.

La Figure 3.6 illustre trois dispositifs directement reliés les uns aux autres sur un LAN Ethernet. Le Macintosh sur la gauche et la station Sun au milieu présentent les adresses utilisées par la fonction de délimitation de trame de la couche liaison de données. Le routeur sur la droite utilise également des adresses MAC pour chacune de ses interfaces avec le LAN.

Pour spécifier l'interface 802.3 dans les commandes de configuration du routeur Cisco, vous utiliserez l'abréviation E du logiciel Cisco IOS pour le type d'interface, suivie d'un numéro d'interface (par exemple, E0).

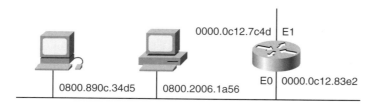

Figure 3.6

Une liaison de données d'un routeur Cisco vers Ethernet/802.3 utilise
une interface E accompagnée d'un numéro.

Fonctionnement d'Ethernet/802.3

Sur un réseau CSMAA/CD implémentant une topologie de bus linéaire, les paquets transmis par un nœud traversent tout le réseau et sont reçus et examinés par chaque nœud. Lorsque le signal atteint la fin d'un segment, les terminateurs l'absorbent pour empêcher qu'il ne retourne sur ce segment.

Sur un réseau 10BaseT, les paquets transmis par un nœud sont répétés sur tous les ports d'un hub et sont examinés par les stations réceptrices.

Par exemple, la Figure 3.7 illustre deux configurations Ethernet/802.3 : un réseau avec topologie de bus linéaire et un réseau 10BaseT. Dans chacun des cas, la station A transmet un paquet adressé à la station D. Ce paquet est reçu par toutes les stations. La station D reconnaît son adresse MAC et traite la trame. Les stations B et C ne reconnaissent par leurs adresses et suppriment la trame.

Messages broadcast et multicast Ethernet/802.3

Les définitions de réseaux Ethernet/IEEE 802.3 incluent des méthodes conçues pour envoyer des paquets à tous les dispositifs Ethernet, ou seulement à un groupe d'entre eux. Il s'agit des techniques de diffusion broadcast et multicast. Grâce à elles, un dispositif peut envoyer un seul paquet qui sera traité par de nombreuses stations.

La *diffusion broadcast* est un puissant outil qui permet de transmettre une seule trame vers toutes les stations en une seule fois. Elle utilise une adresse de destination de liaison de données composée de chiffres 1 (FFFF.FFFF.FFFF en hexadécimal). Comme illustré Figure 3.8, si la station A transmet une trame avec cette adresse, les stations B, C, et D la recevront et la transmettront vers leurs couches supérieures respectives pour qu'elle soit traitée.

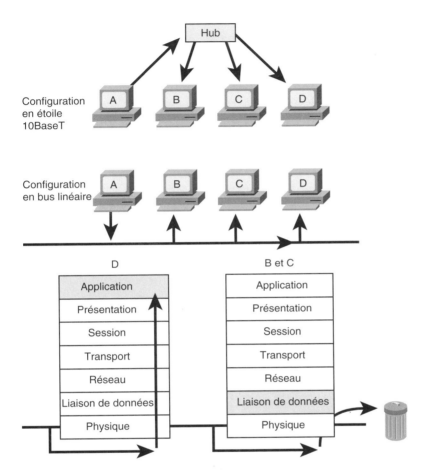

Figure 3.7
Comparaison entre une topologie de bus linéaire et une topologie en étoile 10Base T.

Cependant, lorsqu'elle n'est par correctement utilisée, cette technique peut sérieuse-ment affecter les performances des stations en les interrompant inutilement. Pour cette raison, la diffusion broadcast devrait être employée uniquement si l'adresse MAC de destination est inconnue ou bien si toutes les stations sont concernées.

Une adresse multicast permet d'identifier un groupe de destinataires, et est indiquée en définissant à 1 le premier bit transmis de l'adresse de destination. Pour Ethernet, il s'agit du bit de plus faible rang (par exemple, xxxx.xxx1) dans le premier octet de l'adresse MAC de destination.

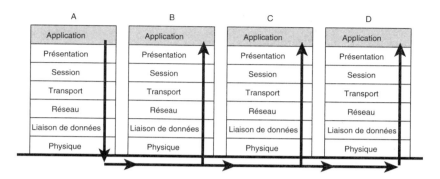

Figure 3.8
Les paquets broadcast sont acheminés vers toutes les stations.

Types de trame Ethernet

La Figure 3.9 présente les deux types de trame de base Ethernet et 802.3.

Les trames Ethernet et IEEE 802.3 débutent par une série de 1 et de 0 alternés, appelée *préambule*. Ce champ informe les stations réceptrices de l'arrivée d'une trame.

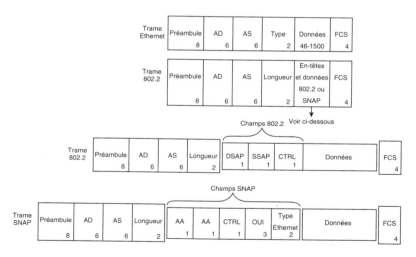

Figure 3.9
La composition des trames sur les réseaux Ethernet/802.3 peut varier.

Les champs d'adresses physiques source et de destination suivent immédiatement le préambule. A la fois pour Ethernet et IEEE 802.3, ils font six octets de long. Ces adresses sont inscrites au niveau matériel sur la carte réseau Ethernet ou IEEE 802.3. Les trois premiers octets sont définis par le fabricant de la carte. L'adresse source est toujours unicast (un seul nœud), alors que celle de destination peut être unicast, multicast (groupe), ou broadcast (tous les nœuds).

Dans les trames Ethernet, l'adresse source est suivie d'un champ Type de deux octets. Il spécifie le protocole de couche supérieure qui doit recevoir les données à l'issue du traitement Ethernet.

Dans les trames IEEE 802.3, l'adresse source est suivie d'un champ Longueur de deux octets. Il indique le nombre d'octets de données du champ qui se trouve entre cette adresse et le champ FCS (*Frame Check Sequence*, séquence de contrôle de trame).

Avec Ethernet, le protocole de couche supérieure est identifié dans le champ Type, tandis qu'avec IEEE 802.3, il est identifié dans la portion LLC de la trame.

Si les données ne suffisent pas à atteindre la taille de trame minimale requise, qui est de 64 octets, des octets de remplissage sont insérés. Un paquet dont la taille est inférieure est un *nain*, et s'il dépasse un maximum de 1518 octets, c'est un *géant*. Les nains et les géants (*runts and giants*) sont considérés comme des erreurs.

Les données sont placées après le champ Type dans une trame Ethernet, et après le champ LLC ou SNAP dans une trame IEEE 802.3. Une fois le traitement des couches physiques et liaison de données accompli, celles-ci sont envoyées vers un protocole de couche supérieure.

Un champ FCS de quatre octets suit celui de données. Il contient une valeur CRC (*Cyclical Redundancy Check*, contrôle de redondance cyclique). Celle-ci est générée par le dispositif émetteur et recalculée par le dispositif récepteur pour rechercher les éventuelles altérations qui ont pu se produire durant le transfert.

Le champ Longueur est suivi d'un en-tête 802.2 pour LLC qui consiste en trois champs de un octet chacun : DSAP, SSAP, et un champ de contrôle.

Le champ DSAP agit simplement comme un pointeur vers un tampon de mémoire sur la station réceptrice. Il indique à la carte réseau de destination dans quel tampon placer les informations. Cette fonctionnalité est essentielle dans des situations où les utilisateurs exécutent plusieurs piles de protocoles. Le champ SSAP est semblable à DSAP et spécifie les points d'accès aux services (SAP, *Service Access Point*) du processus émetteur.

Bien que la spécification d'origine du standard 802.3 fonctionnât correctement, l'IEEE réalisa que certains protocoles de couche supérieure nécessitaient un numéro de type Ethernet pour opérer convenablement. Par exemple, TCP/IP utilise le numéro de type Ethernet pour faire la différence entre des paquets ARP et des trames de données IP normales. Afin d'autoriser des protocoles propriétaires dans la trame LLC 802.2, l'IEEE a défini le format SNAP (*Subnetwork Access Protocol*). Pour spécifier qu'une trame est de type SNAP, les champs DSAP et SSAP sont tous deux définis avec la valeur AA (hexadécimale).

Les trois premiers octets de l'en-tête SNAP constituent le code fabricant, ou OUI. Par exemple, le code OUI d'AppleTalk est 00 00 F8. Il est suivi d'un champ de deux octets contenant le type Ethernet de la trame. La compatibilité ascendante avec la version II d'Ethernet est implémentée ici.

Comme avec la trame 802.3, un champ FCS de quatre octets suit le champ de données et contient une valeur CRC.

Fiabilité Ethernet/802.3

Pour comprendre en quoi CSMA/CD est une technique de transmission méthodique, examinez ce qui se produit généralement lorsqu'une station émet. Quand une station souhaite transmettre, elle observe le réseau pour voir si une autre station est actuellement en train d'émettre. Si le réseau n'est pas utilisé, elle envoie ses données. Au cours de la transmission, la station surveille le réseau pour s'assurer qu'une autre station ne transmet pas simultanément. Il est possible que deux stations commencent à émettre à peu près au même moment après avoir déterminé que le réseau était disponible. Deux stations qui émettent en même temps provoquent une collision (voir Figure 3.10).

Lorsqu'un nœud de transmission reconnaît une collision, il envoie un signal d'encombrement (*jam*) qui la fait durer suffisamment longtemps pour que les autres nœuds puissent la reconnaître. Tous les nœuds émetteurs arrêtent d'envoyer des trames pendant un intervalle de temps aléatoire, appelé *temps d'attente* (*backoff*), avant de tenter une retransmission. Si les tentatives suivantes aboutissent elles aussi à des collisions, chaque nœud essaie de retransmettre 16 fois avant d'abandonner.

Si les deux temps d'attente sont suffisamment espacés, une station réussira à transmettre dès la tentative suivante. Le temps d'attente double à chaque collision consécutive jusqu'à la dixième tentative, réduisant par conséquent les chances de collision lors des transmissions suivantes. A partir de la dixième tentative jusqu'à la seizième, les stations n'augmentent pas cet intervalle et conservent le même.

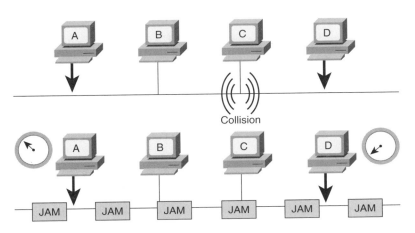

Figure 3.10
Le signal d'encombrement (JAM) permet à tous les nœuds de reconnaître une collision.

Options Ethernet à haute vitesse

De nouvelles applications peuvent gêner les utilisateurs en provoquant des retards et d'autres problèmes, comme une quantité insuffisante de bande passante entre des stations terminales. En vue de résoudre ces problèmes, Ethernet a évolué pour proposer des technologies à 100 Mbits/s, comme les suivantes :

■ **100BaseFX.** Une implémentation à 100 Mbits/s d'Ethernet sur un câble à fibre optique. La sous-couche MAC est compatible avec celle du standard 802.3.

■ **100BaseT4.** Une implémentation à 100 Mbits/s d'Ethernet sur un câblage de Catégorie 3, 4, ou 5 à quatre paires torsadées. La sous-couche MAC est compatible avec celle du standard 802.3.

■ **100BaseTX.** Une implémentation à 100 Mbits/s d'Ethernet sur un câblage de Catégorie 5 et de Type 1. La sous-couche MAC est compatible avec celle du standard 802.3.

■ **100VG-AnyLAN.** La spécification IEEE de l'implémentation à 100 Mbits/s d'Ethernet et Token Ring sur un câblage UTP à quatre paires. La sous-couche MAC n'est pas compatible avec celle du standard 802.3.

L'augmentation de la bande passante Ethernet à 100 Mbits/s résout en partie le problème. Néanmoins, la compatibilité ascendante peut s'avérer être une considération importante. En effet, les implémentations de 100BaseFX, 100BaseT4 (câblage de Catégorie 3, 4 ou 5 à quatre paires torsadées), et 100BaseTX sont compatibles avec la sous-couche MAC 802.3, mais la spécification LAN 100VG-AnyLAN est incompatible avec les autres technologies.

La solution passe également par la réduction de la contention pour l'accès au média Ethernet. Pour cela, ce standard intègre une méthode appelée CSMA/CD. Les utilisateurs du standard Ethernet traditionnel, un LAN au média partagé, doivent adopter cette méthode afin que deux utilisateurs ne puissent pas communiquer simultanément sur le segment de LAN partagé.

La commutation permet également de réduire la contention pour le média en créant plusieurs segments pour les postes de travail et les applications haut de gamme. La Figure 3.11 illustre un commutateur, sur la gauche, qui divise le réseau Ethernet afin de réduire le nombre d'utilisateurs par segment partagé. Le commutateur fournit plusieurs canaux de données à 10 ou même 100 Mbits/s. Un nombre limité d'utilisateurs se partagent un seul segment à 10 ou 100 Mbits/s. Ils travaillent dans un petit domaine de collision avec moins de contention de la part des autres nœuds. Pour les utilisateurs dont les besoins en bande passante sont importants et pour les serveurs, vous pouvez mettre en place un segment dédié à chacun d'eux.

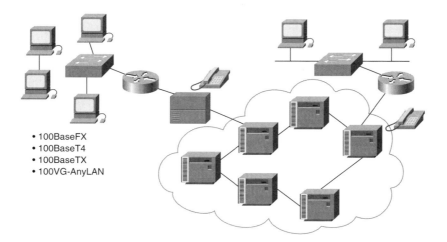

- 100BaseFX
- 100BaseT4
- 100BaseTX
- 100VG-AnyLAN

Figure 3.11
Les options Ethernet à haute vitesse et les technologies de commutation offrent davantage de bande passante aux utilisateurs et groupes de travail.

Grâce à la segmentation du trafic Ethernet, il est possible qu'un commutateur dédie un segment LAN à un seul utilisateur. La Figure 3.11 présente un commutateur Ethernet, sur la droite, qui illustre cette situation. Deux stations de travail haut de gamme utilisent leur propre segment Ethernet afin de recevoir un canal dédié de 10 à 100 Mbits/s pour des applications gourmandes en bande passante, comme des systèmes d'imagerie médicale. Les serveurs bénéficient généralement d'un ou plusieurs canaux dédiés à 100 Mbits/s. Pour compléter la solution au problème de bande passante insuffisante, il convient de fournir à l'administrateur les outils appropriés pour concevoir, déployer, et gérer la transition vers cet environnement d'interconnexion commuté.

La croissance rapide des options Ethernet à haute vitesse coïncide avec le déploiement d'une autre technologie à haute vitesse appelée ATM (*Asynchronous Transfer Mode*, mode de transfert asynchrone).

Gigabit Ethernet, ou 1000BaseX, est aussi une technologie à haute vitesse. Elle est implémentée au-dessus du protocole Ethernet, mais décuple la vitesse de Fast Ethernet pour atteindre 1000 Mbits/s à 1 Gbit/s. Il est prévu que ce standard MAC et PHY (*Physical Interface*, interface physique), qui a été approuvé le 25 juin 1998, joue un rôle prépondérant dans la connectivité d'épines dorsales LAN à haute vitesse et de serveurs. Les clients seront en mesure d'améliorer leurs connaissances Ethernet existantes en vue de gérer et maintenir des réseaux Gigabit.

Il a été décidé que le standard Gigabit Ethernet serait identique à Ethernet à partir de la couche liaison de données vers le haut. Néanmoins, pour s'adapter à cet accroissement de la vitesse, de 100 Mbits/s pour Fast Ethernet à 1 Gbit/s, plusieurs changements doivent être apportés à l'interface physique. Les difficultés ont été résolues grâce à la fusion de deux technologies : Ethernet IEEE 802.3 et FibreChannel ANSI X3T11. La Figure 3.12 montre comment les composants essentiels de chacune d'elles ont été combinés pour former le Gigabit Ethernet.

Le standard résultant tire parti de la technologie d'interface physique à haute vitesse existante tout en conservant le format de trame Ethernet IEEE 802.3, la compatibilité ascendante pour le média installé, et l'utilisation du mode duplex ou semi-duplex (*via* CSMA/CD). Combiner deux technologies existantes permet de limiter la complexité de celle obtenue, de lui conférer une stabilité, et de réduire son temps de développement.

Avec l'approbation du standard 802.3z (Gigabit Ethernet), il se peut qu'Ethernet dispose d'un atout face aux technologies LAN dans l'accroissement de la vitesse de la bande passante.

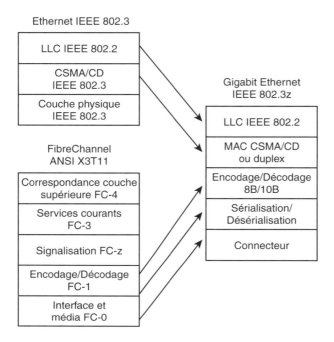

Figure 3.12
Pile de protocoles Gigabit Ethernet.

Token Ring et IEEE 802.5

Token Ring a été développé par IBM et Texas Instruments dans les années 70. Il s'agit toujours de la principale technologie d'IBM. La spécification du standard IEEE 802.5 est presque identique au Token Ring d'IBM. Une seule spécification Token Ring est à présent administrée par le comité IEEE 802.5. Le terme *Token Ring* est généralement utilisé pour se référer à la fois aux réseaux de même nom et aux réseaux IEEE 802.5.

Couche physique : Token Ring/802.5

La topologie logique d'un réseau 802.5 est un anneau sur lequel chaque station reçoit des signaux de la part de son voisin actif le plus proche en amont (NAUN, *Nearest Active Upstream Neighbor*) et les répète vers son voisin en aval. D'un point de vue physique, les réseaux 802.5 sont néanmoins implémentés sous forme d'étoiles, chaque station étant connectée à un hub central partagé, appelé MSAU (*Multistation*

Access Unit, unité d'accès multistation), au moyen d'un câble blindé ou non blindé à paire torsadée. Les configurations logique et physique sont illustrées Figure 3.13.

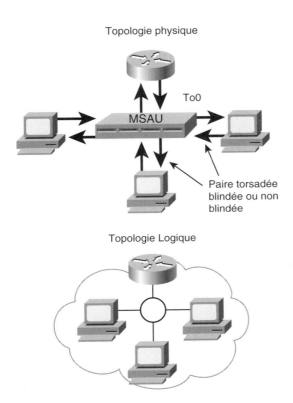

Figure 3.13

Les réseaux Token Ring suivent une implémentation logique en anneau, mais sont physiquement configurés en étoile, celle-ci étant connectée à un hub ou commutateur central.

Habituellement, un MSAU relie jusqu'à huit stations Token Ring. Pour améliorer les performances et la densité de ports, vous pouvez remplacer les MSAU et hubs partagés par des commutateurs Token Ring empilables, comme le Cisco Catalyst 3920 24 ports.

Interface Token Ring/802.5

Le protocole IEEE 802.5 est équivalent au standard IEEE 802.3 en ce sens qu'il fournit à la fois des services de la sous-couche MAC et de la couche physique. Token Ring repose sur la sous-couche LLC 802.2 et les protocoles de couche supérieure pour les services point à point. Il diffère cependant considérablement du standard 802.3 dans son utilisation du média LAN.

Toutes les stations Token Ring utilisent des adresses MAC, y compris le routeur illustré Figure 3.13. Pour configurer l'interface 802.5 sur le routeur, vous utiliserez l'abréviation To du logiciel Cisco ISO pour le type d'interface, suivie du numéro d'interface (par exemple To0, comme dans la Figure 3.13). Les réseaux Token Ring peuvent fonctionner à une vitesse de 4 ou 16 Mbits/s.

CONCEPT CLÉ

Combiner plusieurs vitesses sur un même anneau réduit à néant l'intégrité de celui-ci et empêche un fonctionnement correct.

Fonctionnent de Token Ring/802.5

L'accès des stations à un anneau Token Ring est déterministe, c'est-à-dire qu'une station ne peut transmettre qu'à partir du moment où elle a reçu un jeton. Cette méthode d'accès est connue sous le nom de *méthode de passage du jeton*. Bien que des exceptions puissent être négociées, les stations ne sont autorisées à transmettre qu'une seule trame lorsqu'elles détiennent le jeton. Comme aucune station ne peut monopoliser le câble, contrairement à un réseau CSMA/CD, les administrateurs peuvent déterminer et planifier les performances de façon assez précise.

Lorsque la station qui reçoit le jeton n'a aucune information à transmettre, elle le passe simplement à la station suivante. Si une station possédant le jeton souhaite envoyer des données, elle le conserve et transmet la trame de données à la station suivante sur l'anneau (voir Figure 3.14).

La trame de données circule sur l'anneau jusqu'à atteindre la station de destination, où elle est copiée et marquée comme telle. La trame continue à circuler jusqu'à retourner sur la station émettrice pour y être supprimée.

A moins que la fonction ETR (*Early Token Release*, libération anticipée du jeton) ne soit mise en œuvre, une seule trame est autorisée à circuler à la fois sur l'anneau. Les autres stations souhaitant transmettre doivent attendre que la trame en circulation soit supprimée et que le jeton devienne disponible.

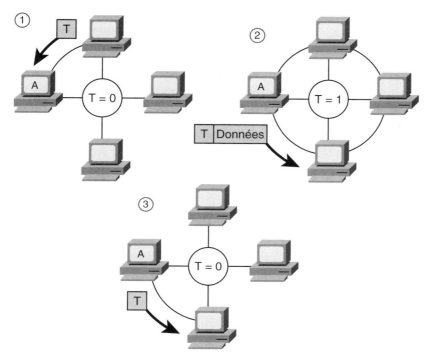

Figure 3.14

Les LAN Token Ring font sans cesse circuler un jeton ou une trame d'informations.

La fonction ETR, qui est optionnelle, permet à une station d'insérer le jeton sur l'anneau immédiatement après avoir transmis une trame d'informations. Lorsque cette fonction est activée, plusieurs trames peuvent circuler en même temps.

Comme les trames circulent en série sur l'anneau, et étant donné qu'une station doit attendre de recevoir le jeton avant de pouvoir transmettre, il ne se produit aucune collision sur les réseaux Token Ring.

Les réseaux Token Ring supportent les diffusions broadcast et multicast afin d'améliorer l'efficacité des transmissions multidestinataires. La diffusion broadcast peut être mise en œuvre pour repérer un chemin vers une destination. La diffusion multicast est utilisée pour envoyer des paquets vers des adresses d'administration Token Ring spéciales à des fins d'intégrité du réseau et de notification d'erreurs.

Contrôle de média Token Ring/802.5

Les réseaux Token Ring utilisent un système de priorité qui autorise certaines stations, désignées par les utilisateurs comme étant hautement prioritaires, à exploiter le réseau plus souvent que d'autres. Le champ de contrôle d'accès d'une trame Token Ring comporte deux champs qui gèrent la priorité : champ de priorité et champ de réservation.

La Figure 3.15 illustre les bits du champ de contrôle d'accès qui sont utilisés pour définir la priorité courante et la priorité de réservation.

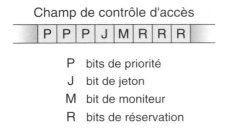

Champ de contrôle d'accès

| P | P | P | J | M | R | R | R |

P   bits de priorité
J   bit de jeton
M   bit de moniteur
R   bits de réservation

Figure 3.15
Les champs de priorité et de réservation du champ de contrôle d'accès dans une trame Token Ring déterminent le niveau de priorité et de réservation pour le partage du média.

Seules les stations dont la priorité est égale ou supérieure à celle d'un jeton peuvent obtenir celui-ci. Une fois le jeton obtenu et remplacé par une trame d'informations, seules les stations dont la priorité est supérieure à la station qui est en train de transmettre peuvent réserver le jeton pour le prochain tour. Lorsque le jeton suivant est généré, il inclut le niveau de priorité le plus élevé de la station ayant réservé. Les stations qui augmentent le niveau de priorité d'un jeton doivent rétablir le niveau inférieur précédent après avoir effectué leur transmission.

Moniteur actif Token Ring/802.5

Un seul dispositif sur chaque anneau Token Ring se déclare lui-même comme moniteur actif pour fournir des services de synchronisation et maintenir l'intégrité du jeton. Si le jeton est perdu ou supprimé, seul le moniteur actif peut purger l'anneau de toutes ses données et mettre en circulation un nouveau jeton. Le moniteur actif garantit également que les trames ne circulent pas indéfiniment sur l'anneau.

Le Figure 3.16 illustre la suppression d'une trame de l'anneau. La station sur la gauche détient le jeton et transmet une trame sur le LAN Token Ring, avec le bit moniteur défini à 0, indiquant que cette trame n'est pas passée par le moniteur actif. Lorsqu'elle l'atteint, le moniteur actif définit ce bit à 1. Avant que la trame ne retourne vers la station émettrice, cette dernière tombe en panne. Etant donné qu'elle ne peut supprimer sa trame, celle-ci est autorisée à entamer un second tour de l'anneau. Le moniteur actif reconnaît qu'il a déjà vu la trame puisque son bit moniteur est activé, la supprime de l'anneau, et insère un nouveau jeton.

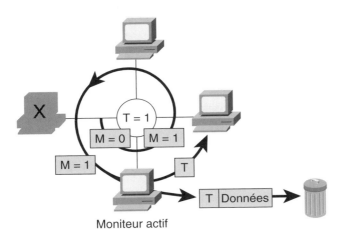

Figure 3.16
Le moniteur actif gère la circulation du jeton sur l'anneau pour l'accès au média.

Fiabilité Token Ring/802.5

La spécification IEEE 802.5 décrit deux bits dans le champ d'état de la trame : le bit A, qui signifie adresse reconnue (la station réceptrice active ce bit lorsqu'elle reconnaît que la trame entrante est envoyée à sa propre adresse), et le bit C, qui signifie copié (la station Token Ring de destination a copié la trame dans ses tampons).

Ces deux bits sont utilisés pour indiquer l'état d'une trame en suspens (voir Figure 3.17). Une station émettrice génère une trame avec les bits A et C désactivés (définis à zéro). Comme elle examine toujours la trame à son retour, elle peut les contrôler pour déterminer s'ils ont été modifiés durant leur voyage sur l'anneau.

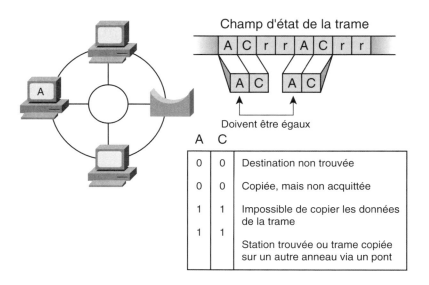

Figure 3.17
La station émettrice reçoit des informations d'état dans une trame.

Les bits A et C sont dupliqués dans le champ de contrôle d'accès à des fins de détection d'erreurs, car la trame n'est incluse dans aucun mécanisme de ce type. Les deux ensembles de valeurs de A et de C doivent être identiques, sinon la trame est considérée comme non valide.

FDDI

FDDI est un standard de l'ANSI qui définit un LAN Token Ring à double anneau, fonctionnant à un débit de 100 Mbits/s sur un média à fibre optique (voir Figure 3.18). Les standards FDDI ont été publiés en 1987 dans les standards ANSI X3T9.5.

L'ANSI a également défini un standard dépendant du média physique à paire torsadée. Basé sur ce standard, CDDI (*Copper Distributed Data Interface*) permet l'exploitation de FDDI, mais sur un câblage en cuivre plus couramment utilisé.

Token Ring et FDDI ont en commun plusieurs caractéristiques, comme le passage du jeton et une architecture en anneau.

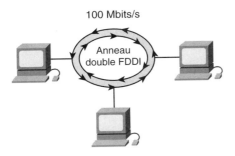

100 Mbits/s

Anneau
double FDDI

Figure 3.18
*Les dispositifs sur un réseau FDDI maintiennent la connectivité
sur deux anneaux contrarotatifs.*

Couche physique : FDDI

Les standards FDDI décrivent la couche physique et la sous-couche MAC.
La couche physique (PL, *Physical Layer*) est divisée en deux sous-couches : PHY et
PMD (*Physical Media Dependant*, dépendante du média physique).

Le standard PHY gère l'encodage des données, la synchronisation, et les symboles.
PHY spécifie une méthode d'encodage de groupe appelée 4B/5B. Celle-ci traduit
les octets de couche supérieure en paires de symboles de 5 bits qui exécutent la
double fonction de transmission des données et de synchronisation de l'horloge
entre les nœuds.

Comme FDDI spécifie des communications sur un câblage à fibre optique, il
convient bien dans des situations où les nœuds sont séparés par de grandes distances, ou lorsque le réseau doit fonctionner dans des environnements hostiles à l'électronique, comme les ateliers.

FDDI définit les limites suivantes :

- 500 nœuds par LAN FDDI ;

- 100 km maximum de circonférence d'anneau ;

- une distance maximale de 2 km entre les nœuds FDDI utilisant un média en fibre
  multimode.

FDDI peut fonctionner à des vitesses élevées, ce qui lui permet de s'adapter aux
applications requérant une importante bande passante, comme les applications vidéo
et graphiques.

FDDI utilise un protocole de passage du jeton qui fonctionne sur une configuration contrarotative à double anneau (voir Figure 3.19). Dans des conditions de fonctionnement normales, les données circulent sur l'anneau principal, pendant que l'anneau secondaire demeure inactif. Certaines stations, connues sous le nom de DAS (*Dual Attachment Station*), sont reliées aux deux anneaux simultanément. Les stations reliées à un seul anneau, ou SAS (*Single Attachment Station*), disposent d'une seule connexion PMD vers l'anneau principal au moyen d'un concentrateur DAC (*Dual Attachment Concentrator*), qui lui est rattaché directement au double anneau. Les dispositifs reliés aux deux anneaux ont toujours la possibilité de communiquer en cas de panne, car FDDI est doté d'une capacité d'autodépannage permettant à un anneau de boucler sur l'autre afin de maintenir l'intégrité.

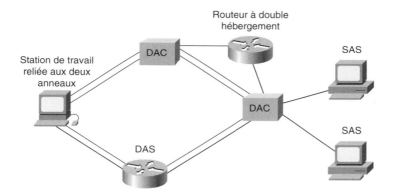

Figure 3.19

Les dispositifs reliés à FDDI utilisent une méthode de passage du jeton.
Ils peuvent être rattachés à un seul anneau ou bien aux deux.

Les stations critiques, comme les routeurs ou hôtes mainframe, peuvent utiliser une technique appelée le *double hébergement* afin de fournir une tolérance supplémentaire aux pannes et garantir la poursuite des opérations. Grâce à cette technique, une station est reliée à deux DAC, bénéficiant par conséquent d'un lien principal actif et d'un lien de secours vers le LAN FDDI.

Interface FDDI

FDDI implémente logiquement et physiquement une topologie en anneau. Bien qu'il fonctionne à des vitesses plus élevées que Token Ring, il est semblable. Les deux types de réseaux ont en commun de nombreuses fonctionnalités, comme le passage du jeton et des retards déterministes prévisibles.

Toutes les stations sur un LAN FDDI utilisent des adresses MAC, y compris le routeur qui se trouve sur la droite de la Figure 3.19. Le format de trame FDDI utilise des symboles de 5 bits plutôt que des octets de 8 bits. Par conséquent, l'adresse MAC de 48 bits pour FDDI comporte 12 symboles de 4 bits.

Pour configurer l'interface FDDI sur le routeur, utilisez l'abréviation F du logiciel Cisco pour le type d'interface, suivie du numéro d'interface (par exemple, F0).

Fiabilité du double anneau FDDI

L'accès au double anneau FDDI est déterminé par la possession du jeton. Toutefois, les stations génèrent de nouveaux jetons à la fin de leurs transmissions, et une station en aval est autorisée à ajouter ses trames à la trame existante. A tout moment, plusieurs trames d'informations peuvent ainsi circuler sur l'anneau.

Toutes les stations surveillent l'anneau pour vérifier qu'aucune condition d'erreur ne se produit, telle qu'un jeton perdu, des trames de données circulant sans cesse, ou une rupture de l'anneau. Si un nœud détermine qu'il n'a reçu aucun jeton de la part de son NAUN durant une période de temps prédéterminée, il commence à envoyer des trames d'avertissement (*beacon*) pour identifier et localiser la défaillance.

Si une station reçoit son propre signal d'avertissement en provenance de l'amont, elle suppose que l'anneau a été réparé. Lorsque le processus de signalisation se poursuit au-delà d'un certain temps, les DAS situées des deux côtés du domaine de panne bouclent les deux anneaux pour maintenir l'intégrité du réseau (voir Figure 3.20).

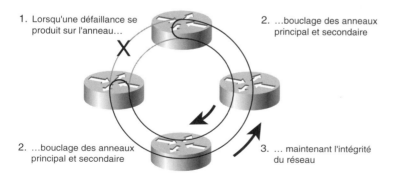

1. Lorsqu'une défaillance se produit sur l'anneau…

2. …bouclage des anneaux principal et secondaire

2. …bouclage des anneaux principal et secondaire

3. … maintenant l'intégrité du réseau

Figure 3.20

FDDI possède la capacité de détecter les erreurs et de maintenir l'intégrité en bouclant les deux anneaux.

Technologies WAN courantes

Les protocoles de couche physique WAN décrivent de quelle manière fournir des connexions électriques, mécaniques, opérationnelles et fonctionnelles pour des services WAN. Ces services sont obtenus le plus souvent auprès d'un fournisseur de services WAN.

Les protocoles de liaison de données décrivent comment les trames sont transportées entre systèmes sur une seule liaison. Cela comprend des protocoles développés pour fonctionner sur plusieurs types différents d'installations telles que :

■ **Services point à point dédiés.** Par exemple, un bureau connecté directement à un autre par l'intermédiaire d'une connexion WAN.

■ **Services multipoint basés sur des services dédiés.** Par exemple, un siège central connecté à trois succursales (connexion multipoint) et ces dernières connectées les unes aux autres au moyen du même type de connexion multipoint.

■ **Services commutés multi-accès.** Par exemple, un siège central et trois succursales connectés au sein d'un nuage WAN, par exemple Frame Relay. Leurs communications sont commutées à travers le nuage, et n'empruntent pas obligatoirement le même chemin chaque fois.

Les standards WAN sont définis et gérés par un certain nombre d'autorités reconnues, parmi lesquelles :

■ l'UIT-T (Union Internationale des Télécommunications, secteur normalisation), anciennement CCITT (Comité Consultatif International Télégraphique et Téléphonique) ;

■ l'ISO (*International Organization for Standardization*, organisation internationale de normalisation) ;

■ l'IETF (*Internet Engineering Task Force*) ;

■ l'EIA (*Electronic Industries Association*).

Les standards WAN décrivent généralement les exigences des couches physiques et liaison de données.

La Figure 3.21 identifie plusieurs services WAN connus utilisés aujourd'hui sur les interréseaux.

Le protocole SDLC (*Synchronous Data Link Control*) est à l'origine de la plupart des techniques de délimitation de trames, connectant des dispositifs distants au mainframe central par l'intermédiaire de connexions point à point ou multipoint.

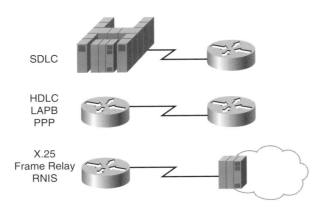

Figure 3.21
Il existe trois générations principales de technologies WAN.

La génération suivante de technologies WAN inclut HDLC (*High-Level Data Link Control*), et LAPB (*Link Access Procedure Balanced*) pour X.25. Pour les réseaux WAN Internet, le protocole PPP (*Point-to-Point Protocol*) permet de connecter des équipements homologues.

Pour finir, les services commutés ou de relais, comme X.25, Frame Relay, et RNIS (Réseau Numérique à Intégration de Services), utilisent un dispositif spécial pour assurer l'interface avec le nuage du fournisseur de services.

Couche physique : WAN

La couche physique WAN décrit l'interface entre l'équipement terminal de traitement de données, ou ETTD (DTE, *Data Terminal Equipment*), et l'équipement terminal de circuit de données, ou ETCD (DCE, *Data Circuit-terminating Equipment*). Habituellement, l'ETCD est un fournisseur de services, et l'ETTD est le dispositif connecté. Dans ce modèle, les services offerts à l'ETTD sont rendus disponibles *via* un modem ou CSU/DSU (*Channel Service Unit/Data Service Unit*, unité de service de canal/unité de service de données) [voir Figure 3.22].

Notez que EIA/TIA-232 et EIA/TIA-449 étaient précédemment connus sous le nom de standards recommandés RS-232 et RS-449, avant leur acceptation en tant que standards par l'EIA et la TIA.

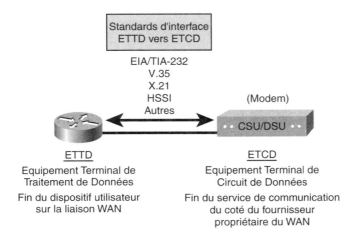

Figure 3.22
Des services sont disponibles pour un ETTD par le biais d'un modem ou CSU/DSU.

Couche liaison de données : protocoles WAN

Les techniques d'encapsulation de liaison de données courantes associées aux lignes séries synchrones sont listées Figure 3.23.

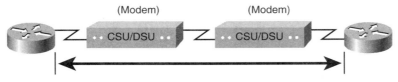

- SDLC-Synchronous Data Link Control
- HDLC-High-Level Data Link Control
- LAPB-Link Access Procedure, Balanced
- Version Frame Relay simplifiée du délimitage de trames HDLC
- PPP-Point-to-Point Protocol
- RNIS-Réseau Numérique à Intégration de Services (signalisation liaison de données)

Figure 3.23
Encapsulations de liaison de données pour des lignes séries synchrones.

SDLC

SDLC est un protocole orienté bit développé par IBM. Il définit un environnement WAN multipoint permettant à plusieurs stations de se connecter à un équipement dédié. SDLC définit une station principale et une ou plusieurs stations secondaires. La communication a toujours lieu entre la station principale et l'une de ses stations secondaires. Ces dernières ne peuvent pas communiquer directement entre elles.

HDLC

HDLC est un standard ISO. Il arrive que les versions des différents fabricants soient incompatibles entre elles, en raison du choix d'implémentation de chacun. HDLC supporte à la fois les configurations point à point et multipoint.

LAPB

LAPB est principalement utilisé sur les réseaux X.25, mais peut également servir de simple moyen de transport de liaison de données. Il dispose de fonctions de détection des trames désordonnées ou manquantes, et d'échange, de retransmission, et d'acquittement des trames.

Frame Relay

Frame Relay utilise des techniques numériques perfectionnées dans lesquelles le contrôle d'erreur de LAPB est nécessaire. En utilisant une fonction de délimitation de trames simplifiée sans mécanisme de correction d'erreur, Frame Relay peut envoyer des informations de la couche 2 très rapidement par rapport aux autres protocoles WAN.

PPP

PPP a été développé par l'IETF et est décrit dans le RFC 1661. Il contient un champ de protocole servant à identifier le protocole de couche réseau.

RNIS

RNIS est un ensemble de services utilisé pour transmettre la voix et les données sur des lignes téléphoniques existantes.

Résumé

Ce chapitre conclut une présentation de toutes les couches du modèle de référence OSI, à l'exception de la couche réseau. Le prochain chapitre traite de cette couche et des fonctionnalités qu'elle définit.

Test du Chapitre 3

Durée estimée : 15 minutes

Réalisez tous les exercices suivants pour tester votre connaissance des sujets traités dans ce chapitre. Les réponses sont données dans l'Annexe A.

Question 3.1

Quelles sont les abréviations d'interface de routeur Cisco pour Ethernet, Token Ring, et FDDI ?

_____

_____

_____

Question 3.2

Quels types de trame le champ Type Ethernet utilise-t-il pour définir le protocole utilisé ?

_____

_____

Question 3.3

Quelles sont les deux sous-couches définies dans la couche liaison de données ?

_____

_____

Question 3.4

Ecrivez la lettre qui identifie la commande correcte dans la colonne 2 et décrivant le protocole ou standard inscrit dans la colonne 1.

Lettre	*Colonne 1* *Protocole ou standard*	*Colonne 2* *Topologie, fonction, ou caractéristique*
____	SDLC	A) Equivalent du standard IEEE 802.5.
____	EIA/TIA-232	B) Accès de qualité voix, anciennement un standard recommandé.

Lettre	Colonne 1 Protocole ou standard	Colonne 2 Topologie, fonction, ou caractéristique
_____	802.3	C) Utilise des rôles principaux et secondaires pour des liaisons de données IBM.
_____	Frame Relay	D) Produit à l'origine du travail de Xerox. Utilise un champ pour le type de protocole.
_____	Ethernet II	E) Produit des efforts de l'IEEE. Utilise un champ pour la longueur plutôt que pour le type.
_____	FDDI	F) Utilise une version simplifiée de HDLC pour des communications à haute vitesse.
_____	Token Ring	G) Utilise des symboles de 5 bits à la place d'octets dans sa délimitation de trames.

4

Couche réseau et détermination du chemin

Dans ce chapitre est étudiée la couche réseau du modèle de référence OSI. Des thèmes de base, tels que le fonctionnement de l'adressage de la couche réseau avec différents protocoles, sont abordés, ainsi que la différence entre les protocoles de routage et les protocoles routés, les routes statiques et les routes dynamiques, et la manière dont les routeurs s'informent sur les distances qui séparent les différents sites.

Sont présentés aussi le routage par vecteur de distance, le routage par état de lien, et le routage hybride. Chaque méthode est décrit ainsi que la façon dont chacune résout les problèmes de routage courants.

Couche réseau

La couche réseau représente l'interface de communication interréseau, et assure des services de livraison de paquets "au mieux" (*best effort*) à l'utilisateur, la couche transport. La couche réseau se charge de la transmission des paquets d'un réseau source vers un réseau de destination.

Ce chapitre examine en premier lieu le mode opératoire général de la couche réseau, y compris la façon dont elle détermine et communique un chemin choisi vers une destination, comment les techniques d'adressage fonctionnent et en quoi elles diffèrent, comment les protocoles de routage opèrent.

Détermination de chemin

Quel est l'itinéraire que devrait emprunter un trafic à travers un nuage de réseau ? La détermination d'un chemin s'effectue au niveau de la couche 3, la couche réseau. Cette fonction permet à un routeur d'évaluer les différents chemins possibles vers une destination et de déterminer la gestion à utiliser de préférence pour un paquet à acheminer.

Les protocoles de routage utilisent des informations de topologie de réseau lors de l'évaluation des chemins. Ces informations peuvent être configurées par l'administrateur de réseau ou recueillies par l'intermédiaire de processus dynamiques exécutés sur le réseau.

Après avoir déterminé le chemin à emprunter, le routeur peut procéder à la commutation du paquet, c'est-à-dire l'accepter sur une interface et le transmettre à une autre interface ou un autre port représentant le meilleur chemin choisi vers la destination.

La Figure 4.1 illustre un exemple de réseau maillé. Plusieurs chemins existent entre l'hôte A et l'hôte C. Le processus de détermination de chemin est utilisé pour trouver le meilleur itinéraire.

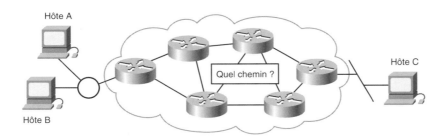

Figure 4.1
Les hôtes A et C sont connectés par l'intermédiaire de plusieurs chemins.

Pour permettre la détermination du chemin, les services de routage fournissent :

■ l'initialisation et la maintenance de tables de routage ;

■ des processus de mise à jour d'informations de routage et des protocoles de routage ;

■ des domaines de routage et des spécifications d'adresses ;

■ des assignations et des contrôles de métriques de routes.

Communication des informations d'itinéraire

Les routeurs échangent des informations sur les itinéraires disponibles par l'intermédiaire d'un interréseau. Pour identifier un chemin, un nom doit être assigné à chacun des réseaux le long du chemin. Les adresses de réseau sont utilisées pour identifier chaque lien de réseau. Les informations de chemin contiennent les noms de tous les réseaux qui doivent être traversés durant l'acheminement du trafic.

Dans la Figure 4.2, chaque lien entre les routeurs possède un numéro que les routeurs utilisent comme adresse de réseau. Ces adresses fournissent des informations concernant le chemin des nombreuses connexions du média qui sont utilisées par le processus de routage pour livrer les paquets d'une source vers une destination.

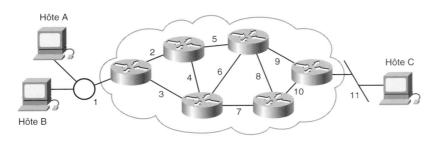

Figure 4.2
Les adresses représentent le chemin des connexions du média de transmission.

Les routeurs utilisent des informations d'itinéraire ainsi que des mécanismes de détermination de chemin, des techniques de commutation de chemin, et des fonctions de traitement de routes pour choisir le meilleur itinéraire à emprunter à travers un interréseau.

La cohérence des adresses de la couche 3 à travers tout un interréseau améliore aussi l'utilisation de la bande passante en empêchant l'envoi de diffusions générales (messages broadcast) inutiles. En utilisant un adressage cohérent de bout en bout pour représenter le chemin des connexions du média, la couche réseau peut identifier une route vers une destination sans déranger inutilement les équipements ou les liens sur l'interréseau avec des messages broadcast.

Un message broadcast provoque une surcharge de traitement et gaspille les ressources de n'importe quel dispositif ou lien qui le reçoit alors qu'il n'est pas concerné par son contenu.

Adressage avec identifiants de réseau et d'hôte

Les adresses se composent d'une partie identifiant de réseau et d'une partie identifiant d'hôte. Ces parties sont toutes deux utiles à l'acheminement des paquets d'une source vers une destination. Dans la Figure 4.3, les nombres 1.2, 1.3, 2.1, etc., représentent les ensembles d'adresses de réseau et d'hôte. Le premier chiffre d'une adresse représente la partie réseau, et le deuxième la partie hôte.

Les routeurs utilisent la partie réseau de l'adresse pour identifier le réseau source ou de destination d'un paquet au sein d'un interréseau. La Figure 4.3 présente trois numéros de réseau : 1, 2 et 3, connus du routeur.

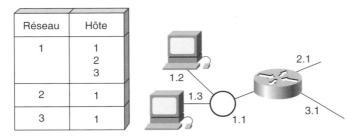

Réseau	Hôte
1	1 2 3
2	1
3	1

Figure 4.3

Une adresse d'interréseau se compose d'une partie réseau et d'une partie hôte.

La partie hôte de l'adresse se rapporte à un port ou à un équipement spécifique sur le réseau. Par exemple, dans la Figure 4.3, les trois hôtes, 1, 2 et 3, se partagent le numéro de réseau 1. L'adresse d'hôte ou de nœud dans un paquet permet de déterminer si le paquet se trouve sur le port, sur l'équipement source ou sur celui de destination. Pour les réseaux locaux, cette adresse de port ou d'équipement peut être l'adresse MAC (*Media Access Control*, Contrôle d'accès au média) réelle de l'équipement.

Toutefois, à la différence d'une adresse MAC qui possède une relation préétablie et généralement fixe avec un équipement, une adresse de réseau possède une relation logique avec un dispositif spécifique. Certains systèmes d'adressage de réseau, tels que les systèmes d'adressage IP, nécessitent l'assignation manuelle d'une adresse d'hôte unique à chaque équipement. D'autres systèmes d'adressage, tels que l'adressage IPX de Novell, empruntent l'adresse MAC pour l'utiliser comme adresse d'hôte unique. Cette dernière technique est une fonctionnalité qui est en train d'être intégrée à l'adressage IPv6.

CONCEPT CLÉ

Les parties réseau et hôte d'une adresse communiquent différents niveaux de spécificités d'emplacement. Une adresse réseau est analogue à l'adresse d'une rue, et une adresse d'hôte est semblable à un numéro dans une rue.

Les processus de routage sur des interréseaux ne sont généralement concernés que par la partie réseau d'une adresse, les informations nécessaires à l'acheminement des données vers le réseau approprié. Lorsque le réseau de destination est atteint, le dernier routeur sur l'itinéraire doit utiliser la partie hôte de l'adresse pour envoyer le paquet à l'adresse matérielle de l'équipement approprié sur ce réseau.

Les équipements d'interconnexion de réseaux peuvent posséder plus d'une adresse de réseau. Différentes adresses doivent être assignées pour chaque protocole de la couche réseau supporté par un équipement donné. Par exemple, un dispositif connecté à la fois à un interréseau AppleTalk et à un interréseau DECnet doit recevoir deux adresses de réseau.

Pour certains protocoles de la couche réseau, un administrateur assigne des adresses de réseau selon un plan d'adressage d'interréseau préconçu. Pour d'autres protocoles, l'attribution d'adresses est partiellement ou totalement dynamique, c'est-à-dire que le protocole automatise le processus.

Tous les protocoles n'utilisent pas l'adressage d'hôte (voir Figure 4.3). Par exemple :

- Novell IPX utilise l'adresse MAC comme adresse d'hôte. Pour les interfaces qui ne possèdent pas d'adresse MAC, Novell IPX peut appliquer une adresse MAC dupliquée pour l'adresse de nœud.
- DECnet modifie l'adresse MAC pour y inclure une adresse de nœud calculée.

Différences d'adressage

Le modèle d'adressage en deux parties concerne tous les protocoles traités dans ce livre. Comment doit-on interpréter les parties d'adresse ? Quelle est l'entité qui alloue les adresses ? Les réponses varient selon le protocole concerné.

La Figure 4.4 illustre trois exemples de modèles d'adressage.

Dans l'exemple d'adressage IP pour TCP/IP, les nombres décimaux séparés par des points représentent une partie réseau et une partie hôte. Le réseau 10 utilise le premier des quatre nombres comme identifiant de réseau, et l'ensemble formé des trois derniers nombres, 8.2.48, comme adresse d'hôte.

L'exemple Novell IPX utilise une variation du modèle en deux parties. L'adresse de réseau 01ac.eb0b est un nombre hexadécimal (base 16) composé d'un nombre maximal fixe de chiffres. L'adresse d'hôte 0000.0c00.6e25 (qui est aussi un nombre hexadécimal) est d'une longueur fixe de 48 bits, et dérive automatiquement des informations mentionnées sur l'équipement LAN spécifique.

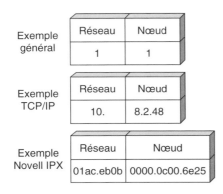

Figure 4.4

Les deux éléments communs aux modèles d'adressage présentés dans ce livre sont les identifiants de réseau et de nœud (ou d'hôte).

IP et PIX sont les deux types d'adresses les plus courants de la couche 3. Vous en apprendrez davantage à leur propos ainsi qu'à sujet d'autres règles d'adressage de protocole dans les prochaines sections et les chapitres suivants.

Adressage de réseau TCP/IP

Les réseaux TCP/IP représentent les adresses sous forme d'entités de 32 bits, divisées en deux parties, identifiants de réseau et d'hôte (voir Figure 4.5).

Le RFC (*Request For Comments*) 1117 répartit la partie réseau de l'adresse en classes. Toutes les classes d'adresses Internet valides proviennent d'un organisme central faisant autorité : l'InterNIC (*Internetwork Information Center*).

Voici les classes les plus courantes :

- **Classe A.** Utilise 8 bits pour le réseau et les 24 bits restants pour l'adresse d'hôte.

- **Classe B.** Utilise 16 bits pour le réseau et les 16 bits restants pour l'adresse d'hôte.

- **Classe C.** Utilise 24 bits pour le réseau et les 8 bits restants pour l'adresse d'hôte.

- **Classe D.** Utilisée pour les adresses IP multicast.

Les réseaux IP sont généralement divisés en sous-réseaux. Lorsqu'une adresse IP est ainsi segmentée, la partie réseau de l'adresse est décrite par deux éléments : le numéro de réseau, toujours assigné par le NIC, et le numéro de sous-réseau, attribué par l'administrateur du réseau. L'adressage IP est traité plus en détail dans le Chapitre 9.

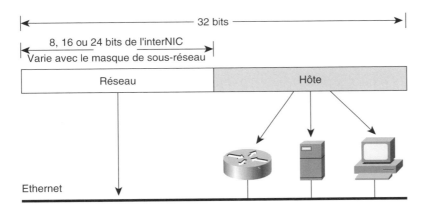

Figure 4.5
Les adresses IP ont 32 bits de long (4 octets).

Autres adressages de protocole

Un routeur peut gérer d'autres modèles d'adressage de protocole en plus de l'adressage IP. Le Tableau 4.1 résume les caractéristiques principales des trois modèles d'adressage les plus courants.

Les modèles d'adressage présentés dans le Tableau 4.1 sont traités plus en détail dans les Chapitres 11, 12, et 15.

Tableau 4.1 : Caractéristiques des adressages IPX, AppleTalk et X.25

Protocole	*Adresse de réseau*	*Adresse de nœud*
Novell IPX	Jusqu'à 32 bits (en hexadécimal) ; se rapporte au média (par exemple, Ethernet).	48 bits (en hexadécimal) ; généralement l'adresse MAC d'une interface LAN.
AppleTalk	Jusqu'à 16 bits (en décimal) ; se rapporte à un des réseaux d'une plage de câble d'un média.	Jusqu'à 8 bits ajoutés au numéro de réseau ; attribuée généralement dynamiquement sur un LAN.
X.25	4 chiffres (en décimal) du DNIC avec un code de pays DCC (*Data Country Code*) de 2 ou 3 chiffres et 1 chiffre de réseau.	Jusqu'à 10 ou 11 chiffres de numéro de terminal de réseau ; généralement assignée par un fournisseur de service WAN.

Les routeurs Cisco peuvent gérer ces modèles d'adressage ainsi que d'autres modèles de la couche 3. Deux autres protocoles, DECnet et Banyan VINES, sont traités dans les annexes B et C.

Routage et adresse de réseau

Les routeurs acheminent un paquet depuis une liaison de données vers une autre. Pour cela, ils utilisent deux fonctions de base : pour la détermination de chemin et pour la commutation.

La Figure 4.6 illustre la façon dont les routeurs utilisent l'adressage pour les fonctions de routage et de commutation. Lorsqu'un paquet destiné au réseau 10.1.0.0 arrive sur le routeur 1, celui-ci sait qu'il doit l'envoyer sur le port E0.

Bien que la fonction de détermination de chemin est parfois capable de calculer le chemin complet du routeur jusqu'à la destination, un routeur n'est responsable que de la transmission du paquet au meilleur réseau sur le chemin. Cette route représente une direction vers un réseau de destination. Par exemple, dans la Figure 4.6, si un paquet qui est destiné au réseau 10.4.0.0 arrive sur le routeur 1, celui-ci sait que la meilleure direction vers laquelle envoyer le paquet passe par l'interface E2. Le routeur 2 représente le prochain saut sur l'itinéraire. Un routeur utilise la portion réseau de l'adresse pour effectuer ces sélections d'itinéraire.

La fonction de commutation permet à un routeur d'accepter un paquet sur une interface et de le transmettre *via* une autre interface. La fonction de détermination de chemin permet aux routeurs de sélectionner l'interface la plus appropriée pour acheminer un paquet.

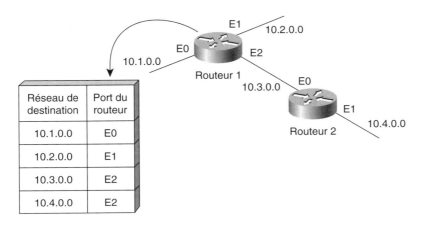

Figure 4.6
La partie réseau de l'adresse est utilisée pour effectuer les sélections d'itinéraire.

CONCEPT CLÉ

En ce qui concerne la couche 3, le terme de *commutation* est utilisé pour décrire la réception des paquets par un port et leur expédition *via* un autre port. Cette fonctionnalité de commutation est différente de la commutation de la couche 2 qui se réfère bien à la transmission d'un paquet d'un port vers un autre, mais en se fondant seulement sur l'adresse MAC.

Protocole routé versus protocole de routage

Les termes *protocole de routage* et *protocole routé* sont souvent source de confusion.

Protocole routé

Un protocole routé est un protocole qui contient suffisamment d'informations d'adressage de la couche réseau pour pouvoir diriger un trafic utilisateur depuis un réseau vers un autre. Le protocole routé définit le format et l'emploi des champs à l'intérieur des paquets. Les paquets qui utilisent ce type de protocole sont transportés d'un système terminal à un autre par l'intermédiaire d'un interréseau.

Les protocoles IP (*Internet Protocol*) et Novell IPX sont des exemples de protocoles routés.

Protocole de routage

Un protocole de routage assure le support d'un protocole routé en fournissant des mécanismes de partage des informations de routage. Les messages de protocole de routage sont transmis entre routeurs. Un tel protocole permet aux routeurs de communiquer entre eux pour mettre à jour et maintenir des tables de routage. Les messages de protocole de routage ne transportent pas de trafic utilisateur depuis un réseau vers un autre. Voici quelques exemples de protocole de routage pour TCP/IP : RIP (*Routing Information Protocol*), IGRP (*Interior Gateway Routing Protocol*), OSPF (*Open Shortest Path First*), NLSP (*NetWare Link Services Protocol*) et Enhanced IGRP.

Les protocoles de routage ne fonctionnent généralement qu'entre routeurs, mais comme certains d'entre eux n'ont pas connaissance de l'existence d'autres routeurs, ils s'appuient également sur l'émission de messages broadcast de liaisons de données.

Ces messages broadcast sont parfois utilisés par des systèmes terminaux pour leurs propres besoins. Par exemple, un système terminal recevant un message broadcast de mise à jour d'un routeur peut enregistrer l'existence du routeur et l'utiliser par la suite lorsqu'il aura besoin d'obtenir des informations sur la topologie de l'interréseau.

Le mécanisme de découverte de chemin d'AppleTalk, AARP, s'appuie, par exemple, sur l'apprentissage de l'existence des routeurs adjacents au moyen des systèmes terminaux.

CONCEPT CLÉ

Les communications qui utilisent les protocoles routés, telles que celles établies avec IP, peuvent être transmises d'un réseau à un autre. Les protocoles de routage, tels que RIP, sont utilisés pour prendre des décisions relatives au meilleur chemin que les paquets transmis devraient emprunter.

Fonctionnement des protocoles de la couche réseau

Lorsqu'une application hôte envoie un paquet vers une destination sur un réseau différent, une trame de liaison de données est reçue sur une des interfaces d'un routeur. Celui-ci élimine l'en-tête MAC et examine celui de la couche réseau de la trame, tel un en-tête IP ou IPX, pour effectuer une décision de routage (voir Figure 4.7).

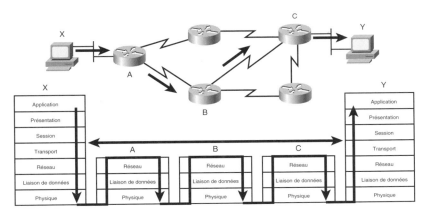

Figure 4.7
Chaque routeur offre des services aux fonctions des couches supérieures.

Les données de la couche réseau sont envoyées au processus approprié de la couche réseau, et la trame de la couche liaison de données est ignorée.

Le processus de la couche réseau examine l'en-tête pour déterminer le réseau de destination, et se réfère à la table de routage qui associe les réseaux aux interfaces de sortie.

Le paquet est ensuite encapsulé dans la trame de liaison de données pour l'interface sélectionnée puis placé en file d'attente pour être transmis vers le prochain saut sur le chemin.

Ce processus se produit chaque fois que le paquet est commuté par un autre routeur. Sur le routeur connecté au réseau hébergeant l'hôte de destination, le paquet est à nouveau encapsulé dans le type de trame de liaison de données correspondant au réseau local de destination, pour être délivré à la pile de protocoles de l'hôte de destination.

Routage multiprotocole

Les routeurs sont capables de supporter le routage multiprotocole, c'est-à-dire qu'ils peuvent assurer le fonctionnement de plusieurs algorithmes de routage indépendants et maintenir en même temps des tables de routage pour plusieurs protocoles routés. Cette capacité permet à un routeur d'intercaler des paquets de plusieurs protocoles routés sur les mêmes liaisons de données.

Chaque protocole routé et de routage n'a aucune connaissance des autres protocoles, et effectue un routage en solitaire.

Par exemple, dans la Figure 4.8, le routeur 1 et le routeur 2 gèrent le trafic IP, IPX, AppleTalk, et DECnet. Les informations de routage pour chaque environnement ne sont pas absorbées et n'affectent pas les autres protocoles.

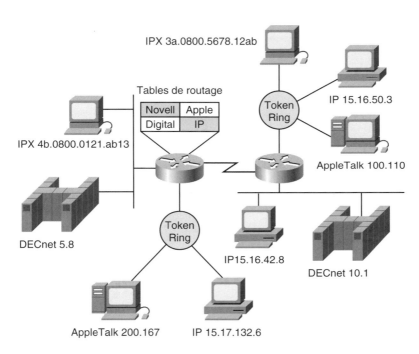

Figure 4.8

Les routeurs transmettent le trafic de tous les protocoles routés sur l'interréseau.

Dans ce chapitre, une solution alternative au routage multiprotocole est présentée plus loin : le routage intégré avec des protocoles équilibrés, tels qu'Enhanced IGRP.

Routes statiques versus routes dynamiques

Les informations statiques sont administrées manuellement. Un administrateur de réseau les introduit dans la configuration du routeur. Il doit également effectuer des mises à jour manuelles chaque fois qu'un changement intervient au niveau de la topologie de l'interréseau. Les informations statiques peuvent être privées ; par défaut, elles ne sont pas transportées vers d'autres routeurs dans un processus de mise à jour. Vous pouvez néanmoins configurer un routeur pour qu'il les partagent.

Les informations dynamiques fonctionnent d'une manière différente. Après que l'administrateur du réseau ait entré des commandes de configuration pour démarrer le routage dynamique, les informations de routage sont mises à jour dynamiquement par un processus chaque fois que de nouvelles données de topologie sont reçues sur l'interréseau. Les changements dans les informations dynamiques sont échangés entre routeurs au moyen d'un processus de mise à jour.

Exemple de routage statique

Le routage statique possède plusieurs applications utiles en ce qui concerne des informations spéciales que connaît l'administrateur sur la topologie d'un réseau. Une de ces applications concerne la sécurité. Le routage dynamique a tendance à tout révéler sur un interréseau aux sources se trouvant à l'extérieur. Pour des raisons de sécurité, il peut être approprié de dissimuler certaines parties d'un interréseau. Le routage statique permet à un administrateur de spécifier ce qui doit être annoncé à propos des zones restreintes.

Une autre application est utile dans le cas où une partition d'interréseau n'est accessible que par un seul chemin. Dans ce cas, une route statique vers cette partition peut être suffisante. Ce type de partition est appelé un réseau *stub* (un bout de réseau). La configuration d'une route statique vers un tel réseau évite la surcharge occasionnée par le routage dynamique.

Par exemple, dans la Figure 4.9, le routeur A est configuré avec une route statique vers un réseau stub distant. Il n'y a aucune raison d'autoriser des mises à jour de routage périodiques à travers la liaison WAN entre les routeurs A et B, comme cela se produirait avec le routage dynamique.

Par exemple, sur un réseau supportant le routage DDR (*Dial-on-Demand Routing*, routage par ouverture de ligne à la demande), la liaison n'est pas toujours établie. Par conséquent, les mises à jour de routage ne peuvent pas fournir des tables de routage dynamiques. Les entrées de routage statiques peuvent être utilisées pour ce type de liaison WAN.

Le routage statique n'est généralement pas suffisant pour les réseaux de grande taille ou complexes, en raison du temps nécessaire à la définition et à la maintenance des entrées des tables de routage statiques. Le routage dynamique est utilisé pour permettre aux routeurs de construire leurs tables de routage automatiquement et de prendre des décisions d'acheminement appropriées.

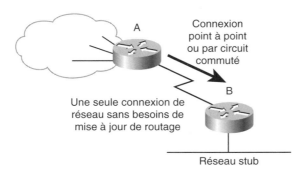

Figure 4.9

Les entrées de routage statique peuvent éliminer le besoin de mises à jour à travers une liaison WAN.

Routes par défaut

Une route par défaut est un chemin sur lequel un routeur doit transmettre un paquet s'il ne possède pas d'informations spécifiques sur sa destination.

La Figure 4.10 illustre l'emploi d'une route par défaut, une entrée de table de routage utilisée pour diriger les trames dont le prochain saut n'est pas explicitement indiqué dans la table.

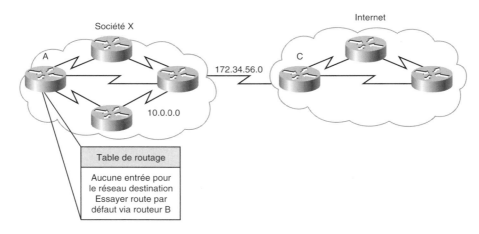

Figure 4.10

Une route par défaut est utilisée si le prochain saut n'est pas explicitement indiqué dans la table de routage.

Les routes par défaut peuvent être configurées manuellement par un administrateur (configuration statique), ou par le routage dynamique avec des informations issues de nombreux protocoles.

Dans la Figure 4.10, les routeurs de la société X possèdent des informations spécifiques sur la topologie de l'interréseau de la société, mais pas sur les autres réseaux. Maintenir des informations sur chaque autre interréseau accessibles par l'intermédiaire du nuage Internet est inutile, sinon impossible.

Au lieu de maintenir des informations d'interréseau spécifiques, chaque routeur de la société X est informé par la route par défaut qu'il peut atteindre n'importe quelle destination inconnue en dirigeant un paquet vers le réseau Internet.

Adaptation aux changements de topologie

L'interréseau illustré dans la Figure 4.11 s'adapte différemment aux changements de topologie selon qu'il utilise des informations configurées statiquement ou dynamiquement.

Les informations statiques permettent aux routeurs d'acheminer correctement un paquet de réseau en réseau. Dans la Figure 4.11, le routeur A se réfère à sa table de routage, et suit les informations statiques pour transmettre le paquet au routeur D. Celui-ci procède de la même manière, et passe le paquet au routeur C. Ce dernier délivre le paquet à l'hôte de destination.

Que se produit-il si le chemin entre les routeurs A et D est impraticable ? De toute évidence, le routeur A ne sera pas capable de transmettre le paquet au routeur D avec une route statique. Tant que le routeur A n'est pas reconfiguré manuellement pour acheminer les paquets par l'intermédiaire du routeur B, la communication avec le réseau de destination est impossible.

Les informations dynamiques offrent une plus grande souplesse automatique. Selon la table de routage générée par le routeur A, un paquet peut atteindre sa destination par l'intermédiaire de la route préférée *via* le routeur D. Toutefois, un deuxième chemin vers la destination est disponible au moyen du routeur B. Lorsque le routeur A sait que le lien vers le routeur D est en panne, il adapte sa table de routage en configurant le chemin *via* le routeur B comme itinéraire préféré de destination. Le routeur continue d'envoyer des paquets sur ce lien.

Lorsque le chemin entre les routeurs A et D est rétabli, le routeur A peut à nouveau modifier sa table de routage pour indiquer la préférence d'acheminement vers le réseau de destination *via* les routeurs D et C.

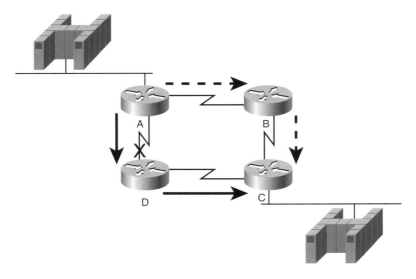

Figure 4.11

Le routage dynamique permet aux routeurs d'utiliser automatiquement les routes de secours lorsque cela est nécessaire.

Fonctionnement du routage dynamique

Le succès du routage dynamique dépend de deux fonctions de base d'un routeur :

■ la maintenance d'une table de routage ;

■ la distribution adéquate des informations de routage aux autres routeurs sous forme de mises à jour.

Le routage dynamique s'appuie sur un protocole de routage pour distribuer les informations. Un protocole de routage définit l'ensemble des règles utilisées par un routeur lorsqu'il communique avec les routeurs adjacents. Il décrit, par exemple :

■ comment les mises à jour sont transportées ;

■ quelles sont les informations transportées ;

■ à quel moment transporter les informations ;

■ comment localiser les destinataires des mises à jour.

Dans la Figure 4.12, le routeur 1 utilise le protocole RIP pour IP afin de transmettre au routeur 2 les informations de sa table de routage.

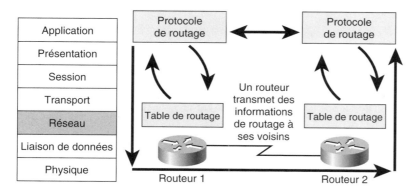

Figure 4.12
Les protocoles de routage maintiennent et distribuent des informations de routage.

Représentation des distances par des métriques

Lorsqu'un algorithme de routage met à jour la table de routage, son objectif principal est de déterminer les meilleures informations à inclure dans la table. Chaque algorithme définit à sa manière ce qu'il considère comme pertinent. L'algorithme génère un nombre, appelé la *métrique*, pour chaque chemin traversé sur le réseau. Généralement, plus la métrique est petite, meilleure est la route.

Les métriques peuvent être calculées sur la base d'une seule caractéristique d'un itinéraire ou d'une combinaison de plusieurs caractéristiques. Les métriques les plus couramment utilisées par les protocoles de routage sont les suivantes (voir aussi Figure 4.13) :

- **Nombre de sauts (hops).** Nombre de routeurs qu'un paquet doit traverser pour atteindre une destination. Plus le nombre est faible, meilleur est l'itinéraire. La longueur du chemin est utilisée pour indiquer le total des sauts vers une destination.

- **Ticks.** Ils sont utilisés avec RIP pour Novell IPX pour indiquer le délai. Chaque tick représente 1/18 de seconde.

- **Coût.** Le coût d'un chemin vers une destination est la somme des coûts associés aux liens empruntés pour l'atteindre. Les coûts sont assignés (automatiquement ou manuellement) au processus de traversée d'un réseau. Les réseaux les plus lents reçoivent généralement un coût plus élevé que les réseaux plus rapides. La route présentant le coup le plus faible est considérée comme étant la route la plus rapide disponible.

- **Bande passante.** Evaluation du débit maximal d'un lien. Le routage à travers des liens possédant les bandes passantes les plus larges ne représente pas toujours le meilleur itinéraire. Par exemple, si une liaison à haute vitesse est surchargée, l'acheminement d'un paquet au moyen d'une liaison plus lente pourra être plus rapide.

- **Délai.** Il dépend de plusieurs facteurs, y compris de la bande passante, de la longueur des files d'attente sur chaque routeur emprunté, des problèmes de congestion sur les liens, et de la distance physique à parcourir. Il s'agit d'un agrégat de variables qui change selon les conditions de l'interréseau. Cette métrique est utile et utilisée fréquemment.

- **Charge.** Facteur dynamique qui peut être fondé sur une variété de mesures, y compris l'utilisation du processeur et les paquets traités par seconde. La surveillance continue de ces paramètres peut consommer des ressources.

- **Fiabilité.** Se rapporte à la propension des liens du réseau à tomber en panne et à la vitesse à laquelle ils sont réparés. Il est possible de prendre en compte plusieurs facteurs lors de l'assignation des valeurs de fiabilité. Celles-ci sont généralement attribuées par l'administrateur du réseau, mais peuvent être calculées dynamiquement par le protocole.

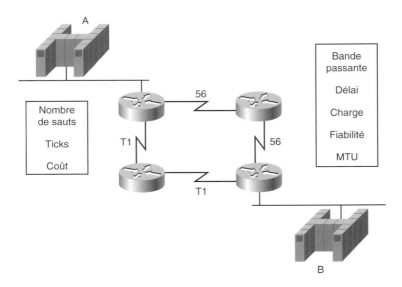

Figure 4.13

Une variété de métriques peut être utilisée pour définir le meilleur itinéraire.

■ **MTU** (*Maximum Transmission Unit*, Unité de transmission maximale). La longueur maximale du message en octets acceptée par tous les liens traversés. Une route supportant les unités MTU les plus grandes et autorisant l'emploi de tailles maximales de paquet de bout en bout sera considérée comme la plus rapide.

Bien que non directement exploités par le routeur, les frais d'exploitation peuvent représenter des métriques dont l'influence est importante. Certaines organisations attachent davantage d'importance aux frais d'exploitation qu'aux performances. Par exemple, même si la bande passante est inférieure et le délai plus long, il peut être souhaitable pour certaines entreprises d'envoyer des paquets sur des lignes louées au lieu d'emprunter des lignes publiques plus coûteuses.

Protocoles de routage

La plupart des algorithmes de routage peuvent être classés dans l'une des deux catégories de base suivantes : par *vecteur de distance* ou par *information d'état de lien*.

Le routage par *vecteur de distance* détermine la direction (vecteur) et la distance depuis n'importe quel lien sur l'interréseau.

Le routage par *état de lien* (également appelé "routage par le plus court chemin") prend connaissance de la topologie exacte de la totalité de l'interréseau (ou au moins de la partie où est situé le routeur).

Une troisième approche, le routage hybride équilibré, combine les caractéristiques des deux types d'algorithmes précédents.

Le reste de ce chapitre traite des procédures et des problèmes associés à ces deux types d'algorithmes, et présente des techniques visant à résoudre ces problèmes.

CONCEPT CLÉ

Il n'existe pas un seul algorithme de routage idéal pour tous les interréseaux. Les administrateurs doivent évaluer les aspects techniques et non techniques de leur réseau pour déterminer le meilleur algorithme à exploiter. Le logiciel Cisco IOS permet de configurer n'importe quel choix de routage pouvant convenir le mieux à un interréseau. Les protocoles de routage par vecteur de distance entraînent généralement moins de calculs que ceux du routage par état de lien, mais utilisent généralement le nombre de sauts pour déterminer le meilleur itinéraire et non la vitesse des liaisons.

L'algorithme de routage est fondamental pour le routage dynamique. Chaque fois qu'un changement intervient dans la topologie d'un interréseau en raison d'une augmentation de taille, d'une reconfiguration ou d'une panne d'un composant, la base des informations de routage doit également être modifiée.

La base des données topologiques du réseau doit être exacte et cohérente pour tous les routeurs. Cette vision précise et cohérente permet d'atteindre un état où les nœuds de routage de l'interréseau sont dits avoir convergé, c'est-à-dire qu'ils fonctionnent avec les mêmes informations.

Une convergence rapide est d'une grande utilité dans tout interréseau, car elle réduit le temps pendant lequel les routeurs disposent d'informations périmées pour prendre des décisions qui pourraient ainsi s'avérer incorrectes et peu rentables.

Routage par vecteur de distance

Les algorithmes de routage par vecteur de distance (également connus sous le nom d'algorithmes de Bellman-Ford) transmettent périodiquement de routeur en routeur des copies d'une table de routage. Les mises à jour échangées entre les routeurs communiquent aussi immédiatement les changements de topologie lorsqu'ils se produisent.

Chaque routeur reçoit une table de routage de la part des autres routeurs connectés au même réseau (ses voisins directs) [voir Figure 4.14]. Dans cette figure, le routeur B reçoit ainsi des informations de la part du routeur A, un routeur voisin à travers la liaison WAN. Le routeur B ajoute un nombre (comme un nombre de sauts) au vecteur de distance, et passe la table de routage aux autres routeurs qui sont adjacents, ici le routeur C seulement. Ce processus de pas à pas se produit dans toutes les directions entre routeurs directement interconnectés.

En procédant de la sorte, l'algorithme recense les distances sur l'interréseau et maintient une base de données topologiques. Les algorithmes à vecteur de distance n'autorisent pas un routeur à connaître la topologie exacte d'un interréseau.

Les informations de vecteurs de distance sont en quelque sorte analogues à celles qui figurent sur les panneaux d'intersections d'autoroutes. Un panneau signale une route qui part de l'intersection vers une destination avec la distance à parcourir pour l'atteindre. Plus loin, un autre panneau indique la même destination, mais avec une distance réduite. Tant que chaque point de signalisation successif sur l'itinéraire indique une distance inférieure à celle du point précédent pour la même destination, le trafic suit la meilleure route.

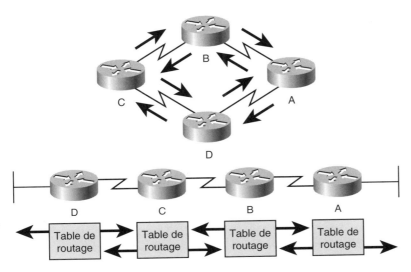

Figure 4.14

Les routeurs opérant par vecteur de distance se transmettent périodiquement
des copies de leurs tables de routage et accumulent des vecteurs de distance.

Les protocoles RIP d'IPX et RIP d'IP sont des exemples de protocoles à vecteur de distance.

Découverte de réseau

Chaque routeur utilisant un routage par vecteur de distance commence à identifier ses propres voisins. Dans la Figure 4.15, l'interface vers chaque réseau connecté directement est illustrée dans les tables de routage avec une distance de 0.

Lors du processus de découverte de réseau par vecteur de distance, les routeurs prennent connaissance des meilleures routes vers les réseaux de destination en se fondant sur des métriques cumulées communiquées par chaque voisin.

Par exemple, le routeur A prend connaissance des autres réseaux à l'aide des informations qu'il reçoit du routeur B. Chacune des autres entrées de réseau fournies par le routeur B est placée dans la table de routage de A avec une valeur de vecteur de distance augmentée pour indiquer la distance du réseau dans la direction donnée.

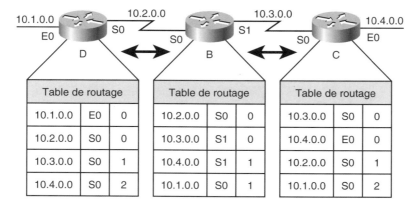

Figure 4.15

Un routeur opérant par vecteur de distance découvre les meilleurs itinéraires vers des destinations spécifiques à partir des informations transmises par ses voisins.

Changements dans la topologie

Comme mentionné plus haut, les mises à jour de table de routage communiquent des changements qui sont intervenus au niveau de la topologie. Comme pour le processus de découverte de réseau, les mises à jour sont effectuées en suivant une progression pas à pas, de routeur en routeur (voir Figure 4.16).

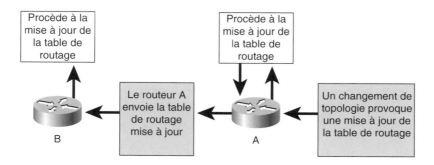

Figure 4.16

Le processus de mise à jour d'informations de routage est réalisé par à pas, de routeur en routeur.

Les algorithmes à vecteur de distance exigent que chaque routeur envoie la totalité de sa table de routage à chacun des routeurs adjacents. La table de routage inclut des informations sur le coût total de l'itinéraire (défini par sa métrique) et sur l'adresse logique du premier routeur sur le chemin vers chacun des réseaux connus. Dans la Figure 4.15, la métrique de chaque chemin est illustrée dans la troisième colonne des tables de routage.

Lorsqu'un routeur reçoit une mise à jour d'un routeur voisin, il compare l'information avec sa propre table de routage. S'il prend connaissance d'une meilleure route (une métrique plus petite) vers un réseau de son voisin, il met à jour sa table de routage. Pour calculer la nouvelle métrique, il ajoute le coût pour accéder au routeur voisin à celui du chemin rapporté par celui-ci. La nouvelle métrique est ensuite inscrite dans la table de routage.

Par exemple, si dans la Figure 4.16 la distance entre le routeur B et le routeur A présente un coût de 1, le routeur B ajoutera 1 à tous les coûts rapportés par le routeur A lorsqu'il exécutera le processus de vecteur de distance pour mettre à jour sa table de routage.

Généralement, un routeur initie des mises à jour en envoyant sa table de routage au moyen de messages multicast ou broadcast sur chaque port configuré. Certains algorithmes de routage emploient d'autres méthodes comme l'envoi de la table uniquement vers des voisins préconfigurés.

La diffusion multicast est utilisée par les protocoles de routage RIP2, OSPF, et EIGRP. Les protocoles RIP et IGRP utilisent la diffusion broadcast.

Problème : boucles de routage

Les boucles de routage peuvent se produire si un interréseau converge lentement vers une nouvelle configuration et occasionne des entrées de routage incohérentes. La Figure 4.17 utilise une conception de réseau simpliste pour illustrer comment une boucle de routage peut se développer. Plus loin, ce chapitre étudie de quelle façon les boucles peuvent naître sur des réseaux plus complexes, et comment les corriger.

Dans la Figure 4.17, le réseau 10.4.0.0 est tombé en panne, provoquant une boucle de routage entre les routeurs A, B et C. Les étapes suivantes décrivent le processus de bouclage :

■ Juste avant la panne du réseau 10.4.0.0, tous les routeurs possèdent des informations cohérentes et des tables de routage correctes. Les éléments du réseau ont convergé. Dans cet exemple, la fonction de coût utilise comme métrique le nombre de sauts pour que le coût de chaque lien soit de 1. Le routeur C est directement connecté au réseau 10.4.0.0 avec une distance de 0. Le chemin du routeur A vers ce réseau passe par le routeur B avec un nombre de sauts de 2.

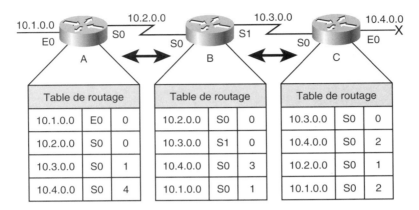

Figure 4.17

Le routeur A met à jour sa table pour refléter le nouveau nombre de sauts erronés.

■ Lorsque le réseau 10.4.0.0 tombe en panne, le routeur C le détecte et arrête le routage des paquets sur son interface E0. Toutefois, le routeur A n'a pas encore pris connaissance de la panne, et croit toujours qu'il peut accéder au réseau par l'intermédiaire du routeur B. Sa table de routage reflète une distance de 2 vers ce réseau.

■ Comme la table de routage du routeur B indique un chemin vers le réseau 10.4.0.0, le routeur C croit qu'il possède une route valide vers ce réseau *via* le routeur B. Le routeur C met à jour sa table de routage pour indiquer une distance de 2 vers le réseau.

■ Le routeur A reçoit la nouvelle table de routage du routeur B, détecte le vecteur de distance modifié vers le réseau 10.4.0.0 et recalcule son propre vecteur de distance pour indiquer une distance de 3 vers le réseau.

Comme les routeurs A, B et C décident que la meilleure route vers le réseau 10.4.0.0 passe par eux, ils continuent à se transmettre les paquets à destination de ce réseau.

Symptôme : comptage à l'infini

Les mises à jour invalides concernant le réseau 10.4.0.0 continuent à boucler, et le nombre de sauts continue à augmenter chaque fois que le paquet de mise à jour passe par un autre routeur. Ce processus est appelé *comptage à l'infini*. Sans l'adoption de mesures permettant d'arrêter le processus, le bouclage et le processus de comptage se poursuivraient indéfiniment. Le protocole IP utilise un compteur de durée de vie (*TTL, Time To Live*) pour arrêter ce processus de comptage. Lorsqu'un routeur reçoit un paquet avec une valeur TTL de 0, il l'ignore et l'empêche ainsi de boucler continuellement.

Solution : configuration d'un maximum

La contre-mesure au comptage à l'infini est une valeur maximale que les protocoles à vecteur de distance interprètent comme étant l'infini. Ce maximum peut être configuré pour n'importe quelle métrique de routage, y compris le nombre de sauts. Par exemple, RIP possède un nombre de sauts maximal de 16.

Avec cette méthode, le bouclage peut se produire jusqu'à ce que la métrique excède la valeur maximale autorisée. Lorsque cette valeur est atteinte, le réseau concerné, 10.4.0.0 dans la Figure 4.17, est considéré comme inaccessible. Les routeurs l'indiqueront dans leur table de routage et arrêteront de transmettre des informations de mises à jour signalant sa disponibilité.

En définissant un nombre maximal, les algorithmes de routage par vecteur de distance se corrigent eux-mêmes en réponse aux informations de routage incorrectes, mais pas immédiatement. Une boucle peut se produire pendant une période finie, jusqu'à ce que la valeur de métrique maximale soit dépassée.

Pour pallier ce problème, on recourt au paramètre TTL (*Time To Live*) d'un paquet. Ce paramètre possède une valeur qui diminue chaque fois qu'un routeur traite le paquet. Lorsqu'elle atteint 0, le routeur qui reçoit le paquet l'ignore. Un paquet pris dans une boucle de routage peut ainsi être supprimé de l'interréseau lorsque son paramètre TTL expire.

Solution : split horizon

Une façon d'éliminer les boucles de routage et d'accélérer la convergence est d'employer une technique appelée *split horizon* (horizon éclaté). La logique sous-jacente à cette technique est qu'il n'est jamais utile d'envoyer une information dans la même direction que celle dont elle provient. Dans la Figure 4.18, par exemple, le routeur B apprend que le réseau 10.4.0.0 est en panne au moyen des informations suivantes :

- Le routeur B dispose d'un accès au réseau 10.4.0.0 *via* le routeur C. Il est inutile que B annonce cette information à C.

■ Etant donné que le routeur B a transmis ses informations de route pour le réseau 10.4.0.0 au routeur A, il est aussi inutile que ce dernier communique à B sa distance vers ce réseau.

■ N'ayant aucun chemin alternatif vers le réseau 10.4.0.0, le routeur B en conclut qu'il est inaccessible.

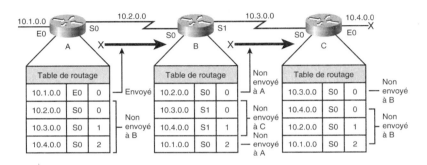

Figure 4.18
La technique de l'horizon éclaté garantit qu'une information de routage n'est jamais envoyée vers l'interface par laquelle elle a été reçue.

Dans sa forme basique, la technique de l'horizon éclaté n'autorise pas qu'une information de mise à jour soit transmise *via* l'interface par laquelle elle a été reçue.

Une autre forme de cette technique est appelée *poison reverse* ; elle est décrite dans la section suivante.

Solution : poison reverse

La technique du *poison reverse* (inversion du poison ou mise à jour corrective) est une variation de la technique de l'horizon éclaté, vue précédemment. Elle tente d'éliminer les boucles de routage provoquées par des mises à jour incohérentes. Avec cette méthode, un routeur qui découvre une route inaccessible définit une entrée de table de routage qui préserve la cohérence de l'état d'un réseau pendant que les autres routeurs convergent progressivement vers la topologie correcte. Cette technique employée avec des temporisateurs de retenue (*hold-down*), décrits dans la prochaine section, représente une solution aux longues boucles de routage.

Par exemple, lorsque le réseau 10.4.0.0 tombe en panne (voir Figure 4.19), le routeur C peut "empoisonner" son lien vers ce réseau en enregistrant une entrée dans sa table de routage afin que ce lien ait un coût infini (c'est-à-dire jugé inaccessible). En faussant sa route vers le réseau en question, le routeur C n'est pas sensible aux mises à jour incorrectes annoncées par les routeurs voisins qui prétendraient disposer d'un chemin alternatif valide vers ce réseau.

Lorsqu'une mise à jour montre que la métrique d'une route existante a augmenté suffisamment, on se trouve en présence d'une boucle. La route devrait être supprimée, ou "empoisonnée", et placée en retenue. Actuellement, la règle suivie indique qu'une route est supprimée si la métrique composée augmente d'un facteur supérieur à 1,1. Autoriser n'importe quelle augmentation de métrique composée à déclencher une suppression de route n'est pas une technique sûre, car des petits changements de métriques peuvent se produire en raison de modifications au niveau de l'occupation du canal ou au niveau de sa fiabilité. Cette règle est utile uniquement pour rompre de très grandes boucles, car les petites peuvent être prévenues par les techniques d'horizon éclaté, de mises à jour déclenchées, et de retenues.

Solution : temporisateurs de retenue (hold-down)

Les temporisateurs de retenue sont utilisés pour empêcher des messages réguliers de mises à jour de rétablir abusivement une route qui peut avoir été inutilisable. Les temporisateurs de retenue indiquent au routeur de retenir pendant un laps de temps tous les changements qui peuvent affecter des routes. Le délai de retenue est généralement calculé pour être légèrement supérieur au temps nécessaire pour mettre à jour l'ensemble du réseau avec un changement de routage.

Les temporisateurs de retenue fonctionnent de la manière suivante :

■ Lorsqu'un routeur reçoit une mise à jour de la part d'un voisin indiquant qu'un réseau précédemment accessible ne l'est plus, il marque la route comme inaccessible et démarre un temporisateur de retenue (voir Figure 4.19). Si à n'importe quel moment avant l'expiration du temporisateur une mise à jour est reçue de la part du même voisin indiquant que le réseau est maintenant accessible, le routeur marque le réseau comme accessible et supprime le temporisateur.

■ Si une mise à jour est reçue d'un routeur voisin différent avec une métrique plus intéressante que celle enregistrée à l'origine pour le réseau, le routeur marque le réseau comme accessible et supprime le temporisateur.

■ Si à n'importe quel moment avant que le temporisateur n'expire, une mise à jour est reçue d'un routeur voisin différent avec une métrique moins intéressante, la mise à jour est ignorée. Ainsi, l'information de changement dispose de plus de temps pour se propager sur l'ensemble du réseau.

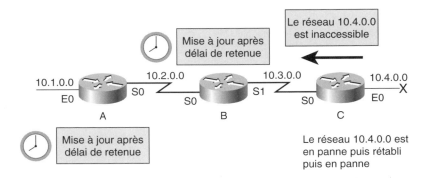

Figure 4.19

Un routeur conserve une entrée pour un état "en panne" d'un réseau, laissant ainsi le temps aux autres routeurs de recalculer ce changement de topologie.

Solution : mises à jour déclenchées

Dans les exemples précédents de boucles de routage, celles-ci étaient provoquées par des informations erronées calculées suite à des mises à jour incohérentes, une convergence lente, ou un dépassement de délai de mise à jour. Si des routeurs attendent la réception de mises à jour régulières planifiées avant de notifier aux routeurs voisins une éventuelle catastrophe survenue sur un réseau, des problèmes sérieux peuvent se produire.

Normalement, de nouvelles tables de routage sont envoyées aux routeurs voisins sur une base régulière. Par exemple, les mises à jour de RIP pour IP se produisent toutes les trente secondes, celles de RIP pour IPX interviennent toutes les soixante secondes. Une *mise à jour déclenchée* est envoyée immédiatement en réponse à un changement quelconque dans une table de routage. Le routeur qui détecte une modification de topologie envoie immédiatement un message de mise à jour aux routeurs adjacents qui, en retour, génèrent des mises à jour déclenchées en notifiant aux routeurs voisins le changement. Cette vague de mises à jour se propage à travers la portion du réseau où les routes sont connectées au lien fautif.

Dans la Figure 4.20, par exemple, le routeur C annonce immédiatement que le réseau 10.4.0.0 est inaccessible. Dès réception de cette information, le routeur B annonce sur son interface S0 l'indisponibilité du réseau. En retour, le routeur A envoie une mise à jour sur son interface E0.

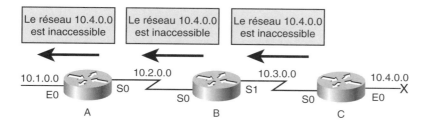

Figure 4.20

Avec la technique de mise à jour déclenchée, les nœuds envoient des messages dès qu'ils détectent un changement dans leur table de routage.

Les mises à jour déclenchées seraient suffisantes s'il était possible de garantir que la vague de mises à jour puisse atteindre chaque routeur approprié immédiatement. Deux problèmes peuvent se présenter :

■ Les paquets contenant le message de mise à jour peuvent être ignorés ou altérés par un lien sur le réseau.

■ Les mises à jour déclenchées ne se produisent pas instantanément. Il est possible qu'un routeur n'ayant pas encore reçu la mise à jour déclenchée émette une mise à jour régulière au mauvais moment, provoquant le rétablissement d'une mauvaise route sur un voisin ayant déjà reçu la mise à jour déclenchée.

L'association des mises à jour déclenchées avec les temporisateurs de retenue permet de contourner ces problèmes. La règle de retenue stipule que lorsqu'une route est supprimée, aucune nouvelle route vers la même destination ne sera acceptée durant un certain laps de temps. La mise à jour déclenchée a ainsi le temps d'être propagée à travers le réseau.

Implémentation de solutions sur des routes multiples

Les solutions individuelles traitées jusqu'à présent fonctionnent de concert pour empêcher la présence de boucles de routage sur des réseaux plus complexes. Examinez la conception illustrée Figure 4.21. Dans ce scénario, les routeurs A, D et E possèdent chacun deux routes vers le réseau 10.4.0.0.

Lorsque le réseau 10.4.0.0 tombe en panne, voici ce qui se passe :

1. Empoisonnement de la route. Dès que le routeur B détecte la panne du réseau, il fausse sa route vers le réseau en lui associant un nombre de sauts infini.

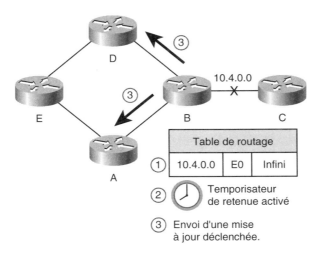

Figure 4.21
*Dès que le routeur B détecte que le réseau 10.4.0.0 est en panne,
il "empoisonne" l'entrée pour ce chemin dans sa table de routage.*

2. Activation du temporisateur de retenue. Une fois que le routeur B a altéré sa route vers le réseau 10.4.0.0, il active son temporisateur de retenue.

3. Envoi d'une mise à jour déclenchée. Le routeur B déclenche une mise à jour vers les routeurs D et A, en indiquant que le réseau est "éventuellement indisponible". Une nouvelle information de routage est propagée à travers le reste du réseau à mesure que les routeurs connectés activent des temporisateurs de retenue et déclenchent des mises à jour (étapes 2 et 3). Les routeurs D et A reçoivent la mise à jour déclenchée et activent leurs propres temporisateurs pour supprimer tous les changements de route pendant un délai donné. Ils envoient à leur tour une mise à jour déclenchée vers le routeur E en indiquant que le réseau en question est éventuellement inaccessible.

Finalement, le routeur E reçoit la mise à jour déclenchée concernant l'état du réseau de la part des routeurs D et A. Le routeur E active son propre temporisateur, et attend jusqu'à ce qu'un des événements suivants se produise :

■ Le temporisateur de retenue expire. Dans ce cas, le routeur E sait que le réseau est définitivement inaccessible.

■ Une autre mise à jour est reçue indiquant que l'état du réseau a changé. Dans ce cas, le routeur E change sa table de routage en fonction de la nouvelle information.

■ Une autre mise à jour est reçue indiquant une nouvelle route avec une meilleure métrique. Dans ce cas, le routeur E met à jour sa table de routage en fonction de la nouvelle information.

Durant la période de retenue, le routeur E suppose que l'état du réseau 10.4.0.0 reste inchangé par rapport à son état original et tente d'envoyer les paquets vers le réseau.

Routage par état de lien

Le deuxième algorithme de base utilisé pour le routage est l'algorithme *par état de lien*.

Les algorithmes de ce type, également appelés algorithmes du *plus court chemin* ou *SPF (Shortest Path First)*, maintiennent une base de données topologiques complexe. Alors que les algorithmes à vecteur de distance possèdent des entrées pour des réseaux distants et une valeur de métrique pour atteindre ces réseaux, mais aucune information sur les routeurs distants, les algorithmes par état de lien conservent des informations complètes sur les routeurs distants et la façon dont ils sont interconnectés. Les protocoles NLSP, OSPF et IS-IS sont des exemples de ce type de protocoles.

Le routage par état de lien utilise des paquets d'état de lien, ou paquets LSP (*Link-State Packet*), une base de données topologiques, l'algorithme SPF, l'arbre SPF résultant, et une table de routage recensant les chemins et les ports pour chaque réseau. Les pages suivantes décrivent plus en détail ces processus et les bases de données exploitées.

Découverte de réseau

Les mécanismes de découverte de réseau par information d'état de lien sont utilisés pour créer une image commune de la totalité d'un interréseau. Tous les routeurs opérant par état de lien partagent cette vue commune de l'interréseau, comme s'ils possédaient des cartes identiques d'une ville. Dans la Figure 4.22, quatre réseaux (W, X, Y et Z) sont connectés par trois routeurs fonctionnant par état de lien (A, B et C).

La découverte de réseau avec le routage par état de lien utilise le processus suivant :

■ Les routeurs prennent connaissance de leurs voisins adjacents, c'est-à-dire des autres routeurs qui sont directement connectés à eux. Ce processus est souvent appelé "notification des voisins". Dans le routage par état de lien, chaque routeur connecté à un réseau garde trace des routeurs adjacents.

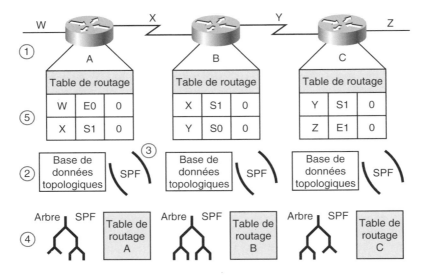

Figure 4.22

Dans le routage par état de lien, les routeurs calculent en parallèle le chemin le plus court vers des destinations.

- Les routeurs se transmettent des paquets LSP. Ces paquets contiennent des informations sur les réseaux auxquels les routeurs sont connectés.

- Les routeurs construisent ensuite leurs bases de données topologiques se composant de tous les paquets LSP de l'interréseau.

- L'algorithme SPF calcule l'accessibilité des réseaux en déterminant le chemin le plus court d'un routeur vers chacun des autres réseaux participant à l'interréseau par état de lien. L'algorithme Dijkstra est utilisé par le routeur pour élaborer cette topologie logique des chemins les plus courts, l'arbre SPF. Celui-ci décrit les itinéraires du routeur vers toutes les autres destinations.

- Un routeur recense dans sa table de routage les meilleures routes et les ports vers les réseaux de destination.

Après que les routeurs ont découvert dynamiquement les détails de leur interréseau, ils peuvent utiliser leur table de routage pour commuter le trafic.

Changements dans la topologie

Les algorithmes par état de lien s'appuient sur des routeurs possédant une image commune du réseau. Chaque fois qu'une topologie par état de lien change, les routeurs qui en prennent connaissance les premiers envoient des informations aux autres routeurs ou à un routeur désigné que tous les autres routeurs peuvent alors utiliser pour les mises à jour. Cette action provoque la distribution d'informations de routage communes à tous les routeurs de l'interréseau. Pour réussir la convergence, chaque routeur effectue les actions suivantes :

■ Il observe un suivi de ses voisins directs : leur nom, s'ils sont en cours de fonctionnement ou pas, et le coût du lien à emprunter pour communiquer avec chacun d'eux.

■ Il construit un paquet LSP qui contient les noms et les coûts des liens menant aux routeurs adjacents. Ces informations incluent les nouveaux voisins, les changements dans les coûts des liens, et les liens vers les voisins devenus inaccessibles.

■ Il envoie ce paquet LSP à tous les autres routeurs.

■ Lorsqu'il reçoit un paquet LSP, il l'enregistre dans sa base de données pour pouvoir conserver le LSP le plus récent reçu de chaque autre routeur.

■ En utilisant les données de LSP accumulées, il construit une carte complète de la topologie de l'interréseau et exécute à nouveau l'algorithme SPF pour calculer les routes vers chaque destination du réseau.

Chaque fois qu'un paquet LSP provoque un changement dans la base de données d'état des liens, l'algorithme recalcule les meilleurs chemins et met à jour la table de routage du routeur. Chaque routeur prend ensuite en compte le changement lorsqu'il détermine les chemins les plus courts à utiliser pour la commutation de paquets.

A l'inverse des algorithmes à vecteur de distance, les algorithmes de routage par état de lien s'autocorrigent immédiatement. Une boucle est interrompue dès que la base de données d'état des liens et la table de routage sont mises à jour.

Problèmes avec le routage par état de lien

Aucun protocole de routage n'est parfait. Les administrateurs de réseaux doivent garder à l'esprit deux problèmes principaux associés au routage par état de lien :

■ les besoins en ressources de traitement et de mémoire ;

■ les besoins en bande passante.

L'exécution de protocole de routage par état de lien nécessite, dans la plupart des situations, que les routeurs utilisent davantage de mémoire et effectuent davantage de traitements. Les administrateurs réseau doivent s'assurer que les routeurs qu'ils sélectionnent sont capables de fournir ces ressources pour le routage.

Les routeurs gardent trace de leurs voisins et des réseaux qu'ils peuvent atteindre par l'intermédiaire d'autres nœuds de routage. En ce qui concerne le routage par état de lien, la mémoire doit contenir des informations provenant de diverses annonces d'informations d'état de lien, l'arbre topologique et la table de routage.

La complexité du traitement impliqué dans le calcul du chemin le plus court est proportionnelle au nombre de liens de l'interréseau multiplié par le nombre de routeurs participant au réseau.

Un autre point à considérer est la quantité de bande passante consommée pour la diffusion initiale par inondation des paquets d'informations d'état de lien. Durant le processus de découverte initiale, tous les routeurs utilisant des protocoles de routage par état de lien envoient des paquets LSP à tous les autres routeurs. Durant cette action, la demande en bande passante de la part des routeurs atteint des niveaux de pointe, et la bande disponible pour le trafic transportant les données utilisateur est temporairement réduite.

Après cette inondation initiale, ces protocoles de routage n'exigent plus qu'une faible bande passante pour envoyer des paquets LSP à une fréquence réduite, ou lorsqu'ils sont déclenchés par un événement afin de répercuter un changement de topologie.

Problème : mises à jour des informations d'état de lien

L'aspect le plus complexe et critique du routage par informations d'état de lien est de s'assurer que tous les routeurs reçoivent tous les paquets LSP nécessaires. S'ils disposaient d'ensembles de paquets LSP différents, les routes seraient alors calculées sur la base de données topologiques incohérentes. Elles deviendraient alors inaccessibles suite aux désaccords entre les différents routeurs. La Figure 4.23 illustre un exemple d'informations de routage incohérentes.

Examinez la séquence suivante d'événements dans l'exemple illustré Figure 4.23 :

- Supposez que le réseau 1 entre les routeurs C et D tombe en panne. Comme on l'a vu, les deux routeurs construisent un paquet LSP pour répercuter l'état d'indisponibilité.

- Ensuite, le réseau 1 est rétabli. Un autre paquet LSP reflétant ce nouveau changement de topologie doit être créé.

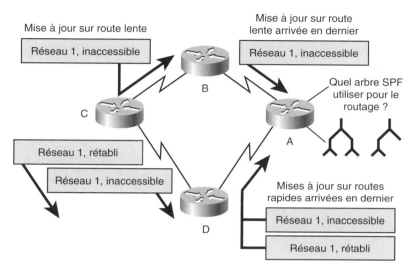

Figure 4.23

Des mises à jour non synchronisées créent des décisions de routage incohérentes.

- Si le message de mise à jour original "Réseau 1, inaccessible" provenant du routeur C utilise un chemin lent, il peut arriver sur le routeur A après le message LSP "Réseau 1, rétabli" du routeur D.

- Avec des paquets LSP non synchronisés, le routeur A se trouve confronté au dilemme de ne pas savoir quel arbre SPF construire. Doit-il utiliser des chemins avec le réseau 1 qui a été dernièrement rapporté comme inaccessible ?

Si la distribution LSP vers tous les routeurs n'est pas synchronisée correctement, il peut en résulter un routage employant des routes invalides.

L'utilisation de protocoles par état de lien sur de très grands interréseaux peut intensifier le problème de la distribution de paquets LSP provoquant des erreurs.

Par exemple, si différentes parties d'un interréseau sont créées successivement, comme cela se produit souvent dans le cas de réseaux en cours de croissance, l'ordre de l'envoi et de la réception des paquets LSP variera. Cette variation peut altérer la convergence et lui nuire. Les routeurs peuvent prendre connaissance de différentes versions de la topologie avant de construire leurs arbres SPF et leurs tables de routage.

De plus, sur un grand interréseau, des variations peuvent vraisemblablement se produire dans la vitesse de transmission vers les différentes parties du réseau. Certaines parties qui mettent à jour plus rapidement peuvent provoquer des problèmes à celles qui réagissent plus lentement. Un partitionnement peut éventuellement scinder un interréseau en une zone à mises à jour rapides et une autre à mises à jour lentes. Les administrateurs de réseau doivent ensuite dépanner les complexités des informations d'état de lien pour offrir une connectivité acceptable.

Le routage par état de lien est confronté à un problème s'apparentant à celui de l'œuf et de la poule, et qui est encore plus présent sur de grands interréseaux. La livraison correcte des paquets LSP dépend de l'exactitude des entrées dans la table de routage, mais l'exactitude de celles-ci dépend de celle des paquets LSP. Les routeurs envoyant ces paquets ne peuvent pas garantir que ceux-ci seront correctement transportés, car les entrées existantes dans leur table de routage peuvent ne pas refléter la topologie en cours.

Avec des mises à jour provoquant des erreurs, les paquets LSP peuvent se multiplier à mesure qu'ils se propagent à travers l'interréseau, provoquant une consommation de bande passante de plus en plus importante.

Solution : mécanismes de routage par état de lien

Le routage par état de lien dispose de plusieurs techniques pour empêcher ou résoudre les problèmes potentiels liés aux exigences de ressources et à la distribution des paquets LSP :

■ Un administrateur réseau peut réduire la distribution périodique des paquets LSP afin que les mises à jour ne se produisent qu'après une certaine durée prolongée configurable. La réduction de la fréquence des mises à jour périodiques n'influe pas sur celles qui sont déclenchées par des changements de topologie.

■ Les mises à jour LSP peuvent être transmises à un groupe multicast au lieu d'être distribuées à tous les routeurs. Sur les réseaux locaux interconnectés, vous pouvez utiliser un ou plusieurs routeurs désignés comme entrepôt cible recevant des messages LSP, et que les autres routeurs peuvent utiliser comme sources spécifiques pour obtenir des données topologiques cohérentes.

■ Sur de grands réseaux, vous pouvez définir une hiérarchie constituée de différentes zones. Un routeur dans une zone du domaine hiérarchique n'a pas besoin de conserver et de traiter les paquets LSP provenant d'autres routeurs non situés dans sa zone.

■ Pour des problèmes de coordination LSP, les implémentations utilisant le routage par état de lien peuvent employer un estampillage LSP, des numéros d'ordre, des stratégies de péremption, ou d'autres mécanismes visant à réduire la distribution d'informations LSP incorrectes ou de mises à jour non coordonnées.

Routage par vecteur de distance versus routage par état de lien

Vous pouvez comparer ces deux types de routage au moyen de plusieurs zones clés, comme présenté dans le Tableau 4.2.

Tableau 4.2 : Comparaison des caractéristiques de routage par vecteur de distance et par état de lien

Vecteur de distance	*Etat de lien*
Voit la topologie du réseau d'un point de vue du voisin.	Donne une vue commune de la totalité de la topologie du réseau.
Incrémente les métriques à mesure qu'une mise à jour passe de routeur en routeur.	Calcule le chemin le plus court vers les autres routeurs.
Des mises à jour fréquentes et périodiques : convergence lente.	Des mises à jour déclenchées par événement : convergence plus rapide.
Transmet des copies de la table de routage aux routeurs voisins.	Transmet des mises à jour d'état de lien aux autres routeurs.

Les différences clés entre ces deux types de routage peuvent être synthétisées de la façon suivante :

■ Le routage par vecteur de distance obtient toutes les données topologiques après traitement des informations des tables de routage reçues des voisins. Le routage par état de lien permet d'obtenir une large vue de la totalité de la topologie de l'interréseau en accumulant toutes les informations LSP nécessaires.

■ Le routage par vecteur de distance détermine le meilleur itinéraire vers un réseau en augmentant la valeur de métrique pour chaque chemin de routeur devant être traversé à mesure que les tables sont échangées de routeur en routeur. Plus la valeur de métrique est grande plus le réseau est éloigné, et moins la route est souhaitable. En ce qui concerne le routage par état de lien, les routeurs travaillent simultanément pour calculer leur propre chemin le plus court vers chaque destination.

■ Avec la plupart des protocoles par vecteur de distance, les mises à jour lors des changements de topologie sont transmises au moyen de modifications périodiques des tables de routage. La totalité des tables passe de routeur en routeur en subissant une incrémentation, et provoquant généralement une convergence plus lente que dans le cas du routage par état de lien. Avec les protocoles par état de lien, les mises à jour sont généralement déclenchées par des changements de topologie. Des paquets LSP relativement petits sont transmis à tous les routeurs, ou à un groupe multicast de routeurs, et permettent généralement une convergence plus rapide.

En tant qu'administrateur réseau, l'implémentation de techniques de routage pour votre réseau en vue de répondre à des besoins techniques — c'est-à-dire d'utiliser le chemin le plus rapide, le plus court, le moins coûteux, ou le plus fiable possible — n'est pas toujours le seul objectif à atteindre. Les préoccupations des entreprises peuvent également influencer les stratégies de routage. La conformité aux règles, priorités, et partenariats d'une organisation influe sur les choix de routage. Par exemple, une solution de routage peut être considérée comme plus souhaitable car elle utilise les services d'un partenaire ou évite ceux d'un concurrent. Le support multifabricant ou la conformité à des standards peut aussi l'emporter sur la supériorité technique.

Les problèmes d'exploitation, tels que la préoccupation visant à conserver une simplicité de réseau, sont également des points importants. Afin que le protocole de routage choisi convienne de façon idoine à certaines organisations, il doit être facile à configurer et à administrer. Il doit pouvoir gérer plusieurs protocoles routés sans nécessiter de nombreux modèles de configuration incohérents et complexes.

Finalement, éviter l'emploi de technologies non éprouvées est aussi une démarche à observer dans la conception de stratégies de routage.

Routage hybride

Ce chapitre a présenté jusqu'ici les deux types principaux de protocoles de routage : par vecteur de distance et par information d'état de lien.

Un troisième type émergeant de protocole de routage combine les caractéristiques des deux précédents. Il est appelé *hybride équilibré*.

Le protocole de routage hybride équilibré utilise les vecteurs de distance avec des métriques plus précises pour déterminer les meilleurs chemins vers des réseaux de destination. Toutefois, il diffère de la plupart des protocoles par vecteur de distance par l'emploi des changements de topologie pour déclencher les mises à jour de données de routage.

Le routage hybride équilibré permet une convergence relativement rapide, comme les protocoles par état de lien. Toutefois, il en diffère en mettant l'accent sur l'économie des ressources requises, comme la bande passante, la mémoire et le processeur.

Les exemples de protocoles hybrides équilibrés sont IS-IS (*Intermediate System-to-IS)* d'OSI, et Enhanced IGRP (*Enhanced Interior Gateway Routing Protocol)* de Cisco.

Processus de routage de base

Indépendamment du type de protocole utilisé, par vecteur de distance ou par état de lien, les routeurs qui participent à un réseau doivent effectuer les mêmes fonctions de routage de base. La couche réseau doit être en relation avec diverses couches inférieures et s'interfacer avec elles, et les routeurs doivent être capables de gérer sans problème les paquets encapsulés dans différentes trames de niveau inférieur sans changer leur adressage de niveau 3.

Routage entre réseaux locaux

La Figure 4.24 illustre un exemple de couche réseau intervenant comme interface dans un routage entre LAN. Dans cet exemple, le trafic en provenance de l'hôte 4 sur le réseau Ethernet 1.0 a besoin d'un chemin vers l'hôte 5 de destination sur le réseau 2.0. Les hôtes locaux dépendent du routeur et de la cohérence de son adressage réseau pour trouver les meilleures routes.

Lorsque le routeur vérifie ses entrées de table de routage, il découvre que le meilleur chemin vers le réseau 2.0 utilise le port de sortie To0, l'interface vers un réseau local Token Ring.

Bien que la délimitation de trame de la couche inférieure doive changer lorsque le routeur commute le trafic du réseau 1.0 Ethernet vers le réseau 2.0 Token Ring, l'adressage de la couche 3 pour la source et la destination demeure le même. Dans la Figure 4.24, l'adresse de destination reste "Réseau 2.0, Hôte 5" en dépit des différentes encapsulations de la couche inférieure.

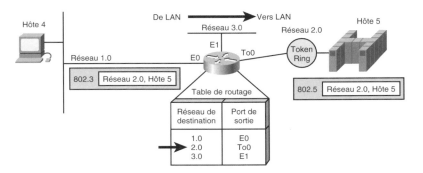

Figure 4.24

*Le routeur utilise l'adresse du réseau de destination contenue dans le paquet
pour rechercher une route.*

Routage entre réseau local et réseau étendu

A mesure qu'un interréseau grandit, le chemin emprunté par un paquet peut rencontrer plusieurs points de relais et une variété de types de liaisons de données au-delà du réseau local. Par exemple, dans la Figure 4.25, un paquet en provenance de la station de travail située à l'adresse 1.3 doit traverser trois liaisons de données pour atteindre le serveur de fichiers se trouvant à l'adresse 2.4.

Les communications routées sont établies selon la procédure de base suivante :

1. La station de travail envoie un paquet vers le serveur de fichiers en encapsulant le paquet dans une trame Token Ring adressée au routeur A au niveau de la couche liaisons de données, et au serveur de fichiers au niveau de la couche réseau.

2. Lorsque le routeur reçoit la trame, il retire le paquet de la trame Token Ring, l'encapsule dans une trame Frame Relay, et la transmet au routeur B.

3. Le routeur B retire le paquet de la trame Frame Relay et transmet le paquet au serveur de fichiers dans une trame Ethernet.

4. Lorsque le serveur de fichiers à l'adresse 2.4 reçoit la trame Ethernet, il extrait le paquet et le transmet au processus approprié de la couche supérieure.

Les routeurs permettent la circulation de paquets entre LAN et WAN en maintenant une cohérence constante au niveau des adresses source et de destination de la couche réseau, tout en encapsulant le paquet de façon appropriée au niveau de l'interface avec une liaison de données pour le prochain saut de l'itinéraire.

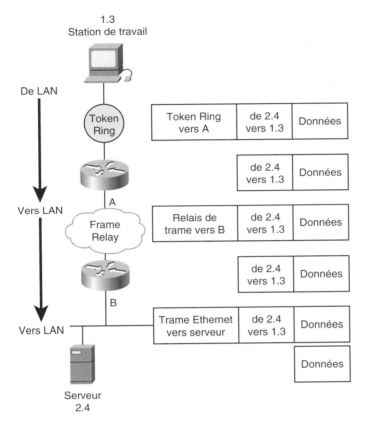

Figure 4.25

Les routeurs conservent les informations d'adresse de bout en bout à mesure qu'ils transmettent le paquet.

Résumé

Les routeurs sont des équipements qui permettent d'implémenter des services de la couche réseau, comme la détermination de chemin et la commutation. Ils sont généralement nécessaires pour assurer le support de plusieurs piles de protocoles, chacune avec ses propres protocoles de routage, et pour permettre à ces différents environnements de fonctionner en parallèle.

Ce chapitre conclut la présentation des concepts de base, en ayant placé un accent particulier sur le modèle de référence OSI que vous devez comprendre avant de configurer des routeurs. Le reste de cet ouvrage présente les opérations et les techniques de configuration des routeurs Cisco, qui permettent d'exploiter une variété de protocoles et de types de médias. Le prochain chapitre traite en particulier les étapes nécessaires au démarrage d'un routeur Cisco, et l'accès à divers modes de fonctionnement.

Test du Chapitre 4

Durée estimée : 15 minutes

Réalisez tous les exercices suivants pour tester vos connaissances des sujets traités dans ce chapitre. Les réponses sont données dans l'Annexe A.

Question 4.1

Les routeurs fonctionnant par informations d'état de lien construisent une vue commune de la topologie d'un interréseau. Vrai ou Faux ?

Question 4.2

Le routage par état de lien utilise des mises à jour périodiques, ce qui entraîne une convergence relativement lente. Vrai ou Faux ?

Question 4.3

Le routage par vecteur de distance élabore une vue à partir des informations des routeurs voisins. Vrai ou Faux ?

Question 4.4

Le routage par vecteur de distance passe de voisin en voisin une table de routage mise à jour. Vrai ou Faux ?

Question 4.5

Dans le routage par état de lien, les événements déclenchent des mises à jour pour bénéficier d'une convergence relativement rapide. Vrai ou Faux ?

Question 4.6

Les routeurs par vecteur de distance traitent en parallèle les mises à jour. Vrai ou Faux ?

Question 4.7

Les routeurs TCP/IP transmettent des paquets en se fondant sur le contenu de l'en-tête _____ du paquet.

Question 4.8

Sur un réseau 10BaseT, la trame _____ est placée directement avant l'en-tête de la couche réseau.

Question 4.9 – 4.11

Choisissez la lettre correspondant à l'en-tête qui pourrait contenir les informations présentées ci-dessous :

A. En-tête liaison de données.

B. En-tête de la couche réseau.

C. En-tête de la couche transport.

Question 4.9 _____ Destination 10.4.0.6.

Question 4.10 _____ Source 00.00.0B.A4.26.39.

Question 4.11 _____ Port de destination 20.

5

Fonctionnement de base des routeurs

Ce chapitre présente les procédures de démarrage de base, les divers modes de commandes, et les commandes d'états d'un routeur. Vous développerez un modèle de routeur par l'intermédiaire de composants qui sont configurables, et vous vous appuierez sur ce modèle pour comprendre comment les commandes de configuration fonctionnent.

Les écrans dans cette section se réfèrent au logiciel Cisco IOS version 11.2(6). Si vous exécutez une version différente, vos écrans peuvent varier de ceux illustrés.

Démarrage d'un routeur

Dans cette section sont décrits les composants d'un routeur qui jouent un rôle essentiel dans le processus de configuration. Sont également étudiées les routines de démarrage d'un routeur. En connaissant les composants impliqués dans le processus de configuration, vous acquerrez une meilleure compréhension de la façon dont le routeur conserve et utilise vos commandes de configuration. Connaître les étapes impliquées dans l'initialisation d'un routeur vous aidera à déterminer quels sont les problèmes qui peuvent survenir, et à quel endroit, quand vous démarrerez le vôtre.

Sources externes de configuration

Le routeur peut être configuré à partir de nombreux endroits (voir Figure 5.1), y compris :

■ **Port de console.** A chaque installation initiale, vous configurez le routeur à partir d'un terminal de console qui est connecté au routeur *via* le port de console.

■ **Port auxiliaire.** Vous pouvez également configurer un routeur au moyen du port auxiliaire.

■ **Terminaux virtuels.** Vous pouvez configurer un routeur à partir des terminaux virtuels 0 à 4 après qu'il a été installé sur le réseau. Notez que vous pouvez généralement accéder à un VTY *via* Telnet.

■ **Serveur TFTP.** Vous pouvez également télécharger des informations de configuration à partir d'un serveur TFTP sur le réseau. Celui-ci peut être une station UNIX ou un PC qui agit en tant qu'entrepôt central pour des fichiers. Vous pouvez conserver des fichiers de configuration sur le serveur puis les télécharger vers le routeur.

■ **Station d'administration de réseau.** Vous pouvez gérer la configuration de routeurs à partir d'un système distant en exécutant un logiciel d'administration de réseau tel que CiscoWorks ou HP OpenView.

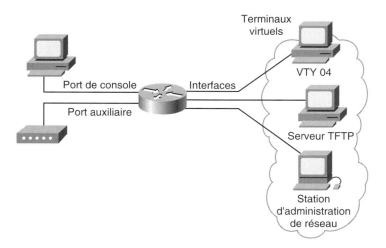

Figure 5.1

Les informations de configuration de routeur peuvent provenir de nombreuses sources.

Afin de pouvoir envoyer et recevoir des informations de configuration vers ou à partir d'un terminal virtuel, un serveur TFTP, ou une station d'administration du réseau, le routeur doit être configuré pour supporter le trafic IP.

Il est possible d'accéder aux routeurs Cisco à des fins de configuration à partir du port de console, du port auxiliaire, et de cinq lignes VTY en même temps. Au maximum sept personnes peuvent configurer simultanément le routeur.

Pour cette raison, la sécurité du routeur devrait être strictement appliquée au moyen de mots de passe pour éviter des accès non autorisés aux fichiers de configuration.

Composants internes de configuration

L'architecture interne du routeur Cisco supporte des composants qui jouent un rôle important dans le processus de démarrage (voir Figure 5.2). Ces composants sont les mémoires RAM/DRAM, NVRAM, flash, ROM, les interfaces et les ports.

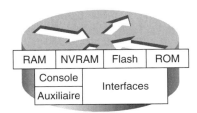

Figure 5.2
Plusieurs éléments constituent les composants internes de configuration.

Mémoire RAM/DRAM

La mémoire RAM/DRAM (*Random Access Memory/Dynamic Random Access Memory*) est le composant de stockage principal pour le routeur. La RAM est également appelée "mémoire de travail" et contient des informations dynamiques de configuration.

Mémoire NVRAM

La mémoire NVRAM (RAM non volatile) contient une copie de secours de la configuration. En cas de coupure de courant ou d'arrêt du routeur pendant une certaine période, la copie de secours de la configuration permet au routeur d'être à nouveau exploité sans avoir besoin d'être reconfiguré.

Mémoire flash

La mémoire flash est une mémoire en lecture seule spéciale, effaçable et programmable. Cette mémoire contient une copie du logiciel Cisco IOS (*Cisco Internetwork Operating System*). Sa structure l'autorise à stocker plusieurs copies du logiciel, ce qui vous permet de charger un nouveau niveau du système d'exploitation sur chaque routeur sur le réseau puis, à un moment opportun, de mettre à jour l'ensemble du réseau à ce niveau. Le contenu de cette mémoire est conservé lorsque vous éteignez ou démarrez le routeur.

Mémoire ROM

La mémoire ROM contient un programme d'amorce et un petit système de surveillance qui peut être utilisé pour effectuer une reprise en cas de sinistre. Les séries de routeurs Cisco 2500, 4000, et 4500 possèdent un sous-ensemble du logiciel Cisco IOS en ROM. Vous pouvez mettre à jour le logiciel de la ROM en remplaçant les circuits sur le processeur.

Interfaces

Les interfaces représentent les connexions réseau par l'intermédiaire desquelles les paquets entrent sur le routeur ou en sortent.

Selon votre routeur, les interfaces supportées sont Ethernet, Token Ring, série, d'accès primaire RNIS, ATM, FDDI, et CIP (*Channel Interface Processor*) pour le support de SNA. Certains routeurs Cisco supportent également les interfaces d'accès primaire RNIS, ATM, FDDI, CIP pour SNA, HSSI, FEIP et MIP.

Ports auxiliaires

Le logiciel Cisco IOS permet également au port auxiliaire d'être utilisé en tant qu'interface de réseau pour le routage asynchrone.

Processus de démarrage du système

Les routines de démarrage du logiciel Cisco IOS sont responsables des opérations liées à l'initialisation du routeur. Les routeurs Cisco sont conçus pour offrir un service fiable aux réseaux connectés. Pour une initialisation réussie, les routines doivent effectuer trois tâches :

1. Vérifier le matériel en procédant à l'autotest POST (*Power-On Self-Test*).

2. Localiser et charger l'image du logiciel Cisco IOS. Cette image représente les données que le routeur utilise pour son système d'exploitation.

3. Localiser et appliquer les informations de configuration du routeur. Ces informations incluent des instructions pour les attributs spécifiques au routeur, des fonctions de protocole, et des adresses d'interfaces.

Tout d'abord assurez-vous que le routeur démarre bien avec le matériel testé. Durant le processus de test POST de l'initialisation, il réalise des diagnostics de la ROM sur tous les modules. Ceux-ci permettent de vérifier le fonctionnement de base du processeur, de la mémoire et des circuits d'interfaces.

Après vérification des fonctions matérielles, le routeur procède à l'initialisation logicielle. Certaines routines agissent comme opérations de repli, capables d'effectuer le démarrage du routeur dans le cas où d'autres routines ne le pourraient pas. Cette souplesse permet au logiciel Cisco IOS de démarrer dans une variété de situations.

A l'étape suivante du processus de démarrage, le routeur recherche son registre de configuration pour déterminer où trouver le logiciel Cisco IOS. S'il ne peut localiser une image valide du système, ou si vous interrompez la séquence de démarrage, le système entre dans le mode de contrôle en ROM. A partir de ce mode, vous pouvez également amorcer l'équipement ou effectuer des test de diagnostic. Vous pouvez configurer le routeur pour qu'il initie automatiquement ce mode chaque fois qu'il démarre.

Vous pouvez également configurer le routeur pour qu'il amorce le fichier image du logiciel Cisco IOS à partir de la ROM ou pour qu'il recherche en NVRAM des instructions définies par l'utilisateur indiquant où localiser ce fichier.

Après chargement du système d'exploitation Cisco IOS, le routeur tente de charger le fichier de configuration, s'il en existe un. Celui-ci contient toutes les informations spécifiées pour le routeur. Il est stocké dans la NVRAM, mais vous pouvez néanmoins configurer le routeur pour que ce fichier soit chargé à partir d'un serveur TFTP.

S'il n'existe pas de fichier de configuration, le routeur se replie dans le mode de configuration. Il s'agit d'une boîte de dialogue interactive qui permet de créer une configuration de base pour le routeur. Si celui-ci est configuré pour charger les dispositifs logiciels à partir d'un serveur TFTP et que ce dernier ne puisse être trouvé, le routeur utilise le fichier de configuration existant en mémoire NVRAM. Si le serveur TFTP est trouvé, le routeur charge le fichier de configuration trouvé sur le serveur.

La Figure 5.3 illustre la séquence complète de démarrage d'un routeur.

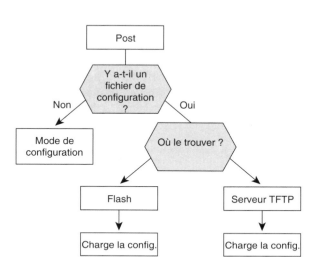

Figure 5.3

La séquence complète de démarrage d'un routeur.

Le routeur peut démarrer à partir de la mémoire ROM, NVRAM, ou Flash, ou d'un serveur TFTP. Après la phase d'initialisation, le routeur est opérationnel. A partir de ce moment-là, vous pouvez créer de nouveaux paramètres de configuration ou en modifier. Dans les deux cas, utilisez les commandes de l'interface utilisateur.

Interface utilisateur

Cette section décrit l'exploitation du logiciel Cisco IOS à partir d'une console. La console du routeur peut être une station de travail exécutant un logiciel d'émulation de terminal, comme Hyperterm, ou un dispositif distant exécutant Telnet. Les deux méthodes permettent d'accéder à l'interface utilisateur du système d'exploitation pour ouvrir une session, en terminer une, ou introduire des commandes pour le routeur.

Cette section présente également l'aide contextuelle, l'emploi des commandes de modification (édition), et l'historique des commandes.

Modes du routeur

L'interface utilisateur de Cisco IOS donne accès aux modes de commande (voir Figure 5.4).

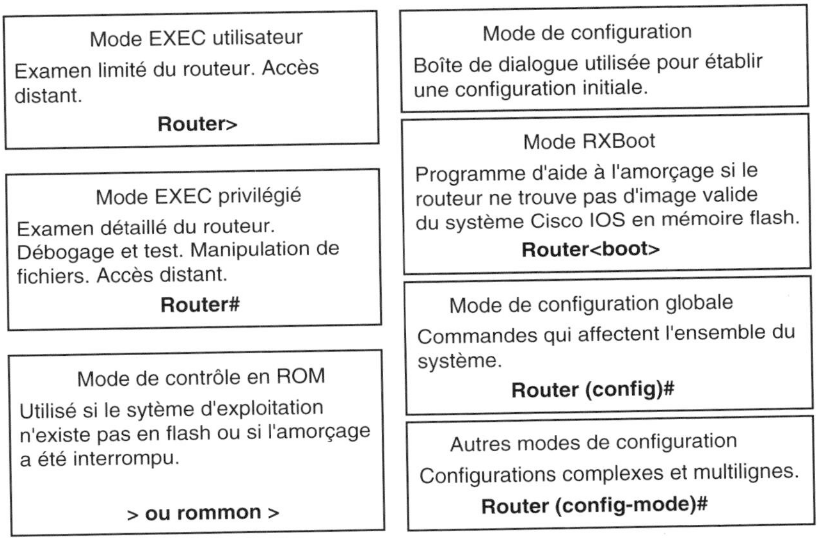

Mode EXEC utilisateur
Examen limité du routeur. Accès distant.
Router>

Mode EXEC privilégié
Examen détaillé du routeur. Débogage et test. Manipulation de fichiers. Accès distant.
Router#

Mode de contrôle en ROM
Utilisé si le sytème d'exploitation n'existe pas en flash ou si l'amorçage a été interrompu.
> ou rommon >

Mode de configuration
Boîte de dialogue utilisée pour établir une configuration initiale.

Mode RXBoot
Programme d'aide à l'amorçage si le routeur ne trouve pas d'image valide du système Cisco IOS en mémoire flash.
Router<boot>

Mode de configuration globale
Commandes qui affectent l'ensemble du système.
Router (config)#

Autres modes de configuration
Configurations complexes et multilignes.
Router (config-mode)#

Figure 5.4
Le logiciel Cisco IOS dispose de sept modes de commande.

ASTUCE

Tapez un point d'interrogation (**?**) sur la ligne de commandes pour obtenir une liste des commandes disponibles pour chaque mode.

Mode EXEC utilisateur

Le système Cisco IOS dispose d'un interpréteur de commande appelé EXEC qui analyse les commandes que vous entrez et exécute les opérations correspondantes.

EXEC dispose de deux niveaux d'accès aux commandes : le mode utilisateur et le mode privilégié.

Après avoir ouvert une session sur le routeur, vous vous trouvez automatiquement dans le mode EXEC utilisateur. En général, ses commandes sont non destructives et permettent de se connecter à des dispositifs distants, de modifier temporairement des paramètres de terminal, d'effectuer des tests de base, et de stocker des informations système. Ce mode est signalé par la présence du nom d'hôte du routeur suivi du signe supérieur (>).

Mode EXEC privilégié

Les commandes du mode privilégié configurent les paramètres de fonctionnement. Elle incluent les commandes du mode utilisateur ainsi que la commande **configure** au moyen de laquelle vous pouvez accéder aux autres modes de commande. Le mode privilégié inclut également des commandes de test de haut niveau, comme **debug**. Pour entrer dans le mode privilégié, tapez **enable** sur la ligne d'invite de commande. Ce mode est signalé par le nom d'hôte du routeur suivi du signe dièse (#).

Le mode privilégié fournit des commandes destructives et son accès doit être protégé par mot de passe.

A partir du niveau privilégié, vous pouvez accéder à d'autres modes de configuration spécifiques.

Mode de contrôle en ROM

Le mode de contrôle en ROM est une interface en ligne de commande (CLI, *Command Line Interface*) qui permet de configurer le routeur. Ce mode est initié lorsque le routeur ne trouve pas d'image valide du système ou lorsque vous interrompez la séquence d'amorçage lors de l'initialisation du routeur. La ligne d'invite de commande de ce mode est signalée par le signe supérieur (>). Sur les routeurs Cisco des séries 1003, 1600, 2600, 3600, 4500, 7200 et 7500, elle est signalée par défaut par l'expression rommon>. La commande **continue** permet de passer de ce mode au mode EXEC.

─────── **ASTUCE** ───

Sur les routeurs Cisco des séries 2000, 2500, 3000 et 4000, vous pouvez aussi entrer dans le mode de contrôle de la ROM en choisissant la commande **reload** et en appuyant sur la touche **Break** durant les premières soixante secondes du démarrage.

──

Mode de configuration

Ce mode est une boîte de dialogue interactive sur la console qui aide le nouvel utilisateur à créer une configuration de base pour la première fois. Vous pouvez également accéder à ce mode en tapant **setup** à l'invite de commande du mode EXEC privilégié. Il comprend une série de questions et n'offre pas de ligne d'invite de commande propre.

Mode RXBoot

Ce mode est un mode spécial auquel vous accédez en modifiant les paramètres du registre de configuration et en redémarrant le routeur. Il offre un sous-ensemble du logiciel Cisco IOS et aide le routeur à s'amorcer lorsqu'il ne peut trouver une image valide du système Cisco IOS dans la mémoire flash. Sa ligne d'invite de commande est signalée par le nom d'hôte suivi de <boot>.

Mode de configuration globale

Les commandes de configuration globale s'appliquent aux fonctionnalités qui affectent l'ensemble du système. Vous initiez ce mode en tapant la commande **configure** à l'invite de commande du mode EXEC privilégié. Ce mode est signalé par le nom d'hôte suivi de (config) et du signe dièse (#). Pour quitter le mode EXEC privilégié, tapez **exit**, **end**, ou appuyez sur **Ctrl+Z** à l'invite de commande.

Depuis mode, vous pouvez également accéder à d'autres modes de commande.

Autres modes de configuration

Ces modes offrent des fonctions de configuration spécifiques sur plusieurs lignes qui visent une interface ou une fonctionnalité individuelle, comme la modification du fonctionnement d'une interface, la configuration de plusieurs interfaces virtuelles (appelées "sous-interfaces") sur une seule interface physique, ou la configuration d'un protocole de routage IP.

Il existe plus de dix-sept modes de configuration spécifiques différents. Pour en apprendre davantage à leur propos, visitez le site **www.cisco.com**.

Ouverture de session sur le routeur

Lorsque vous ouvrez une session pour la première fois sur le routeur, vous accédez automatiquement au mode EXEC utilisateur. Pour le quitter, tapez **logout** à l'invite de commande.

L'interpréteur de commandes attend, pendant un certain intervalle de temps spécifié, une entrée de la part de l'utilisateur. Si aucune entrée n'est détectée pendant cet intervalle, l'interpréteur recommence la connexion, et une ouverture session est à nouveau initiée. L'intervalle d'attente est par défaut de dix minutes. Une valeur de 0 signifie que l'intervalle d'attente n'expire pas. La commande **no exec-timeout** élimine la configuration de l'intervalle, et est similaire à la commande **exec-timeout 0**. Cette commande est tapée dans le mode de configuration en ligne de commande, traité plus loin.

Vous entrez dans le mode EXEC privilégié en tapant la commande **enable** à partir du mode EXEC utilisateur (voir Figure 5.5). Si le mode EXEC privilégié n'a pas été protégé par un mot de passe, vous êtes invité à en indiquer un. Vous quittez ce mode en tapant la commande **disable** ou **exit**.

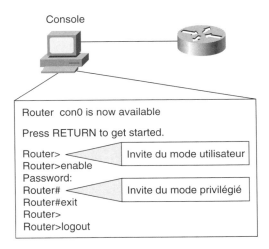

Console

```
Router  con0 is now available

Press RETURN to get started.

Router>                    Invite du mode utilisateur
Router>enable
Password:
Router#                    Invite du mode privilégié
Router#exit
Router>
Router>logout
```

Figure 5.5
Vous devez taper enable pour accéder au mode EXEC privilégié
après avoir ouvert une session sur le routeur.

Pour mettre fin à une session sur le routeur, tapez **exit** ou **logout**.

Utilisation de mots de passe

Le logiciel Cisco IOS supporte une variété de fonctions de sécurité qui permettent de contrôler l'accès aux routeurs. La forme de sécurité la plus élémentaire consiste à contrôler qui peut ouvrir une session sur un routeur. Cet accès peut être contrôlé par une ou plusieurs des méthodes suivantes :

■ un mot de passe d'accès à une ligne de commande ;

■ un mot de passe pour le mode EXEC privilégié ;

■ des mots de passe cryptés.

Les mots de passe sont définis lors de la configuration initiale dans le mode de configuration ou en tapant la commande **enable password**. Si aucun mot de passe n'a été défini, l'accès au mode privilégié ne peut être obtenu qu'à partir de la console du routeur.

Mots de passe de lignes de commande individuelles

Vous pouvez sécuriser l'accès au routeur en protégeant par mot de passe les lignes de commande individuelles. Ce niveau de sécurité entraîne une vérification des droits de l'utilisateur avant qu'il ne puisse accéder à n'importe quelle ligne, y compris à celle de la console.

Mot de passe du mode EXEC privilégié

Vous pouvez également contrôler l'accès au mode EXEC privilégié en lui associant un mot de passe lors de la configuration initiale du routeur.

Mots de passe cryptés

Cisco fournit une fonction qui permet de crypter les mots de passe. Lorsque vous l'utilisez, les mots de passe sont stockés sur le routeur sous une forme codée et sont masqués lors de l'affichage des paramètres de configuration. Ce cryptage est activé par la commande **service password-encryption**.

Emploi d'un mot de passe

Vous pouvez configurer votre routeur pour disposer d'un contrôle de mot de passe utilisateur (voir Figure 5.6). Le mot de passe entré n'apparaît pas à l'écran. Si aucun mot de passe n'est tapé, le processus d'ouverture de session expire après un certain temps.

Vous disposez de trois tentatives pour donner le mot de passe correct. Le routeur vous confirmera s'il est inexact. Dans ce cas, appuyez sur la touche **Retour** pour balayer le message et recommencer l'entrée à partir de la console.

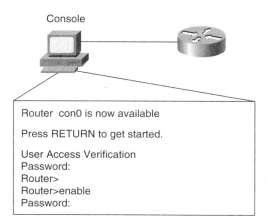

Console

```
Router  con0 is now available

Press RETURN to get started.

User Access Verification
Password:
Router>
Router>enable
Password:
```

Figure 5.6
L'ajout de mot de passe est effectué lors de la configuration initiale
ou en utilisant la commande enable password.

Liste de commandes du mode utilisateur

Quand vous êtes dans le mode EXEC utilisateur, vous pouvez afficher toutes les commandes disponibles en tapant un point d'interrogation (**?**) à l'invite de commande (voir Figure 5.7).

L'écran affiche vingt-deux lignes à la fois. L'invite "--more--" en bas de l'écran signifie que plusieurs écrans sont disponibles en sortie. Vous pouvez afficher l'écran suivant disponible en appuyant sur la barre d'espacement. Pour afficher la ligne suivante, appuyez sur la touche **Retour** (ou sur la touche **Entrée**, sur certains claviers). Appuyez sur n'importe quelle autre touche pour revenir à l'invite de commande EXEC utilisateur.

Liste de commandes du mode privilégié

Comme pour le mode EXEC utilisateur, vous pouvez obtenir une liste des commandes disponibles pour le mode EXEC privilégié en tapant un point d'interrogation sur la ligne de l'invite de commande (voir Figure 5.8). Notez que la liste de ce mode est plus importante que celle du mode utilisateur.

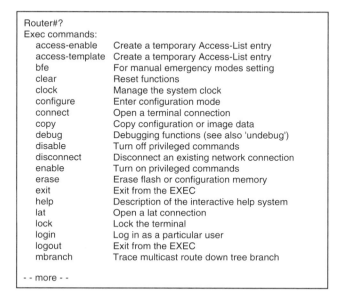

```
Router>?
Exec commands:
   access-enable      Create a temporary Access-List entry
   atmsig             Execute Atm Signalling Commands
   cd                 Change current device
   clear              Reset functions
   connect            Open a terminal connection
   dir                List files on given device
   disable            Turn off priviledged commands
   disconnect         Disconnect an existing network connection
   enable             Turn on privileged commands
   exit               Exit from the EXEC
   help               Description of the interactive help system
   lat                Open a lat connection
   lock               Lock the terminal
   login              Log in as a particlar user
   logout             Exit from the EXEC
   mrinfo             Request neighbor and version information
                      from a multicast router
- - more - -
```

Figure 5.7

Tapez un point d'interrogation pour afficher les commandes disponibles.

```
Router#?
Exec commands:
   access-enable      Create a temporary Access-List entry
   access-template    Create a temporary Access-List entry
   bfe                For manual emergency modes setting
   clear              Reset functions
   clock              Manage the system clock
   configure          Enter configuration mode
   connect            Open a terminal connection
   copy               Copy configuration or image data
   debug              Debugging functions (see also 'undebug')
   disable            Turn off privileged commands
   disconnect         Disconnect an existing network connection
   enable             Turn on privileged commands
   erase              Erase flash or configuration memory
   exit               Exit from the EXEC
   help               Description of the interactive help system
   lat                Open a lat connection
   lock               Lock the terminal
   login              Log in as a particular user
   logout             Exit from the EXEC
   mbranch            Trace multicast route down tree branch

- - more - -
```

Figure 5.8

Tapez un point d'interrogation pour afficher les commandes disponibles dans le mode EXEC privilégié.

Aide contextuelle

Si vous connaissez une commande, mais n'êtes pas sûr de sa syntaxe, vous pouvez recourir à l'aide contextuelle du logiciel Cisco IOS. Elle vous permet d'obtenir une liste de tous les mots clés et arguments associés à une commande donnée. Les deux modes EXEC, utilisateur et privilégié, en disposent.

Vous pouvez abréger les commandes et les mots clés, et ne taper que le nombre de caractères suffisant pour les identifier. Par exemple, vous pouvez abréger la commande **clock** en **clo**.

Lorsque vous utilisez l'aide contextuelle, l'espace (ou l'absence d'espace) avant le point d'interrogation est significatif. Pour obtenir une liste des commandes commençant par une séquence de caractères particuliers, tapez ces derniers suivis immédiatement du point d'interrogation. N'ajoutez pas d'espace. Cette forme d'aide est appelée "aide au mot", car elle complète l'orthographe d'un mot à votre place.

Pour obtenir une liste des mots clés ou des arguments, tapez un point d'interrogation à la place du mot clé ou de l'argument en ajoutant un espace avant. Cette forme d'aide est appelée "aide à la syntaxe de commande", car elle vous rappelle les mots clés ou les arguments applicables à une commande spécifique, ainsi que ceux que vous avez déjà tapés.

Commandes avancées de modification de texte

L'interface utilisateur inclut un mode d'édition avancé qui propose un ensemble de fonctions essentielles de modification de texte. Il vous permet de modifier ou de corriger des noms de commandes longs ou complexes sans avoir à les retaper.

Bien que ce mode soit automatiquement activé avec la version actuelle du système d'exploitation, vous pouvez le désactiver pour revenir au mode d'édition des versions précédentes du logiciel. Pour cela, tapez la commande **terminal no editing** à l'invite de commande du mode EXEC utilisateur.

Vous pouvez également désactiver le mode d'édition avancé si vous avez rédigé des scripts qui n'interagissent pas de façon adéquate lorsqu'il est activé.

L'ensemble des commandes d'édition fournit une fonction de défilement horizontal pour les commandes qui s'étendent au-delà d'une seule ligne sur l'écran. Lorsque le curseur atteint la marge droite, la ligne de commande se décale de dix positions vers la gauche. Vous ne pouvez plus voir les dix premiers caractères de la ligne, mais vous pouvez toujours revenir en arrière pour vérifier la syntaxe du début de la commande. Les combinaisons de touches suivantes aident à automatiser le défile-ment de longues lignes comme décrit ci-dessous :

- Ctrl+A, positionnement au début de la ligne de commande ;

- Ctrl+E, positionnement à la fin de la ligne de commande ;

- Echap+B, positionnement au début du mot précédent ;

- Ctrl+F, déplacement en avant d'un caractère ;

- Ctrl+B, déplacement en arrière d'un caractère ;

- Echap+F, déplacement en avant d'un mot.

Pour effectuer un défilement horizontal arrière, appuyez de façon répétée sur la combinaison **Ctrl+B** ou sur la touche de déplacement vers la gauche jusqu'à ce que vous vous retrouviez en début d'entrée de commande, ou appuyez sur **Ctrl+A** pour revenir directement au début de la ligne.

Dans la Figure 5.9, la ligne de commande dépasse une ligne d'écran. Lorsque le curseur atteint la fin de la ligne, celle-ci se décale de dix espaces vers la gauche et est réaffichée. Le signe dollar ($) indique que la ligne a fait l'objet d'un défilement vers la gauche. Chaque fois que le curseur atteint la fin de la ligne, ce décalage est reproduit.

```
Router>   $ value for customers, employees, and partners.
```

Figure 5.9

La commande d'édition fait défiler la ligne horizontalement si elle est trop longue.

Historique des commandes

L'interface utilisateur fournit un historique ou un enregistrement des commandes que vous avez tapées. Cette fonction est particulièrement utile pour rappeler des commandes ou des entrées de texte longues ou complexes. Cette fonction permet les actions suivantes :

- la définition de la taille du tampon d'historique des commandes ;

- le rappel des commandes ;

- la désactivation de la fonction d'historique des commandes.

Pour afficher l'historique actuel, tapez **show history** à l'invite de commande EXEC privilégié (voir Figure 5.10).

Par défaut, l'historique des commandes est activé, et le système peut enregistrer dix lignes. Pour modifier le nombre de lignes que le système enregistrera lors d'une session de terminal, utilisez la commande **terminal history size**.

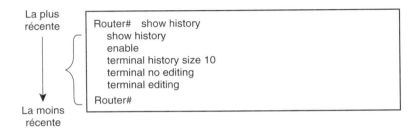

Figure 5.10

La commande show history affiche un enregistrement des dernières commandes tapées.

Les combinaisons de touches suivantes automatisent le déplacement dans l'historique des commandes comme décrit ci-dessous :

- Ctrl+P ou touche de déplacement vers le haut, rappel de la dernière (précédente) commande ;

- Ctrl+N ou touche de déplacement vers le bas, rappel de la commande la plus récente ;

- Tab (touche de tabulation), achèvement de la frappe de la commande.

Pour rappeler les commandes de l'historique en commençant par la plus récente, appuyez sur la combinaison **Ctrl+P** ou sur la touche **déplacement vers le haut**. Répétez l'action pour revoir successivement les autres commandes plus anciennes.

Pour revenir aux commandes les plus récentes après avoir rappelé des commandes plus anciennes, appuyez sur **Ctrl+N** ou sur la touche **déplacement vers le bas**. Répétez l'action pour revoir successivement les commandes les plus récentes.

Après avoir tapé les caractères uniques du début d'une commande, appuyez sur la touche **Tab** pour que l'interface termine la séquence d'entrée à votre place.

Sur la plupart des ordinateurs portables, vous pouvez disposer de fonctions de sélection et de copie supplémentaires. Vous pouvez copier une chaîne de commande précédemment entrée pour la coller ou l'insérer comme commande en cours. Appuyez ensuite sur la touche **Retour**.

Examen de l'état du routeur

Cette section décrit les commandes de base que vous pouvez utiliser pour déterminer l'état actuel du routeur. Elles vous aideront à obtenir les informations essentielles dont vous aurez besoin lorsque vous contrôlerez et dépannerez les opérations du routeur.

Il est important de pouvoir surveiller l'état et le bon fonctionnement du routeur à n'importe quel moment. Les routeurs Cisco disposent d'une série de commandes qui permettent de déterminer s'ils opèrent correctement ou si des problèmes se sont produits (voir Figure 5.11).

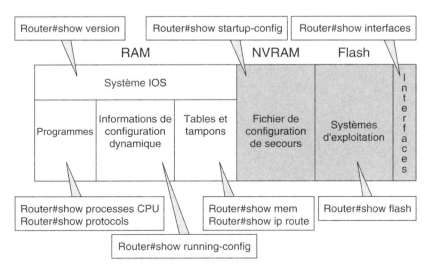

Figure 5.11

De nombreuses commandes permettent de superviser la configuration du routeur.

Voici la liste des commandes d'états du routeur :

- **show version.** Affiche la configuration matérielle du système, la version du logiciel, les noms et les sources des fichiers de configuration, ainsi que les images d'amorçage.

- **show processes.** Affiche des renseignements sur les processus actifs.

- **show protocols.** Affiche les protocoles configurés. Cette commande indique l'état de n'importe quel protocole configuré de la couche 3 (réseau).

- **show memory.** Affiche des statistiques sur la mémoire des routeurs, y compris des statistiques sur les pools de mémoire libres.

- **show ip route.** Affiche les entrées dans la table de routage.

- **show flash.** Affiche des informations sur le dispositif de mémoire flash.

- **show running-config. (write term** sous Cisco IOS versions 10.2 ou antérieures). Affiche des paramètres de configuration actifs.

- **show startup-config. (show config** sous Cisco IOS versions 10.2 ou antérieures). Affiche le fichier de configuration de secours.

- **show interfaces.** Affiche des statistiques sur toutes les interfaces configurées sur le routeur.

Les sections suivantes présentent plus en détail certaines de ces commandes.

Commande show version

La commande **show version** affiche des informations sur la version du logiciel Cisco IOS exécutée sur le routeur (voir Figure 5.12).

```
Router#show version
IOS (tm) 2500 Software (C2500-JS-L), Version 11.2 (6), RELEASE SOFTWARE (fcl)
Copyright (C) 1986-1997 by cisco Systems, Inc.
Compiled Tue 06-MAY-97 16:17 by Kuong
Image text-base: 0x0303ED8C, data-base: 0x00001000
ROM: System Bootstrap, Version 5.2 (8a), RELEASE SOFTWARE
ROM: 2500-XBOOT Bootstrap Software, Version 10.1(1), RELEASE SOFTWARE (fcl)
router uptime is 1 week, 3 days, 32 minutes
System restarted by reload
System image file is "c2500-js-1", booted via tftp from 171.69.1.129
- - more - -
```

Figure 5.12

Résultat de la commande show version.

Ces informations sont importantes à connaître lorsque vous devez mettre à jour le logiciel sur vos routeurs ou dépanner un problème avec le support technique de Cisco.

Notez que cette commande ne montre pas uniquement la version du logiciel, mais également des statistiques sur la durée de fonctionnement du système, le nom du fichier image du système, et l'endroit à partir duquel il a été chargé. Chaque fois que la version du logiciel est revue ou mise à jour, un numéro de révision est appliqué à la version. Celui-ci apparaît entre parenthèses directement après le numéro de version. Dans cet exemple, la version du logiciel Cisco IOS est 11.2 et le numéro de révision est (6).

ASTUCE

Si plusieurs routeurs présentent un même comportement problématique, vous pouvez utiliser la commande **show version**. Peut-être que tous les routeurs affectés obtiennent un même fichier image d'un même serveur TFTP, ce qui pourrait signifier que le fichier est altéré.

Commandes show startup-config et show running-config

Les commandes **show startup-config** et **show running-config**, illustrées Figure 5.13, comptent parmi les commandes EXEC du logiciel Cisco IOS les plus utilisées.

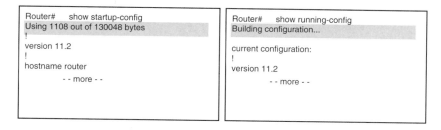

Figure 5.13

Les commandes show startup-config et show running-config comptent parmi les commandes EXEC les plus utiles.

■ La commande **show startup-config** autorise un administrateur à voir la taille de l'image et les commandes de configuration de démarrage que le routeur utilisera lors de son prochain démarrage. Ce fichier de secours est chargé en mémoire lorsque le routeur est initialisé, et contient toutes les informations que vous avez spécifiées à propos des interfaces du routeur. Vous saurez que vous êtes en train d'examiner ce fichier de configuration par l'intermédiaire d'un message indiquant la quantité de mémoire non volatile qui a été utilisée.

■ La commande **show running-config** affiche des informations sur la configuration en cours dans la mémoire du terminal. Vous saurez que vous êtes en train d'examiner la configuration en cours d'exécution car les mots "Current configuration" apparaîtront à l'écran. Vous pouvez apporter des changements à ces informations, mais ils seront perdus lorsque le routeur sera éteint. Pour conserver toute modification, vous devez la copier dans le fichier de configuration de démarrage stocké dans la mémoire NVRAM. Pour cela, utilisez la commande **copy running-config startup-config**.

Avec le logiciel Cisco IOS versions 10.2 et antérieures, la commande **write terminal** affiche la configuration en cours d'exécution, et la commande **show config** affiche la configuration de démarrage.

Commande show interfaces

Cette commande affiche des paramètres configurables et des statistiques en temps réel associés aux interfaces d'un routeur. Elle est très utile pour déterminer l'activité et le comportement d'une interface donnée ou pour vérifier tout changement que vous auriez apporté à une interface.

Voici une liste de quelques statistiques que vous pouvez obtenir avec cette commande :

■ état de l'interface ;

■ unités maximales de transmission (MTU) pour une interface ;

■ adresse Internet d'une interface ;

■ adresse MAC pour l'interface LAN (par exemple, Ethernet, Token Ring ou FDDI) ;

■ type d'encapsulations ;

■ nombre de paquets reçus ;

■ nombre d'erreurs de paquets d'entrée ou de sortie ;

■ nombre de collisions détectées (sur une interface Ethernet).

Cette commande est très utile pour vous aider à déterminer l'état et l'historique de fonctionnement d'un routeur.

Examinez la Figure 5.14. La ligne supérieure de l'écran indique que la liaison est active. Quelques lignes plus bas, l'écran indique l'adresse Internet, et en-dessous certaines métriques de liaison. (BW est la bande passante, et DLY est le délai.) La ligne suivante indique HDLC, le protocole d'encapsulation par défaut pour les lignes série sur les routeurs Cisco.

```
Router#show interfaces
Serial0 is up, line protocol is up
   Hardware is MK5025
   Internet address is 183.8.64.129, subnet mask is 255.255.255.128
   MTU 1500 bytes, BW 56 Kbit, DLY 20000 usec, rely 255/255, load 9/255
   Encapsulation HDLC, loopback not set, keepalive set (10 sec)
   Last input 0:00:00, output 0:00:01, output hang never
   Last clearing of "show interface" counters never
   Output queue 0/40, 0 drops: input queue 0/75, 0 drops
   Five minute input rate 1000 bits/sec, 0 packets/sec
   Five minute output rate 2000 bits/sec, 0 no buffer
      331885 packets input, 62400237 bytes, 0 no buffer
      Received 230457 broadcasts, 0 runts, 0 giants
      3 input errors, 3 CRC, 0 frame, 0 overrun, 0 ignored, o abort
      403591 packets output, 66717279 bytes, 0 underruns
      0 output errors, 0 collisions, 8 interface resets, 0 restarts
      45 carrier transitions
```

Figure 5.14

La commande show interfaces.

Le terme *runt* (nain) signale un paquet trop petit pour être légal, et *giant* (géant) un paquet trop grand.

Commande show protocols

Cette commande permet d'afficher les protocoles configurés sur le routeur (voir Figure 5.15).

Cette commande affiche l'état global spécifique à une interface pour tout protocole de la couche 3 configuré, par exemple IP, DECnet, IPX et AppleTalk.

Le routeur Cisco classe souvent les informations du fichier de configuration en données de configuration globale et données de configuration d'interface. La section globale indique le trafic que le routeur est capable de transmettre. La section interface donne des informations plus détaillées, telles que les adresses de protocole.

```
Router#show protocols
Global values:
    Internet Protocol routing is enabled
DECENT routing is enabled
XNS routing is enabled
Vines routing is enabled
Appletalk routing is enabled
Novell routing is enabled
- - more - -
Ethernet0 is up, line protocol is up
Internet address is 183.8.128.2, subnet mask is 255.255.255.128
Decnet cost is 5
XNS address is 3010.aa00.0400.0284
CLNS enabled
Vines metric is 32
AppleTalk address is 3012.93, zone 1d-e0
Novell address is 3010.aa00.0400.0284
- - more - -
```

Figure 5.15

La commande show protocols affiche l'état des protocoles de la couche 3.

Résumé

Ce chapitre a expliqué, d'un point de vue théorique, comment un routeur Cisco est initialisé avec des routines de démarrage. Le prochain chapitre approfondira ce sujet sur le plan pratique, en examinant aussi la façon de charger les fichiers de configuration, de nommer un routeur, de définir des mots de passe et de configurer une interface. Les commandes présentées dans ce chapitre permettant d'examiner la configuration d'un routeur seront mises en application dans le prochain chapitre à la phase de la vérification des implémentations.

Test du Chapitre 5

Durée estimée : 15 minutes

Réalisez tous les exercices suivants pour tester vos connaissances des sujets traités dans ce chapitre. Les réponses sont données dans l'Annexe A.

Question 5.1

Ecrivez dans les encadrés vierges les commandes correctes pour accéder à chacun des éléments de routeur de la Figure 5.16.

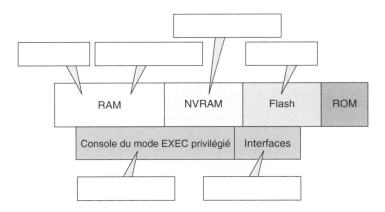

Figure 5.16

Question 5.2

Comment pouvez-vous utiliser l'aide contextuelle pour répertorier les commandes du mode EXEC privilégié ?

Question 5.3

Quelle est la commande à utiliser pour accéder au mode EXEC privilégié ?

Question 5.4

Que se passe-t-il lorsque vous tapez la commande **show history** ?

Question 5.5

Que se passe-t-il lorsque vous tapez **exit** à l'invite de commande du mode EXEC privilégié ?

6

Configuration d'un routeur

Ce chapitre décrit le chargement d'un fichier de configuration, la configuration d'une interface série et la définition de votre environnement de configuration. Il présente les différents modes qui sont disponibles pour un utilisateur privilégié, ainsi que les commandes permettant d'apporter et de revoir des modifications. A travers la majeure partie de ce chapitre, il sera supposé qu'un fichier de configuration existe déjà, le point principal étant le chargement et la gestion du fichier et non sa création. Les dernières sections de ce chapitre présentent toutefois la façon d'utiliser le mode de configuration Setup pour créer ou modifier un fichier de configuration simple.

Lorsque vous configurez un routeur, il existe plusieurs étapes possibles que vous pouvez suivre pour apporter des changements et les enregistrer. Selon la tâche de configuration précise, il est possible que vous n'utilisiez pas toutes les étapes à la fois. Dans ce chapitre, vous effectuerez les opérations suivantes :

■ chargement d'un fichier de configuration existant ;

■ changement de l'identification d'un routeur ;

■ assignation d'un mot de passe aux deux modes EXEC, utilisateur et privilégié ;

■ configuration d'une interface série ;

■ enregistrement des changements en mémoire NVRAM.

Le routeur utilise les informations du fichier de configuration lorsqu'il démarre. Celui-ci contient des commandes qui personnalisent son fonctionnement. Si aucun fichier n'est disponible, le mode de configuration interactif vous guide pour en créer un. Pour plus de détails sur la séquence de démarrage d'un routeur, reportez-vous au Chapitre 5.

Chargement d'un fichier de configuration

Comme les variables de configuration affectent l'ensemble du routeur, vous devez vous placer dans le mode de configuration globale avant de pouvoir créer, charger ou modifier une donnée de configuration existante. Pour accéder à ce mode, tapez la commande **configure** à l'invite de commande du mode EXEC privilégié.

Les informations de configuration du routeur peuvent être générées par plusieurs moyens (voir Figure 6.1). Les commandes de configuration peuvent provenir d'un terminal, d'une mémoire non volatile (NVRAM), ou d'un fichier stocké sur un serveur du réseau. Le moyen utilisé par défaut est l'entrée de commandes à partir de la console.

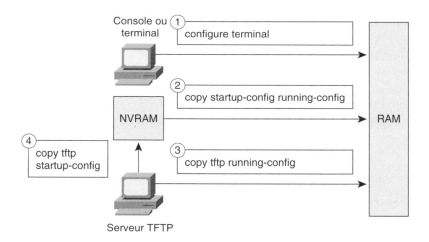

Figure 6.1

Il existe quatre méthodes pour charger un fichier de configuration de routeur.

Sous Cisco IOS versions 10.3 et ultérieures, vous pouvez spécifier la source des commandes de configuration directement lorsque vous entrez dans le mode de configuration globale en tapant l'une des commandes suivantes.

- **configure terminal.** Exécute les commandes de configuration à partir du terminal.

- **copy tftp running-config.** Copie un fichier à partir d'un serveur TFTP en mémoire RAM.

- **copy tftp startup-config.** Charge un fichier de configuration à partir d'un serveur TFTP directement en mémoire NVRAM.

- **copy startup-config running-config.** Copie les informations de configuration de la NVRAM vers la RAM. Le routeur agit comme un compilateur de lignes de commande et lit le fichier de configuration en NVRAM ligne par ligne, en ne recouvrant que les lignes qui existent déjà dans la RAM (un processus appelé *gentle overlay* ou "recouvrement modéré"). S'il y a un conflit entre les deux ensembles de paramètres, le routeur ne désactivera pas les processus.

Chargement pour les versions de Cisco IOS antérieures à la version 10.3

Les commandes suivantes sont utilisées avec le logiciel Cisco IOS versions 10.0 et antérieures :

- **configure terminal.** Exécute les commandes de configuration à partir du terminal.

- **configure memory.** Exécute les commandes stockées en NVRAM.

- **configure network.** Copie le fichier de configuration en RAM à partir d'un serveur du réseau.

- **configure overwrite.** Charge un fichier de configuration directement en NVRAM sans affecter la configuration en cours d'exécution. Soyez attentif à ne pas charger un fichier d'une taille supérieure à celle de la mémoire NVRAM.

La commande **configure network** ne supporte que les serveurs TFTP.

Chargement à partir d'un serveur TFTP

Si vous possédez un réseau composé de nombreux routeurs, vous pouvez maintenir la cohérence de vos fichiers de configuration et réduire votre charge de travail en utilisant de façon répétée une ou deux configurations de secours. L'utilisation d'un serveur sur le réseau pour conserver des sauvegardes de vos fichiers de configuration peut vous faire gagner du temps et économiser de la frappe au clavier. Le fichier est ensuite téléchargé lorsque vous en avez besoin. L'exemple suivant copie un fichier de configuration à partir d'un serveur TFTP vers le routeur (voir Figure 6.2).

Pour extraire un fichier de configuration stocké sur un serveur TFTP du réseau, procédez comme suit :

1. Accédez au mode de configuration en tapant la commande **copy tftp running-config** (ou **configure network** si vous utilisez une version 10.0 ou antérieure).

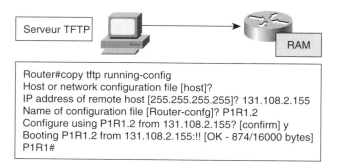

```
Router#copy tftp running-config
Host or network configuration file [host]?
IP address of remote host [255.255.255.255]? 131.108.2.155
Name of configuration file [Router-confg]? P1R1.2
Configure using P1R1.2 from 131.108.2.155? [confirm] y
Booting P1R1.2 from 131.108.2.155:!! [OK - 874/16000 bytes]
P1R1#
```

Figure 6.2

Un serveur peut stocker des fichiers de configuration de secours qui seront téléchargés quand cela sera utile.

2. Indiquez le type du fichier de configuration. L'invite de commande vous donne la possibilité de charger un ou deux types de fichier de configuration à partir du serveur. Ces deux types de fichier sont les suivants :

   – **Fichier de configuration hôte (host).** Ce fichier de configuration contient des commandes qui s'appliquent à un routeur en particulier. C'est le type de fichier par défaut.

   – **Fichier de configuration de réseau (network).** Ce fichier contient des commandes qui s'appliquent à tous les routeurs et serveurs terminaux sur le réseau.

3. Tapez l'adresse de réseau de l'hôte distant à partir duquel vous voulez récupérer le fichier de configuration.

4. Tapez le nom du fichier de configuration ou acceptez le nom par défaut.

Tâches de configuration fondamentales

Cette section décrit les commandes de configuration qui personnalisent et sécurisent un routeur. Elle détaille également les commandes qui modifient les interfaces en se concentrant sur l'interface série. Enfin, elle examine les étapes requises pour enregistrer le fichier de configuration modifié. Elle commence par expliquer les tâches de configuration fondamentales en revoyant les modes qui seront utilisés.

Modes de configuration d'un routeur

Le Chapitre 5 a introduit les différents modes d'un routeur qui sont disponibles pour modifier une configuration. Revoyons-les plus en détail.

Tapez la commande **configure terminal** pour entrer dans le mode de configuration globale. Ce mode reconnaît les commandes qui affectent l'ensemble du routeur. Par exemple, comme un routeur possède un mot de passe **enable** et un nom d'hôte, les commandes associées sont acceptées dans le mode de configuration globale. De plus, le routeur reconnaît dans ce mode des commandes sur une ligne. Certaines de celles-ci provoquent l'entrée du routeur dans d'autres modes de configuration où des commandes plus complexes et plus détaillées peuvent être utilisées.

Un exemple d'un autre mode de configuration est celui de configuration d'interface. Vous y accédez en spécifiant une interface précise. Certaines commandes, telles que **ring-speed**, sont appropriées pour Token Ring, mais seraient illogiques pour une interface série. Par conséquent, la spécification de l'interface en dit davantage à l'interpréteur sur la nature des commandes de configuration que vous êtes sur le point d'utiliser.

L'invite de commande identifie toujours le mode actif, y compris celui de configuration globale (voir Figure 6.3).

A partir du mode de configuration globale, vous pouvez accéder aux divers modes de configuration spécifiques, qui sont les suivants :

- **Mode d'interface.** Supporte des commandes qui configurent le fonctionnement d'une interface donnée.

- **Mode de sous-interface.** Supporte des commandes qui configurent plusieurs interfaces virtuelles sur une seule interface physique.

- **Mode contrôleur.** Supporte des commandes qui configurent une ligne T1 fractionnée.

- **Mode ligne.** Supporte des commandes qui configurent le fonctionnement d'une ligne de terminal.

- **Mode routeur.** Supporte des commandes qui configurent un protocole de routage pour IP.

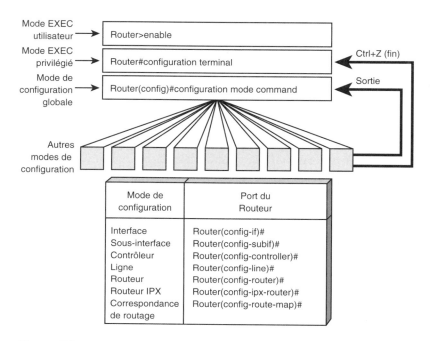

Figure 6.3

Chaque mode possédant une invite de commande distincte, vous savez toujours dans quel mode vous vous trouvez.

■ **Mode routeur-IPX.** Supporte des commandes qui configurent le protocole de couche réseau de Novell.

■ **Mode correspondance de routage.** Supporte des commandes qui configurent les tables de routage et les informations de source et de destination.

Pour obtenir une liste complète des modes de configuration d'un routeur, reportez-vous à la rubrique "Understanding the User Interface" à l'URL : **http://www.cisco .com/univercd/cc/td/doc/product/software/ios103/rpcg/index.htm**.

Si vous tapez **exit**, le routeur remonte d'un niveau, en vous autorisant finalement à fermer la session. En général, l'utilisation de cette commande à partir d'un des modes de configuration spécifiques vous replacera dans le mode de configuration globale. La combinaison de touches **Ctrl+Z** permet de quitter totalement le mode de configuration et de replacer le routeur dans le mode EXEC privilégié.

━━ **ASTUCE** ━━

Une erreur courante lorsque le routeur se trouve dans un mode de configuration non globale est d'oublier de sortir pour revenir dans le mode de configuration globale une fois la tâche accomplie. En vérifiant l'invite de commande, vous pouvez contrôler que vous êtes dans le mode de configuration correct.

Configuration de l'identification du routeur

Une des premières tâches lors de la configuration d'un routeur est de le nommer. Le réseau est mieux géré si chaque routeur possède un identifiant unique. Ce nom est considéré comme le nom d'hôte, et c'est celui qui est affiché sur la ligne de l'invite de commande système. Si aucun nom n'est configuré, le nom pris par défaut est "Router". Un nom est attribué à partir du mode de configuration globale. Dans la Figure 6.4, le nom du routeur est P1R1.

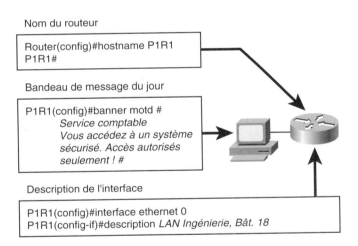

Figure 6.4
L'identification du routeur définit l'identité locale ou le message pour le routeur ou l'interface auxquels on accède.

━━ **ASTUCE** ━━

L'identifiant d'un routeur est un renseignement pratique lorsque vous configurez des routeurs à distance, car il fournit un moyen rapide pour savoir à quel routeur vous accédez. Ce nom est également utilisé lors de l'adressage des routeurs à travers le réseau.

Vous pouvez configurer un bandeau pour un message du jour qui sera affiché sur tous les terminaux connectés. Ce bandeau est affiché à l'ouverture de session et est utile pour communiquer des messages qui affectent tous les utilisateurs du réseau, tel que celui d'arrêt système imminent. Lorsque vous tapez la commande **banner motd**, faites-la suivre d'un de ou plusieurs espaces et d'un caractère de délimitation de votre choix, par exemple le signe dièse (#). Après avoir ajouté le texte du bandeau, terminez le message par un autre caractère de délimitation. Le mot clé **motd** est l'acronyme de "message of the day".

Vous pouvez disposer de plusieurs lignes dans le bandeau, la totalité d'un écran, et si vous savez comment entrer les commandes spéciales pour les modes étendus VT, vous pouvez obtenir des caractères allongés et apparaissant en surbrillance. Si vous vous trouvez sur un réseau sécurisé, le bandeau est un bon emplacement pour placer des informations de maintenance du réseau, comme la description des utilisateurs qui dépendent d'un routeur donné et où celui-ci est localisé.

ASTUCE

Souvenez-vous que n'importe qui peut voir les informations du bandeau. Soyez prudent sur la formulation de votre message. L'inclusion du mot "Bienvenue" est une invitation explicite à pénétrer sur le réseau adressée à n'importe qui, y compris aux crackers.

D'autres bandeaux sont disponibles, y compris un bandeau d'inactivité qui est affiché sur un terminal ou une console lorsque le matériel n'est pas utilisé. Certaines personnes l'utilisent pour afficher le logo de l'entreprise.

Vous pouvez ajouter une description à une interface pour vous aider à vous souvenir de certaines informations spécifiques, telles que le réseau qu'elle sert. Cette description n'est qu'un commentaire qui sert à se souvenir de la façon dont l'interface est utilisée. Elle apparaîtra à l'écran lorsque vous afficherez des informations de configuration existant dans la mémoire du routeur.

La fonction de description est facile à implémenter au moyen de la commande **description** (*chaîne*), comme dans l'exemple ci-dessous :

```
PIR1(config-if)#description Laboratoire réseau, Bât A
```

Configuration d'un mot de passe

Comme vu dans le Chapitre 5, vous pouvez sécuriser votre routeur en utilisant des mots de passe pour en restreindre l'accès. Ceux-ci peuvent être définis pour des lignes individuelles et pour le mode EXEC privilégié. Les mots de passe sont sensibles à la casse des caractères.

Le mot de passe de console est défini indépendamment des autres mots de passe de ligne, comme un mot de passe de terminal virtuel. Si votre console se trouve dans votre bureau protégé par un verrou, vous pouvez ne pas vouloir utiliser de mot de passe. Dans ce cas, appuyez simplement sur la touche **Retour** ; vous entrez automatiquement dans le mode utilisateur. Toutefois, si ce n'est pas le cas et que tout le monde peut y accéder, vous pourriez avoir besoin d'un mot de passe de ligne de console.

Mot de passe de console

La commande **line console 0** définit un mot de passe d'ouverture de session sur le terminal de la console.

La commande **line vty 0 4** définit un mot de passe d'ouverture de session pour les sessions Telnet entrantes.

La commande **enable password** contrôle l'accès du mode EXEC privilégié.

Mot de passe de terminal virtuel

Le mot de passe de terminal virtuel doit être défini pour supporter la configuration distante. Telnet nécessite un contrôle par mot de passe. Les numéros 0 et 4 définissent une plage, c'est-à-dire les lignes VTY zéro à quatre, ce qui équivaut à cinq sessions Telnet entrantes.

Le même mot de passe peut être utilisé pour toutes les cinq lignes. Toutefois, vous pourriez avoir besoin d'un mot de passe unique pour un terminal virtuel. Cette configuration est souvent utilisée sur un grand réseau avec plusieurs administrateurs. Vous définissez quatre mots de passe VTY identiques afin que tous les administrateurs puissent accéder au routeur, et un mot de passe VTY pour quelque chose d'autre. De cette manière, si une catastrophe se produit sur le réseau et que toutes les lignes VTY sont utilisées, la ligne unique sert de réserve pour la récupération des données.

Mot de passe du mode EXEC privilégié

Le routeur possède un mot de passe **enable**. Toute personne le détenant peut réaliser n'importe quoi sur le routeur ; soyez donc prudent lors de sa diffusion.

Pour fournir un niveau de sécurité supplémentaire, tout particulièrement pour les mots de passe qui traversent le réseau ou qui sont stockés sur un serveur TFTP, vous pouvez utiliser la commande **enable secret**. Cette commande et la commande **enable password** permettent toutes deux de définir un mot de passe crypté que les utilisateurs doivent indiquer pour accéder au mode privilégié (le mode par défaut) ou à tout autre niveau de privilèges de votre choix, mais la commande **enable secret** offre un algorithme de cryptage amélioré.

ASTUCE

Cisco recommande d'utiliser la commande **enable secret** chaque fois que cela est possible en raison de son algorithme de cryptage. Utilisez la commande **enable password** uniquement si vous amorcez le routeur à partir d'une ancienne image du logiciel Cisco IOS ou à partir d'une ancienne ROM d'amorçage qui ne reconnaît pas la commande **enable secret**.

Si vous configurez un mot de passe **enable secret**, il sera utilisé à la place de celui établi avec **enable password** et non en plus.

Cryptage de mot de passe

Les mots de passe peuvent être davantage protégés contre un affichage par l'intermédiaire de la commande **service password-encryption**. Pour configurer le cryptage, utilisez la commande suivante à partir du mode de configuration globale :

```
Router(config)#service password-encryption
```

ASTUCE

Pour désactiver les mots de passe, utilisez la forme **no** de la commande de mot de passe spécifique dans le mode de configuration globale.

Si un mot de passe crypté ne peut être retrouvé, vous devez effacer la configuration du routeur et créer un nouveau fichier à partir du mode de configuration (setup).

Configuration et gestion d'une interface

La fonction principale d'un routeur est d'envoyer des paquets d'une liaison de données à une autre. Pour cela, les caractéristiques des interfaces par l'intermédiaire desquelles les paquets sont reçus et transmis doivent être définies. Elles incluent, sans s'y limiter, l'adresse du port, la méthode d'encapsulation, le type de média, la bande passante et le tampon d'accès direct en mémoire.

De nombreuses fonctions sont activées pour une interface donnée. Le mode de configuration d'interface dispose de commandes qui modifient le fonctionnement d'un port Ethernet, Token Ring, FDDI, ou série. Lorsque vous utilisez la commande **interface**, vous devez définir le type de l'interface et son numéro. Celui-ci est attribué en usine et est utilisé pour identifier l'interface. Cela est particulièrement utile lorsque vous disposez de plusieurs interfaces de même type sur un seul routeur.

Voici un exemple de type et de numéro d'interface :

```
Router(config)#interface serial 0
Router(config)#interface ethernet 1
```

Les routeurs Cisco des séries 7000 et 7200 peuvent accepter plusieurs cartes d'interface avec plusieurs ports sur chaque carte. Dans ce cas, le premier numéro est celui de la carte ou le numéro du connecteur. Le second numéro est le port sur la carte. Par exemple, sur la deuxième carte, la première interface Ethernet est spécifiée sous la forme Ethernet 2/0.

Sur les routeurs Cisco des séries 7000 et 7200, vous définissez une interface par les numéros de connecteur et de port :

```
Router(config)#interface ethernet 1/0
```

Sur les routeurs Cisco des séries 7000 et 7500, vous définissez une interface par les numéros de cartes VIP par connecteur, ceux d'adaptateurs de port, et ceux de port, dans cet ordre :

```
Router(config)#interface ethernet 1/0/0
```

Pour quitter le mode de configuration d'interface, tapez **exit** sur la ligne de commande.

Commande show interfaces

La commande **show interfaces** affiche toutes les statistiques pour toutes les interfaces sur le routeur (voir Figure 6.5).

Si vous souhaitez examiner les statistiques pour une interface donnée, tapez la commande suivie des numéros d'interface et de port. L'exemple suivant utilise la commande pour afficher les statistiques de l'interface série, port 1 :

```
Router#show interfaces serial 1
```

Pour afficher les statistiques pour une interface Ethernet, port 0, tapez la commande suivante :

```
Router#show interfaces ethernet 0
```

```
Router#show interface
    Ethernet0 is up, line protocol is up
    Hardware is Lance, address is 0060.4740.c2b6 (bia 0060.4740.c2b6)
    MTU 1500 bytes, BW 10000 Kbit, DLY 1000 usec, rely 255/255, load 1/255
    Encapsulation ARPA, loopback not set, keepalive set (10 sec)
    ARP type: ARPA, ARP Timeout 04:00:00
                        •
                        •
                        •
    Serial1 is up, line protocol is down
    Hardware is MK5025
    MTU 1500 bytes, BW 1544 Kbits, DLY 20000 usec, rely 255/255, load 9/255
    Encapsulation HDLC, loopback not set, keepalive set (10 sec)
                        •
                        •
                        •
```

Figure 6.5

La commande show interfaces est utile pour configurer et superviser les routeurs.

Si vous utilisez la commande **show interfaces** sur les routeurs Cisco des séries 3640, 7000, et 7200 sans les arguments *connecteur/port*, les informations pour tous les types d'interfaces seront affichées. Par exemple, si vous tapez **show interfaces ethernet**, vous verrez apparaître les informations de toutes les interfaces Ethernet, série, Token Ring, et FDDI. La seule façon de spécifier une interface particulière est d'ajouter l'argument du type *connecteur/port*.

Dans la Figure 6.5, la ligne supérieure de l'écran indique que la liaison est active. D'autres caractéristiques sont affichées en-dessous. Pour l'interface Ethernet, vous voyez l'adresse MAC de la carte, les unités de transmission maximales (MTU), et la bande passante. Pour l'interface série, la bande passante par défaut pour une liaison série est T1. La ligne suivante informe sur HDLC qui est le protocole d'encapsulation par défaut pour les lignes série sur les routeurs Cisco.

Interprétation des informations d'état d'interface

Parmi les éléments les plus importants de l'écran de résultat de la commande **show interface serial** comptent les informations d'état du protocole de ligne et de la liaison de données. La Figure 6.6 indique la ligne de synthèse essentielle à vérifier et la signification des informations d'état.

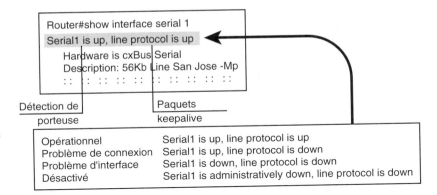

Figure 6.6

Utilisez la commande show interface serial pour identifier les problèmes de ligne et de protocole.

Le premier paramètre, "Serial1 is up", se réfère à la couche matérielle et indique essentiellement si l'interface reçoit le signal de détection de porteuse de la part de l'autre extrémité. Le deuxième paramètre, "line protocol is up", se réfère à la couche liaison de données. Ce paramètre indique si les paquets de contrôle d'activité keepalive du protocole de la couche sont reçus.

Les combinaisons de paramètres suivantes sont possibles :

■ Si l'interface et le protocole de ligne sont activés, la connexion est opérationnelle.

■ Si le matériel est actif et que le protocole de ligne ne l'est pas, il y a un problème au niveau de la couche 2, tel que :

— pas de paquets keepalive ;

— pas de vitesse d'horloge ;

— mauvais connecteur ;

— erreur d'encapsulation ;

— dans une connexion dos à dos (back-to-back), l'autre extrémité de la connexion indique "administratively down" (désactivé par l'administrateur).

■ Si le protocole de ligne et l'interface ne sont pas actifs, un câble peut ne pas avoir été connecté lorsque le routeur a démarré.

■ Si les informations indiquent "administratively down", vous avez désactivé manuellement l'interface. Ce chapitre étudie plus loin comment désactiver les interfaces.

Configuration d'une ligne série

Une des configurations d'interface les plus courantes est celle d'une interface série. Ce chapitre s'appuiera sur une configuration du genre comme exemple de tâche. Les chapitres ultérieurs traiteront de configurations pour d'autres types d'interfaces, telles que Ethernet, Token Ring et les sous-interfaces. Une interface série peut être configurée à partir d'une console ou d'une ligne de terminal virtuel. La Figure 6.7 illustre la façon de configurer une ligne série.

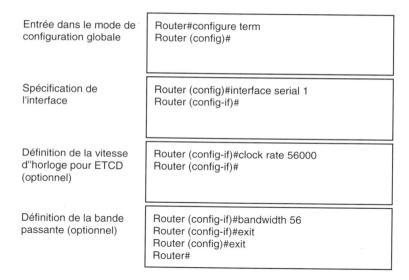

Entrée dans le mode de configuration globale	Router#configure term Router (config)#
Spécification de l'interface	Router (config)#interface serial 1 Router (config-if)#
Définition de la vitesse d''horloge pour ETCD (optionnel)	Router (config-if)#clock rate 56000 Router (config-if)#
Définition de la bande passante (optionnel)	Router (config-if)#bandwidth 56 Router (config-if)#exit Router (config)#exit Router#

Figure 6.7

Vous devez utiliser le mode de configuration globale pour configurer une ligne série.

Les étapes impliquées dans la configuration d'une ligne série sont les suivantes :

1. Entrez dans le mode de configuration globale. Dans cet exemple, vous configurez l'interface à partir du terminal de la console.

2. Une fois le mode activé, vous devez identifier l'interface pour laquelle vous émettrez les commandes.

3. Si vous configurez une interface qui agit comme ETCD (DCE), vous devez lui attribuer une vitesse d'horloge. (Voyez la section suivante "Détermination d'état de dispositifs ETCD/ETTD" pour une explication sur les ETCD et ETTD en environnement avec liaison série.) Les vitesses d'horloge en bits par seconde souhaitables sont : 1 200, 2 400, 4 800, 9 600, 19 200, 38 400, 56 000, 64 000, 72 000, 125 000, 148 000, 500 000, 800 000, 1 000 000, 1 300 000, 2 000 000, ou 4 000 000. La vitesse d'horloge par défaut pour les lignes série est T1.

Tapez la commande **clock rate** avec la vitesse voulue. Veillez à taper la vitesse en entier. Par exemple, une vitesse de 56 000 ne peut pas être abrégée en 56.

4. Indiquez la bande passante désirée pour l'interface. La commande **bandwidth** remplace la valeur par défaut qui est affichée avec la commande **show interfaces** et qui est utilisée par certains protocoles de routage, comme IGRP.

Si vous modifiez l'emploi de l'interface d'ETCD en ETTD (DTE), utilisez la commande **no clock rate** pour supprimer la vitesse d'horloge.

ASTUCE

Lorsque vous exploitez la ligne EIA/TIA-232 avec des vitesses élevées et de longues distances, les données peuvent subir un glissement de phase par rapport à l'horloge. Pour empêcher ce déplacement, utilisez la commande **dce-terminal-timing enable**.

Détermination d'état de dispositifs ETCD/ETTD

Sur les liaisons série, un côté de la liaison agit comme ETCD et l'autre comme ETTD. Par défaut, les routeurs Cisco agissent comme ETTD, mais peuvent être configurés comme ETCD. Dans une configuration par câblage dos à dos (back-to-back) où aucun modem n'est utilisé, le dispositif ETCD doit fournir un signal d'horloge.

Avant de commencer à configurer ou à modifier votre interface série, vous devez savoir si l'interface est configurée en tant que dispositif ETTD ou ETCD. La commande **show controllers serial** affiche des informations matérielles spécifiques de l'interface (voir Figure 6.8).

La plupart des informations affichées sont propriétaires et sont utilisées par le personnel d'assistance technique de Cisco à des fins de diagnostic. La commande **show controllers serial** permet de savoir si l'interface est câblée comme ETCD ou comme ETTD. Si elle est configurée comme ETCD, la commande indique également ment la vitesse d'horloge actuelle.

```
Router#show controllers serial 1
HD unit 1, idb = 0xBFD3C, driver structure at 0xC39A0
buffer size 1524 HD unit 1, V.35 DCE cable, clockrate 56000
cpb = 0x83, eda = 0x800, cda = 0x814
RX ring with 16 entries at 0x830800
00 bd_ptr=0x0800   pak=0x0C54F0   ds=0x836938   status=80 pak_sizes=22
01 bd_ptr=0x0814   pak=0x0C5158   ds=0x835BC8   status=80 pak_sizes=22
02 bd_ptr=0x0828   pak=0x0C4F8C   ds=0x835510   status=80 pak_sizes=269
03 bd_ptr=0x083C   pak=0x0C4DC0   ds=0x834E58   status=80 pak_sizes=22
04 bd_ptr=0x0850   pak=0x0C6184   ds=0x839840   status=80 pak_sizes=22
05 bd_ptr=0x0864   pak=0x0C4BF4   ds=0x8347A0   status=80 pak_sizes=22
                          •
                          •
                          •
```

Figure 6.8

La commande show controllers serial permet de savoir si l'interface est un dispositif ETTD ou ETCD.

Vous pouvez afficher des informations pertinentes à propos de tous les contrôleurs, d'une partie des contrôleurs, ou d'un contrôleur spécifique.

La commande :

    Router#**show controllers**

affiche des informations sur tous les contrôleurs installés sur le routeur.

La commande :

    Router#**show controllers serial**

affiche des informations sur tous les contrôleurs d'un type spécifique.

La commande :

    Router#**show controllers serial 1**

affiche des informations sur un contrôleur donné.

Vérification des changements

Prendre le temps de vérifier les changements apportés à l'interface permet de s'assurer qu'aucune erreur n'a été introduite lors du processus d'enregistrement des modifications. La commande **show interfaces** vous permet de voir la configuration actuelle et l'état de l'interface. La Figure 6.9 illustre le résultat de l'exécution de la commande **show interfaces serial 1**.

```
Router#show interfaces serial 1
Serial1 is up, line protocol is up
Hardware is MK5025
MTU 1500 bytes, BW 56 Kbit, DLY 20000 usec, rely 255/255, load 9/255
Encapsulation HDLC, loopback not set, keepalive set (10 sec)
Last input 0:00:00, output 0:00:01, output hang never
Last clearing of "show interface" counters never
Output queue 0/40, 0 drops; input quere 0/75, 0 drops
Five minute input rate, 1000 bits/sec, 0 packets/sec
Five minute output rate 2000 bits/sec, 0 packets/sec
331885 packets input, 62400237 bytes, 0 no buffer
Received 230457 broadcasts, 0 runts, 0 giants
3 input errors, 3 CRC, 0 frame, 0 overrun, 0 ignored, 0 abort
403591 packets output, 66717279 bytes, 0 underruns
0 output errors, 0 collisions, 8 interface resets, 0 restarts
45 carrier transitions
```

Figure 6.9

Vérifiez toujours les changements au moyen de la commande show interfaces.

Désactivation d'une interface

Il est parfois nécessaire de désactiver une interface, par exemple pour effectuer une maintenance matérielle sur une interface donnée ou sur un segment de réseau. Cela peut également s'avérer utile si un problème est rencontré sur un segment particulier que vous devez isoler du reste du réseau jusqu'à ce que le problème soit détecté ou réparé.

La commande **shutdown** (voir Figure 6.10) permet de désactiver une interface pour des raisons administratives. Pour la réactiver, utilisez la commande **no shutdown**.

```
Router#configure term
Router(config)#interface serial 1
Router(config-if)#shutdown
%LINEPROTO-5-UPDOWN:  Line Protocol on Interface Serial1, changed state to down
%LINK-5-CHANGED:  Interface Serial, changed state to administratively down
```

```
Router#configure term
Router(config)#interface serial 1
Router(config-if)#no shutdown
%LINK-3-UPTOWN:  Interface Serial, changed state to up down
%LINEPROTO-5-UPDOWN:  Line Protocol on Interface Serial1, changed state to up
```

Figure 6.10

Les commandes shutdown et no shutdown permettent de modifier l'état de l'interface.

Vérification des changements de configuration (à partir de la version 10.3)

Après avoir apporté des changements aux variables d'une configuration en cours d'exécution, vérifiez le nouvel environnement. La Figure 6.11 illustre les procédures que vous pouvez utiliser lorsque vous travaillez avec le logiciel Cisco IOS à partir de la version 10.3.

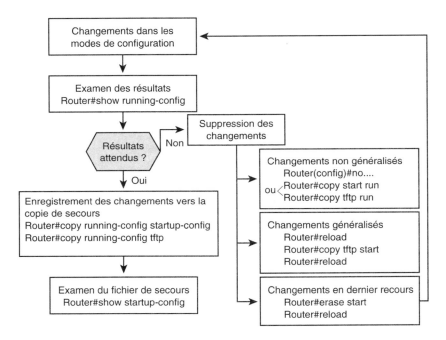

Figure 6.11

Changements de configuration avec le logiciel Cisco IOS à partir de la version 10.3.

Pour vérifier les changements, utilisez la commande **show running-config**. Elle permet d'afficher les variables de la configuration en mémoire.

Si les variables affichées ne correspondent pas à ce que vous attendiez, vous pouvez modifier l'environnement de la manière suivante :

- Emettez la forme **no** d'une commande de configuration, ou copiez le nouvel ensemble de paramètres de configuration dans la RAM.

■ Redémarrez le système et chargez automatiquement un nouveau fichier de configuration à partir de la NVRAM.

■ Supprimez le fichier de configuration de démarrage avec la commande **erase startup-config** et remplacez-le par un nouveau fichier à partir d'une autre source.

Si vous avez déjà copié des informations de configuration erronées dans le fichier de configuration de démarrage en mémoire NVRAM, vous pouvez procéder comme suit :

■ Créez de nouvelles variables de configuration dans la configuration en cours d'exécution et copiez-les dans le fichier de configuration de démarrage. Pour cela, utilisez la commande suivante :

```
Router#copy running-config startup-config
```

■ Supprimez la configuration enregistrée avec la commande **erase** et redémarrez le système. Dans ce cas, la configuration du routeur sera rétablie avec les valeurs par défaut de fabrication.

ATTENTION

Après avoir tapé la commande **reload**, le système demande si vous souhaitez enregistrer la configuration actuelle. Si vous ne voulez pas enregistrer la configuration en cours, répondez par **no** à l'invite.

Vérification des changements de configuration (versions antérieures à la version 10.3)

La Figure 6.12 illustre les procédures permettant de vérifier les changements effectués dans la configuration lorsque vous travaillez avec des versions du logiciel Cisco IOS antérieures à la version 10.3.

Pour vérifier vos changements, utilisez la commande **show configuration**. Elle affiche les variables de la configuration actuelle en mémoire.

Si les variables affichées ne correspondent pas à ce que vous attendiez, vous pouvez modifier l'environnement en procédant comme suit :

■ Emettez la forme **no** d'une commande de configuration, ou copiez le nouvel ensemble de paramètres de configuration dans la RAM.

■ Redémarrez le système et chargez automatiquement un nouveau fichier de configuration à partir de la NVRAM.

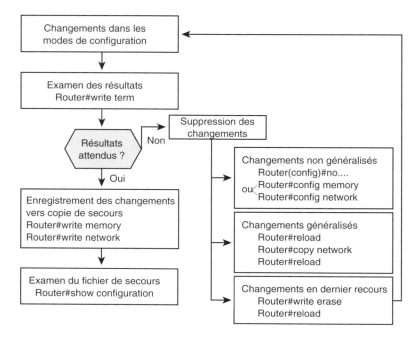

Figure 6.12

Changements de configuration avec les versions du logiciel Cisco IOS antérieures à la version 10.3.

■ Supprimez le fichier de configuration de démarrage avec la commande **write erase** et remplacez-le par un nouveau fichier à partir d'une autre source.

Si vous avez déjà copié des informations de configuration erronées dans le fichier de configuration de démarrage en mémoire NVRAM, vous pouvez procéder comme suit :

■ Créez de nouvelles variables de configuration dans la configuration en cours d'exécution et copiez-les dans le fichier de configuration de démarrage. Pour cela, utilisez la commande suivante :

```
Router#write memory
```

Enregistrement des changements de configuration (à partir de la version 10.3)

Lorsque vous avez vérifié que les nouveaux paramètres sont corrects, vous devez enregistrer les changements dans le fichier de configuration de démarrage (voir Figure 6.13).

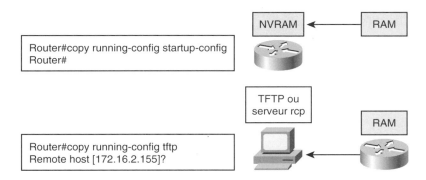

Figure 6.13

Vous pouvez enregistrer les changements de configuration en mémoire NVRAM et (optionnellement) sur un serveur distant.

L'enregistrement des modifications garantit que le routeur utilisera les nouvelles variables lorsque vous copierez le fichier de configuration de démarrage en mémoire ou lorsque vous effectuerez un nouveau chargement.

Pour enregistrer les paramètres de configuration dans le fichier de configuration de démarrage en mémoire NVRAM, utilisez l'instruction suivante à l'invite de commande du mode EXEC privilégié :

```
Router#copy running-config startup-config
```

Pour enregistrer les paramètres de configuration sur un serveur distant du réseau, utilisez l'instruction suivante à l'invite de commande du mode EXEC privilégié :

```
Router#copy running-config tftp
```

où l'argument **tftp** représente le type de serveur cible.

ASTUCE

Si vous effectuez un changement de configuration sur un routeur puis téléchargez le fichier vers un serveur TFTP, l'ancien fichier qu'il contient sera écrasé, et cette nouvelle copie ne possédera aucun commentaire. Pour cette raison, la commande **copy running-config tftp** est souvent utilisée pour créer un fichier initial sur le serveur. Les changements sont tout d'abord effectués sur le serveur TFTP au moyen d'un éditeur de texte puis téléchargés sur le routeur. Cette méthode préserve les commentaires dans le fichier de configuration.

Vous pouvez inclure des commentaires dans le fichier de configuration en faisant précéder une ligne de texte par un point d'exclamation (!). Les commentaires sont utiles pour définir le rôle de chaque commande placée dans le fichier.

Enregistrement des changements de configuration (avant la version 10.3)

Pour enregistrer les variables de configuration dans le fichier de configuration de démarrage en mémoire NVRAM, utilisez l'instruction suivante à l'invite de commande du mode EXEC privilégié :

```
Router#write memory
```

Pour enregistrer les variables de configuration sur un serveur distant du réseau, utilisez l'instruction suivante à l'invite de commande du mode EXEC :

```
Router#write network
```

La commande **write network** ne supporte que les serveurs TFTP.

Administration de l'environnement de configuration

Lorsque le réseau grandit et atteint une certaine taille, il arrive un moment où il peut s'avérer nécessaire de stocker le système Cisco IOS et les fichiers de configuration sur un serveur central qui permette de contrôler le numéro et le niveau de révision des images du système et des fichiers de configuration que vous devez maintenir. Cette section décrit les sources alternatives pouvant héberger le système d'exploitation Cisco IOS et la façon de diriger le routeur pour qu'il puisse le localiser. Elle présente également la façon de modifier le registre de configuration existant pour refléter un nouvel emplacement de l'image du système.

Localisation du système Cisco IOS

Le champ d'amorçage du registre de configuration (boot) précise si le routeur charge une image du système d'exploitation et, si c'est le cas, l'emplacement à partir duquel il l'obtient. Vous pouvez modifier ce champ de registre. Au lieu d'utiliser l'image système et le fichier de configuration par défaut pour démarrer, vous pouvez spécifier une image et un fichier particulier situés quelque part sur le réseau.

La source par défaut du logiciel Cisco IOS dépend de la plate-forme matérielle, mais le plus souvent, le routeur recherche les commandes de configuration enregistrées en mémoire NVRAM (voir Figure 6.14). Les paramètres peuvent être placés dans le registre de configuration pour autoriser des solutions alternatives à partir desquelles le routeur pourra amorcer le logiciel Cisco IOS.

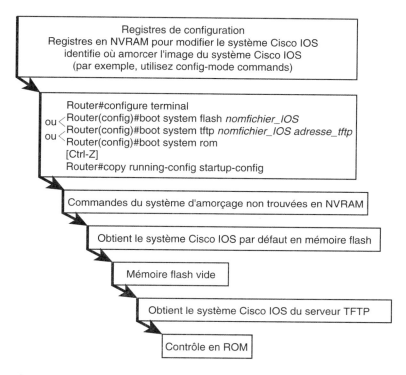

Figure 6.14

Si le routeur ne peut localiser le système d'exploitation Cisco IOS, il entre dans le mode de contrôle en ROM.

Vous spécifiez les commandes **boot system** pour définir la série des sources vers lesquelles se tourner en cas d'échec. Vous enregistrez ces instructions en NVRAM avec la commande **copy running-config startup-config**. Le routeur utilisera la nouvelle séquence lors du prochain démarrage. Si la commande **boot system** n'est toutefois pas utilisée, le système possède ses propres sources alternatives (voir Figure 6.14). Par défaut, le routeur cherche le système Cisco IOS en mémoire flash.

Si la mémoire flash est vide, le routeur tente la solution d'amorçage *via* le réseau. Il utilise la valeur dans le registre de configuration pour former un nom de fichier à partir duquel il amorcera l'image par défaut du système stockée sur un serveur du réseau.

Finalement, si le routeur épuise toutes les solutions alternatives et ne peut localiser le système d'exploitation, il entre dans le mode de contrôle en ROM.

L'ordre dans lequel le routeur recherche les informations d'amorce du système dépend de la configuration du champ d'amorçage dans le registre de configuration.

Détermination des valeurs courantes du registre de configuration

Avant de modifier le registre de configuration, vous devez déterminer de quelle façon le routeur charge l'image du système d'exploitation. Utilisez la commande **show version** pour obtenir les valeurs actuelles du registre de configuration (voir Figure 6.15). La dernière ligne de l'écran contient les valeurs du registre.

```
Router#show version

IOS (tm) 2500 Software (C2500-JS-L), Version 11.2(6), RELEASE SOFTWARE(fcl)
Copyright (c) 1986-1997 by Cisco Systems, Inc.
Complied Tue 06-May-97 16:17 by Kuong
Image text-base: 0x0303ED8C, data-base; 0x00001000

ROM: System Bootstrap, Version 5.2(8a), RELEASE SOFTWARE
ROM: 3000 Bootstrap Software (IGS-RXBOOT), version 10,2 (8a),
RELEASE SOFTWARE (fcl)
Router uptime is 21 hours, 13 minutes
System restarted by reload
System image file is "flash:c2500-js-1.112-6.bin", booted via flash
   •
   •
   •
Configuration register is 0x2102
```

Figure 6.15
Le registre de configuration indique que les commandes d'amorçage du système sont recherchées dans la mémoire NVRAM.

Notez que la commande **show version** affiche plus de deux pages d'écran. Vous devez vous placer sur la deuxième page pour afficher les valeurs du registre de configuration.

───── **ASTUCE** ──

Si vous vous trouvez dans le mode de contrôle en ROM, utilisez la commande **o** pour répertorier les paramètres du registre de configuration.

──

Vous pouvez changer les valeurs par défaut du registre de configuration avec la commande **config-register** du mode de configuration. Tapez **configure terminal** dans le mode EXEC privilégié pour entrer dans le mode de configuration (voir Figure 6.16).

```
Router#configure terminal
Router(config)#config-register 0x2102
[Ctrl-Z]
Router#reload
```

Figure 6.16

Entrez dans le mode de configuration pour modifier les valeurs par défaut du registre de configuration.

Le registre de configuration est un registre de 16 bits. Les quatre bits des rangs les plus faibles, les bits 3, 2, 1 et 0, forment le champ d'amorçage. Un nombre hexadécimal est utilisé comme argument pour définir les valeurs du registre. Le Tableau 6.1 illustre les options de valeur et leur signification.

Tableau 6.1 : Options de valeur pour le champ d'amorçage dans le registre de configuration

Valeur	Signification
0×0	Utilise le mode de contrôle en ROM (amorçage manuel avec la commande *b*).
0×1	Amorçage automatique à partir de la ROM (fournit un sous-ensemble du système IOS).
0×2 à 0×F	Recherche en NVRAM les commandes d'amorçage du système (0×2 par défaut si le routeur dispose de mémoire flash).

Pour modifier le champ d'amorçage et laisser tous les autres bits placés sur leur valeur par défaut, procédez comme suit :

■ Donnez au champ d'amorçage la valeur 0 pour entrer automatiquement dans le mode de contrôle en ROM. Cette valeur positionne les bits du champ en fonction des valeurs 0-0-0-0. Le routeur affiche dans ce mode l'invite de commande > ou **rommon>**.

■ Donnez au champ d'amorçage la valeur 1 pour configurer le système afin qu'il s'amorce automatiquement à partir de la ROM. Cette valeur positionne les bits du champ d'amorçage avec les valeurs 0-0-0-1. Le routeur affiche dans ce mode l'invite de commande **router(boot)>**.

■ Donnez au champ d'amorçage n'importe quelle valeur de l'intervalle 2 à F pour configurer le système afin qu'il utilise les commandes d'amorçage du système en

NVRAM. C'est la configuration par défaut. Ces valeurs positionnent les bits du champ d'amorçage avec les valeurs 0-0-1-0 à 1-1-1-1.

Utilisez la commande **show version** pour vérifier les changements apportés dans le champ d'amorçage.

ASTUCE

La récupération de mot de passe est l'une des raisons pouvant motiver la modification du registre de configuration. Pour plus d'informations, voyez l'Annexe F.

Options boot system du système d'exploitation

Comme mentionné plus haut, vous pouvez définir une séquence de solutions alternatives pouvant être utilisées par le routeur lors de son démarrage. La Figure 6.17 illustre les commandes **boot system** utilisées pour spécifier une séquence de secours pour l'amorçage du système Cisco IOS.

Les commandes d'amorçage du système dans la Figure 6.17 indiquent que l'image du logiciel Cisco IOS sera tout d'abord chargée à partir de la mémoire flash, puis d'un serveur du réseau, et finalement de la ROM.

Le chargement à partir de la mémoire flash permet de copier une image système sans changer l'EEPROM (*Electrically Erasable Programmable Read-Only Memory*, mémoire en lecture seule programmable électriquement). Les informations stockées en mémoire flash ne sont pas vulnérables aux pannes du réseau qui peuvent se produire lors du chargement d'images du système à partir de serveurs du réseau.

Au cas où la mémoire flash serait corrompue, les entrées *boot system* de la Figure 6.17 spécifient ensuite que l'image du système devra être chargée à partir d'un serveur du réseau.

Si la solution de chargement à partir du réseau échoue aussi, la dernière option de la Figure 6.17 est un amorçage à partir de la ROM. Notez que l'image du système en ROM sera vraisemblablement un sous-ensemble du logiciel Cisco IOS, d'où seront absents les protocoles, fonctions et configurations du système d'exploitation complet. Il est également possible qu'il s'agisse d'une ancienne version du système si vous avez mis à jour votre logiciel depuis que vous avez fait l'acquisition du routeur.

La commande **copy running-config startup-config** enregistre la séquence de commandes souhaitée en NVRAM. Le routeur exécutera les commandes **boot system** dans l'ordre dans lequel elles ont été entrées dans le mode de configuration.

Flash

```
Router#configure terminal
Router(config)#boot system flash c2500-js-1
[Ctrl-Z]
Router#copy running-config startup-config
```

Réseau

```
Router#configure terminal
Router(config)#boot system tftp test.exe 172.16.13.111
[Ctrl-Z]
Router#copy running-config startup-config
```

ROM

```
Router#configure terminal
Router(config)#boot system rom
[Ctrl-Z]
Router#copy running-config startup-config
```

Figure 6.17

Plusieurs commandes boot system permettent de sélectionner la séquence de secours pour l'amorçage du système.

Préparation d'une image de secours sur le réseau

Conserver une copie de secours de l'image du système Cisco IOS garantit que vous disposerez toujours d'une copie du système d'exploitation au cas où l'image sur votre routeur serait corrompue.

Les routeurs répartis géographiquement ont besoin d'un emplacement source ou de secours pour les images du système d'exploitation. L'utilisation d'un serveur de réseau permet de procéder à des téléchargements de fichiers d'image et de configuration à travers le réseau. Le serveur du réseau peut être un autre routeur, une station de travail, ou un système hôte (voir Figure 6.18).

Avant de copier l'image du système du serveur du réseau dans la mémoire flash du routeur, vous devriez vérifier au préalable les conditions suivantes :

■ Assurez-vous de pouvoir accéder au serveur du réseau.

■ Vérifiez que le serveur possède suffisamment d'espace libre pour héberger l'image du système Cisco IOS.

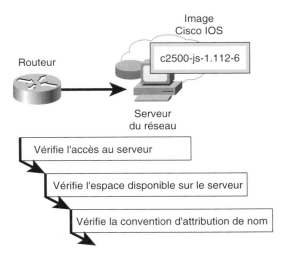

Figure 6.18
Le serveur du réseau peut être un autre routeur, une station de travail, ou un système hôte.

◼ Vérifier les exigences du serveur en matière de nom de fichier et d'espace de fichier.

Affichage de la mémoire disponible et du nom du fichier image

La commande **show flash** est un outil important pour recueillir des informations à propos de la mémoire du routeur et du fichier image (voir Figure 6.19).

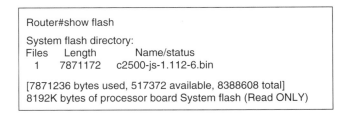

```
Router#show flash

System flash directory:
Files    Length         Name/status
   1     7871172    c2500-js-1.112-6.bin

[7871236 bytes used, 517372 available, 8388608 total]
8192K bytes of processor board System flash (Read ONLY)
```

Figure 6.19
Utilisez la commande show flash pour vérifier que la mémoire flash dispose de suffisamment d'espace pour l'image du système Cisco IOS.

Avec la commande **show flash**, vous pouvez déterminer les éléments suivants :

■ la quantité totale de mémoire sur le routeur ;

■ la quantité de mémoire disponible ;

■ le nom du fichier image du système (tel que c2500-js-1.112-6.bin) utilisé par le routeur.

Le nom du fichier image est composé de plusieurs parties, chacune ayant une signification spécifique :

■ La première partie du nom indique la plate-forme sur laquelle l'image est exécutée. Dans l'exemple de la Figure 6.19, la plate-forme est C2500.

■ La deuxième partie du nom identifie des capacités spéciales du fichier image. Une lettre ou une série de lettres précise les ensembles de fonctions supportées dans cette image. Dans cet exemple, la lettre *j* indique qu'il s'agit d'une image d'entreprise ; la lettre *s* indique qu'elle contient des capacités étendues.

■ La troisième partie du nom spécifie l'emplacement où l'image est exécutée et indique si le fichier est compressé. Dans cet exemple, le 1 signifie que le fichier peut être relogé et qu'il n'est pas compressé.

■ La quatrième partie du nom indique le numéro de version. Dans cet exemple, le numéro de version est 11.2 (6).

■ La partie finale du nom est l'extension de fichier. L'extension .bin indique qu'il s'agit d'un fichier binaire exécutable.

Les conventions de nom du système Cisco IOS, la signification des parties du nom, le contenu de l'image et d'autres détails sont sujets à des changements. Renseignez-vous auprès de votre bureau de représentation, ou canal de distribution, ou de Cisco Connection Online (CCO) pour obtenir des informations à jour.

ATTENTION

Soyez attentif lors de la lecture du nom du fichier image. Certaines polices affichent la lettre minuscule *l* et le nombre 1 avec le même caractère. La façon dont les caractères sont tapés aura un impact sur la capacité du routeur à charger correctement le fichier.

Création d'une sauvegarde de l'image du système d'exploitation

Créez un fichier image de sauvegarde en copiant le fichier image à partir d'un routeur vers un serveur du réseau (voir Figure 6.20).

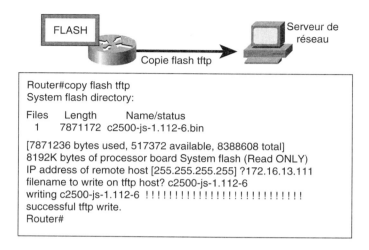

```
Router#copy flash tftp
System flash directory:

Files   Length       Name/status
  1     7871172  c2500-js-1.112-6.bin

[7871236 bytes used, 517372 available, 8388608 total]
8192K bytes of processor board System flash (Read ONLY)
IP address of remote host [255.255.255.255] ?172.16.13.111
filename to write on tftp host? c2500-js-1.112-6
writing c2500-js-1.112-6 !!!!!!!!!!!!!!!!!!!!!!!!!!!!!
successful tftp write.
Router#
```

Figure 6.20

Sauvegardez les fichiers actuels avant d'effectuer une mise à jour en mémoire flash.

Pour copier le fichier image actuel d'un routeur vers le serveur du réseau, utilisez la commande **copy flash** à partir du mode EXEC privilégié.

Lors de l'utilisation d'un serveur TFTP, tapez la commande suivante :

```
Router#copy flash tftp
```

La commande **copy flash** nécessite que vous indiquiez l'adresse IP de l'hôte distant et le nom de fichier image source et de destination. La commande **copy flash** affiche automatiquement le contenu de la mémoire flash, y compris le nom du fichier image. Les méthodes utilisables pour obtenir des adresses IP sont traitées dans la Partie II du livre.

Pour arrêter le processus de copie, appuyez sur les touches **Ctrl**, **Maj** et **6** (**Ctrl+^**).

ASTUCE

Les routeurs disposant par défaut de mémoire flash possèdent une copie préchargée du système Cisco IOS. Bien que la mémoire flash soit extrêmement fiable, bonne pour 65 années et 100 000 réécritures, il est préférable d'effectuer une copie de secours du système Cisco IOS si vous disposez d'un serveur de réseau disponible. Si vous deviez remplacer la mémoire flash pour une raison quelconque, vous disposeriez ainsi d'une copie avec le même niveau de révision que la version exécutée sur le réseau.

Mise à jour de l'image du système à partir du réseau

Vous devez charger un nouveau fichier image du système sur votre routeur si le fichier existant est altéré ou si vous devez faire évoluer votre système vers une nouvelle version du logiciel. Vous pouvez télécharger la nouvelle image à partir du serveur du réseau au moyen des commandes suivantes.

Lorsque vous utilisez un serveur TFTP, tapez la commande :

```
Router#copy tftp flash
```

La commande vous demandera l'adresse IP de l'hôte distant et le nom du fichier image source et de destination. Indiquez le nom de fichier correct de l'image mise à jour comme il apparaît sur le serveur (voir Figure 6.21).

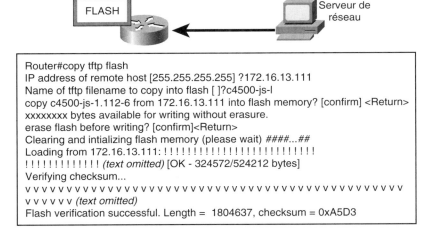

```
Router#copy tftp flash
IP address of remote host [255.255.255.255] ?172.16.13.111
Name of tftp filename to copy into flash [ ]?c4500-js-l
copy c4500-js-1.112-6 from 172.16.13.111 into flash memory? [confirm] <Return>
xxxxxxxx bytes available for writing without erasure.
erase flash before writing? [confirm]<Return>
Clearing and intializing flash memory (please wait) ####...##
Loading from 172.16.13.111: !!!!!!!!!!!!!!!!!!!!!!!!!!!
!!!!!!!!!!!!! (text omitted) [OK - 324572/524212 bytes]
Verifying checksum...
v v v v v v v v v v v v v v v v v v v v v v v v v v v v v v v v v v v v v v v
v v v v v (text omitted)
Flash verification successful. Length =  1804637, checksum = 0xA5D3
```

Figure 6.21

Vous devez assigner un emplacement source et un nom de fichier pour le fichier image mis à jour.

Avant d'effectuer cette procédure, vérifiez que vous pouvez accéder à votre serveur et que l'image correcte du système est disponible. Pensez à utiliser la commande **show flash** pour visualiser le fichier et comparer sa taille à celle du fichier original sur le serveur avant de changer les commandes **boot system** et de redémarrer la machine avec le nouveau niveau de logiciel.

─── **CONCEPT CLÉ** ────────────────────────────────

Se préparer de façon adéquate et posséder une copie de secours avant d'effectuer les opérations de mise à jour permet de bénéficier d'une administration sécurisée du chargement de l'image du système Cisco IOS.

───

Après avoir confirmé vos entrées, la procédure demande si vous voulez effacer la mémoire flash. Cette action permet d'obtenir de l'espace pour la nouvelle image. Effectuez cette tâche s'il n'y a pas suffisamment de mémoire flash pour plus d'une image Cisco IOS.

S'il n'y a pas d'espace disponible dans la mémoire flash, ou si elle n'a jamais fait l'objet d'écriture, la routine d'effacement est nécessaire avant qu'un nouveau fichier puisse être copié. Le système vous informe de cette situation et vous demande une réponse.

Comme illustré Figure 6.21, chaque point d'exclamation (!) signifie qu'un segment UDP (*User Datagram Protocol*) a été transmis avec succès. La série de lettres *V* indique que la somme de contrôle d'un segment est conforme.

─── **ASTUCE** ─────────────────────────────────────

Vous pouvez placer des commentaires dans un fichier de configuration sur un serveur TFTP en débutant une ligne avec un point d'exclamation (!). Lorsqu'un fichier est téléchargé sur le routeur, les commentaires sont supprimés.

───

─── **ATTENTION** ──────────────────────────────────

Après l'effacement de la mémoire flash, vous ne disposerez pas d'une copie du système d'exploitation sur le routeur pendant un certain laps de temps. Cette situation présente un risque. Certains routeurs exécutent le système d'exploitation à partir de la mémoire flash. Si voulez effacer celle-ci sur un routeur de ce type, comme le 2500, il cessera de fonctionner.

───

Ecrasement d'une image existante

Si vous tentez de copier un nom de fichier qui existe déjà en mémoire flash, le système vous en avertit (voir Figure 6.22).

Les noms de fichiers d'image du système ne sont pas sensibles à la casse. Les lettres minuscules ou majuscules sont vues de la même manière.

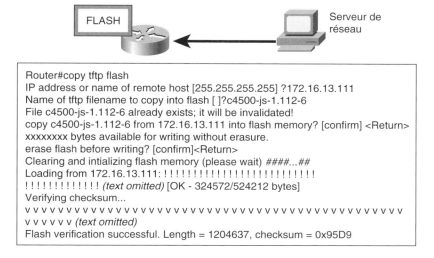

```
Router#copy tftp flash
IP address or name of remote host [255.255.255.255] ?172.16.13.111
Name of tftp filename to copy into flash [ ]?c4500-js-1.112-6
File c4500-js-1.112-6 already exists; it will be invalidated!
copy c4500-js-1.112-6 from 172.16.13.111 into flash memory? [confirm] <Return>
xxxxxxxx bytes available for writing without erasure.
erase flash before writing? [confirm]<Return>
Clearing and intializing flash memory (please wait) ####...##
Loading from 172.16.13.111: !!!!!!!!!!!!!!!!!!!!!!!!!!!!!!
!!!!!!!!!!!!!! (text omitted) [OK - 324572/524212 bytes]
Verifying checksum...
v v v v v v v v v v v v v v v v v v v v v v v v v v v v v v v v v v v v v v v v v
v v v v v (text omitted)
Flash verification successful. Length = 1204637, checksum = 0x95D9
```

Figure 6.22

La réponse indique qu'une image existe déjà.

Le fichier existant est "supprimé" lorsque vous copiez le nouveau fichier en mémoire flash. La première copie demeure en mémoire, mais est rendue inutilisable au bénéfice de la nouvelle version, et sera stockée avec le label [deleted] (supprimé) si vous utilisez la commande **show flash**.

Si plus d'un fichier de même nom est copié en mémoire flash, indépendamment de la casse, le dernier fichier copié devient le fichier valide.

Si vous interrompez le processus de copie, le nouveau fichier est marqué comme étant supprimé [deleted], car la totalité du fichier n'a pas été copiée et il n'est donc pas valide. Dans ce cas, le fichier original demeure toujours en mémoire flash et représente le fichier image utilisé.

Utilisez la commande **show flash** pour visualiser le fichier et comparer sa taille à celle du fichier original sur le serveur avant de changer les commandes **boot system** en vue d'utiliser la nouvelle image.

Jusqu'à présent, vous avez vu comment localiser et stocker l'image du système Cisco IOS. Vous apprendrez ensuite à définir la configuration en mémoire NVRAM.

Création ou changement de configuration dans le mode interactif Setup

Si votre routeur est nouveau ou si le contenu de la mémoire NVRAM est corrompu, le routeur ne peut pas trouver les informations de configuration essentielles pour redémarrer. Dans ce cas, le système d'exploitation entre dans le mode de configuration interactive et vous demande des informations. Vous pouvez également forcer l'entrée dans ce mode en tapant la commande suivante dans le mode EXEC privilégié :

```
Router#setup
```

L'objectif principal du mode de configuration interactif est de pouvoir élaborer rapidement une configuration minimale. Cela est accompli au moyen du programme System Configuration Dialog.

La première chose que le système de configuration interactive vous demande est d'indiquer si vous souhaitez continuer avec le programme de configuration (voir Figure 6.23).

```
Router#copy tftp flash

   - - - System Configuration Dialog - - -

At any point you may enter a question mark '?' for help.
Use ctrl-c to abort configuration dialog at any prompt.
Default settings are in square brackets '[ ]'.

Continue with configuration dialog? [yes/no]:     yes

First, would you like to see the current interface summary? [yes]:    no
```

Figure 6.23

Le programme de configuration interactive vous interroge durant la procédure.

Vous pouvez quitter le programme en tapant **No** à l'invite de commande. Pour commencer le processus initial de configuration, tapez **Yes**. Vous pouvez appuyer sur la combinaison **Ctrl+C** pour terminer le processus et recommencer à n'importe quel moment. Lorsque vous utilisez la commande Router#**setup**, la combinaison **Ctrl+C** vous replace dans le mode EXEC privilégié (Router#).

───── **ASTUCE** ───

Le programme de configuration interactive System Configuration Dialog fournit un texte d'aide pour chaque invite de commande. Pour accéder à l'aide, appuyez sur la touche point d'interrogation (?) sur l'invite de commande voulue.

───

Pour plusieurs des invites de commande du programme de configuration de la commande **setup**, les réponses par défaut apparaissent entre crochets ([ ]) après la question. La touche **Retour** vous permet d'utiliser les valeurs par défaut. Si vous configurez le système pour la première fois, les valeurs par défaut de fabrication sont fournies. S'il n'y en a pas, comme dans le cas des mots de passe, aucune valeur n'est affichée entre les crochets.

Reportez-vous à la documentation Cisco *Using ClickStart, AutoInstall, and Setup* sur le site **www.cisco.com** pour plus d'informations sur le mode de configuration interactive.

Paramètres généraux du mode de configuration interactive

Si vous choisissez de continuer avec le programme de configuration System Configuration Dialog, il vous est demandé de définir les paramètres généraux du routeur.

Le premier paramètre général vous permet de définir le nom d'hôte du routeur. Ce nom précédera les invites de commande du système pour tous les modes de configuration. Lors de la configuration initiale, le nom par défaut du routeur est affiché entre crochets [Router] (voir Figure 6.24).

Les paramètres généraux suivants montrent comment définir les différents mots de passe utilisés sur le routeur. C'est à cet endroit que vous définissez le mot de passe **enable secret** vu plus haut à la section "Mot de passe du mode EXEC privilégié". Lorsque vous entrez une chaîne de caractères pour le mot de passe, elle est traitée par la fonction de cryptage de Cisco. Ce processus améliore la sécurité du mot de passe. Lorsqu'une personne liste le contenu du fichier de configuration du routeur, ce mot de passe apparaît sous forme d'une chaîne de caractères sans signification. Cisco recommande d'utiliser différents mots de passe pour les modes **enable** et **secret** afin de maintenir un niveau de sécurité étendu.

Lorsque vous répondez par **yes** à une question concernant un protocole, des questions subordonnées supplémentaires peuvent apparaître.

```
Configuring global parameters:

   Enter host name [Router]:   P1R1

The enable secret is a one-way cryptographic secret used
instead of the enable password when it exists.

   Enter enable secret [<Use current secret>]:

   Enter enable password [sanfran]:
% Please choose a password that is different from the enable secret
   Enter enable password [sanfran]:    cisco
   Enter virtual terminal password [sanjose]:
   Configure SNMP Network Management? [no]:
   Configure IP? [yes]:
      Configure IGRP routing? [yes]:
         Your IGRP autonomous system number [1]:
                                  •
                                  •
                                  •
```

Figure 6.24

Le nom par défaut du routeur sur la configuration initiale est affiché entre crochets.

Paramètres d'interface du mode de configuration interactive

Après avoir configuré les paramètres généraux, il vous est demandé d'indiquer les paramètres pour chaque interface installée (voir Figure 6.25).

```
Configuring interface parameters:

Configuring interface TokenRing0
   Is this interface in use? [no]:      <Return>

Configuring interface Serial0
   Is this interface in use? [yes]:
   Configure IP on this interface? [yes]:
   Configure IP unnumbered on this interface? [no]
      IP address for this interface:   172.16.97.67
      Number of bits in subnet field [0]:
      Class B network is 172.16.0.0,0 subnet bits; mask is 255.255.0.0
   Configure Novell on this interface? [yes]:     no

Configuring interface Serial1:
   Is this interface in use? [yes]:     no
```

Figure 6.25

Le programme de configuration vous demande les paramètres pour chaque interface.

Si vous choisissez de ne pas configurer une interface, le programme sautera tous les écrans d'invite suivants associés à cette interface. Si vous choisissez de configurer une interface, tapez les valeurs de configuration voulues pour chaque invite de paramètres.

Vous pouvez configurer chaque protocole que vous activez dans la section générale de chaque interface. Vous pouvez ainsi constater que certaines interfaces peuvent être activées pour plusieurs protocoles, alors que d'autres ne peuvent l'être que pour un seul.

Pour la ligne série Serial0, le système vous demande d'indiquer une adresse IP sur ce port et s'il faut configurer le protocole IP non adressé avec les paramètres par défaut. **Yes** indique la pratique courante qui est d'activer le traitement IP sur cette interface sans lui assigner d'adresse IP explicite. Généralement, la raison motivant l'emploi du protocole IP non adressé est d'économiser les adresses IP. Il peut être inutile d'utiliser une adresse IP explicite pour une liaison série qui se connecte en mode point à point avec une autre interface série.

Révision du script du mode de configuration interactive

Lorsque vous avez terminé vos modifications, le programme affiche le script des commandes de configuration qui a été créé durant la session (voir Figure 6.26).

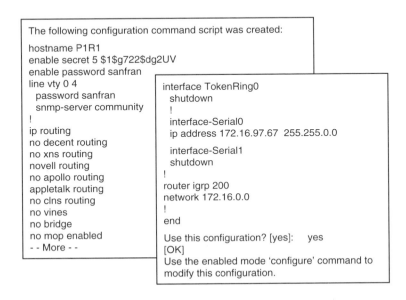

Figure 6.26

Le programme de configuration vous demande d'enregistrer les changements.

Ce script vous permet de visualiser vos changements avant de les enregistrer en mémoire NVRAM.

Les commandes sont divisées en deux sections, générale et interface. Remarquez dans la Figure 6.26 que les deux interfaces TokenRing0 et Serial1 sont désactivées administrativement (shutdown). Pour pouvoir employer de telles interfaces, vous devez entrer dans le mode de configuration d'interface et taper la commande **no shutdown** pour les réactiver. Si ces interfaces n'ont jamais été configurées, vous devez utiliser la commande **configure** pour indiquer les valeurs appropriées afin qu'elles soient opérationnelles.

En fin de processus, le programme vous demande si vous souhaitez utiliser cette configuration. Si vous indiquez **yes**, le fichier de configuration est chargé dans l'espace de travail, et une copie est stockée dans la mémoire de secours en NVRAM. C'est la seule fois où un routeur stocke automatiquement un fichier de configuration en NVRAM. Après cette configuration initiale, vous devez indiquer de façon explicite au routeur d'effectuer une copie de secours.

Le script vous indique qu'il faut utiliser le mode de configuration pour modifier les commandes après que le programme de configuration interactive a été utilisé. Le fichier de script généré est additif. Vous pouvez activer des fonctions avec le programme, mais vous ne pouvez pas les désactiver. De plus, le programme ne supporte pas plusieurs des fonctions avancées de routeur ou des fonctions qui nécessitent une configuration plus complexe comme les listes d'accès. Ces configurations complexes seront traitées plus loin dans le Chapitre 13.

Résumé

Ce chapitre a décrit la création de configurations, pour une exécution en cours et pour le démarrage, et les moyens de les changer. Vous avez aussi étudié la configuration d'une interface série ainsi que les emplacements permettant le chargement d'une image du système d'exploitation Cisco IOS. Le prochain chapitre abordera l'utilisation du protocole Cisco Discovery pour localiser les autres routeurs.

Test du Chapitre 6

Durée estimée : 15 minutes

Réalisez tous les exercices suivants pour tester vos connaissances des sujets traités dans ce chapitre. Les réponses sont données dans l'Annexe A.

Question 6.1

Les fichiers de configuration peuvent provenir de la console, de la mémoire NVRAM, ou d'un serveur de réseau. Vrai ou Faux ?

Question 6.2

Le routeur charge le fichier image en se fondant sur les valeurs définies dans le registre de configuration. Vrai ou Faux ?

Question 6.3

Plusieurs sources de chargement du système apportent de la souplesse et des solutions alternatives. Vrai ou Faux ?

Question 6.4

Si le routeur ne peut localiser un fichier de configuration, il entre dans le mode d'arrêt (shutdown). Vrai ou Faux ?

Question 6.5

Le routeur possède un seul mode de configuration pour gérer tous les domaines de configuration. Vrai ou Faux ?

Question 6.6

Les routeurs Cisco fournissent plusieurs niveaux de protection par mots de passe. Vrai ou Faux ?

Question 6.7

Les routeurs Cisco supportent des paramètres de configuration qui facilitent leur identification. Vrai ou Faux ?

Question 6.8

A partir de la version 10.3 du système d'exploitation Cisco IOS, la commande **copy configure** est utilisée pour enregistrer les fichiers de configuration. Vrai ou Faux ?

Question 6.9

Quelle est la commande qui permet d'accéder au mode de configuration globale et de préciser si les commandes de configuration proviendront du terminal ?

Question 6.10

Quelle est la commande qui permet de définir un bandeau d'ouverture de session ?

Question 6.11

Quelle est la commande qui permet de créer un bandeau de message du jour ?

Question 6.12

Que devez-vous ajouter après la commande de création d'un bandeau de message du jour pour indiquer la fin du message ?

Question 6.13

Quelle est la chaîne de commande qui permet d'accéder au mode de configuration d'interface pour l'interface Serial1 ?

Question 6.14

Si vous définissez à la fois les mots de passe **enable** et **secret**, lequel est utilisé pour accéder au mode EXEC privilégié ?

Question 6.15

Quelle est la commande qui permet de vérifier si l'interface Serial1 est câblée en tant que dispositif ETCD ?

Question 6.16

Quelle est la commande qui permet d'activer une interface ?

Question 6.17

Dans quel mode le routeur doit-il se trouver avant que la commande **no shutdown** puisse être utilisée ?

Question 6.18

Quelle est la commande qui permet d'obtenir les valeurs courantes du registre de configuration ?

Question 6.19

Quelles sont les commandes qui permettent d'amorcer le fichier image du système d'exploitation à partir de la mémoire flash ? A partir de la mémoire ROM ? A partir d'un serveur TFTP ?

Flash : _____

ROM : _____

Serveur TFTP : _____

Question 6.20

Dans quel mode le routeur doit-il se trouver avant que la commande **boot system** puisse être utilisée ?

7

Découverte
de routeurs Cisco

Ce chapitre décrit le protocole CDP (*Cisco Discovery Protocol*, protocole de découverte Cisco) et la façon dont vous pouvez l'utiliser pour afficher des informations à propos de l'interface et des paramètres de configuration du protocole sur le routeur local. Toutefois, il est plus couramment utilisé pour obtenir des adresses de protocole et des informations de plate-forme concernant les routeurs adjacents.

Les écrans dans cette section reflètent la version 11.2 (6) du système Cisco IOS. Si vous exploitez une autre version, vos écrans pourront différer de ceux illustrés.

Protocole CDP (*Cisco Discovery Protocol*)

CDP fournit une seule commande propriétaire qui donne une synthèse des nombreux protocoles et adresses configurés sur des routeurs directement connectés.

Il fonctionne au niveau d'une couche liaison de données en communiquant avec un média physique de niveau inférieur et les protocoles de la couche réseau supérieure (voir Figure 7.1). Comme CDP opère à ce niveau, deux ou plusieurs équipements CDP supportant différents protocoles de la couche réseau peuvent s'échanger mutuellement des informations les concernant.

Le média physique qui supporte le protocole SNAP (*SubNetwork Access Protocol*) interconnecte des dispositifs CDP. Les médias physiques peuvent inclure tous les réseaux locaux, Frame Relay, étendus SMDS, et ATM.

Adresses d'entrée de la couche supérieure	TCP/IP	Novell IPX	AppleTalk	Autres
Protocoles propriétaires Cisco de liaison de données	CDP découvre et affiche des informations sur les équipements Cisco adjacents			
Média supportant SNAP	LAN	Frame Relay	ATM	Autres

Figure 7.1

CDP permet la découverte des routeurs sur des réseaux multiprotocoles.

Lorsqu'un équipement Cisco qui exécute le système Cisco IOS à partir de la version 10.3 s'initialise, CDP démarre par défaut et découvre automatiquement les autres dispositifs Cisco adjacents qui exploitent ce protocole. Par le passé, l'obtention d'informations sur les dispositifs distants nécessitait des outils apportés par TCP/IP. Avec CDP, la découverte d'autres dispositifs s'étend maintenant au-delà de ceux exécutant TCP/IP. Comme CDP est indépendant de tout protocole, il peut découvrir les équipements Cisco directement connectés, quelle que soit la suite de protocoles qu'ils exploitent.

CDP peut fonctionner sur tous les dispositifs fabriqués par Cisco, y compris les suivants :

■ routeurs ;

■ serveurs d'accès ;

■ commutateurs de groupe de travail.

Une fois que CDP découvre un équipement, il peut afficher n'importe quelle entrée d'adresse de protocole de la couche supérieure utilisée sur le port de l'équipement découvert : IPX, DDP (*AppleTalk Datagram Delivery Protocol,* protocole de livraison de datagrammes AppleTalk), DECnet CLNS, et d'autres encore.

CDP utilise une valeur de type protocole HDLC assignée. Pour pouvoir utiliser cette valeur propriétaire, CDP doit fonctionner sur un média qui supporte l'encapsulation de la couche 2 qui utilise SNAP. Si vous utilisiez un analyseur sur le réseau, celui-ci pourrait vous indiquer qu'un protocole "inconnu" se trouve sur votre réseau. Vous devriez être capable de reconnaître le format des échanges CDP, et ainsi ne pas perdre de temps à essayer d'éliminer ce trafic. Le format SNAP pour ces échanges est la valeur hexadécimale aaaa03.00000c.2000, où *aaaa03* représente LLC, *00000c* est l'identifiant Cisco, et *2000* est le type de protocole HDLC pour CDP.

Le processus de CDP envoie et reçoit des annonces à propos des équipements CDP voisins au moyen d'une adresse multicast spécifique (0100.0*ccc.cccc*). Par l'envoi et la réception périodiques des mises à jour de type Hello, chaque équipement CDP prend connaissance des autres équipements CDP et peut ainsi déterminer si un média d'une liaison de données a été désactivé ou au contraire est entré en activité.

Les versions du système Cisco IOS 10.3 et ultérieures incluent des objets MIB (*Management Information Base*, base d'informations d'administration) CDP contenus dans l'extension propriétaire Cisco MIB SNMP. Cette fonctionnalité apporte aux variables des trames CDP la possibilité de s'étendre dans des applications d'administration de réseau SNMP.

Utilisation de CDP sur un routeur local

CDP est activé par défaut à un niveau global et sur chaque interface afin de pouvoir envoyer et recevoir des informations CDP. Le système d'annonce et de découverte par CDP implique l'échange de trames de liaison de données, et seuls les voisins directement connectés, les routeurs adjacents, s'échangent des trames CDP.

Pour désactiver CDP sur un routeur, tapez la commande suivante dans le mode de configuration globale :

```
Router(config)#no cdp run
```

Pour désactiver CDP sur une interface spécifique, tapez la commande suivante dans le mode de configuration d'interface :

```
Router(config-if)#no cdp enable
```

La commande **show cdp interface** exécutée sur un routeur affiche des informations sur ses propres interfaces (voir Figure 7.2). Les informations incluent les temporisateurs CDP, l'état de l'interface, et l'encapsulation utilisée par CDP pour la transmission des trames d'annonce et de découverte.

La durée d'envoi (*sending*) indique l'intervalle de temps durant lequel les trames CDP sont envoyées. La durée de retenue (*holdtime*) indique une durée de vie (TTL) pour les envois CDP. Les routeurs voisins qui reçoivent une valeur de durée de retenue doivent écarter les informations CDP à propos du routeur si la durée spécifiée expire avant qu'ils ne reçoivent une autre valeur de durée de vie. De plus, pour éviter la transmission d'informations obsolètes, un routeur envoie une trame TTL avec une valeur zéro avant une coupure d'alimentation. Les équipements CDP qui reçoivent cette trame écartent les informations à propos du routeur désactivé.

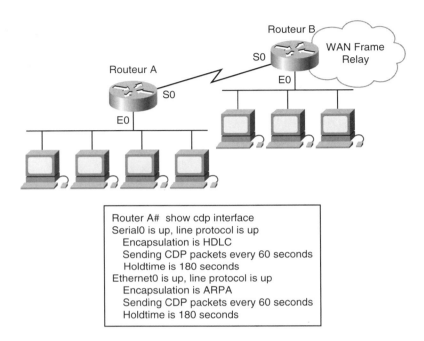

Figure 7.2

L'utilisation de la commande show cdp interface sur le routeur A révèle des informations sur ses propres interfaces.

Modification des paramètres CDP

Un routeur utilise CDP pour informer continuellement les équipements adjacents de son état et de celui de ses interfaces. Le temporisateur CDP (*timer*) régule la fréquence des mises à jour. La valeur par défaut pour le temporisateur est de 60 secondes. Vous pouvez réduire ou augmenter cet intervalle (voir Figure 7.3). Une réduction de l'intervalle entraîne des mises à jour plus fréquentes des routeurs voisins, mais augmente aussi l'utilisation de la bande passante.

Pour modifier le temporisateur CDP, tapez la commande suivante dans le mode de configuration globale :

```
Router(config)#cdp timer [secondes]
```

où [*secondes*] représente l'intervalle de temps écoulé entre les mises à jour.

```
Router A# (config)# cdp timer 30
Router A# (config)# exit
Router A# show cdp interface
Serial0 is up, line protocol is up
    Encapsulation is HDLC
    Sending CDP packets every 30 seconds
    Holdtime is 180 seconds
```

```
Router A# (config)# cdp holdtime 90
Router A# (config)# exit
Router A# show cdp interface
Serial0 is up, line protocol is up
    Encapsulation is HDLC
    Sending CDP packets every 30 seconds
    Holdtime is 90 seconds
```

Figure 7.3

Vous pouvez modifier les paramètres du temporisateur et ceux de retenue de CDP.

Le temps de retenue indique la durée pendant laquelle les paquets CDP envoyés à partir du routeur local doivent être conservés par un équipement destinataire avant d'être supprimés. La valeur par défaut est de 180 secondes. Si un voisin reçoit une mise à jour plus récente ou si la durée de retenue expire, il doit supprimer l'entrée CDP. Vous pourrez avoir besoin de diminuer la durée de retenue si les informations concernant votre routeur changent souvent et si vous souhaitez que les équipements récepteurs purgent plus rapidement ces informations.

Pour modifier la durée de retenue CDP, tapez la commande suivante dans le mode de configuration globale :

```
Router(config)#cdp holdtime [secondes]
```

où [*secondes*] représente la durée pendant laquelle un équipement récepteur devra conserver des informations envoyées par le routeur local avant de les supprimer.

Affichage des routeurs CDP adjacents

L'objectif principal de CDP est de découvrir des informations de plates-formes et de protocoles sur les équipements voisins. Utilisez la commande **show cdp neighbors** pour afficher les mises à jour CDP reçues sur le routeur local (voir Figure 7.4).

```
Router A# show cdp neighbors
Capability Codes:  R - Router, T - Trans Bridge,
                   B - Source Route Bridge,
                   S - Switch, H - Host, I - IGMP

Device ID          Local Intrfce   Holdtime   Capability   Platform   Port ID
RouterB.cisco.com     Eth 0          151          R T         AGS       Eth 0
RouterB.cisco.com     Ser 0          165          R T         AGS       Ser 3

Router A# show cdp neighbors detail

Device ID: routerB.cisco.com
Entry address(es):
   IP address: 198.92.68.18
   CLNS address: 490001.1111.1111.1111.00
   Appletalk address: 10.1
Platform: AGS, Capabilities: Router Trans-Bridge
Interface: Ethernet0, Port ID (outgoing port): Ethernet0
Holdtime: 143 sec
```

Figure 7.4

La commande show cdp neighbors affiche les résultats du processus de découverte CDP.

Notez que pour chaque port local l'écran de résultat affiche les données suivantes :

- **L'identifiant du routeur voisin.** Par exemple, le nom d'hôte configuré pour le routeur et celui du domaine, s'il y en a un.

- **Le type et le numéro du port local.** Une chaîne de caractères ASCII comme Ethernet 0.

- **La valeur de durée de retenue** qui décrémente en secondes.

- **Le code de capacité du dispositif voisin.** Par exemple, si l'équipement assure la fonction de pont de routage par la source en même temps que celle de routeur.

- La plate-forme matérielle du voisin.

- **Le type et le numéro du port du voisin.**

— **CONCEPT CLÉ** —

La commande **show cdp neighbors** affiche un profil complet des routeurs voisins. Elle est la plus couramment utilisée des commandes **show cdp**.

Dans l'exemple de la Figure 7.4, un nom de routeur voisin contient un nom de domaine. Par conséquent, la colonne d'identifiant d'équipement (*Device ID*) pour le routeur B affiche une entrée pour le nom de domaine sous la forme *compagnie.com*. Pour vérifier un seul équipement, ajoutez le domaine pour former une variation de la commande **show cdp entry routerB.cisco.com**.

Affichage des entrées CDP pour un routeur adjacent

La commande **show cdp entry** *nom-hôte* affiche une entrée CDP pour un routeur voisin précis. Utilisez un astérisque (*) à la place du nom d'hôte comme caractère générique pour afficher des informations sur tous les équipements directement connectés.

Comme illustré Figure 7.5, l'écran de résultat de cette commande inclut toutes les adresses de la couche 3 présentes sur le routeur B voisin. Vous pouvez y voir les adresses de réseau IP, CLNS, et DECnet du voisin CDP avec la seule entrée de commande sur le routeur A.

```
Router A# show cdp entry routerB

Device ID: routerB
Entry address(es):
   IP address: 198.92.68.18
   CLNS address: 490001.1111.1111.1111.00
   Appletalk address: 10.1
Platform: AGS, Capabilities: Router Trans-Bridge
Interface: Ethernet0, Port ID (outgoing port): Ethernet0
Holdtime: 155 sec

Version:
IOS (tm) GS Software (GS3), 11.2(13337) [asastry 161]
Copyright (c) 1986-1996 by Cisco Systems, Inc.
Compiled Tue 14-May-96 1:04
```

Figure 7.5
Indiquez le nom d'hôte du routeur Cisco spécifique pour afficher les informations CDP qu'il contient.

La valeur de durée de retenue pour un routeur voisin indique le temps écoulé depuis l'arrivée de la trame CDP contenant ces informations. L'affichage inclut également des informations de version abrégées concernant le routeur B.

CDP a été conçu et implémenté sous la forme d'un protocole très simple qui entraîne peu de surcharge. La taille d'une trame CDP peut être aussi petite que 80 octets, constituée principalement de chaînes ASCII représentant des informations comme celles illustrées Figure 7.5.

Comme déjà indiqué plus haut, si le nom d'hôte a été configuré avec un nom de domaine, vous devez indiquer celui-ci dans le nom de l'équipement cible. Par exemple, si le routeur B fonctionnait avec une configuration contenant une entrée pour le nom de domaine sous la forme *entreprise.com*, vous devriez l'inclure dans la commande CDP pour produire la chaîne **show cdp entry routerB.cisco.com**.

Notez que le nom du routeur dans l'entrée de commande CDP est sensible à la casse. Par exemple, dans la Figure 7.5, la commande **show cdp entry** n'affiche que les informations CDP pour le nom d'hôte **routerB**. Elle ne produirait aucune information CDP pour toute autre variante du nom telle que **RouterB, routerb** ou **ROUTERB**.

Résumé

CDP offre un moyen de prendre connaissance des autres routeurs sur le réseau. Dans la Partie II, vous étudierez d'autres méthodes, telles que Ping et Telnet, permettant de recueillir des informations sur les routeurs distants. Ping et Telnet nécessitent que vous connaissiez l'adresse du routeur que vous essaierez de contacter. Utilisez CDP pour la déterminer.

Test du Chapitre 7

Durée estimée : 15 minutes

Réalisez tous les exercices suivants pour tester vos connaissances des sujets traités dans ce chapitre. Les réponses sont données dans l'Annexe A.

Question 7.1

CDP est un protocole et un outil indépendant du média. Vrai ou Faux ?

Question 7.2

CDP affiche des informations sur les routeurs, les hubs, et les consoles d'administration directement connectés. Vrai ou Faux ?

Question 7.3

CDP envoie et reçoit des mises à jour à des intervalles réguliers. Vrai ou Faux ?

Question 7.4

CDP peut être activé par routeur ou par interface. Vrai ou Faux ?

Question 7.5

CDP est, par défaut, désactivé. Vrai ou Faux ?

Question 7.6

CDP utilise des messages broadcast pour le processus de découverte. Vrai ou Faux ?

Question 7.7

CDP est uniquement utilisé pour le processus de découverte sur des réseaux locaux. Vrai ou Faux ?

Question 7.8

Quel est le rôle du paramètre temporisateur CDP ?

Question 7.9

Pourquoi pourriez-vous avoir besoin de désactiver CDP ?

Question 7.10

Quel est le rôle du paramètre de retenue de CDP ?

Question 7.11

Comment pouvez-vous identifier les paquets CDP sur votre réseau ?

II

Suites de protocoles de réseau

Chapitres

8

Présentation de TCP/IP

La suite de protocoles TCP/IP (*Transmission Control Protocol/Internet Protocol*) a été développée dans le cadre de recherches menées par l'agence DARPA (*Defense Advanced Research Projects Agency*). Cette suite fut initialement créée pour permettre à des équipements, connectés par l'intermédiaire de DARPA, de communiquer entre eux. Aujourd'hui, TCP/IP est le standard de facto utilisé dans les communications d'interréseaux. Il sert également de protocole de transport sur Internet, autorisant des millions d'ordinateurs à communiquer dans le monde entier. A l'origine, TCP/IP était inclus dans la distribution BSD (*Berkeley Software Distribution*) d'UNIX, afin de relier des hôtes distants UNIX, comme illustré Figure 8.1.

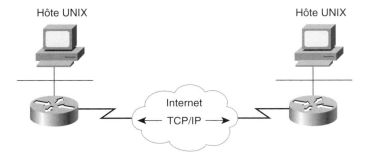

Figure 8.1
TCP/IP est le protocole de transport utilisé sur Internet.

Au milieu des années 70, DARPA créa un réseau à *commutation de paquets*, en vue d'offrir un moyen de communication électronique aux institutions de recherche américaines. DARPA et d'autres organisations gouvernementales, confrontés au problème de presque toutes les entreprises (à savoir, établir la communication entre des systèmes informatiques différents). Les réseaux à commutation de paquets permettent aux sociétés de se connecter à un nuage d'interréseau, qui gère le transport d'informations, sans nécessiter de connexion, ni de liaison directe entre deux équipements distants.

Cet ouvrage se concentre sur TCP/IP pour plusieurs raisons :

- TCP/IP est un protocole disponible dans le monde entier que vous utiliserez plus vraisemblablement dans le cadre de votre travail.

- TCP/IP inclut des éléments représentatifs d'autres protocoles, et, à ce titre, c'est une référence utile pour comprendre ces derniers.

- TCP/IP est important, car les routeurs l'emploient comme outil de configuration. Les routeurs utilisent Telnet pour la configuration distante, TFTP pour le transfert de fichiers de configuration et d'images de systèmes d'exploitation, et SNMP pour l'administration de réseaux.

Pile de protocoles TCP/IP

Les protocoles Internet TCP/IP peuvent être utilisés pour communiquer à travers n'importe quel ensemble de réseaux interconnectés. Ils conviennent aussi bien pour les communications LAN que WAN. La suite de protocoles Internet TCP/IP inclut non seulement des spécifications des couches 3 et 4 (comme IP et TCP), mais aussi des spécifications pour des applications courantes, telles que la messagerie électronique, l'ouverture de session à distance, l'émulation de terminal et le transfert de fichiers.

La pile de protocoles TCP/IP ressemble de près au modèle de référence OSI, au niveau des couches inférieures. Tous les protocoles standard des couches physiques et liaison de données sont supportés. Le modèle de la pile TCP/IP, c'est-à-dire le modèle DARPA, comporte quatre couches qui sont étroitement liées au modèle OSI :

- **Couche application.** Définit les fonctionnalités de couches supérieures, incluses dans les couches application, présentation, et session du modèle OSI ; à savoir, le support des composants de communication d'une application, le formatage et la conversion de code, ainsi que l'établissement et la maintenance de sessions entre applications.

- **Couche transport.** Définit les fonctionnalités de transport, orientées connexion et sans connexion.

- **Couche Internet.** Définit les fonctionnalités d'interconnexion de réseaux pour les protocoles routés.

- **Couche Interface réseau.** Définit les propriétés de liaison de données et les méthodes d'accès au média.

Les quatre couches de la pile de protocoles TCP/IP sont illustrées Figure 8.2.

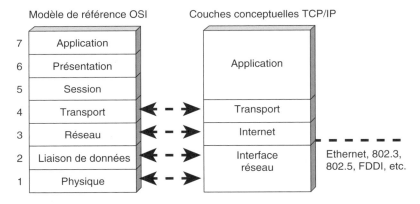

Figure 8.2

Le modèle à quatre couches auquel correspond la pile TCP/IP est semblable au modèle OSI en termes de fonctionnalités définies.

Les informations TCP/IP sont transmises sous forme d'une séquence de datagrammes. Un seul message peut être transmis au moyen d'une série de datagrammes qui sont ensuite réassemblés au niveau du récepteur pour former le message d'origine. Les termes *paquet* et *datagramme* sont quasiment interchangeables, à cela près qu'un datagramme est une unité de données, alors qu'un paquet est une entité physique sur un réseau. Dans la plupart des cas, un paquet contient un datagramme. Toutefois, il arrive dans certains protocoles qu'un datagramme soit divisé en plusieurs paquets pour satisfaire un besoin d'unités transmissibles plus petites.

La création et la documentation des protocoles Internet ressemble beaucoup à un projet de recherche universitaire. Les protocoles sont définis dans des documents, appelés RFC (*Request For Comments*), qui sont publiés, révisés, et analysés par la communauté Internet. L'un des plus intéressants est le RFC 1700 qui liste les numéros attribués à la communauté. Un autre document important est le RFC 791 qui traite des fonctionnalités IP.

Couche application

Les protocoles de niveau application servent pour le transfert de fichiers, la messagerie électronique et l'ouverture de sessions à distance. Ils correspondent aux fonctionnalités définies dans la couche application du modèle OSI. L'administration de réseau est également supportée au niveau de cette couche, comme le montre la Figure 8.3.

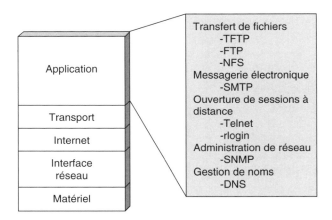

Figure 8.3

Certaines applications peuvent être hébergées sur un routeur.

Bon nombre de ces applications peuvent être hébergées sur un routeur ou un dispositif hôte. Par exemple, TFTP (*Trivial File Transfer Protocol*) et Telnet sont des applications qui permettent d'accéder à un routeur et de le configurer. Si un routeur supporte SNMP (*Simple Network Management Protocol*), il peut être géré par un autre dispositif SNMP doté des permissions suffisantes. Pour finir, DNS (*Domain Name System*) permet à un routeur de répondre à des requêtes de noms d'hôtes DNS.

Couche transport

La couche transport remplit plusieurs fonctions, parmi lesquelles :

■ contrôle de flux au moyen de fenêtres de communication (*sliding windows*) ;

■ fiabilité assurée par des numéros de séquence et des acquittements.

Cette couche utilise deux protocoles : TCP et UDP (voir Figure 8.4) :

■ TCP est un protocole fiable orienté connexion. Il s'occupe de diviser les messages en segments plus petits, de renvoyer tout ce qui n'a pas été reçu, et de réassembler les messages à partir des segments sur la station de destination. TCP fournit un circuit virtuel entre les applications utilisateur.

■ UDP est un protocole sans connexion et non acquitté. Comme il a éliminé tous les mécanismes d'acquittement, il est rapide et efficace. Il ne divise pas les données d'applications en plus petits segments. La fiabilité est gérée par les protocoles de couche supérieure, par un protocole fiable de couche inférieure, ou par une application supportant les erreurs.

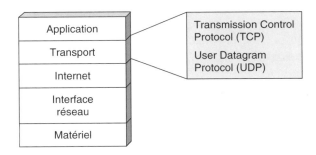

Figure 8.4

Les développeurs d'applications peuvent choisir un protocole de transport, orienté connexion (TCP) ou sans connexion (UDP).

Généralement, les connexions TCP sont plus lentes à établir, mais permettent une émission continue des données et une livraison très rapide et garantie des informations. UDP n'emploie pas de routine d'établissement de connexion. Il n'offre pas non plus de livraison garantie. Si des paquets sont perdus lors d'une communication UDP, la couche supérieure doit pouvoir mettre en œuvre des temporisateurs et des mécanismes d'expiration pour tenter une retransmission.

Format de segment TCP

La Figure 8.5 illustre le format d'un segment TCP.

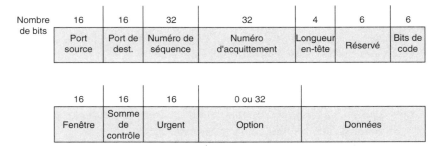

Figure 8.5

Format de segment TCP.

Les champs d'un segment TCP sont définis comme suit :

- **Port source.** Numéro du port émetteur. Identifie le protocole de couche supérieure de l'hôte émetteur.

- **Port de destination.** Numéro du port de destination. Identifie le protocole de couche supérieure de l'hôte de destination.

- **Numéro de séquence.** Dans le flot d'octets de l'émetteur, position des données dans le segment. Utilisé pour assurer la fiabilité.

- **Numéro d'acquittement.** Prochain octet TCP attendu. Utilisé pour assurer la fiabilité.

- **Longueur d'en-tête.** Nombre de mots de 32 bits dans l'en-tête. Indique le début des données.

- **Réservé.** Défini à zéro.

- **Bits de code.** Fonctions de contrôle (comme les bits SYN pour l'initialisation et FIN pour la terminaison d'une session).

- **Fenêtre.** Nombre d'octets que l'émetteur est prêt à accepter. Taille des tampons de réception.

- **Somme de contrôle.** Somme de contrôle calculée des champs d'en-tête et de données. Vérifie que le datagramme arrive intact.

■ **Indicateur d'urgence.** Signifie la fin des données urgentes. Utilisé pour indiquer des données hors bande.

■ **Option.** Une option couramment définie est la taille maximale du segment TCP. Utilisé par les fabricants pour améliorer leur offre de protocoles.

■ **Données.** Données du protocole de couche supérieure.

Numéros de ports

TCP et UDP utilisent tous les deux des numéros de *ports* (ou socket) pour transmettre des informations aux couches supérieures. Ces numéros servent à effectuer un suivi des différentes conversations qui traversent le réseau au même moment.

Les développeurs d'applications sont d'accord pour utiliser les numéros de ports connus, définis dans le RFC 1700. Par exemple, toute conversation établie pour l'application FTP emploie le numéro de port standard 21, comme illustré Figure 8.6.

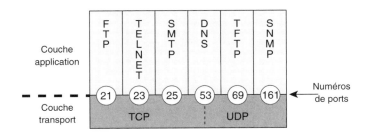

Figure 8.6
Les numéros de ports indiquent le protocole de couche supérieure qui utilise le média de transport.

Les conversations, n'impliquant pas une application avec un numéro de port connu, reçoivent des numéros de ports assignés de façon aléatoire dans une plage spécifique. Ces numéros sont utilisés comme adresses source et de destination dans le segment TCP.

Il est possible d'effectuer un filtrage de ces numéros de ports. En fait, il s'agit d'une des fonctions de sécurité fournies par de nombreux systèmes pare-feu.

Certains ports sont réservés à la fois dans TCP et UDP, mais il arrive que des applications ne soient pas écrites pour les supporter. Les numéros de ports sont organisés selon les plages suivantes :

- Les numéros inférieurs à 256 sont destinés aux applications publiques.

- Les numéros de 256 à 1023 sont attribués aux sociétés pour des applications commerciales.

- Les numéros supérieurs à 1023 sont assignés dynamiquement par l'application hôte.

Le numéro de port TCP, combiné avec d'autres informations, constitue ce que les développeurs du langage C UNIX appellent un *socket*. Toutefois, les sockets de travail ont une autre signification avec XNS et Novell, où ils représentent des abstractions de points d'accès aux services ou des interfaces de programme, plutôt que des identifiants de points d'accès aux services.

Numéros de ports TCP

Les systèmes terminaux utilisent des numéros de ports pour sélectionner l'application appropriée. Les numéros de ports source sont dynamiquement assignés par l'hôte source et sont généralement supérieurs à 1023 (voir Figure 8.7).

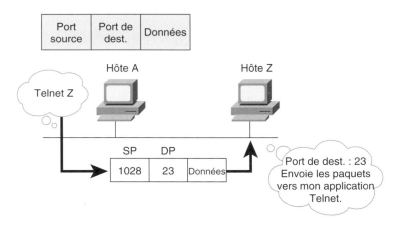

Figure 8.7

Les ports source et de destination ne doivent pas nécessairement être les mêmes.

Dans la plupart des cas, le numéro de port TCP/IP utilisé est le même des deux côtés d'une conversation. Par exemple, lorsqu'un transfert de fichier a lieu, le logiciel de l'un des hôtes communique avec l'application homologue sur l'autre hôte.

L'exemple de la Figure 8.7 illustre une session Telnet (port TCP 23). Plusieurs sessions Telnet peuvent être exécutées simultanément sur un même hôte ou routeur. Telnet sélectionne un numéro port inutilisé, supérieur à 1023, pour représenter le port source de chaque session individuelle. Notez que le port de destination est toujours 23.

Il est important de comprendre la numérotation des ports pour pouvoir configurer des listes d'accès étendues TCP. Celles-ci peuvent bloquer ou laisser passer des données, en fonction de ces numéros de port. Ce sujet est traité plus en détail au Chapitre 13.

Négociation de connexion TCP

Pour qu'une connexion puisse être établie ou initialisée, les deux protocoles TCP, qui utilisent des processus ou stations terminales, doivent synchroniser leur numéro de séquence initial, ou ISN (*Initial Sequence Numbers*), respectif. Les numéros de séquence sont utilisés pour suivre l'ordre des communications et garantir qu'aucune donnée n'est manquante dans une transmission nécessitant plusieurs paquets. Le numéro ISN est la valeur de départ, utilisée lors de l'établissement de la connexion TCP.

La *synchronisation* passe par l'échange de segments transportant les numéros ISN et un bit de contrôle appelé SYN (pour synchronisation), qui donne d'ailleurs son nom à ces segments. Une connexion réussie requiert un mécanisme approprié pour choisir un numéro ISN et une négociation assez complexe pour les échanger.

La synchronisation nécessite que chaque extrémité envoie son propre numéro ISN et reçive un acquittement (ACK) de confirmation. Cette procédure doit se dérouler selon des étapes spécifiques décrites ci-dessous :

1. A [Æ] B SYN mon numéro de séquence est X.

2. A [¨] B ACK votre numéro de séquence est X.

3. A [¨] B SYN mon numéro de séquence est Y.

4. A [Æ] B ACK votre numéro de séquence est Y.

Comme les deuxième et troisième étapes peuvent être combinées en un seul message, cet échange porte le nom de *négociation en trois temps* (voir Figure 8.8).

Cette procédure est semblable à une conversation entre deux personnes. La première souhaite parler à la seconde et lui dit "Je voudrais vous parler" (SYN). La seconde répond "OK, je veux bien vous parler" (SYN, ACK). La première conclut "Bien, alors parlons" (ACK).

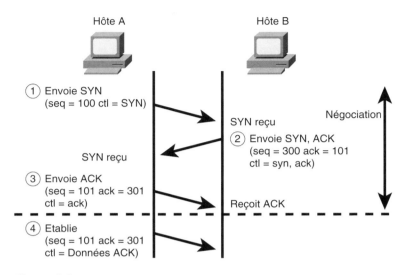

Figure 8.8

Les données ne peuvent pas être échangées tant que la négociation en trois temps n'a pas été accomplie.

Cette négociation est nécessaire, car les numéros de séquence ne sont pas associés à une horloge globale sur le réseau, et les protocoles TCP peuvent mettre en œuvre différents mécanismes de sélection du numéro ISN. Le récepteur du premier SYN n'a aucun moyen de savoir s'il s'agit d'un ancien segment qui a été retardé, à moins qu'il ne se souvienne du dernier numéro de séquence utilisé sur la connexion (ce qui n'est pas toujours possible). Il doit donc demander à l'émetteur de confirmer ce SYN.

A ce stade, les deux parties peuvent entamer la communication ou y mettre fin. TCP est une méthode de communication équilibrée, d'homologue à homologue (*peer-to-peer*).

Acquittement simple et fenêtrage TCP

L'objectif du fenêtrage est d'améliorer le contrôle de flux et la fiabilité. La taille de fenêtre détermine la quantité de données que la station réceptrice peut accepter. Avec une taille de fenêtre de 1, chaque ensemble d'octets doit être acquitté avant la transmission du suivant. Il en résulte une exploitation inefficace de la bande passante par les hôtes (voir Figure 8.9).

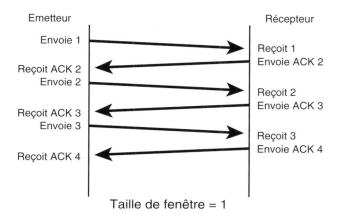

Figure 8.9

Avec une taille de fenêtre de 1, l'émetteur doit attendre un acquittement avant d'envoyer davantage de données.

Pour gérer le flux de données entre des dispositfs, TCP utilise un mécanisme de contrôle de flux. Le protocole TCP récepteur signale une fenêtre au protocole TCP émetteur. Celle-ci spécifie le nombre d'octets, en commençant par le numéro d'acquittement, que le protocole TCP récepteur s'attend à recevoir, comme illustré Figure 8.10.

La taille des fenêtres TCP varie pendant la durée d'une connexion. Chaque acquittement contient une annonce de fenêtre, indiquant le nombre d'octets que le récepteur peut accepter. TCP maintient également une fenêtre de contrôle de congestion, dont la taille est normalement identique à celle de la fenêtre du récepteur. Elle est tronquée de moitié lorsqu'un segment est perdu (en cas de congestion, par exemple). Cette approche permet à la fenêtre d'augmenter ou de diminuer, si nécessaire, afin de gérer l'espace de mémoire tampon et le traitement. Une fenêtre plus grande autorise le traitement d'une quantité plus importante de données.

Numéros de séquence et d'acquittement TCP

TCP effectue une mise en séquence des segments en numérotant chaque datagramme avant leur transmission. Sur la station réceptrice, TCP réassemble les segments en un message complet. Si un numéro de séquence est manquant dans la série, le segment correspondant est retransmis. Les segments qui ne sont pas acquittés en un intervalle de temps donné sont retransmis.

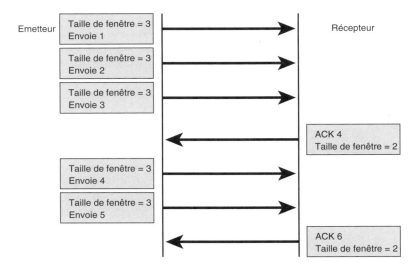

Figure 8.10
Une taille de fenêtre plus grande améliore l'efficacité du flux de données.

L'échange des numéros de séquence et d'acquittement est bidirectionnel. Cela signifie que la communication a lieu dans les deux sens (voir Figure 8.11). TCP fournit une communication duplex. Les acquittements assurent la fiabilité. Un autre exemple de protocole fonctionnant en mode connecté et effectuant une mise en séquence est IPX pour NetWare.

Format de segment UDP

UDP ne met pas en œuvre le fenêtrage et n'utilise pas non plus d'acquittements. Les protocoles de la couche application peuvent assurer la fiabilité. UDP a été conçu pour des applications qui ne requièrent pas le séquencement des segments.

Parmi les protocoles qui utilisent UDP, on trouve TFTP, SNMP, NFS, et DNS. Comme illustré Figure 8.12, la taille d'un en-tête UDP est relativement petite (seulement 8 octets). Néanmoins, DNS peut aussi utiliser TCP.

Lorsque UDP est employé, la fiabilité peut être gérée par TFTP. Ce protocole utilise une somme de contrôle. Si cette somme n'est pas correcte à l'issue de la transmission, le fichier n'a pas été transmis. L'utilisateur en est informé et doit de nouveau taper la commande. Par conséquent, l'utilisateur fait ici office de mécanisme de fiabilité.

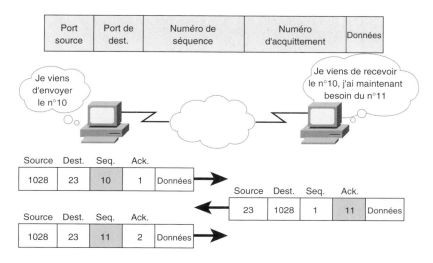

Figure 8.11

Le récepteur demande l'envoi du datagramme suivant dans la séquence.

Figure 8.12

Un segment UDP ne comporte pas de champs pour les numéros de séquence
ou d'acquittement.

Couche Internet

La couche Internet de la pile TCP/IP correspond à la couche réseau du modèle OSI.
Chaque couche est responsable de la récupération de paquets à travers un interréseau, au moyen de l'adressage logiciel.

Comme illustré Figure 8.13, deux protocoles fonctionnent au niveau de la couche
Internet :

- IP (*Internet Protocol*), qui effectue un routage en mode non connecté avec une
  livraison "au mieux" (*best-effort*) des datagrammes. Il n'est pas concerné par le

contenu des ces derniers. Il s'occupe plutôt de rechercher un moyen de les acheminer vers leur destination.

■ ICMP (*Internet Control Message Protocol*), qui offre des fonctions de contrôle et de messagerie.

Notez que les protocoles de routage sont généralement considérés comme des protocoles de gestion de couche supportant la couche réseau. OSPF (*Open Shortest Path First*) opère intégralement au niveau de cette dernière.

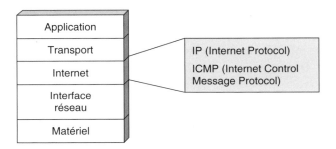

Figure 8.13
La couche réseau OSI correspond à la couche Internet TCP/IP.

Datagrammes IP

La Figure 8.14 illustre le format d'un datagramme IP. Il contient un en-tête IP et des données. Il est encadré par un en-tête et un en-queue de sous-couche MAC.

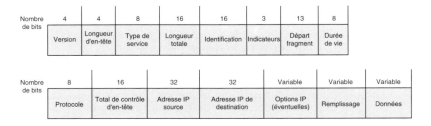

Figure 8.14
La longueur de l'en-tête IP varie en fonction du champ d'options IP.

Les champs de ce datagramme IP sont définis comme suit :

■ **Version.** Numéro de version. La version actuelle la plus connue est IPv4. La géné-ration suivante, appelée IPng, est IPv6. IPng est traité dans le RFC 1752.

■ **Longueur d'en-tête.** Longueur d'en-tête en mots de 32 bits. Indique le début de l'en-tête de transport.

■ **Type de service.** Indique comment les datagrammes devraient être gérés en spécifiant des paramètres de fiabilité, de priorité, de délai et de débit.

■ **Longueur totale.** Longueur totale (en-tête et données). Inclut tous les en-têtes de couche supérieure.

■ **Identification, Indicateurs, Départ fragment.** Permettent la fragmentation et le réassemblage des datagrammes pour autoriser différentes unités maximales de transmission (MTU, *Maximum Transmission Unit*), ou tailles de trame sur l'interréseau.

■ **Durée de vie.** Durée de vie, ou TTL (*Time To Live*), est un champ de comptage. Chaque station doit décrémenter cette valeur de 1 ou du nombre de secondes pendant lequel elle conserve le paquet. Lorsque le compteur atteint zéro, la durée de vie expire et le paquet est supprimé. Cette routine empêche que les paquets ne circulent indéfiniment sur Internet à la recherche de destinations inexistantes.

■ **Protocole.** Identifie le protocole de couche supérieure (couche 4) qui devrait recevoir le datagramme. Bien que le trafic IP exploite principalement TCP, il existe d'autres protocoles qui peuvent utiliser IP. La numérotation des protocoles de la couche transport est semblable à celle des ports.

Notez que les numéros de protocoles connectent (ou *multiplexent*) IP avec la couche transport. Ces numéros sont normalisés dans le RFC 1700. Cisco les utilise pour le filtrage au moyen de listes étendues d'accès.

■ **Total de contrôle d'en-tête.** Contrôle d'intégrité de l'en-tête.

■ **Adresses IP source et de destination.** Adresses IP de 32 bits qui identifient les équipements terminaux impliqués dans la communication.

■ **Options IP.** Test, débogage, sécurité du réseau, etc.

ICMP

ICMP opère au niveau de la couche Internet, comme illustré Figure 8.15.

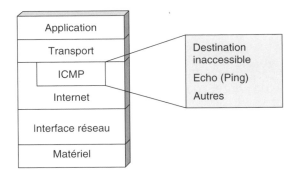

Figure 8.15
ICMP fournit des mécanismes de gestion d'erreur et de contrôle.

Le protocole ICMP est implémenté par tous les hôtes TCP/IP. Les messages ICMP sont encapsulés dans un datagramme IP. Il existe plusieurs types de messages ICMP définis. La liste suivante présente certains des types les plus connus et utiles :

- **Destination inaccessible.** Signale une destination inaccessible.

- **Temps expiré.** Détecte des paquets circulant en boucle.

- **Paramètre incorrect.** Structure de paquet IP incorrecte.

- **Limitation de production.** Contrôle de flux.

- **Reroutage.** Changement de route.

- **Echo.** Test d'accessibilité.

- **Horodatage.** Synchronisation d'horloge. Estimation du temps d'acheminement.

- **Renvoi d'horodatage.** Synchronisation d'horloge. Estimation du temps d'acheminement.

- **Demande d'informations.** Obtient une adresse de réseau.

- **Renvoi d'informations.** Obtient une adresse de réseau.

- **Demande de masque d'adresse.** Obtient un masque de sous-réseau.

Reportez-vous au RFC 1700 pour obtenir une liste plus complète des messages ICMP.

Test ICMP

Si un routeur reçoit un paquet qu'il ne peut acheminer vers sa destination finale, il envoie alors vers la source un message ICMP signalant un hôte inaccessible (voir Figure 8.16).

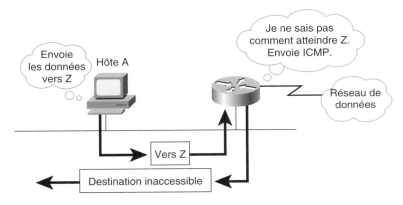

Figure 8.16
ICMP indique que la destination prévue est injoignable.

Astuce

ICMP représente un outil très efficace de conception et de dépannage de réseaux.

Il se peut que le message ne puisse être délivré, car il n'existe aucune route connue vers la destination.

ICMP est encore plus simple que UDP. Il n'utilise pas de numéros de ports dans son en-tête, car tous les messages ICMP sont interprétés par le logiciel de réseau lui-même. Par conséquent, aucun numéro de port n'est nécessaire pour déterminer la destination du message. ICMP inclut néanmoins un champ de type, qui identifie la demande d'écho pour un message ICMP donné.

Un renvoi d'écho est une réponse à une commande **ping** réussie. Toutefois, les résultats peuvent inclure plusieurs messages ICMP, comme ceux d'inaccessibilité ou d'expiration, indiquant que la requête **ping** n'a pas pu atteindre la destination. Dans la Figure 8.17, l'hôte A envoie une demande d'écho vers l'hôte B qui, lorsqu'il la reçoit, envoie une réponse d'écho vers l'hôte A.

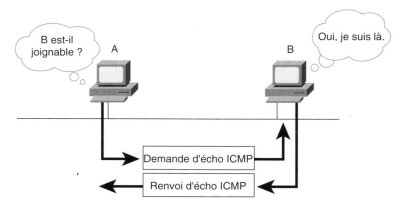

Figure 8.17
Une demande d'écho ICMP est générée par la commande ping.

Un autre outil qui utilise ICMP est Traceroute. Celui-ci fournit une liste des routeurs se trouvant sur un chemin entre deux dispositifs.

Protocole de résolution d'adresse ARP

Le protocole ARP (*Address Resolution Protocol*, protocole de résolution d'adresses) est utilisé pour résoudre une adresse IP connue en une adresse de sous-couche MAC, afin de rendre possible la communication sur un média multi-accès comme Ethernet. Pour déterminer l'adresse de destination d'un datagramme, la table ARP en cache est consultée. Si l'adresse ne s'y trouve pas, ARP envoie un message en mode diffusion pour rechercher la station de destination, comme illustré Figure 8.18.

Chaque station sur le réseau reçoit la diffusion.

L'expression *ARP local* se réfère à la résolution d'une adresse, lorsque l'hôte demandeur et l'hôte de destination partagent le même média ou le mêmecâble. Si un paquet est destiné à un dispositif situé sur un autre réseau, l'hôte local utilisera ARP uniquement pour obtenir l'adresse MAC du routeur local.

ARP inverse

RARP (*Reverse ARP*, ARP inverse) est utilisé pour obtenir une adresse IP au moyen d'une diffusion RARP. Ce protocole s'appuie sur la présence d'un serveur RARP avec une table contenant des informations utilisées pour répondre à ces requêtes.

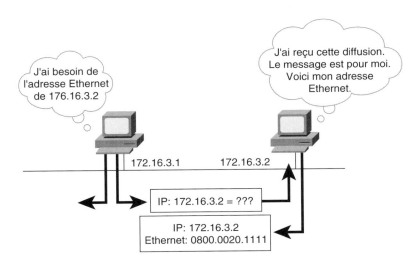

Figure 8.18
ARP est utilisé pour découvrir l'adresse MAC de destination.

Sur un segment local, RARP peut servir à initier la séquence de chargement d'un système d'exploitation distant. Par exemple, RARP peut être utilisé pour démarrer une station de travail, sans disque, sur un réseau. ARP et RARP sont implémentés directement au-dessus de la couche liaison de données.

Résumé

Ce chapitre a proposé une brève présentation de la suite de protocoles TCP/IP. Vous savez maintenant tout sur cette pile et les quatre couches conceptuelles qui la composent. Vous avez également revu les protocoles gérés au niveau de la couche réseau, comme IP (et la structure d'en-tête IP) et ICMP. Pour finir, ce chapitre a traité de la résolution d'adresses IP en adresses MAC, et inversement, avec ARP et RARP. Les deux prochains chapitres, Chapitres 9 et 10, approfondissent la configuration d'un interréseau IP.

Test du Chapitre 8

Durée estimée : 15 minutes

Réalisez tous les exercices suivants pour tester votre connaissance des sujets traités dans ce chapitre. Les réponses sont données dans l'Annexe A.

Question 8.1

Quelles sont les quatre couches conceptuelles de TCP/IP ?

_____

_____

_____

_____

Question 8.2

A quelle couche OSI IP correspond-il ?

_____

Question 8.3

A quelle couche OSI UDP correspond-il ?

_____

Question 8.4

Pour chaque affirmation, indiquez le nom du protocole qui est décrit.

Nom du protocole	*Affirmation*
A. _____	Associe une adresse IP connue à une adresse de sous-couche MAC.
B. _____	Inclut l'identifiant de protocole de couche 4 dans l'en-tête.
C. _____	Utilisé pour envoyer des messages signalant une destination inaccessible.
D. _____	Divise les messages en datagrammes.
E. _____	Utilise des numéros de séquence.
F. _____	S'appuie sur la fiabilité de la couche application.

Nom du protocole	*Affirmation*
G. _____	Assure une livraison "au mieux" (*best-effort*).
H. _____	Réassemble les datagrammes en messages.
I. _____	Négocie avec le dispositif récepteur.
J. _____	Utilisé pour envoyer des messages d'erreur et de contrôle.
K. _____	Assure une transmission en mode non connecté.
L. _____	Envoie des acquittements.
M. _____	Ne met pas en œuvre le fenêtrage.

9

Adressage IP

Ce chapitre présente les particularités des classes d'adresses IP, des adresses de réseau et de nœuds, et du processus de masques de sous-réseaux. Le test en fin de chapitre permet d'évaluer les connaissances acquises en matière de configuration d'adresses IP.

Adresses TCP/IP

Dans un environnement TCP/IP, les stations terminales communiquent facilement avec des serveurs ou d'autres stations terminales. Cette communication est possible car chaque nœud, exploitant la suite de protocoles TCP/IP, possède une adresse logique unique de 32 bits.

Le trafic est souvent transmis à travers un interréseau en se basant sur le nom d'une organisation plutôt que sur celui d'une personne ou d'un hôte individuel. Si des noms sont utilisés à la place d'adresses, ils doivent être traduits en adresses numériques pour que le trafic puisse être acheminé. L'emplacement de l'organisation imposera le chemin que les données emprunteront à travers l'interréseau.

Chaque entreprise, listée sur l'interréseau, est traitée comme un seul réseau devant être atteint pour qu'un de ses hôtes puisse être joint. Chaque réseau d'entreprise possède une adresse, constituée d'une série binaire, partagée par tous ses hôtes. Cependant, chacun des hôtes est identifié uniquement par une autre série de bits.

Présentation de l'adressage IP

Une adresse IP est longue de 32 bits et possède deux parties :

■ le numéro de réseau ;

■ le numéro d'hôte.

Les 32 bits sont divisés en quatre octets (un octet possède une longueur de huit bits). Si les ordinateurs n'ont aucun mal à gérer un nombre de cette longueur, les humains éprouvent quelques difficultés à le faire. Par conséquent, vous devez convertir la valeur binaire de chaque octet en son équivalent décimal pour créer un format d'adresse connu sous l'appellation : *notation décimale avec points* (voir Figure 9.1). Un exemple d'adresse dans ce format est : 172.16.122.204.

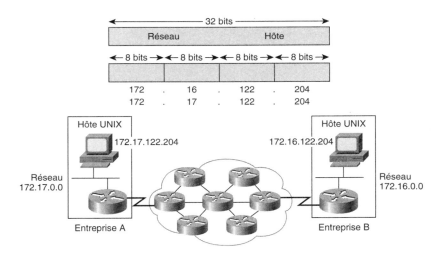

Figure 9.1

Une adresse IP est longue de quatre octets, et contient une partie réseau et une partie hôte.

La valeur minimale d'un octet est 0 ; tous les bits sont à 0. La valeur maximale est 255 ; tous les bits sont à 1. Plus loin dans ce chapitre, vous apprendrez comment le format binaire est utilisé dans l'adressage IP.

L'allocation des adresses est gérée par une organisation centrale faisant autorité : l'IANA (*Internet Assigned Numbers Authority*).

Cette forme d'adressage, la plus courante, reflète celle utilisée par le protocole IPv4. Confronté au problème de diminution du nombre des adresses disponibles, l'IETF (*Internet Engineering Task Force*) travaille sur une nouvelle génération du protocole IP, compatible avec la version antérieure (IPng, désigné maintenant par IPv6).

IPv6 offrira un routage étendu et des capacités d'adressage au moyen d'adresses de 128 bits à la place des 32 bits illustrés Figure 9.1. Les adresses des deux versions du protocole IP pourront coexister. Les premières occurrences des nouvelles adresses seront probablement employées sur des emplacements utilisant des logiciels de conversion d'adresse IP et des pare-feu.

Dans certaines sections de ce livre, vous travaillerez avec des adresses à un niveau bit. Vous convertirez donc des adresses dans une forme binaire, les modifierez, puis les reconvertirez dans une forme décimale. Reportez-vous à l'Annexe E qui comporte une table de conversion binaire.

Classes d'adresses IP

Lorsque le protocole IP a été développé à l'origine, il n'existait aucune classe d'adresses. Pour faciliter l'administration, les adresses ont été réparties en plusieurs classes, comme illustré Figure 9.2.

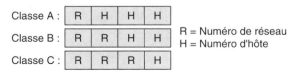

Classe D : pour la diffusion multicast

Classe E : pour la recherche

Figure 9.2
Les adresses des Classes A, B et C sont utilisées pour les réseaux IP.

Il n'y a que 254 adresses de Classe A, mais chacune d'elle peut supporter jusqu'à 16 millions d'hôtes. Il existe 64 000 adresses de Classe B, qui peuvent supporter chacune 64 000 hôtes. Il y a plus de 16 millions d'adresses de Classe C, chacune pouvant supporter 254 hôtes. Les adresses des Classes E et D sont également définies. Celles de Classe D commencent à 224.0.0.0 et sont utilisées pour la diffusion multicast, et celles de Classe E débutent à 240.0.0.0 et sont utilisées pour l'expérimentation par les concepteurs et les ingénieurs Internet.

Pour définir le nombre d'adresses d'hôtes possibles dans une classe donnée, il faut effectuer le calcul suivant, où *n* représente le nombre de bits de la partie identifiant d'hôte de l'adresse :

```
(2^n - 2) = adresses d'hôtes disponibles
```

Considérez, par exemple, l'adresse de réseau suivante : 200.99.44.0 (une adresse de Classe C). La partie hôte possède huit bits disponibles. La formule est $(2^8 - 2) = 254$.

Il faut soustraire le chiffre 2 du calcul pour réserver deux nombres comme identifiants d'hôtes spéciaux, 0 (tous les bits à 0) et 255 (tous les bits à 1). L'identifiant 0 permet de désigner le réseau uniquement (par exemple, 200.99.44.0), et l'identifiant 255 est prévu pour la diffusion broadcast (par exemple, 200.99.44.255).

Cette stratégie d'adressage permet d'attribuer des adresses en se basant sur la taille du réseau. Ce concept reposait sur la supposition qu'allaient apparaître dans le monde beaucoup plus de petits réseaux que de grands.

A mesure que les réseaux grandissent, les classes peuvent être remplacées par un autre mécanisme d'adressage, tel que le routage inter-domaine sans classe (CIDR, *Classless Interdomain Routing*). Le RFC 1467 relatif à l'état du déploiement du CIDR sur Internet, et le RC 1817, présentent des informations à ce sujet.

Séquences binaires de l'adressage IP

La Figure 9.3 illustre la structure des adresses des Classes A, B et C.

La valeur du premier octet d'une adresse détermine sa classe ainsi que le nombre de bits constituant la partie identifiant de réseau. Chaque classe s'étend de la façon suivante :

- Classe A

  Plage de numéros de réseau : 1.0.0.0 à 126.0.0.0

  Nombre d'adresses d'hôte : 16 777 214 (16 777 216 – 2)

- Classe B

  Plage de numéros de réseau : 128.0.0.0 à 191.255.0.0

  Nombre d'adresses d'hôte : 65 534 (65 536 – 2)

- Classe C

  Plage de numéros de réseau : 192.0.0.0 à 223.255.255.0

  Nombre d'adresses d'hôte : 254 (256 – 2)

Bits de poids fort	Octet en décimal	Classe
0	1-126	A
10	128-191	B
110	192-223	C

Nombre de bits Classe A :

1	7	24
0	N° de réseau	N° d'hôte

Nombre de bits Classe B :

1	1	14	16
1	0	N° de réseau	N° d'hôte

Nombre de bits Classe C :

1	1	1	21	8
1	1	0	N° de réseau	N° d'hôte

Figure 9.3
La valeur du premier octet peut être utilisée pour indiquer la classe de l'adresse.

■ Classe D

Plage de numéros de réseau : 224.0.0.0 à 239.255.255.0

Règle pour le premier octet

La règle pour le premier octet stipule que la classe de ^n adresses peut être déterminée par la valeur numérique du premier octet.

Une fois cette règle appliquée, le routeur identifie le nombre de bits qu'il doit analyser pour interpréter la portion réseau de l'adresse (en se basant sur la classe d'adresses standard), comme illustré Figure 9.3. S'il n'y a pas d'autre identification à réaliser pour des bits supplémentaires de la partie réseau, le routeur peut effectuer une décision de routage en utilisant l'adresse.

Voici les plages d'adresses de chaque classe, avec le premier octet exprimé en décimal :

■ 1 à 126, pour une adresse de réseau de Classe A ;

■ 128 à 191, pour une adresse de réseau de Classe B ;

■ 192 à 223, pour une adresse de réseau de Classe C ;

■ 224 à 239, pour une adresse de réseau de Classe D ;

■ 240 à 255, pour une adresse de réseau de Classe E.

Notez que le numéro 127.0.0.0 est réservé pour l'adresse de *bouclage*. Elle est utilisée par un équipement pour se joindre lui-même. Cette technique est utilisée pour tester en local et identifier une altération possible de la pile TCP/IP de l'équipement.

Concepts de configuration de l'adressage IP

Cette section se consacre aux concepts fondamentaux que vous devez comprendre pour configurer une adresse IP. En examinant les divers besoins du réseau, vous pouvez sélectionner la classe d'adresses, correcte à utiliser, et définir la marche à suivre pour définir les sous-réseaux.

Adresses d'hôtes

Chaque équipement, ou interface, doit posséder un numéro d'hôte différent de zéro. Nous avons dit plus haut qu'une adresse d'hôte composée uniquement de 1 (en binaire) est réservée pour la diffusion générale (*broadcast*) sur le réseau concerné, comme illustré Figure 9.4.

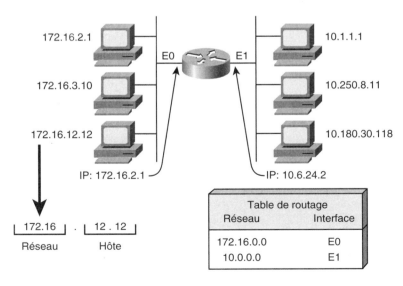

Figure 9.4
Tous les hôtes doivent posséder une adresse IP différente de zéro.

L'adresse d'hôte zéro désigne "ce réseau" ou "le câble lui-même" (par exemple, 172.16.0.0). Elle a aussi été utilisée pour les diffusions générales IP sur d'anciennes implémentations TCP/IP, rarement rencontrées maintenant.

L'utilisation d'une séquence entière de zéros est appelée *sous-réseau zéro*. Par convention, elle est maintenant réservée et ne peut être utilisée pour représenter une interface. Elle se réfère au câble lui-même. La table de routage contient des entrées pour les adresses de réseau ou de câble ; elle ne contient généralement aucune information sur les hôtes.

Une adresse IP et le masque de sous-réseau pour une interface servent les trois objectifs suivants :

■ permettre au système de traiter la réception et la transmission des paquets ;

■ spécifier l'adresse locale de l'équipement ;

■ spécifier une plage d'adresses qui se partagent le câble avec l'équipement.

Le routeur est capable de faire la différence entre la partie réseau et la partie hôte d'une adresse en utilisant un masque que vous pouvez configurer sur l'interface du routeur. Un masque utilise également une numérotation dans le format décimal avec le point pour séparateur, par l'exemple 255.255.0.0.

Voici les masques, par défaut, pour les classes A, B et C :

■ A : 255.0.0.0

■ B : 255.255.0.0

■ C : 255.255.255.0

Les masques, par défaut, ont les bits de la partie réseau à 1.

Adressage sans sous-réseau

Le monde extérieur perçoit une entreprise comme un seul réseau. Il n'a pas besoin d'en connaître la structure interne. Par exemple, dans la Figure 9.5 tous les datagrammes adressés au réseau 172.16 sont traités de la même manière, indépendamment du premier et du quatrième octet de l'adresse. L'avantage de cette configuration est la taille relativement faible des tables de routage que les routeurs peuvent utiliser.

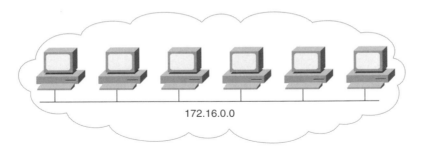

Figure 9.5

L'adressage direct n'utilise pas de sous-réseau.

L'adressage réseau, selon la stratégie définie jusqu'à présent, ne dispose d'aucun moyen pour différencier des segments individuels (cables) au sein d'un même réseau. Un nuage sans sous-réseau n'est qu'un seul grand domaine de diffusion, où tous les systèmes sur le réseau sont confrontés aux messages broadcast qui y sont diffusés. Ce type de configurations peut souffrir de performances médiocres.

Par défaut, l'espace d'adressage de Classe B définit un câble avec 65 000 stations qui y sont connectées. Les sous-réseaux vous permettent de diviser ce câble en segments.

Adressage avec sous-réseau

Avec des sous-réseaux, l'exploitation d'une adresse de réseau est plus efficace. Cela ne change en rien la façon dont le réseau est perçu par le monde extérieur. Cependant, au sein de l'organisation, une structure supplémentaire est apportée.

Dans l'exemple de la Figure 9.6, le réseau 172.16.0.0 est divisé, ou segmenté, en quatre sous-réseaux : 172.16.1.0, 172.16.2.0, 172.16.3.0, et 172.16.4.0. Les routeurs déterminent le réseau de destination au moyen de l'adresse de sous-réseau, limitant ainsi la quantité de trafic sur les autres segments.

Un équipement de réseau utilise un *masque de sous-réseau* pour déterminer, dans une adresse IP, les parties qui identifient le réseau, le sous-réseau et l'hôte. Le masque est une valeur de 32 bits dont les bits à 1 correspondent aux portions réseau et sous-réseau de l'adresse, et les bits restants à 0 correspondent à la portion hôte.

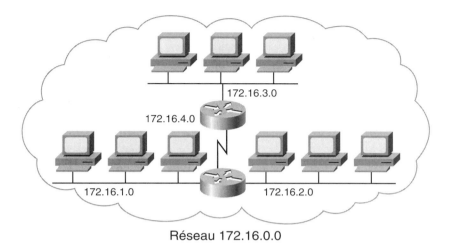

Figure 9.6

Le monde extérieur à une entreprise ne peut pas savoir si son réseau est segmenté ou pas.

Grâce à sa propre adresse IP et à son masque de sous-réseau, un équipement peut déterminer si un paquet IP se destine à l'un des équipements suivants :

- une machine du même réseau ;

- une machine d'un sous-réseau différent sur le même réseau ;

- une machine sur un autre réseau.

Un équipement peut déterminer la classe d'adresses, à laquelle il appartient, à partir de sa propre adresse IP. Le masque de sous-réseau lui indique la frontière entre l'identifiant de sous-réseau et l'identifiant d'hôte. Les masques de sous-réseaux sont traités plus en détail dans les sections suivantes.

Adressage de sous-réseau

Du point de vue de la stratégie d'adressage, les sous-réseaux représentent une extension du numéro de réseau. Les administrateurs décident de la taille des sous-réseaux en fonction des besoins de l'organisation et des prévisions en matière de croissance.

La Figure 9.7 illustre l'emploi d'un masque de sous-réseau pour identifier les parties utilisées pour l'adresse de réseau et celle de l'hôte.

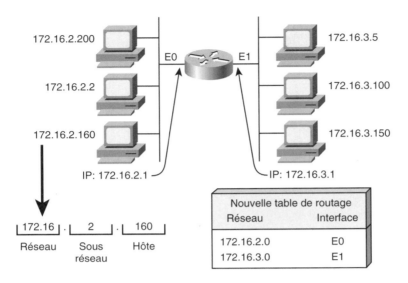

Figure 9.7

Un masque de sous-réseau utilise une partie de l'adresse d'hôte comme portion de sous-réseau.

Masque de sous-réseau

Comme vu précédemment, une adresse IP possède une longueur de 32 bits se décomposant en quatre octets. Un masque de sous-réseau possède une taille identique et se décompose aussi en quatre octets, formant une série de uns contigus suivie d'une série de zéros contigus. Il peut, comme pour l'adresse IP, être exprimé sous forme de quatre nombres décimaux séparés par des points.

Les masques de sous-réseaux indiquent les bits de la portion hôte qui sont utilisés pour désigner les différentes parties (ou sous-réseaux) d'un réseau donné. La Figure 9.8 illustre une adresse IP et deux masques de sous-réseaux associés. Le premier est le masque par défaut. Il réserve les deux premiers octets pour la portion réseau et les deux autres pour la portion hôte. Le deuxième masque emprunte des bits de la portion hôte pour augmenter le nombre de sous-réseaux disponibles.

Le masque de sous-réseau se décompose de la façon suivante :

■ valeur 1 binaire pour chaque bit formant la partie réseau ;

■ valeur 1 binaire pour chaque bit formant la partie sous-réseau ;

■ valeur 0 binaire pour chaque bit formant la partie hôte.

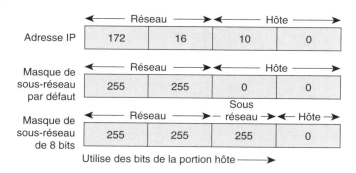

Figure 9.8

Le masque de sous-réseau identifie les sections (sous-réseaux) d'un réseau plus grand.

Equivalents décimaux des séquences binaires

Les bits formant la portion sous-réseau font partie de ceux de plus fort poids de la portion hôte. Pour déterminer le masque de sous-réseau d'une adresse, ajoutez les valeurs décimales de chaque position dont la valeur binaire est 1. Par exemple, la Figure 9.9 illustre les valeurs de chaque position binaire d'une adresse IP. Comme vous pouvez le constater, vous effectuez une conversion de binaire à décimal en ajoutant simplement les équivalents binaires représentés par le chiffre 1. Par exemple :

```
224 = 128 + 64 + 32
```

Comme le masque de sous-réseau n'est pas défini au niveau octet, mais au niveau bit, vous devez convertir les adresses de format décimal en binaire, puis à nouveau en décimal. Reportez-vous à l'Annexe E pour obtenir une aide sur les conversions binaires.

Masque de sous-réseau par défaut (sans sous-réseau)

Un masque de sous-réseau par défaut, également désigné par le terme masque de sous-réseau standard ou interne, est associé à une adresse IP lorsqu'aucune subdivision en sous-réseaux n'est requise. Le premier masque dans la Figure 9.8 était un masque par défaut. Dans ce cas, toutes les positions binaires de la portion réseau sont à 1, et celles de la portion hôte sont à 0.

Le routeur extrait l'adresse IP de destination du paquet et sélectionne le masque de sous-réseau interne. Il examine les bits identifiant l'adresse du réseau. Durant le processus de détermination de l'identifiant de réseau, la portion hôte est supprimée. Les décisions de routage se basent ensuite uniquement sur ce numéro de réseau.

```
128  64  32  16   8   4   2   1
 ↓   ↓   ↓   ↓   ↓   ↓   ↓   ↓

 1   0   0   0   0   0   0   0   =   128
 1   1   0   0   0   0   0   0   =   192
 1   1   1   0   0   0   0   0   =   224
 1   1   1   1   0   0   0   0   =   240
 1   1   1   1   1   0   0   0   =   248
 1   1   1   1   1   1   0   0   =   252
 1   1   1   1   1   1   1   0   =   254
 1   1   1   1   1   1   1   0   =   255
```

Figure 9.9

Chaque position binaire possède une valeur décimale.

En utilisant l'exemple de la Figure 9.7, on obtient les résultats suivants :

Adresse IP du paquet : 172.16.2.160

Masque de sous-réseau par défaut : 255.255.0.0

Réseau : 172.16.0.0

Nous voyons qu'en l'absence de segmentation en sous-réseaux, le numéro de réseau recueilli est 172.16.0.0.

Masque de sous-réseau avec segmentation en sous-réseaux

Lorsque la segmentation d'une adresse IP en sous-réseaux est requise, les positions binaires du masque, affichant une valeur de 1, représentent les portions réseau et sous-réseau de l'adresse, et celles présentant un 0 forment la portion hôte. Le deuxième exemple de masque (voir Figure 9.8), illustre un masque de sous-réseau de 8 bits. Par rapport au masque par défaut, huit bits supplémentaires ont reçu la valeur 1.

En continuant avec l'exemple de la Figure 9.7, avec huit bits de masque de sous-réseau (255.255.255.0), le numéro de réseau (ou plutôt de sous-réseau maintenant) de l'adresse 172.16.2.160 est 172.16.2.0. Ce numéro est obtenu en retenant les trois premiers octets de l'adresse totale comme définie par le masque précité.

Adresse IP du paquet : 172.16.2.160

Masque de sous-réseau de 8 bits : 255.255.255.0

Réseau : 172.16.2.0

Le résultat pratique obtenu est la création d'un champ d'identification de sous-réseau en empruntant huit bits de la portion hôte. Ce champ est ensuite utilisé pour l'adressage des différents sous-réseaux au sein d'un même réseau.

Planification de sous-réseaux

Dans la Figure 9.10, le réseau a reçu l'adresse 201.222.5.0 de Classe C. Supposez que vingt sous-réseaux soient requis, chacun avec cinq hôtes. Vous devez subdiviser le dernier octet en portions sous-réseau et hôte, et définir le masque de sous-réseau.

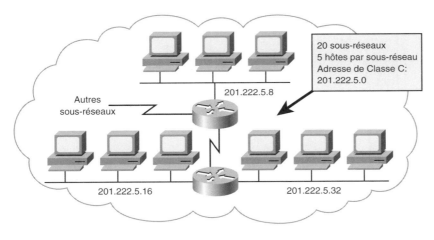

Figure 9.10

Considérez le nombre de sous-réseaux et d'hôtes par réseau, lors de la sélection d'un masque de sous-réseau.

Sélectionnez une taille de champ de sous-réseau suffisante pour pouvoir identifier tous les sous-réseaux requis. Dans cet exemple, un masque de 5 bits autorise la cohabitation de 30 ($2^5 - 2$) sous-réseaux. Dans cet exemple, les adresses des sous-réseaux sont toutes des multiples de huit, telles que 201.222.5.8, 201.222.5.16, et 201.222.5.24.

Les trois bits restants du dernier octet sont utilisés pour l'adresse d'hôte. Ils suffisent pour autoriser la présence des cinq machines exigées par segment de câble. Les numéros d'hôtes seront 1, 2, 3, etc.

Les adresses d'hôte finales sont une combinaison de l'adresse de départ du "câble" de réseau/sous-réseau et du numéro d'hôte. Les hôtes sur le sous-réseau 201.222.5.16 seraient adressés sous les formes 201.222.5.17, 201.222.5.18, 201.222.5.19, et ainsi de suite.

CONCEPT CLÉ

Un numéro d'hôte égal à zéro est réservé pour l'adresse du *câble*. Une valeur d'hôte, composée uniquement de chiffres binaires à un, est réservée à la diffusion broadcast sur le réseau, car elle sélectionne tous les hôtes.

Le Tableau 9.1 illustre un exemple de planification de sous-réseaux pour une adresse de Classe B. Un exemple de routage combine une adresse IP entrante avec le masque de sous-réseau pour en dériver le numéro de sous-réseau. Celui-ci devrait être typique des sous-réseaux définis dans cet exercice de planification. Pour obtenir une table étendue de segmentation en sous-réseaux, voyez le RFC 1878.

Tableau 9.1 : Exemple de planification de sous-réseaux pour une adresse de Classe B

Nbre de bits	Masque de sous-réseau	Nbre de sous-réseaux	Nbre d'hôtes
2	255.255.192.0	2	16382
3	255.255.224.0	6	8190
4	255.255.240.0	14	4094
5	255.255.248.0	30	2046
6	255.255.252.0	62	1022
7	255.255.254.0	126	510
8	255.255.255.0	254	254
9	255.255.255.128	510	126
10	255.255.255.192	1022	62
11	255.255.255.224	2046	30
12	255.255.255.240	4094	14
13	255.255.255.248	8190	6
14	255.255.255.252	16382	2

Exemple de planification de sous-réseaux de Classe B

Imaginez un sous-réseau de Classe B, basé sur les informations suivantes :

Adresse de sous-réseau : 172.16.2.0

Masque de sous-réseau : 255.255.255.0

La totalité du troisième octet de l'adresse est disponible pour la segmentation en sous-réseaux. La totalité du quatrième octet est disponible pour les adresses d'hôtes (172.16.2.1 à 172.16.2.254). L'adresse de réseau pour ce sous-réseau est 176.16.2.0. L'adresse de diffusion broadcast pour ce sous-réseau est 172.16.2.255.

Ce réseau réserve huit bits pour le masque de sous-réseau, ce qui autorise la présence de 254 sous-réseaux de 254 hôtes.

Exemple de planification de sous-réseaux de Classe C

Les adresses de Classe C sont plus difficiles à segmenter, car vous devez diviser le dernier octet en deux portions, sous-réseau et hôte. Dans la Figure 9.11, le réseau de Classe C est subdivisé pour obtenir trente sous-réseaux et six adresses d'hôtes.

Le Tableau 9.2 devrait pouvoir vous aider à comprendre le processus. La première colonne (Nbre de bits) indique le nombre de bits qui doivent être empruntés à la portion hôte pour créer une adresse de sous-réseau. La deuxième colonne (Masque de sous-réseau) indique la valeur décimale du masque de sous-réseau utilisé. Le tableau indique ensuite le nombre de sous-réseaux et d'hôtes possibles avec chacun des masques.

Tableau 9.2 : Exemple de planification de sous-réseaux pour une adresse de Classe C

Nbre de bits	*Masque de sous-réseau*	*Nbre de sous-réseaux*	*Nbre d'hôtes*
2	255.255.255.192	2	62
3	255.255.255.224	6	30
4	255.255.255.240	14	14
5	255.255.255.248	30	6
6	255.255.255.252	62	2

Examinez de nouveau le sous-réseau de Classe C, illustré Figure 9.10. Les cinq bits de la portion hôte sont utilisés comme champ d'identifiant de sous-réseau (11111000). Le masque de sous-réseau est maintenant le suivant :

255.255.255.248

11111111.11111111.11111111.11111000

Le numéro de sous-réseau est défini selon le masque illustré Figure 9.11.

Adresse d'hôte IP : 201.222.5.121
Masque de sous-réseau : 255.255.255.248
Adresse de sous-réseau : 201.222.5.120

		Réseau		Sous-réseau	Hôte
201.222.5.121 :	11001001	11011110	00000101	01111	001
255.255.255.248 :	11111111	11111111	11111111	11111	000
Sous-réseau :	11001001	11011110	00000101	01111	000
Adresse d'hôte IP :	201	222	5	120 +	1

Figure 9.11

Afin de segmenter une adresse de Classe C, vous devez emprunter certains des bits de la portion hôte pour former une portion sous-réseau.

Adresses de broadcast

La diffusion générale, ou broadcast, est supportée sur Internet. Les messages broadcast sont ceux qui doivent être reçus par tous les hôtes d'un réseau donné. L'adresse utilisée est formée en n'utilisant que des 1 dans l'adresse IP de réseau.

Le logiciel Cisco IOS supporte deux types de diffusion broadcast :

■ dirigée (broadcast de sous-réseau) ;

■ par inondation (broadcast local).

Les messages en broadcast dirigé (255.255.255.255) ne sont pas propagés et sont considérés comme locaux (voir Figure 9.12). Ces messages, dirigés vers un réseau spécifique, sont autorisés et routés. Toutes les positions binaires de la portion hôte de l'adresse sont à 1.

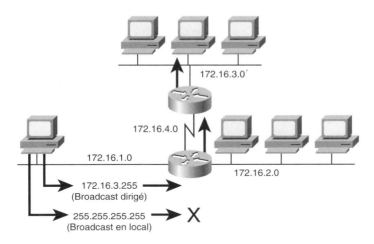

Figure 9.12

Vous pouvez diffuser en broadcast localement ou vers un sous-réseau.

Vous pouvez également émettre des messages broadcast vers tous les hôtes d'un seul sous-réseau ou vers tous les sous-réseaux d'un même réseau. Dans le premier cas, la portion hôte de l'adresse ne contient que des positions binaires à 1. L'exemple suivant illustre l'adresse de broadcast pour joindre tous les hôtes du sous-réseau 3 sur le réseau 172.16 (en supposant un masque 255.255.255.0) :

```
Tous les hôtes sur un sous-réseau donné = 172.16.3.255
```

Vous pouvez également envoyer des messages broadcast vers tous les hôtes de tous les sous-réseaux d'un même réseau. Pour cela, toutes les positions binaires des portions hôte et sous-réseau sont à 1. L'exemple suivant illustre l'adresse de diffusion broadcast pour atteindre tous les hôtes de tous les sous-réseaux du réseau 172.16 :

```
Tous les hôtes de tous les sous-réseaux d'un réseau donné =
➥172.16.255.255
```

ASTUCE

Les messages broadcast ne se terminent pas toujours par 255. Imaginez un réseau de Classe C 201.222.5.0, divisé par un routeur. Si l'entreprise choisit un masque de sous-réseau de quatre bits (255.255.255.240) et assigne l'adresse de sous-réseau 201.22.5.160 à un côté, quelle serait son adresse de broadcast ?

Suggestion : Recherchez dans la table binaire, un nombre dont toutes les positions de la portion hôte auraient la valeur 1 (201.222.5.175). Par conséquent, cette adresse IP ne pourrait pas être assignée à une station.

Commandes de configuration

Maintenant que vous comprenez les concepts sous-jacents de l'adressage IP, cette section présente les commandes IOS utilisées pour configurer des adresses IP et les fonctionnalités de routage associées.

Configuration des adresses IP

Le Tableau 9.3 illustre les commandes de configuration d'adresse :

Tableau 9.3 : Commandes de configuration d'adresse IP

Niveau de commande	*Commandes*	*Objectif*
Router(config-if)#	**ip address** *adresse-ip masque-sous-réseau*	Assigne une adresse et un masque de sous-réseau à une interface. Démarre le traitement IP.
Router#	**term ip netmask-format {bitcount|decimal|hexadecimal}**	Défini le masque de réseau pour la session courante.
Router(config-if)#	**ip netmask-format {bitcount|decimal|hexadecimal}**	Défini le format du masque de réseau pour une ligne spécifique.

Utilisez la commande **ip address** pour définir l'adresse IP de réseau d'une interface. La commande est elle-même suivie d'une adresse IP et d'un masque de sous-réseau, exprimés tous deux en décimal avec un point séparateur entre les quatre nombres.

Comme vu plus haut, IP utilise un masque de 32 bits appelé masque de sous-réseau ou masque de réseau, qui indique les bits de l'adresse, qui appartiennent aux champs réseau et sous-réseau, et ceux réservés au champ hôte. La commande **show ip interface** affiche une synthèse des informations IP de l'interface, y compris son adresse IP et le masque de réseau. Par défaut, le masque apparaît en notation décimale avec le point comme séparateur. Par exemple, un sous-réseau serait affiché sous la forme 131.108.11.55 255.255.255.0.

Vous pouvez également afficher le masque de réseau en format hexadécimal. Celui-ci est utilisé couramment sur les systèmes UNIX. Un exemple serait 0xFFFFFF00 pour un masque de réseau 255.255.255.0. Le préfixe 0x indique que le numéro est exprimé en hexadécimal. Cette notation emploie deux caractères pour exprimer la valeur d'un octet. Par exemple, le premier octet est FF (toutes les positions binaires à 1, ou 255 en décimal).

Vous pouvez également afficher le masque de réseau dans un format utilisant un nombre de bits. Il ajoute à l'adresse une barre oblique (/) et le nombre total de bits du masque de réseau. Un exemple serait 131.108.11.55/24 qui indique que les premiers 24 bits sont utilisés pour la portion réseau.

Tapez la commande **term ip netmask-format** sur la ligne de commande du mode EXEC pour spécifier le format des masques de réseau pour la session courante. Le format de notation sera rétabli pour sa valeur par défaut, à savoir l'utilisation d'un nombre de bits, lorsque vous quitterez la session courante.

Pour spécifier le format du masque de réseau pour une ligne spécifique, utilisez la commande **ip netmask-format** dans le mode de configuration de ligne.

Noms d'hôtes IP

Le logiciel Cisco IOS maintient une table des noms d'hôtes avec leur addresse correspondante, également appelée *table de correspondance noms d'hôtes-adresses* (traitée plus en détail à la section intitulée "Association des noms et des adresses". Les protocoles de couche supérieure, comme Telnet, utilisent des noms d'hôtes pour identifier les équipements de réseau (hôtes). Le routeur et les autres équipements de réseau doivent pouvoir associer ces noms à des adresses IP, afin de pouvoir communiquer avec d'autres équipements IP.

Tapez la commande **ip host**, à partir du mode de configuration globale, pour associer manuellement un nom d'hôte à une adresse. La forme complète de la commande est la suivante :

```
ip host nom [numéro-port-tcp] adresse [adresse] ...
```

Les arguments variables de la commande ont la signification suivante :

- **nom.** N'importe quel nom décrivant la destination.

- **numéro-port-tcp.** Numéro optionnel qui identifie le port TCP à employer lors de l'utilisation du nom d'hôte avec une commande de connexion EXEC de Telnet.

- **adresse.** L'adresse (ou les adresses) IP par laquelle l'équipement peut être joint.

Voici deux exemples de la commande **ip host** :

```
ip host P1R1 1.0.0.5 2.0.0.8
ip host P1R2 1.0.0.4
```

Le premier exemple définit un nom d'hôte P1R1 et deux adresses de réseau pour l'atteindre. Le deuxième exemple définit un hôte nommé P1R2 et une adresse de réseau pour l'atteindre.

Configuration d'un serveur de noms

La commande **ip name-server** du mode de configuration globale définit les hôtes pouvant offrir des services de résolution de noms DNS. Les serveurs de noms DNS peuvent répondre directement aux requêtes de noms ou rechercher des réponses pour le compte de clients sur le réseau. Il est possible d'assigner au maximum six adresses IP pour les serveurs de noms avec une seule commande. Voici la syntaxe de la commande :

```
ip name-server adresse-serveur1 [[adresse-serveur2] . . .
    adresse-serveur6] . . .
```

Pour associer des noms de domaine à des adresses IP, vous devez identifier les noms d'hôtes et spécifier un serveur de noms avec cette commande, où [*adresse-serveur*] représente l'adresse du serveur de noms de domaine à utiliser.

Le processus DNS (*Domain Name System*) est activé par défaut. Vous pouvez éventuellement identifier le nom de domaine par défaut avec la commande :

```
ip domain-name [nom du domaine par défaut]
```

Chaque fois que le système d'exploitation reçoit une adresse qu'il ne reconnaît pas, il se réfère à DNS pour obtenir l'adresse IP du dispositif en question.

Association des noms et des adresses

Chaque adresse IP unique peut être associée à un nom. Le logiciel Cisco IOS conserve en cache une table des correspondances entre noms d'hôtes et adresses à utiliser avec les commandes EXEC. Ce cache accélère le processus de conversion des noms en adresses.

Le protocole IP utilise une stratégie d'attribution de noms qui permet à un équipement d'être identifié par son emplacement. Un nom tel que ftp.cisco.com identifie le domaine Cisco avec le protocole FTP. Pour garder une trace des noms de domaine, IP identifie un serveur de noms qui gère le cache de noms.

Le système DNS est activé par défaut avec une adresse de serveur 255.255.255.255, qui est une adresse de broadcast locale. Si le processus DNS a été désactivé, vous pouvez le réactiver avec la commande **ip domain-lookup**. La commande **no ip domain-lookup** désactive la traduction nom-adresse sur le routeur. En procédant de la sorte, le routeur ne transmettra pas les paquets broadcast du système de résolution de noms.

Affichage des noms d'hôtes

La commande **show hosts** [*nom-hôte*] est utilisée pour afficher une liste en cache des noms d'hôtes et de leurs adresses.

La Figure 9.13 illustre l'écran de résultat de la commande.

```
Router# show hosts
Default domain is not set
Name/address lookup uses static mappings

Host            Flags       Age   Type   Address (es)
P1R1            (perm, OK)  5     IP     144.253.100.200  133.3.13.2
                                        133.3.5.1
P2R1            (perm, OK)  5     IP     144.253.100.201  153.50.3.2
                                        153.50.5.6
P2R2            (perm, OK)  **    IP     128.45.17.4  153.50.3.200
                                        153.50.34.17
P2R3            (perm, OK)  **    IP     172.26.40.11  153.50.5.7
                                        153.50.34.1
- - More - -
```

Figure 9.13

Ecran de résultat de la commande show hosts.

Vous pouvez obtenir les informations suivantes sur une entrée de nom d'hôte :

■ **Hôte.** Nom des hôtes découverts.

■ **Indicateurs.** Description de la façon dont les informations ont été recueillies et leur état courant.

■ **perm.** Configuré manuellement dans une table d'hôtes statique.

■ **temp.** Recueilli auprès de DNS.

■ **OK.** L'entrée est actuelle.

■ **EX.** L'entrée est périmée ; son délai a expiré.

■ **Age.** Temps mesuré en heures depuis que le système s'est référé à l'entrée.

■ **Type.** Champ protocole.

■ **Adresse(s).** Adresse logique associée au nom de l'hôte.

Vérification de la configuration d'adresses

Les problèmes d'adressage sont courants sur les réseaux IP. Il est important de vérifier la configuration des adresses avant de poursuivre la tâche de configuration. Trois
commandes permettent de vérifier la configuration sur un interréseau, comme illustré Figure 9.14.

■ **telnet**. Vérifie le logiciel de la couche application entre les stations source et de
destination. C'est le mécanisme de test le plus complet disponible.

■ **ping**. Utilise le protocole ICMP pour vérifier la connexion matérielle et l'adresse
logique de la couche réseau. Il s'agit d'un mécanisme de test basique. Il existe
une commande **ping** simple et une autre étendue.

■ **trace**. Utilise des valeurs de durée de vie, ou TTL (*Time To Live*), pour générer des
messages de la part de chaque routeur traversé sur un chemin. Cette fonction
permet de localiser des défaillances sur l'itinéraire entre la source et la destination.

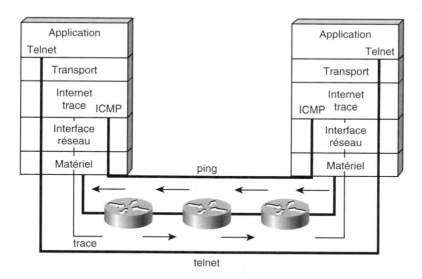

Figure 9.14

Utilisez les commandes telnet, ping et trace pour vérifier votre configuration.

Pour vérifier qu'un routeur est correctement configuré pour le protocole IP, procédez comme suit.

1. Testez la connexion avec le routeur en utilisant **Telnet**. Cela teste la couche application.

2. Si vous ne pouvez pas établir de session, essayez **ping**. Cela permet de vérifier la connexion de bout en bout au niveau de la couche réseau. Si la commande réussit, le problème se situe probablement à un niveau supérieur à celui de la couche réseau.

3. Si la commande **ping** échoue, essayez **trace**. Cela permet de recueillir des informations à chaque étape sur l'itinéraire vers le routeur de destination et de connaître le dernier routeur accessible. Avec ces informations, vous pouvez rechercher une erreur de configuration sur le dernier routeur atteint.

Commande Telnet

Telnet est une application simple qui permet de vérifier s'il est possible de se connecter sur un routeur donné. Si la connexion échoue, mais que vous puissiez utiliser la commande **ping**, vous savez que le problème est lié à une fonctionnalité de la couche supérieur sur ce routeur. Vous pouvez alors essayer de le redémarrer et tenter une nouvelle connexion Telnet.

Commande ping simple

La commande **ping** envoie des paquets d'écho ICMP. Elle est supportée dans les deux modes EXEC, utilisateur et privilégié. Lorsqu'un paquet d'écho ICMP est reçu par un équipement, celui-ci renvoie un écho en retournant le paquet vers la source. Dans la Figure 9.15, une commande ping a expiré, comme l'illustre le point (.), et quatre autres commandes ont réussi, comme indiqué par les points d'exclamation (!). Voici les informations qui peuvent être renvoyées par le test ping :

```
Router> ping 172.16.101.1
Type escape sequence to abort.
Sending 5, 100-byte ICMP Echos to 172.16.101.1,
Timeout is 2 seconds:
!!!!
Success rate is 80 percent, round-trip min/avg/max =
6/6/6 ms
Router>
```

Figure 9.15

La commande ping teste la connectivité du réseau IP.

Caractère	Définition
!	Réception réussie d'un retour d'écho
.	Expiration du délai d'attente d'une réponse à un datagramme
U	Erreur de destination non accessible
C	Paquet ayant rencontré une congestion
I	Ping interrompu (par exemple, Ctrl-Maj-6 X)
?	Type de paquet inconnu
&	Paquet TTL dépassé

Commande ping étendue

La commande **ping** étendue n'est supportée que dans le mode EXEC privilégié. Vous pouvez l'utiliser pour spécifier des options d'en-tête Internet supportées, comme illustré Figure 9.16. Pour cela, répondez par **Y** (yes) à l'invite de commande étendue.

Dans la Figure 9.16, le bit DF (*Don't Fragment*, ne pas fragmenter) est activé, et une command **ping** de détection d'emplacement sur le réseau est exécutée après l'émission d'une commande **trace**.

```
Router# ping
Protocol [ip] :
Target IP-address: 192.168.101.162
Repeat count [5] :
Datagram size [100] :
Timeout in seconds [2] :
Extended commands [n] : y
Source address:
Type of service [0] :
Set DF bit ip IP header? [n] : yes.
Validate reply data? [no] :
Data pattern [0xABCD] :
Loose, Strict, Record, Timestamp, Verbose [none] :
Sweep range of sizes [n] :
Type escape sequence to abort.
Sending 5, 100-byte ICMP Echos to 192.168.101.162, timeout is 2 seconds:
!!!!
Success rate is 100 percent (5/5), round-trip min/avg/max = 24/26/26 ms
Router#
```

Figure 9.16

Commande ping supportée pour plusieurs protocoles.

Dans cet exemple, l'administrateur constate de faibles performances sur l'itinéraire en question et tente de savoir si la fragmentation en est la cause.

Le bit DF spécifie que si le paquet rencontre un nœud sur le chemin configuré pour une unité maximale de transmission (MTU) plus petite que le paramètre MTU du paquet, celui-ci est abandonné et un message d'erreur est envoyé au routeur en utilisant l'adresse source du paquet. Un nœud configuré avec une MTU de faible valeur peut provoquer des problèmes sur le réseau. Lorsque le bit DF est activé, le paquet n'est pas fragmenté s'il rencontre un nœud requérant une MTU plus petite que la sienne.

Commande trace

La commande **trace**, souvent appelée *traceroute*, sert à analyser un itinéraire de bout en bout, comme illustré Figure 9.17. Rappelez-vous que cette commande permet d'identifier les défaillances sur un itinéraire entre la source et la destination. Cette commande est supportée par IP, CLNS, VINES (Banyan), et AppleTalk.

```
Router#trace aba.nyc.mil
Type escape sequence to abort.
Tracing the route to aba.nyc.mil  (26.0.0.73)

1   debris.cisco.com  (172.16.1.6)  1000  msec  8  msec  4  msec
2   barrnet-gw.cisco.com  (172.16.16.2)  8  msec  8  msec  8  msec
3   external-a-gateway.stanford.edu  (192.42.110.225)  8  msec  4  msec  4  msec
4   bb2.su.barrnet.net  (131.119.254.6)  8  msec  8  msec  8  msec
5   su.arc.barrnet.net  (131.119.3.8)  12  msec  12  msec  8  msec
6   moffett-fld-mb.in.mil  (192.52.195.1)  216  msec  120  msec  132  msec
7   aba.nyc.mil  (26.0.0.73)  412  msec  *  664  msec
```

Figure 9.17
La commande trace affiche les adresses d'interface utilisées pour atteindre la destination.

Les noms d'hôtes sont affichés si les adresses sont traduites dynamiquement ou au moyen d'une table d'hôtes statique. Les durées indiquées représentent le temps requis pour recevoir la réponse à chacune des trois tentatives.

Lorsque la commande atteint la destination, un astérisque (*) apparaît sur l'écran de résultat. L'affichage d'un ou plusieurs de ces caractères est normalement provoqué par la réception d'un paquet, dont le port est inaccessible, et l'expiration du délai d'attente de réponse au paquet de test.

Les informations recueillies incluent :

!H Le paquet de test a été reçu par le routeur, mais non retransmis, généralement en raison de la présence d'une liste d'accès.

 P Le protocole est inaccessible.

 N Le réseau est inaccessible.

 U Le port est inaccessible.

 * Expiration du délai d'attente de réponse.

Résumé

Ce chapitre a principalement été consacré aux classes d'adresses IP, à leurs composantes et leurs commandes. Vous avez étudié la configuration des classes d'adresses IP et des séquences binaires, ainsi que la règle du premier octet. Ce chapitre a présenté la subdivision d'un réseau en sous-réseaux, les masques d'identification de sous-réseaux, et indiqué des sources d'informations supplémentaires (RFC) traitant des problèmes d'adressage.

Pour finir, vous avez examiné l'utilisation de trois commandes utilisées dans la configuration d'adresses IP : **Telnet**, **ping** et **trace**. Dans le prochain chapitre, vous étudierez la configuration du routage IP.

Test du Chapitre 9

Durée estimée : 15 minutes

Réalisez tous les exercices suivants pour tester votre connaissance des sujets traités dans ce chapitre. Les réponses sont données dans l'Annexe A.

Questions 9.1 à 9.3

Dans cet exercice, déterminez la classe d'adresses et calculez le sous-réseau d'une adresse de réseau donnée. Reportez la classe et le nombre de sous-réseaux en regard de l'adresse IP dans le tableau ci-dessous.

	Adresse	Masque de sous réseau	Classe	Sous-réseau
9.1	172.16.2.10	255.255.255.0	_____	___.___.___.___
9.2	10.6.24.20	255.255.0.0	_____	___.___.___.___
9.3	10.30.36.12	255.255.255.0	_____	___.___.___.___

Questions 9.4 à 9.6

Calculez la classe d'adresse, le numéro de sous-réseau et l'adresse de diffusion broadcast pour le sous-réseau de chaque adresse IP et masque de sous-réseaux donnés. Reportez vos réponses en regard de chaque adresse IP et masque de sous-réseau dans le tableau ci-dessous.

	Adresse	Masque de sous réseau	Classe	Sous-réseau	Adresse broadcast
9.4	201.222.10.60/29	255.255.255.248	_____	___.___.___.___	_____
9.5	15.16.193.6/21	255.255.248.0	*A*	15 . 60 . 192 . 0	_____
9.6	128.16.32.13/30	255.255.255.252	_____	___.___.___.___	_____

(annotations manuscrites)

201.222.10.

60.   00111100
        111111
        00111

00001101
11111100
00001100

00111000 → 56
00111111

00000001
11111000
11000000

45
45
-48
7

32.0
2222
342.0

201.222.10.56

Configuration du routage IP

Les routeurs prennent connaissance des réseaux de plusieurs façons. Ce chapitre présente le routage statique par défaut, et dynamique pour le protocole IP. Il traite de la configuration du routage IP, y compris avec les protocoles RIP et IGRP, et des informations de transactions.

Mécanismes de base et commandes de routage IP

Cette section introduit le concept de routage IP et les commandes nécessaires pour définir des routes et des tables de routage.

Définition de la table de routage IP initiale

Les équipements de réseau communiquent entre eux par l'intermédiaire de routes. Une *route* est un chemin reliant un équipement émetteur à un équipement destinataire. Les divers dispositifs d'un réseau prennent connaissance des routes disponibles de différentes façons. Elles peuvent être configurées manuellement par un administrateur. Mais les équipements peuvent envoyer des messages de test (pour découvrir comment atteindre une destination) ou recevoir des mises à jour concernant des routes disponibles. Lorsqu'un équipement obtient des informations sur un itinéraire, il les conserve dans une table de routage pour s'y référer ultérieurement, comme illustré Figure 10.1.

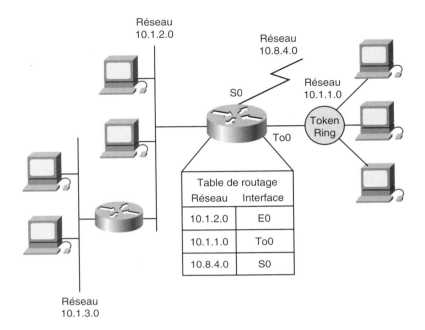

Figure 10.1

Les routeurs maintiennent une table d'associations adresse-port.

Si le destinataire se trouve sur le même réseau que l'émetteur, celui-ci lui transmet directement le datagramme. Si, au contraire, ils ne se trouvent pas sur le même réseau, le datagramme est transmis à un routeur. Avant de pouvoir effectuer cela, l'émetteur doit d'abord connaître les routeurs qui sont connectés à son réseau local.

En se basant sur le réseau illustré Figure 10.1, un paquet à destination du réseau 10.1.3.0 serait abandonné. Lorsqu'un routeur démarre, il ne connaît que les réseaux directement connectés à ses interfaces.

Un routeur se réfère aux entrées concernant les réseaux ou sous-réseaux auxquels il est directement connecté. Chaque connexion d'un routeur à un réseau est configurée avec une adresse IP et un masque, lesquels sont ensuite associés à une interface du routeur. Le logiciel Cisco IOS prend connaissance des informations d'adresse IP et de masque à partir d'une source de données de configuration, telle qu'une entrée ajoutée par un administrateur.

    ◯ **Concept clé**

Une *route* est un chemin qui est emprunté pour acheminer un message d'un émetteur vers un destinataire.

Les routeurs découvrent les routeurs non locaux et le chemin le plus court vers une destination, au moyen d'une variété de méthodes qui sont présentées ci-dessous.

Routage IP et découverte de destination

Les routeurs peuvent découvrir de trois façons un chemin vers une destination :

- **Route statique.** Elle est définie manuellement par l'administrateur comme seul chemin possible vers une destination.

- **Route par défaut.** Elle est définie manuellement par l'administrateur comme chemin à emprunter lorsqu'aucune route vers la destination n'est connue.

- **Route connue dynamiquement.** Le routeur peut prendre connaissance d'une route lors de la réception de mises à jour périodiques de la part d'autres routeurs.

Le routage IP est automatiquement activé dans le logiciel Cisco IOS. Pour le désactiver, tapez la commande suivante dans le mode de configuration globale :

```
Router(config)#no ip routing
```

Lorsque le routage IP est désactivé, le routeur agit comme un hôte IP terminal pour les paquets IP qui lui sont destinés ou qui émanent de lui. Pour réactiver le routage IP, exécutez la commande suivante dans le mode de configuration globale :

```
Router(config)#ip routing
```

Notez que ce livre traite principalement du routage dynamique. Reportez-vous à l'ouvrage de Cisco Press intitulé *Advanced Cisco Router Configuration*, pour plus d'informations sur les routes statiques et les routes par défaut.

Spécification des valeurs de distance administrative

Une *distance administrative* est une évaluation de la fiabilité d'une source d'informations de routage, telle qu'un routeur ou un groupe de routeurs. Il s'agit d'une valeur entière située entre 0 et 255. En général, plus elle est élevée et moins la source est fiable. Une distance administrative de 255 signifie que la source des informations de routage n'est pas fiable et devrait être ignorée.

La spécification des valeurs de distance administrative permet au logiciel Cisco IOS de différencier les sources d'informations de routage, comme illustré Figure 10.2.

Pour atteindre le réseau 128.10.0.0, le routeur A choisira d'envoyer le paquet vers le routeur B, car il possède une distance administrative inférieure à celle du routeur C.

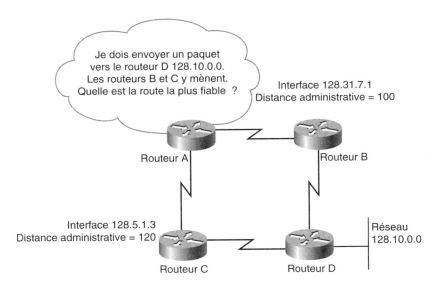

Figure 10.2
La distance administrative permet à un routeur de faire un choix entre plusieurs chemins.

Le logiciel choisit toujours la route dont le protocole de routage possède la distance administrative la plus faible. Le Tableau 10.1 présente les distances par défaut pour certaines sources d'informations de routage.

Tableau 10.1 : Comparaison de distances administratives

Source de routage	*Distance par défaut*
Interface connectée	0
Route statique	1
IGRP	100
RIP	120
Inconnue	255

Si les protocoles de routage IGRP et RIP sont activés sur un routeur, le système Cisco IOS utilise les informations de IGRP, car sa distance administrative par défaut est inférieure à celle de RIP. Toutefois, si vous perdez la source de données de routage IGRP, en cas de rupture d'alimentation par exemple, le logiciel utilise les données provenant de RIP jusqu'à ce que les renseignements de IGRP soient à nouveau disponibles.

Configuration de routes statiques

Une *route statique* est un chemin défini par l'utilisateur pour forcer un paquet à prendre un itinéraire spécifique. Elle représente une information importante lorsque le système ne peut établir de route vers une destination donnée. Les routeurs peuvent transmettre des paquets uniquement vers des routes connues. Si un routeur ne peut prendre connaissance d'un chemin de façon dynamique, l'entrée statique est utilisée pour lui permettre d'aiguiller le paquet entrant. Une route statique peut aussi être utile pour désigner une *passerelle de dernier recours*, vers laquelle un paquet non routable sera envoyé. Cette passerelle, qui est en fait un routeur, est employée en dernier ressort pour localiser un équipement capable de gérer le paquet.

Le routage dynamique est généralement préféré au routage statique, qui peut être lourd à gérer sur un grand réseau complexe ou changeant, car l'administrateur a besoin d'apporter de nombreuses modifications manuelles. Sur de petits réseaux, simples et stables, le routage statique peut néanmoins offrir une précision et un contrôle de qualité sans entraîner trop de travail.

Pour configurer une route statique, lancez la commande **ip route** dans le mode de configuration globale. Une route statique autorise la configuration manuelle d'une table de routage. Aucun changement dynamique ne sera apporté à cette entrée tant que le chemin statique est actif. La syntaxe de la commande avec tous ses arguments est la suivante :

```
ip route réseau [masque] {adresse¦interface} [distance] [permanent]
```

Les arguments de cette commande ont la signification suivante :

- **réseau.** Le réseau ou sous-réseau de destination.

- **masque.** Le masque de sous-réseau.

- **adresse.** L'adresse IP du routeur de prochain saut.

- **interface.** Le nom de l'interface à utiliser pour atteindre le réseau de destination.

- **distance.** La distance administrative.

- **permanent** (optionnel). Spécifie que la route ne sera pas supprimée, même si l'activité de l'interface venait à s'interrompre.

Si le masque est omis dans la commande **ip route**, le routeur suppose qu'il peut utiliser le masque par défaut. La Figure 10.3 illustre un exemple de route statique basée sur la commande suivante :

```
Router(config)#ip route 172.16.1.0 255.255.255.0 172.16.2.1
```

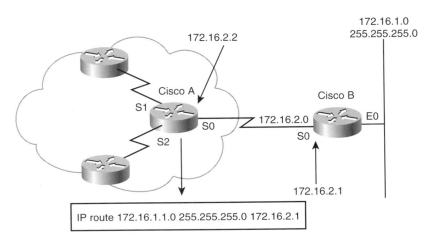

Figure 10.3

Le routeur A est configuré avec une route statique vers le réseau 172.16.1.0.

Dans l'exemple de la Figure 10.3, la commande **ip route** identifie la commande de route statique ; 172.16.1.0 spécifie une route statique vers le sous-réseau de destination ; 255.255.255.0 indique le masque de sous-réseau (huit bits de sous-réseau sont appliqués) et 172.16.2.1 est l'adresse IP du routeur de prochain saut sur l'itinéraire vers la destination.

L'assignation d'une route statique pour atteindre le réseau stub 172.16.1.0 est correct pour le routeur Cisco A, car il n'y a qu'un seul chemin pour l'atteindre. Un *réseau stub* est un réseau qui ne possède qu'une connexion avec un autre réseau. Si un réseau est interconnecté à plus d'un réseau et que le trafic soit autorisé à le traverser pour aller d'un réseau à un autre, il est appelé *réseau de transit*.

L'assignation d'une route statique du routeur Cisco B vers le nuage de réseaux est également possible. Toutefois, la définition d'une route statique est nécessaire pour chaque réseau de destination. Une route par défaut pourrait être plus appropriée.

Vous pouvez disposer de plus d'un protocole de routage IP opérationnel sur le même routeur, au même moment. Chaque route se distingue par une distance administrative. Plus la distance est faible, meilleure est la route. Elle représente une mesure de l'appréciation de la métrique du protocole par le routeur. Pour une route statique, la distance administrative peut être très faible (par exemple, 0 ou 1). Celle associée à RIP est de 120 et celle de IGRP est de 100.

Comme les routes statiques possèdent une faible distance administrative, elles sont toujours préférées aux routes dynamiques. Vous pouvez modifier ce comportement en remplaçant la distance administrative, c'est-à-dire en créant une route de secours statique qui ne sera effective que lorsque le protocole ne sera plus opérationnel.

Configuration de routeurs par défaut

Un routeur peut ne pas connaître les routes vers tous les autres réseaux. Pour fournir des capacités complètes de routage, la pratique courante est d'exploiter certains routeurs comme équipements à utiliser par défaut et de configurer sur les autres routeurs des routes par défaut vers ces routeurs.

Pour définir un routeur par défaut, utilisez la commande suivante dans le mode de configuration globale :

```
Router(config)#ip default-network numéro-réseau
```

où *numéro-réseau* représente l'adresse IP de réseau, ou de sous-réseau, définie comme adresse par défaut.

Lorsqu'une entrée pour un réseau de destination n'existe pas dans la table de routage, le paquet est envoyé vers le réseau par défaut. Celui-ci doit donc figurer dans la table de routage. Un avantage de l'utilisation des routes par défaut est qu'elles réduisent la taille des tables de routage.

Utilisez une adresse de réseau par défaut, lorsque vous avez besoin d'une route et que vous ne disposez que d'informations partielles sur le réseau de destination. Comme un routeur ne possède pas toutes les informations sur tous les réseaux, il peut utiliser une adresse par défaut pour indiquer la direction à prendre pour les adresses inconnues.

Outre l'emploi d'adresses IP normales, le protocole RIP utilise 0.0.0.0 comme route par défaut.

Dans l'exemple illustré Figure 10.4, la commande globale **ip default-network 192.168.17.0** définit le réseau de classe B, cité comme chemin de destination pour les paquets pour lesquels aucune entrée n'existe dans la table de routage.

Pour empêcher les mises à jour indésirables d'entrer à partir du réseau public, l'entreprise X pourrait installer un pare-feu sur le routeur A. Pour grouper les réseaux qui partageront la stratégie de routage de l'entreprise X, le routeur A pourrait implémenter un numéro de système autonome.

Groupement dans un système autonome

Dans la Figure 10.4, vous pouvez constater de quelle façon l'entreprise X utilise un routeur par défaut pour se connecter à un réseau public. Il a été mentionné que vous pouviez grouper des routeurs dans des systèmes autonomes. Un *système autonome* est un ensemble de routeurs et de réseaux dépendant d'une même administration. Il peut se composer d'un routeur directement connecté à un LAN ouvert sur Internet ou représenter un réseau d'entreprise reliant plusieurs réseaux locaux par l'intermédiaire d'une épine dorsale d'entreprise. Le système autonome présente une vue cohérente d'un routage vers le monde extérieur. Pour qu'un routeur appartienne à un système autonome, il doit respecter les conditions suivantes :

- être interconnecté ;
- exécuter le même protocole de routage ;
- recevoir le même numéro de système autonome.

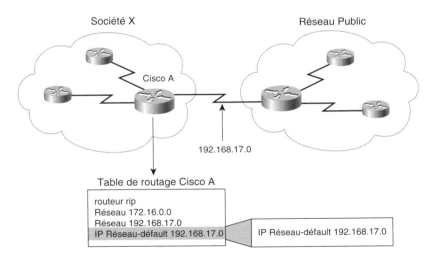

Figure 10.4

*La commande **default-network** indique la direction vers laquelle envoyer les paquets lorsque le routeur ne connaît pas l'itinéraire à prendre.*

L'organisation InterNIC assigne un numéro unique de système autonome aux entreprises. Il représente un nombre de 16 bits. Un protocole de routage tel que Cisco IGRP (*Interior Gateway Routing Protocol*) nécessite que vous spécifiez ce numéro unique dans votre configuration. Un numéro alloué par l'InterNIC n'est requis que si votre configuration prévoit de recourir à un protocole externe, tel que BGP (*Border Gateway Protocol*). Si votre entreprise n'exploite qu'un routage interne, vous n'avez besoin que de vous assurer de la cohérence et de l'unicité des numéros de systèmes autonomes au sein de votre organisation.

Protocoles de routage interne et externe

Le critère de conception d'un protocole de routage interne exige de lui qu'il trouve le meilleur chemin à travers le réseau. En d'autres termes, la métrique et la façon dont elle est employée représentent les éléments les plus importants dans le fonctionnement d'un protocole de routage.

Les protocoles de routage externes sont utilisés pour échanger des informations de routage entre des réseaux qui ne relèvent pas d'une administration commune. Les protocoles de routage externe pour IP nécessitent les trois catégories d'informations suivantes pour que le routage puisse être mis en œuvre :

- Une liste de routeurs voisins, dits aussi homologues, ou de serveurs d'accès entre lesquels les informations de routage sont échangées.

- Une liste de réseaux à annoncer comme étant directement accessibles.

- Le numéro du système autonome du routeur local.

Comme illustré Figure 10.5, les protocoles de routage externe supportés sont les suivants :

- BGP (*Border Gateway Protocol*) ;

- EGP (*Exterior Gateway Protocol*).

Un protocole de routage externe doit isoler les systèmes autonomes. En principe, chaque système autonome est géré par un personnel différent. Comme vous n'avez aucun contrôle sur la façon dont ce réseau est configuré, vous devez protéger votre réseau contre des erreurs qui pourraient venir d'une mauvaise configuration. BGP et EGP sont traités plus en détail dans le livre Cisco Press intitulé *Advanced Cisco Router Configuration*.

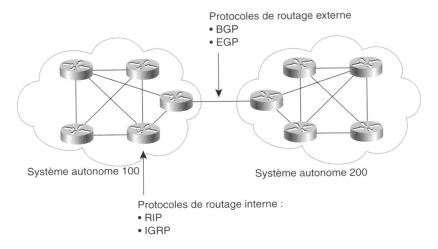

Figure 10.5

Un interréseau peut utiliser des protocoles de routage intérieur et extérieur.

Problèmes liés aux protocoles de routage

Le problème le plus courant pouvant survenir est la formation d'une boucle de routage ou un problème de convergence. Les problèmes liés aux protocoles de routage pourraient se propager sur le réseau à mesure que les nombreuses mises à jour entraînent des changements dans les métriques. Dans ce cas, un protocole de routage externe tente généralement d'éliminer la métrique de sa connexion vers l'autre réseau. Pour plus d'informations sur les problèmes de boucles de routage et de convergence, voyez le Chapitre 4.

Protocoles de routage interne pour IP

Au niveau de la couche Internet de la suite de protocoles TCP/IP, un routeur peut utiliser un protocole de routage pour IP pour effectuer le routage grâce à l'implémentation d'un algorithme de routage spécifique, comme illustré Figure 10.6

Les protocoles de routage interne sont utilisés pour le routage à travers des réseaux relevant d'une même administration. Tous les protocoles de ce type doivent être spécifiés avec une liste de réseaux associés, avant que les activités de routage ne puissent commencer. Un processus de routage écoute les mises à jour de la part d'autres routeurs sur ces réseaux et diffuse en broadcast ses propres informations de routage sur ces mêmes réseaux.

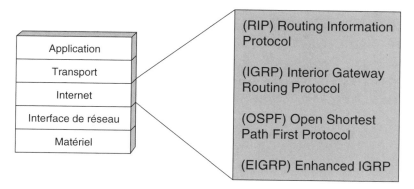

Figure 10.6
Les routeurs utilisent le protocole IP pour effectuer le routage.

Le système Cisco IOS supporte les protocoles de routage interne suivants :

- RIP (*Routing Information Protocol*) ;

- IGRP (*Interior Gateway Routing Protocol*) ;

- Enhanced IGRP ;

- OSPF (*Open Shortest Path First*) ;

- IS-IS (*Intermediate System-to-Intermediate System*).

Les pages suivantes traitent de la configuration des deux premiers protocoles de la liste précédente : RIP et IGRP.

Tâches finales de configuration

La sélection de IP comme protocole de routage implique la configuration de paramètres globaux et d'interface. Les tâches globales incluent :

- la sélection d'un protocole de routage / RIP ou IGRP (voir Figure 10.7) ;

- l'assignation d'adresses de réseau IP sans spécifier de valeurs de sous-réseau.

Les tâches d'interface sont l'assignation d'adresses spécifiques et de masques de sous-réseaux appropriés.

Le routage dynamique utilise des messages broadcast et multicast pour communiquer avec d'autres routeurs. La métrique de route permet aux routeurs de déterminer le meilleur itinéraire menant à chaque réseau ou sous-réseau.

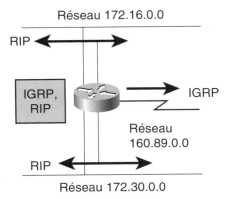

Figure 10.7
Si cela se révélait nécessaire, un routeur pourrait utiliser plus d'un protocole de routage.

Configuration du routage dynamique

Deux commandes principales sont utilisées pour configurer le routage dynamique :
router et **network**.

La première sert à démarrer un processus de routage. Voici sa syntaxe :

```
Router(config)#router protocole [mot clé]
```

Les arguments sont les suivants :

■ **protocole.** Soit RIP, IGRP, OSPF ou Enhanced IGRP.

■ **mot clé.** Par exemple, **autonomous system number**, qui est utilisé avec les protocoles qui requièrent l'emploi d'un système autonome, tels que IGRP.

La commande **network** est nécessaire, car elle permet au processus de routage de déterminer les interfaces qui participeront à l'envoi et la réception des mises à jour de routage. Elle sert à démarrer le protocole de routage sur toutes les interfaces que le routeur possède sur le réseau spécifié. Elle permet aussi au routeur d'annoncer le réseau en question. Voici la syntaxe de cette commande :

```
Router(config-router)#network numéro-réseau
```

Le paramètre *numéro-réseau* désigne un réseau directement connecté.

Le numéro de réseau doit correspondre à celui attribué par l'InterNIC, et non à une adresse de sous-réseau ou autre adresse individuelle. Il doit aussi identifier un réseau auquel le routeur est physiquement connecté.

Configuration de RIP

A l'origine, le protocole RIP pour IP a été spécifié dans le RFC 1058. Voici quelques-unes de ses caractéristiques clés :

■ C'est un protocole de routage par vecteur de distance.

■ Le nombre de sauts (hop) est utilisé comme métrique pour la sélection d'itinéraire.

■ Le nombre de sauts maximal autorisé est 15. Une route, dont le coût est 16, sera donc considérée comme inaccessible.

■ Par défauts, les mises à jour de routage sont diffusées en mode broadcast toutes les trente secondes.

■ RIP peut assurer l'équilibrage de charge sur plusieurs chemins.

L'*équilibrage de charge* permet à un routeur d'utiliser deux ou plusieurs chemins, possédant un coût égal, pour atteindre une destination (essentiellement en transformant une route à une voie en deux routes ou plus). Sur les routeurs Cisco, cette fonction est activée en définissant le nombre maximal de chemins parallèles que le protocole peut définir dans une table de routage. Si le nombre maximal de commandes de routage est 1, la fonction est désactivée. Comme il est par défaut de 4, elle est automatiquement activée.

Dans la Figure 10.8, un paquet de l'hôte 1, à destination de l'hôte 2, devrait traverser la liaison de 19,2 Kbit/s, car cette route utilise le nombre de sauts le plus faible.

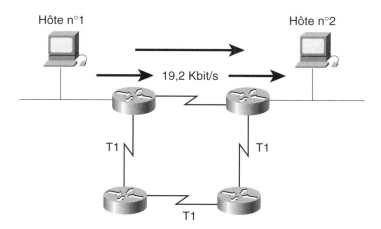

Figure 10.8
Le nombre de sauts est la métrique qui permet de sélectionner la route.

Malheureusement, dans cet exemple, la route sélectionnée n'est pas la meilleure. RIP a été développé dans le cadre d'un réseau homogène et n'a pas été largement utilisé. Dans le cas d'un réseau raccordé *via* un seul type de média, les métriques basées sur la bande passante se ramènent au nombre de sauts. Mais, s'il y a différents types de média, la métrique du nombre de sauts peut ne pas identifier de façon cohérente la meilleure route, comme l'a illustré cet exemple.

Commandes de configuration de RIP

Les deux principales commandes utilisées pour configurer un routeur RIP sont les suivantes :

```
Router(config)#router rip
Router(config-router)#network numéro-réseau
```

La commande **router rip** sélectionne RIP comme protocole de routage. La commande **network** assigne une adresse IP au réseau auquel le routeur est directement connecté. Le processus de routage associera les interfaces avec les adresses correctes, et commencera le traitement des paquets sur les réseaux spécifiés.

L'instruction **network** ne contient aucune information de sous-réseau. Les réseaux sont directement connectés et sont identifiés avec une adresse des Classes A, B ou C. Comme la commande **ip address** stipule des adresses et des masques de sous-réseaux, le protocole de routage peut déterminer les sous-réseaux qui sont connectés au routeur. La Figure 10.9 illustre la configuration du routeur Cisco A.

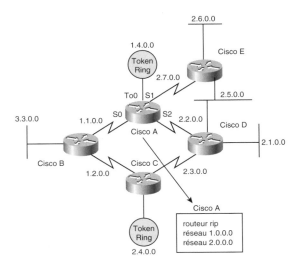

Figure 10.9

Le routeur Cisco A enverra des informations RIP aux réseaux 1.0.0.0 et 2.0.0.0.

- **router rip.** Sélectionne RIP comme protocole de routage.

- **réseau 1.0.0.0.** Spécifie un réseau directement connecté.

- **réseau 2.0.0.0.** Spécifie un réseau directement connecté.

Les interfaces du routeur Cisco A, connectées aux réseaux 1.0.0.0 et 2.0.0.0, enverront et recevront des mises à jour RIP. Ces données permettront au routeur de prendre connaissance de la topologie du réseau.

La commande **network** donne la permission au protocole de routage d'annoncer les sous-réseaux connectés au voisin du routeur. Sans cette instruction, rien ne serait annoncé. Dans cet exemple, le routeur annoncera tous les sous-réseaux composant le réseau de Classe A, B ou C, spécifié dans la configuration.

Affichage des informations RIP pour IP

Trois commandes sont utilisées pour afficher les informations de configuration de RIP.

- show ip protocol ;

- show ip route ;

- debug ip rip.

La commande **show ip protocol** affiche des valeurs sur les temporisateurs de routage et les informations de réseau concernant l'ensemble du routeur, comme illustré Figure 10.10. Utilisez ces données pour identifier un routeur que vous suspectez d'être responsable de la transmission de mauvaises informations de routage.

Le routeur, illustré Figure 10.10, envoie des données de routage, mises à jour toutes les trente secondes, un intervalle que vous pouvez configurer. Il s'est écoulé 17 secondes depuis la dernière mise à jour. La prochaine interviendra donc dans 13 secondes. Le routeur intègre aussi des routes pour les réseaux listés, après la ligne "Routing for Networks".

La commande **show ip route** affiche le contenu de la table de routage IP, comme illustré Figure 10.11.

La table de routage contient des entrées pour tous les réseaux et sous-réseaux connus, ainsi qu'un code indiquant que des informations ont été recueillies. Les valeurs sont définies de la manière suivante :

- C indique un réseau qui a été configuré avec la commande de réseau.

- R indique une entrée recueillie par l'intermédiaire de RIP.

- Via désigne le routeur par lequel la route en question a été annoncée.

```
Router> show ip protocol
Routing Protocol is "rip"
   Sending update every 30 seconds, next due in 13 seconds
   invalid after 180 seconds, hold down 180, flushed after 240
   Outgoing update filter list for all interfaces is not set
   Incoming update filter list for all interfaces is not set
Redistributing: rip
Routing for Networks
   183.8.0.0
   144.253.3.0
Routing Information Sources:
Gateway            Distance    Last Update
   183.8.128.12    120         0:00:14
   183.8.64.130    120         0:00:19
   183.8.128.130   120         0:00:03
Distance: (default is 120)
```

Figure 10.10

La commande show ip protocol permet d'observer le comportement de RIP.

```
Router> show ip route
Codes: C - connected, S - static, I - IGRP, R - RIP, M - Mobile, B - BGP
       D - EIGRP, Ex - EIGRP external, O - OSPF, IA - OSPF inter area
       EI - OSPF external type 1, E2 - ISPF external type 2, E - EGP
       i - IS-IS, L1 - IS-IS level-1, L2 - IS-IS level-2, * - candidate default

Gateway of last resort is not set

        144.253.0.0 is subnetted (mask is 255.255.255.0), 1 subnet
C       144.253.100.0 is directly connected, Ethernet1

R       153.50.0.0 [120/1] via 183.8.128.12, 00:00:09, Ethernet0
        183.8.0.0 is subnetted (mask is 255.255.255.128), 4 subnets
R       183.8.0.128 [120/1] via 183.8.128.130, 00:00:17, Serial0
        [120/1] via 183.8.64.130, 00:00:17, Serial1
C       183.8.128.0 is directly connected, Ethernet0
C       183.8.64.128 is directly connected, Serial1
C       183.8.128.128 is directly connected, Serial0
```

Figure 10.11

Utilisez la commande show ip route pour afficher la table de routage locale.

■ La valeur de temporisateur 00:00:09 signifie que les mises à jour RIP interviennent toutes les 30 secondes.

■ La distance administrative est de 120.

■ Le compte de sauts vers le réseau 153.50.0.0 est de 1.

La commande **debug ip rip** affiche les mises à jour de routage RIP à mesure qu'elles sont envoyées ou reçues.

Comme illustré Figure 10.12, la mise à jour est envoyée par 172.8.128.130. Elle est rapportée sur deux routeurs dont l'un est inaccessible, car son compte de sauts est supérieur à 15. Les informations de mise à jour ont ensuite été transmises vers 172.8.128.2.

```
Router> debug ip rip
RIP protocol debugging is on
Router#
RIP: received update from 172.8.128.130 on Serial0
        172.8.0.128 in 1 hops
        172.8.64.128 in 16 hops (inaccessible)
Rip: received update from 172.8.64.130 on Serial1
        172.8.0.128 in 1 hops
        172.8.0.128.128 in 1 hops
RIP: received update from 172.8.128.130 on Serial0
        172.8.0.128 in 1 hops
        172.8.64.128 in 1 hops
RIP: sending update to 255.255.255.255 via Ethernet0 (172.8.128.2)
        subnet 172.8.0.128, metric 2
        subnet 172.8.64.128, metric 6
        subnet 172.8.128.128, metric 1
        network 10.253.0.0, metric 1
RIP: sending update it 255.255.255.255 via Ethernet 1 (10.253.100.202)
        network 10.50.0.0, metric 2
        network 172.8.0.0, metric 1
```

Figure 10.12

La commande debug ip rip permet le dépannage des communications RIP.

La commande **no debug ip rip** désactive l'affichage des renseignements de mise à jour.

Configuration de IGRP

Le protocole IGRP (*Internet Gateway Routing Protocol*) est un protocole de routage avancé par vecteur de distance, qui a été développé par Cisco au milieu des années 80. Il possède plusieurs fonctions qui le distinguent des autres protocoles de routage du genre, tel RIP. Voici ses caractéristiques :

- **Evolutif.** Certains des plus grands interréseaux sont basés sur IGRP.

- **Réponse rapide aux changements du réseau.** A la différence d'autres protocoles à vecteur de distance, IGRP n'envoie des mises à jour que lorsque des changements interviennent dans la topologie du réseau.

- **Métrique sophistiquée.** IGRP utilise une métrique composée qui apporte une grande souplesse dans la détermination de route. Les paramètres de délai de l'interréseau, de bande passante, de fiabilité et de charge sont pris en compte dans les choix d'itinéraires. Il peut être utilisé pour contourner la limite de 15 sauts de RIP.

- **Chemins multiples.** IGRP peut maintenir jusqu'à quatre chemins inégaux entre une source et une destination. Les chemins multiples peuvent être utilisés pour augmenter la bande passante disponible ou pour offrir une redondance de route.

Utilisez IGRP sur les réseaux IP qui nécessitent un protocole de routage simple, robuste et évolutif. Il peut être également utile à l'élimination de la surcharge occasionnée par le traitement des informations des protocoles de routage par état de lien. Vous pouvez redistribuer les informations de IGRP dans RIP pour IP, OSPF et Enhanced IGRP. Notez toutefois que IGRP ne supporte pas les masques de longueur variable (VLSM, *Variable Length Subnet Mask*). VLSM permet d'utiliser certains des bits de l'adresse d'hôte pour définir une adresse de sous-réseau. La subdivision en sous-réseaux est traitée en détail au Chapitre 9. Reportez-vous aussi au RFC 1219 pour plus d'informations sur VLSM et la façon d'assigner correctement des adresses.

Fonctionnement de IGRP

IGRP est donc un protocole de routage par vecteur de distance. Un routeur, qui l'utilise, diffuse périodiquement des mises à jour de table de routage vers les routeurs qui lui sont adjacents, à un intervalle de 90 secondes. Il fournit un certain nombre de fonctionnalités prévues pour améliorer ses performances et sa stabilité, et, en même temps, pour réduire les risques de formation de boucles de routage.

Comme illustré Figure 10.13, ces fonctions incluent :

- les mises à jour flash ;
- la fonction de *reverse poison* ou d'inversion de poison ;
- des fonctions de retenue (*hold-down*) ;
- la fonction *split horizon* ou d'horizon éclaté.

Mises à jour flash

Outre l'envoi de mises à jour périodiques, IGRP utilise des *mises à jour flash* pour accélérer la convergence de l'algorithme de routage. Une mise à jour flash est envoyée lorsqu'un changement dans la topologie du réseau est détecté.

Poison reverse

L'augmentation de métriques de routage révèle la présence de boucles de routage. Comme vu au Chapitre 4, les mises à jour correctives par inversion de poison sont envoyées pour supprimer une route et la placer en mode de retenue. Elles sont envoyées si une métrique a augmenté d'un facteur d'au moins 1,1.

Retenues

IGRP utilise un temporisateur de retenue, qui empêche la formation de boucles de routage temporaires pendant qu'une convergence a lieu. Une nouvelle route est utilisée jusqu'à ce que le temporisateur expire. Par défaut, sa valeur est de trois fois l'intervalle de mise à jour (90 secondes) plus 10 secondes, c'est-à-dire de 280 secondes. Les temporisateurs de retenue peuvent être désactivés pour améliorer le temps de convergence. Toutefois, cela augmente les risques de formation de boucles de routage. Utilisez la commande **no metric holddown** pour désactiver les retenues. Dans ce cas, lorsqu'une route est supprimée, un nouveau chemin est accepté immédiatement.

Split horizon

Rappelez-vous du Chapitre 4 : la fonction d'horizon éclaté provient de l'observation qu'il n'est pas utile d'envoyer des informations en direction de l'interface d'où elles proviennent. Dans la Figure 10.13, par exemple, le routeur B ne renvoie pas, vers le routeur A, les données de routage concernant le réseau 10.

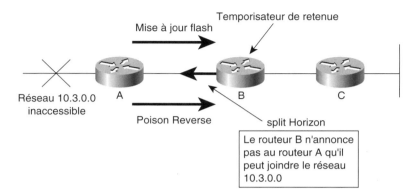

Figure 10.13

Les mises à jour flash sont envoyées lorsqu'un changement se produit dans la topologie du réseau.

Chaque routeur annonce périodiquement par broadcast la totalité de sa table de routage (avec certaines restrictions, en raison de la règle d'horizon éclaté) aux routeurs adjacents. Lorsqu'un routeur reçoit un message broadcast à partir d'une autre passerelle, il compare la table avec celle qu'il possède. Toutes les nouvelles destinations avec leurs routes sont ajoutées dans sa table. Les chemins dans le message broadcast sont comparés avec ceux déjà existants. Si un nouvel itinéraire est jugé meilleur, il peut remplacer celui qui était utilisé.

Outre les mises à jour périodiques toutes les 90 secondes, IGRP déclare qu'une route est inaccessible s'il ne reçoit pas de mise à jour de la part du premier routeur sur cette route dans un délai équivalent à trois mises à jour (270 secondes). Après sept intervalles de mise à jour (630 secondes), la route est supprimée de la table.

Métrique composée de IGRP

IGRP utilise une métrique composée pour identifier les meilleures routes. Elle est représentée par une valeur de 24 bits, qui est la somme des valeurs de délais de segment et de bande passante de segment la plus faible pour une route donnée. Elle permet d'obtenir une plus grande précision dans le choix d'un chemin. Dans la Figure 10.14, le chemin des réseaux Token Ring et FDDI est préférable aux deux liaisons à 19,2 Kbit/s. A la différence du compte de sauts de RIP, la métrique composée permet de sélectionner le meilleur itinéraire.

La métrique de IGRP ne souffre pas d'une limitation dans le compte de sauts (hop). Elle prend en compte les facteurs suivants :

- **Bande passante.** La bande passante la plus faible entre la source et la destination (exprimée en kilobit par seconde)

- **Délai.** Le délai d'interface cumulé le long de la route (exprimé en dixième de micro-seconde).

- **Fiabilité.** La fiabilité la plus faible entre la source et la destination, en se basant sur les messages *keepalive* (exprimée sous forme d'un entier situé entre 0 et 255).

- **Charge.** La charge de lien la plus forte entre la source et la destination (basée sur les bits par seconde).

- **Unité maximale de transmission (MTU).** La valeur de MTU la plus faible sur le chemin (exprimée en octets).

La métrique la plus faible désigne le meilleur chemin. Par défaut, seuls les paramètres de bande passante et de délai sont utilisés par la métrique IGRP, mais vous pouvez la configurer pour que la fiabilité, la charge et la MTU soient prises en compte. Dans la Figure 10.14, par exemple, vous pouvez constater que le routeur A enverra des données par le chemin A, à la place des liaisons série plus lentes. Le chemin A inclut une liaison Token Ring à 16 Mbit/s, une liaison FDDI à 100 Mbit/s, et des liaisons Ethernet à 10 Mbit/s. Même s'il y a plusieurs liens à traverser, la vitesse du chemin A est supérieure à celle des liaisons à 19,2 Kbit/s.

ATTENTION

Ajuster les valeurs de métrique de IGRP peut influer de façon conséquente sur les performances du réseau. Soyez prudent lors de vos choix.

Equilibrage de charge sur liens de coûts inégaux

La métrique de routage composée supporte la gestion de plusieurs chemins entre une source et une destination. Cette fonction est appelée *équilibrage de charge avec coûts inégaux*. Elle permet au trafic d'être distribué sur quatre routes afin d'améliorer le débit et la fiabilité sur un plan global.

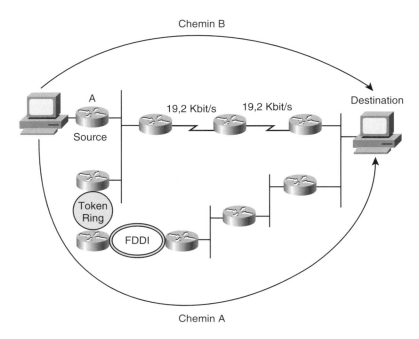

Figure 10.14

IGRP sélectionnera le chemin A car sa métrique est inférieure à celle du chemin B.

Les règles générales suivantes s'appliquent à cette fonction :

■ IGRP accepte jusqu'à six chemins (quatre est la valeur par défaut) pour une destination de réseau donnée.

■ Le routeur du prochain saut, sur n'importe quel chemin, doit être plus près de la destination que du routeur local.

■ La métrique d'un chemin alternatif doit se situer dans la variance spécifiée pour la meilleure métrique locale.

Par exemple, une route alternative peut seulement apparaître avec un facteur inférieur, selon la métrique IGRP, par rapport à la meilleure route locale. Cette variance peut être configurée.

Si les conditions sont satisfaites, la route est considérée valide et peut être ajoutée à la table de routage. Dans la Figure 10.15, une deuxième route de coût inégal a été ajoutée à la route initiale entre la source et la destination.

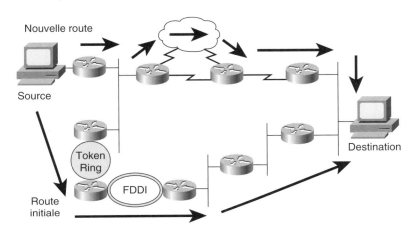

Figure 10.15

IGRP peut supporter l'équilibrage de charge sur des chemins de coûts inégaux.

Vous pouvez utiliser la commande **default-metric** pour changer la métrique par défaut.

Création d'un processus de routage IGRP

Utilisez la commande **router igrp** et **network** pour créer un processus de routage IGRP :

```
Router(config)#router igrp numéro-système-autonome
Router(config-router)#network numéro-réseau
```

Par exemple, dans la Figure 10.16, la configuration suivante été définie :

router igrp 109	Active le processus de routage IGRP pour le système autonome 109
network 10.0.0.0	Associe le réseau 10.0.0.0 au processus de routage IGRP
network 172.31.0.0	Associe le réseau 172.31.0.0 au processus de routage IGRP

IGRP envoie des mises à jour sur les interfaces vers les réseaux 10.0.0.0 et 172.31.0.0 et inclut des informations sur les réseaux 10.0.0.0 et 172.31.0.0.

Même si chaque processus de routage IGRP peut fournir des informations vers un seul système autonome, le système Cisco IOS doit exécuter un processus IGRP séparé et maintenir une base de données de routage pour chaque système autonome qu'il sert.

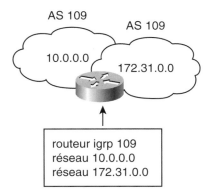

Figure 10.16
Utilisez les commandes router igrp et network pour créer un routeur IGRP.

Vous pourriez vouloir définir plusieurs systèmes autonomes, dans le cas d'une fusion d'entreprises, d'une connexion à un fournisseur de services, ou pour isoler certains départements d'une entreprise.

Pour configurer deux processus de routage IGRP, utilisez la commande **router igrp** et **network**. Par exemple, dans la Figure 10.17, le réseau 10.0.0.0 se trouve dans le système autonome 71, et le réseau 172.68.7.0 dans le système autonome 109.

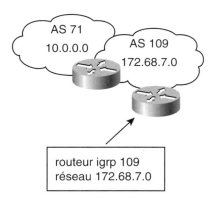

Figure 10.17
Configuration de processus de routage IGRP séparés pour chaque système autonome.

Affichage d'informations de routage IGRP

Vous pouvez utiliser les commandes suivantes pour revoir les données de configuration du routage IGRP et les informations de mise à jour de table :

- show ip protocols

- show ip interfaces

- show ip route

- debug ip igrp transaction

- debug ip igrp events

Les sections suivantes présentent chacune de ces commandes et les résultats produits.

La commande **show ip protocols** affiche des paramètres, des filtres et des informations de réseau concernant l'ensemble du routeur, comme illustré Figure 10.18. Vous pouvez voir que le routeur intègre des routes pour les réseaux 183.8.0.0 et 144.253.0.0.

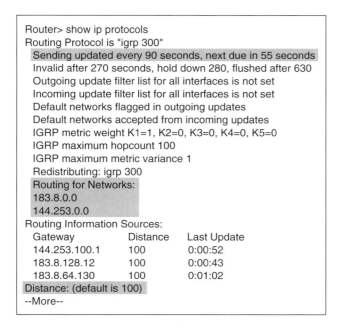

```
Router> show ip protocols
Routing Protocol is "igrp 300"
 Sending updated every 90 seconds, next due in 55 seconds
 Invalid after 270 seconds, hold down 280, flushed after 630
 Outgoing update filter list for all interfaces is not set
 Incoming update filter list for all interfaces is not set
 Default networks flagged in outgoing updates
 Default networks accepted from incoming updates
 IGRP metric weight K1=1, K2=0, K3=0, K4=0, K5=0
 IGRP maximum hopcount 100
 IGRP maximum metric variance 1
 Redistributing: igrp 300
 Routing for Networks:
 183.8.0.0
 144.253.0.0
 Routing Information Sources:
    Gateway         Distance    Last Update
    144.253.100.1   100         0:00:52
    183.8.128.12    100         0:00:43
    183.8.64.130    100         0:01:02
 Distance: (default is 100)
--More--
```

Figure 10.18

La commande show ip protocols indique que IGRP est actif.

La commande **show ip interfaces** affiche les paramètres d'état et globaux, associés à une interface, comme illustré Figure 10.19.

```
Router> show ip interfaces
Ethernet0 is up, line protocol is up
    Internet address is 183.8.128.2 subnet mask is 255.255.255.128
    Broadcast address is 255.255.255.255
    Address determined by non-volatile memory
    MTU is 1500 bytes
    Helper address is not set
    Directed broadcast forwarding is enabled
    Outgoing access list is not set
    Inbound access list is not set
    Proxy ARP is enabled
    Security level is default
    Split horizon is enabled
    ICMP redirects are always sent
    ICMP unreachables are always sent
    ICMP mask replies are never sent
    IP fast switching is enabled
    IP fast switching on the same interface is disabled
    IP SSE switching is disabled
    Router Discovery is disabled
    IP output packet accounting is disabled
```

Figure 10.19
La commande show ip interfaces indique que la ligne est active.

Le système Cisco IOS intègre automatiquement, dans la table de routage, une route directement connectée, si l'interface permet au système d'envoyer et de recevoir des paquets. Une telle interface est signalée comme active (*up*). Si l'interface est inutilisable, elle est supprimée de la table de routage. La suppression d'entrées permet l'implémentation de routes de secours, s'il y en a.

La commande **show ip route** affiche le contenu d'une table de routage IP. La table contient une liste de tous les réseaux et sous-réseaux connus et les métriques associées.

Notez dans la Figure 10.20 que les informations ont été recueillies *via* IGRP ou des connexion directes.

Vous pouvez utiliser deux commandes pour afficher les mises à jour de table de routage :

```
Router#debug ip igrp transaction [adresse-ip]
Router#debug ip igrp events [adresse-ip]
```

La commande **debug ip igrp transaction** affiche des informations sur les transactions de routage IGRP. Si l'adresse IP d'un voisin IGRP est spécifiée, l'écran de résultat inclut des messages décrivant les mises à jour provenant de ce voisin et celles que le routeur envoie en broadcast vers ce voisin.

```
Router> show ip route
Codes: C - connected, S - static, I - IGRP, R - RIP, M - Mobile, B - BGP
  D - EIGRP, EX - EIGRP external, O - OSPF, IA - OSPF inter area
  E1 - OSPF external type 1, E2 - OSPF external type 2, E- EGP
  i - IS-IS, L1 - IS-IS level-1, L2 - IS-IS level-2, * - candidate default

Gateway of last resort is not set

        144.253.0.0 is subneted (mask is 255.255.255.0) 1 subnets
C       144.253.100.0 is directly connected, Ethernet1
I       133.3.0.0 [100/1200] via 144.253.100.200, 00:00:57, Ethernet1
I       153.50.0.0 [100/1200] via183.8.128.12, 00:00:05, Ethernet0
        183.8.0.0 is subnetted (mask is 255.255.255.128), 4 subnets
I       183.8.0.128 [100/18067] via 183.8.64.130, 00:00:27, Serial1
        [100/18067] via 183.8.128.130, 00:00:27, Serial0
C       183.8.64.0 is directly connected, Ethernet0
C       183.8.64.128 is directly connected, Serial1
C       183.8.128.128 is directly connected, Serial0
I       172.16.0.0 [100/1200] via 144.253.100.1, 00:00:55, Ethernet1
I       192.3.63.0 [100/1300] via 144.253.100.200, 00:00:58, Ethernet1
```

Figure 10.20
La commande show ip route est utilisée pour afficher la table de routage.

Utilisez la commande **no debug ip igrp transaction** pour désactiver le résultat de débogage. Lorsqu'il y a beaucoup de réseaux dans la table de routage, l'affichage de chaque mise à jour pour chaque route peut inonder la console et rendre le routeur inutilisable. Dans ce cas, la commande **debug ip igrp events** est utilisée pour afficher une synthèse des informations de routage. Elle indique la source et la destination de chaque mise à jour, ainsi que le nombre de routes qu'elle contient. Les messages ne sont pas générés pour chaque route.

Si l'adresse IP d'un voisin IGRP est spécifiée lors de l'emploi de la commande **debug ip igrp events**, le résultat en sortie inclut des messages décrivant les mises à jour de la part de ce voisin et celles que le routeur envoie en broadcast vers ce voisin.

Utilisez la commande **no debug ip igrp events** pour désactiver la sortie de débogage.

Résumé

Dans ce chapitre, vous avez appris que les routeurs peuvent être configurés pour utiliser un ou plusieurs protocoles de routage IP. Ce chapitre s'est concentré sur RIP et IGRP. Vous avez aussi vu les commandes utilisées pour activer, configurer et examiner ces protocoles sur un routeur Cisco, y compris celles servant à afficher et déboguer les données de configuration. Bien que TCP/IP soit le protocole d'inter-réseau le plus populaire dans le monde, il n'est pas le seul utilisé sur les grands réseaux. Le protocole Novell IPX est aussi largement exploité. Le Chapitre 11 définit comment configurer un routeur pour le supporter.

Test du Chapitre 10

Durée estimée : 15 minutes

Réalisez tous les exercices suivants pour tester votre connaissance des sujets traités dans ce chapitre. Les réponses sont données dans l'Annexe A.

Question 10.1

Pour vérifier que le routage IP est activé, vous pouvez utiliser la commande **show protocols**. Vrai ou Faux ?

Question 10.2

Vous pouvez utiliser la commande **router ip** pour activer le protocole de routage RIP. Vrai ou Faux ?

Question 10.3

Vous pouvez utiliser la commande de masque de sous-réseau **network** *numéro-réseau* pour associer un réseau à un processus de routage. Vrai ou Faux ?

Question 10.4

Vous pouvez utiliser la commande **show ip protocol** pour vérifier que le protocole de routage RIP est activé. Vrai ou Faux ?

Question 10.5

Vous pouvez utiliser la commande **show ip rip route** pour afficher l'état courant de la table de routage RIP. Vrai ou Faux ?

Question 10.6

Dans l'affichage de la table de routage RIP, comment déterminez-vous les réseaux qui ont été découverts par le protocole RIP ?

Question 10.7

Quelle est la commande qui affiche les mises à jour de routage RIP, envoyées et reçues par le routeur local ?

Question 10.8

Quelle est la commande qui désactive l'affichage des mises à jour de routage RIP, envoyées et reçues par le routeur local ?

Question 10.9

Quelle est la commande qui permet d'activer le protocole de routage IGRP ?

Question 10.10

Pouvez-vous ajouter plusieurs groupes autonomes avec une seule commande **enable IGRP ?**

Question 10.11

Quelle est la commande qui permet de vérifier que le protocole IGRP est activé ?

Question 10.12

Quelle est la commande qui permet d'afficher l'état courant de la table de routage IGRP ?

Question 10.13

Quelle est la commande qui permet d'afficher les événements de mise à jour de routage IGRP, envoyés par le routeur ?

Question 10.14

Quel est le type de métriques de routage utilisé par IGRP et quels sont les cinq composants de cette métrique ?

a. _____

b. _____

c. _____

d. _____

e. _____

Configuration de Novell IPX

Ce chapitre propose une introduction à la suite de protocoles Novell IPX, et examine comment elle opère avec des configurations du logiciel Cisco IOS. Il explique également comment prévoir les paramètres de configuration de IPX et étudie le fonctionnement de RIP, SAP et GNS, ainsi que le contrôle du routage IPX.

Présentation du routage IPX

Cette section présente le routage IPX. Elle aborde l'intégration de routeurs Cisco dans des réseaux NetWare et décrit la pile de protocoles IPX, l'adressage et les encapsulations IPX, ainsi que les protocoles pour IPX.

Routeurs Cisco dans les réseaux NetWare

Dans les environnements de réseaux actuels, aucun fabricant n'est en mesure de fournir tout l'équipement matériel et logiciel nécessaire pour répondre aux besoins informatiques d'une entreprise. Par conséquent, la plupart des réseaux incluent une variété de produits de fabricants différents, sélectionnés pour leurs puissantes fonctionnalités. Bien que Novell dispose de ses propres produits de routage, on retrouve souvent des routeurs Cisco dans les réseaux NetWare.

Les routeurs Cisco offrent les fonctionnalités suivantes dans des environnements de réseaux Novell :

■ Support d'un large éventail d'interfaces, comme RNIS et ATM en mode natif.

■ Listes d'accès et filtres pour IPX, RIP, SAP et NetBIOS.

■ Protocoles de routage évolutifs, comme Enhanced IGRP et NLSP. Cisco implémente la technique d'encapsulation GRE (*Generic Routing Encapsulation*) pour permettre la transmission de datagrammes IPX sur des réseaux IP.

■ Mises à jour et tailles de paquets RIP et SAP configurables.

■ Support de réseaux LAN sans serveur.

■ Routage par ouverture de ligne à la demande (*Dial-on Demand Routing*) et simulation (*spoofing*) IPX et SPX. Le trafic est routé sur des lignes qui sont établies uniquement lorsque nécessaire, limitant ainsi leur temps d'utilisation.

■ Fonctionnalités avancées de diagnostic, de gestion et de dépannage. La commande **ping IPX** et de nombreuses commandes **show** fournissent des informations détaillées sur les performances du protocole IPX.

Suite de protocoles Novell NetWare

Novell IPX (*Internetwork Packet Exchange*) est une suite de protocoles propriétaire, dérivée de la suite de protocoles XNS (*Xerox Network Systems*). IPX est un protocole sans connexion, qui utilise des datagrammes et ne requiert pas d'acquittement pour chaque paquet. Il opère au niveau de la couche 3, et définit les adresses d'interréseaux (réseau et nœud). Dans l'environnement NetWare, on se réfère le plus souvent à la station de travail d'un utilisateur par le terme de *nœud*.

Novell NetWare utilise les protocole suivants :

■ RIP (*Routing Information Protocol*) pour IPX, afin de faciliter l'échange d'informations de routage.

■ SAP (*Service Advertisement Protocol*) propriétaire pour annoncer des services de réseau.

■ NCP (*Network Core Protocol*) pour fournir des connexions et des applications client-serveur.

■ Service SPX (*Sequenced Packet Exchange*) pour offrir des services orientés connexion de niveau 4.

Outre RIP et SAP, Novell dispose d'un protocole de routage par état de lien, appelé NLSP (*NetWare Link Services Protocol*). En tant que tel, NLSP met en œuvre un processus de routage plus fiable et efficace que RIP pour IPX. Novell propose également un service d'annuaire appelé NDS (*Novell Directory Service*).

La pile de protocoles NetWare supporte tous les protocoles d'accès aux médias courants, comme illustré Figure 11.1. Les couches liaison de données et physique sont accessibles par l'intermédiaire de l'interface ODI (*Open Data-Link Interface*).

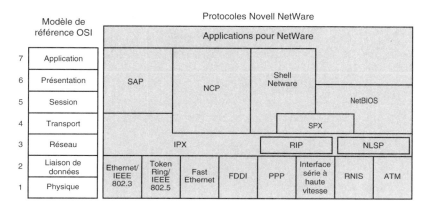

Figure 11.1

Les protocoles utilisés depuis la couche réseau jusqu'à la couche application ont été développés par Novell.

Les couches 3 à 7 sont spécifiques à Novell :

- La couche 3 inclut IPX, un service de datagrammes.

- SAP assure les services d'une partie de la couche 3 et tous les services des couches 4 à 7.

- La couche 4 est caractérisée par SPX qui fournit un service orienté connexion fiable. NCP et le shell NetWare offrent également des services de niveau 4.

L'émulation NetBIOS (*Network Basic Input/Output System*) exécute des tâches qui sont applicables aux couches transport et session du modèle OSI. Novell NetWare définit un paquet spécial appelé Type 20 (paquets par inondation) pour les applications NetBIOS.

Fonctionnalités essentielles de Novell NetWare

Comme illustré Figure 11.2, une adresse Novell IPX comporte 80 bits : 32 bits pour le numéro de réseau et 48 bits pour le numéro de nœud. Ce dernier contient l'adresse MAC d'une interface.

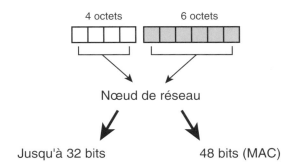

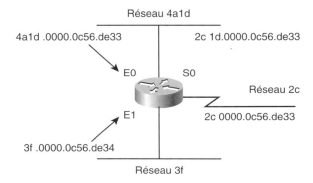

Figure 11.2

Chaque interface IPX possède une adresse unique de 10 octets.

Les clients NetWare découvrent automatiquement les services de réseau disponibles, car les serveurs et les routeurs Novell les annoncent au moyen de messages broadcast SAP. Le filtrage des annonces de services est essentiel sur les réseaux Novell. Le trafic SAP peut devenir excessif et ainsi altérer considérablement la bande passante allouée au trafic des données utilisateur.

GNS (*Get Nearest Server*) fait partie des types d'annonces SAP. Il permet à un client de localiser le serveur le plus proche pour y ouvrir une session. Ces fonctionnalités sont traitées en détail plus loin dans ce chapitre.

Adressage Novell IPX

L'adressage Novell IPX utilise une adresse composée de deux parties, le numéro de réseau et le numéro de nœud.

■ Le numéro de réseau IPX peut occuper jusqu'à 4 octets (huit chiffres hexadécimaux). Généralement, seuls les chiffres significatifs sont listés. Ce numéro est assigné par l'administrateur de réseau. La Figure 11.2 illustre le réseau IPX 4a1d. Les autres réseaux IPX présentés sont 2c et 3f.

■ Le numéro de nœud IPX peut occuper jusqu'à 6 octets (douze chiffres hexadécimaux). Il s'agit habituellement de l'adresse MAC obtenue à partir d'une carte réseau. La Figure 11.2 illustre le nœud IPX 0000.0c56.de33. Une autre adresse de nœud est 0000.0c56.de34.

Dans la Figure 11.2, vous pouvez remarquer que le même numéro de nœud apparaît pour les interfaces E0 et S0. Comme les interfaces série ne possèdent pas d'adresse MAC, le routeur a créé ce numéro pour l'interface S0 en utilisant l'adresse MAC de l'interface E0.

Chaque interface conserve sa propre adresse. L'utilisation de l'adresse MAC dans l'adresse logique IPX élimine le besoin de recourir à un protocole de résolution d'adresses comme ARP (*Address Resolution Protocol*).

Détermination de l'adresse IPX

Vous devez utiliser une adresse de réseau IPX valide, lorsque vous configurez un routeur Cisco. Comme il est fort probable que les réseaux Novell NetWare aient déjà été définis avec des adresses IPX, vous pouvez déterminer les adresses existantes. L'adresse de réseau IPX se réfère au câble logique. Tous les routeurs, sur le même câble, doivent partager la même adresse.

La première méthode, recommandée, permettant de savoir quelle adresse utiliser, consiste à interroger l'administrateur NetWare. Assurez-vous qu'il vous communique bien l'adresse IPX du réseau où vous souhaitez activer IPX sur votre routeur Cisco. Ce dernier doit utiliser le même réseau que le serveur de fichiers NetWare (ou autre source d'adresse), comme spécifié par l'administrateur pour le système de câblage en question.

Si vous ne parvenez pas à obtenir d'adresse IPX de la part de l'administrateur, vous pouvez la récupérer directement auprès d'un routeur voisin. Choisissez la méthode la plus appropriée, parmi les suivantes :

■ Si le routeur voisin est un produit Cisco, vous pouvez utiliser la commande du logiciel Cisco IOS **show cdp neighbors** pour obtenir des informations détaillées.

■ Vous pouvez vous connecter avec Telnet sur le routeur voisin, entrer dans le mode approprié, puis afficher la configuration en cours.

■ Si le routeur voisin n'est pas un produit Cisco (par exemple, un routeur basé sur un PC NetWare ou un serveur de fichiers NetWare), vous devriez pouvoir vous y connecter ou y ouvrir une session, et utiliser l'utilitaire de configuration de NetWare pour déterminer l'adresse.

Sur le routeur Cisco, vous devez utiliser la même adresse de réseau IPX que celle qui a été définie pour le réseau en question.

Si vous disposez d'un accès à une console de serveur, vous pouvez utiliser la commande **config** de NetWare. Elle affiche une fenêtre avec l'adresse IPX du segment que le serveur de fichiers partage avec le routeur Cisco.

Types d'encapsulations Novell

NetWare autorise plusieurs structures de trame de niveau 2 pour les paquets Novell IPX. Les routeurs Cisco supportent toutes les variantes de la délimitation de trames. Par exemple, il en existe quatre types différents pour Ethernet, comme illustré Figure 11.3. Chaque type d'encapsulations convient pour certaines situations :

■ **Ethernet 802.3.** Egalement appelé Ethernet brut (*raw Ethernet*). Il s'agit du type par défaut pour les versions 2 jusqu'à 3.11 de NetWare.

■ **Ethernet 802.2.** Il s'agit du type par défaut pour les versions 3.12, 4 et 5 de NetWare. Egalement utilisé pour le routage OSI.

■ **Ethernet II.** Utilisé avec TCP/IP et DECnet.

■ **Ethernet SNAP.** Utilisé avec TCP/IP et AppleTalk.

Plusieurs types d'encapsulations peuvent être spécifiés sur une même interface, et donc se partager celle-ci, mais seulement si plusieurs numéros de réseau ont aussi été assignés. Néanmoins, les clients et serveurs qui utilisent des types différents, ne peuvent pas communiquer entre eux. Le type d'encapsulations par défaut sur les routeurs Cisco est novell-ether (Novell-Ethernet_802.3).

En plus de ces quatre types d'encapsulations, vous pouvez en spécifier un cinquième, HDLC, pour les connexions série. HDLC (*High-Level Data Link Control*) est traité plus en détail au Chapitre 14.

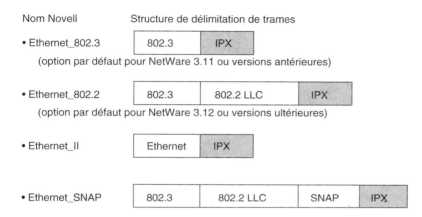

Figure 11.3

Les quatre types de délimitation de trames Ethernet.

Noms d'encapsulation Novell et Cisco

Novell et Cisco emploient des noms différents pour chaque type de trames, comme illustré Figure 11.4.

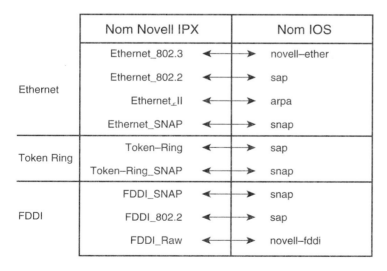

Figure 11.4

Spécifiez le type d'encapsulations lorsque vous configurez des réseaux IPX.

Lorsque vous configurez un réseau IPX, vous pouvez avoir besoin de spécifier un type d'encapsulations sur les serveurs et clients Novell, ou sur le routeur Cisco. Pour y parvenir, aidez-vous du tableau de la Figure 11.4. Celui-ci associe aux termes Novell les termes Cisco équivalents pour un même type de délimitation de trames.

Lors de la configuration du logiciel Cisco IOS pour Novell IPX, utilisez le nom Cisco du type d'encapsulations approprié. Assurez-vous que les types d'encapsulations configurés sur les clients, les serveurs et les routeurs concordent. Comme il a déjà été dit, les dispositifs qui mettent en œuvre des méthodes d'encapsulation différentes ne peuvent pas communiquer entre eux.

Si vous ne spécifiez aucun type d'encapsulations lors de la configuration du routeur pour IPX, il utilisera celui par défaut sur ses interfaces.

ATTENTION

Le type d'encapsulations Ethernet par défaut sur les routeurs Cisco ne correspond pas à celui par défaut des serveurs Novell après la version 3.11 de NetWare. Cela signifie que vous devez changer ou ajouter le type de trames sap sur un routeur Cisco dans un réseau Ethernet qui supporte les versions plus récentes de NetWare.

Voici les types d'encapsulations par défaut pour les interfaces de routeurs Cisco et leurs mots-clés :

- Ethernet : **novell-ether ;**

- Token Ring : **sap ;**

- FDDI : **snap ;**

- Série : **hdlc.**

Routage Novell avec RIP

Novell RIP est un protocole de routage par vecteur de distance. Il utilise deux métriques pour prendre des décisions de routage : les *ticks* (ou *tops d'horloge* de 1/18e de seconde) qui représentent une mesure de temps, et les *hops* (ou *comptes de sauts*), où un saut est compté pour chaque routeur traversé.

RIP vérifie ces deux vecteurs de distance en comparant tout d'abord les ticks des différents chemins. Si deux ou plusieurs chemins affichent la même valeur, RIP compare alors leur compte de sauts. Si deux ou plusieurs chemins présentent le même compte de sauts, le routeur se basera sur l'ancienneté des entrées pour faire son choix. L'entrée la plus récente dans ses tables aura la priorité sur les plus anciennes.

Chaque routeur IPX diffuse périodiquement une copie de ses tables de routage RIP sur les réseaux qui lui sont directement rattachés, comme illustré Figure 11.5.

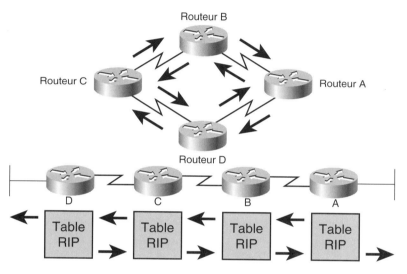

Figure 11.5

Les routeurs RIP diffusent régulièrement des mises à jour de leurs tables de routage.

Lorsqu'ils reçoivent ces messages broadcast, les routeurs IPX voisins calculent leurs vecteurs de distance comme requis, avant de diffuser à leur tour une copie de leurs tables RIP vers les réseaux qui leur sont rattachés.

Un algorithme de l'horizon éclaté (*split horizon*) permet d'éviter qu'un routeur voisin ne diffuse à nouveau les informations de ses tables RIP sur les réseaux dont elles proviennent.

RIP utilise également un mécanisme de péremption des informations qui permet de gérer des situations dans lesquelles un routeur IPX défaillant n'envoie aucun message explicite à ses voisins. Des mises à jours périodiques réinitialisent le compteur de péremption.

Les mises à jour des tables de routage sont envoyées toutes les 60 secondes. Cette fréquence peut provoquer une surcharge de trafic considérable sur certains interréseaux.

ASTUCE

Enhanced IGRP pour IPX peut remplacer RIP en tant que protocole de routage et est supporté sur les connexions entre équipements Cisco. Ce protocole autorise une convergence plus rapide, un réduction du trafic broadcast, et offre de meilleures routes.

NLSP, le protocole de routage par état de lien de Novell, est une autre alternative à RIP. Il est supporté sur des connexions Cisco-Novell, entre routeurs multiprotocoles, basés sur des PC et à partir de la version 4.11 de NetWare.

NLSP dérive du protocole IS-IS (*Intermediate System-to-Intermediate System*) OSI. Il peut interopérer avec RIP et SAP pour faciliter la transition et assurer la compatibilité ascendante avec les interréseaux RIP qui ne requièrent pas un routage par état de lien. NLSP (et IPXWAN) est traité plus en détail dans l'ouvrage *Advanced Cisco Router Configuration*, publié chez Cisco Press.

De nombreux clients de Novell souhaitent réduire la surcharge excessive liée au trafic des informations de vecteur de distance pour RIP et SAP. Le routage par état de lien nécessite moins de bande passante en continu, mais les mises à jour peuvent néanmoins poser des problèmes, plus particulièrement sur les grands réseaux qui exploitent une seule zone (niveau 1).

Gestion des annonces de services SAP

Tous les serveurs sur les interréseaux NetWare peuvent annoncer leurs services et adresses. Les versions de NetWare supportent toutes les broadcasts SAP permettant d'annoncer et localiser les services de réseau enregistrés, comme illustré Figure 11.6. L'ajout, la localisation et la suppression de services sur l'interréseau se font dynamiquement au moyen d'annonces.

Chaque service SAP est un type d'objets, identifié par un numéro hexadécimal, par exemple :

4 Serveur de fichiers NetWare.

7 Serveur d'impression.

278 Serveur d'annuaire.

Tous les serveurs et routeurs conservent une liste complète des services disponibles sur le réseau dans des tables d'informations de serveur. A l'instar de RIP, SAP utilise un mécanisme de calcul de l'ancienneté pour identifier, et supprimer des tables, les entrées qui sont devenues invalides.

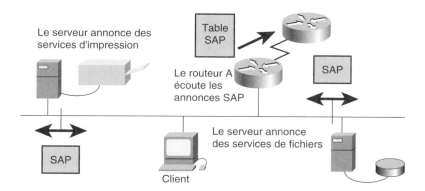

Figure 11.6

Les paquets SAP annoncent tous les services de réseau NetWare.

Par défaut, les annonces de services sont envoyées toutes les 60 secondes. Cependant, même si elles ne présentent pas de difficultés sur un LAN, leur diffusion requiert parfois trop de bande passante pour qu'elles soient acceptables sur les grands inter-réseaux ou sur ceux impliquant des connexions WAN série.

Les routeurs ne transmettent pas les broadcasts SAP. Au lieu de cela, chaque routeur élabore sa propre table SAP, puis la communique aux autres routeurs. Par défaut, cela se produit toutes les 60 secondes.

Les annonces SAP peuvent être filtrées en entrée comme en sortie, ou à partir d'un routeur spécifique :

- **Une entrée IPX.** Les filtres SAP permettent à l'administrateur de contrôler les services qui sont ajoutés dans la table SAP du routeur à partir d'une interface donnée.

- **Une sortie IPX.** Les filtres SAP permettent à l'administrateur de contrôler les services qui sont inclus dans les mises à jour SAP, envoyées vers une interface donnée.

■ **Un routeur IPX.** Une commande de filtre SAP est utilisée pour filtrer les messages SAP reçus de la part d'un routeur donné sur une interface spécifique.

Tous ces filtres doivent se référer à une liste d'accès IPX, numérotée de 1000 à 1099.

Processus GNS

L'interaction entre client et serveur NetWare commence par le lancement et l'exécution des programmes de démarrage du client. Ceux-ci utilisent la carte réseau du client sur le LAN, et initient la séquence de connexion du logiciel client NetWare à utiliser.

GNS (*Get Nearest Server*) est un message broadcast envoyé par un client qui exploite SAP. Les serveurs de fichiers NetWare répondent par un message SAP (*Give Nearest Server*), comme illustré Figure 11.7. A partir de là, le client peut ouvrir une session sur le serveur cible, établir une connexion, définir la taille des paquets, et commencer à accéder aux ressources du serveur, dès lors qu'il y est autorisé.

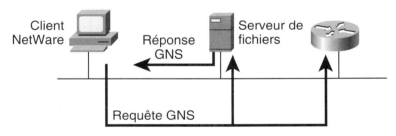

Figure 11.7
GNS est un message broadcast envoyé par un client qui recherche un serveur.

Si un serveur NetWare est trouvé sur le segment, il répond à la requête du client. S'il n'existe aucun serveur NetWare sur le réseau local, le routeur Cisco répond à la requête GNS avec l'adresse du serveur (ou service), le plus proche, spécifié par le client.

Un administrateur peut filtrer les réponses GNS. Pour cela, il utilise un filtre GNS en sortie, afin de limiter la taille des tables SAP listant les serveurs les plus proches ou préférés qui répondent à la diffusion broadcast GNS. Ce processus de filtrage est traité plus en détail au Chapitre 13.

Configuration du routage IPX

La configuration de Novell IPX comme protocole de routage implique des paramètres globaux et d'interface :

■ Les tâches globales incluent :

Lancer le processus de routage IPX.

Activer l'équilibrage de charge, si cela convient pour votre réseau. Il s'agit du processus de répartition équitable des tâches de routage entre plusieurs routeurs pour équilibrer la charge de travail et améliorer les performances du réseau.

■ Les tâches d'interface incluent :

Assigner des numéros de réseau uniques à chaque interface, comme illustré Figure 11.8. Plusieurs numéros de réseau peuvent être attribués à une même interface, autorisant le support de différents types d'encapsulations.

Configurer le type d'encapsulations optionnel, s'il diffère de celui par défaut.

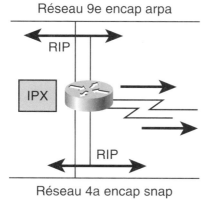

Réseau 9e encap arpa

Réseau 4a encap snap

Figure 11.8
Chaque interface reçoit une adresse de réseau unique.

Commandes de configuration globale pour Novell IPX

Vous pouvez utiliser trois commandes de configuration globale :

■ **ipx routing** [*adresse-nœud*] ;

■ **ipx maximum-paths** [*nombre-chemins*] ;

■ **ipx route destination-net next-hop** [floating-static].

Chacune de ces commandes est décrite dans les sections suivantes.

Commande *ipx routing*

La commande **ipx routing** [*adresse-nœud*] active le routage Novell IPX. Si aucune adresse de nœud n'est spécifiée, le routeur Cisco utilise l'adresse MAC de l'interface.

Si un routeur Cisco ne possède que des interfaces série, une adresse doit être spécifiée.

Commande *ipx maximum-paths*

La commande **ipx maximum-paths** [*nombre-chemins*] active l'équilibrage de charge. Celui-ci est possible lorsque des chemins de métriques égales sont disponibles entre la source et les réseaux directement connectés, menant vers la destination. Le paramètre maximum-paths indique le nombre de chemins identiques pouvant être pris en compte lors des décisions d'équilibrage. La valeur par défaut de *nombre-chemins* est 1, signifiant que la répartition de la charge est désactivée par défaut.

Commande *ipx route destination-net next-hop*

Cette variante de la commande **ipx routing** est disponible à partir des versions 10.3 du système d'exploitation. Elle respecte la syntaxe suivante :

```
ipx route {réseau [masque-réseau] ¦ default} {nœud.réseau ¦
➥interface} [floating-static]
```

L'extension de cette commande autorise le remplacement des routes statiques par des routes découvertes dynamiquement par RIP pour IPX, Enhanced IGRP et le nouveau protocole NLSP.

Utilisez une route statique flottante pour qu'une route dynamique, en cas de défaillance, puisse être empruntée à la place. Les routes flottantes IPX vous permettent de basculer sur cet autre chemin dynamiquement, quel que soit le moment auquel la route statique vers la destination est perdue.

Commandes de configuration d'interface pour Novell IPX

Deux commandes sont employées pour définir la configuration de IPX :

■ interface

■ ipx network

Ces deux commandes sont décrites dans les prochaines sections.

Commande *interface*

Pour assigner des numéros de réseau aux interfaces supportant plusieurs réseaux, vous devez normalement employer des sous-interfaces. Une sous-interface est un mécanisme qui permet à une seule interface physique de gérer plusieurs interfaces logiques, ou réseaux. C'est-à-dire que plusieurs interfaces logiques, ou réseaux, peuvent être associées à une seule interface matérielle.

Chaque sous-interface utilise un type d'encapsulations distinct qui doit correspondre à celui des clients et des serveurs utilisant le même numéro de réseau. Pour exécuter le protocole NLSP sur plusieurs réseaux à partir de la même interface LAN physique, vous devez configurer des sous-interfaces.

Commande *ipx network*

La syntaxe de cette commande est la suivante :

```
ipx network réseau [encapsulation type-encapsulation [secondary]]
```

Lors de l'attribution des numéros de réseau à des interfaces supportant plusieurs réseaux, vous pouvez aussi configurer des réseaux principaux et secondaires. Néanmoins, dans les futures versions du logiciel Cisco IOS, cette fonctionnalité ne sera plus proposée.

Le premier réseau logique que vous configurez sur une interface est considéré comme étant le réseau principal. Tout autre réseau est considéré comme secondaire. Gardez à l'esprit que chaque réseau sur une interface doit employer un type d'encapsulations distinct, devant correspondre à celui des clients et des serveurs qui utilisent le même numéro de réseau. L'assignation d'un second numéro de réseau est nécessaire si un type d'encapsulations supplémentaire est associé à un réseau donné.

Il existe deux commandes qui affectent les interfaces de façon individuelle :

```
Router (config-if)#
Router (config)#interface type numéro.numéro-sous-interface
Router (config)#ipx network réseau [encapsulation type-encapsulation]
ipx network réseau [encapsulation type-encapsulation] [secondary]
```

Exemple de configuration de Novell IPX

Examinez l'exemple de configuration de Novell IPX, illustré Figure 11.9.

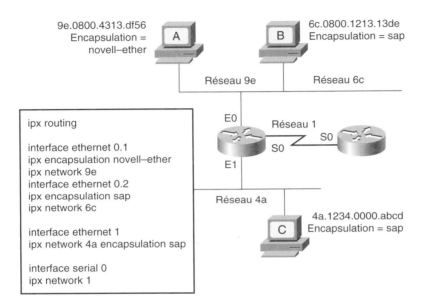

Figure 11.9

Les réseaux 9e et 6c se trouvent sur le même média physique.

La liste suivante définit les fonctions configurées pour le routeur local de la Figure 11.9.

ipx routing	Sélectionne IPX comme protocole de routage, et démarre le processus de routage.
ipx maximum-paths 2	Autorise l'équilibrage de charge sur des chemins de métriques égales vers la destination. Le nombre de chemins parallèles utilisé est limité à deux.
interface ethernet 0.1	Indique la première sous-interface sur l'interface E0.
encapsulation novell-ether	Spécifie que le format de trame unique de Novell est utilisé sur ce segment de réseau. Le mot clé Cisco est **novell-ether**. La terminologie Novell est Ethernet _802.3.

ipx network 9e	Le numéro de réseau assigné à la sous-interface E0.1.
interface ethernet 0.2	Indique la seconde sous-interface sur l'interface E0.
encapsulation sap	Spécifie que le format de trame Ethernet 802.2 est utilisé sur ce segment de réseau. Le mot clé Cisco est **sap**.
ipx network 6c	Le numéro de réseau assigné à la sous-interface E0.2.
interface ethernet 1	Indique la première (et unique) interface sur l'interface E.1.
ipx network 4a encapsulation sap	Spécifie que le nouveau format de trame par défaut est utilisé sur ce réseau, dont l'adresse de réseau est 4a.
interface serial 0	Indique la première interface sur l'interface série S0.
ipx network 1	Définit l'adresse de réseau IPX de la liaison série à 1.

Contrôle et surveillance du routage IPX

Il est toujours important de vérifier votre configuration une fois terminée. Utilisez les commandes examinées dans cette section pour vous assurer que le routeur est correctement configuré. Ensuite, concentrez-vous sur la section consacrée à la surveillance pour apprendre comment contrôler et résoudre les problèmes liés au trafic SAP, RIP et IPX qui passe par le routeur.

Une fois le routage configuré, vous pouvez le surveiller et le dépanner au moyen des commandes suivantes :

Commande de surveillance	*Affichage*
show ipx interface	Etat et paramètres IPX
show ipx route	Contenu des tables de routage
show ipx servers	Liste de serveurs IPX
show ipx trafic	Nombre et types de paquets
debug ipx routing activity	Informations sur les paquets de mise à jour RIP
debug ipx sap	Informations sur les paquets de mise à jour SAP

Chacune de ces commandes est décrite plus en détail dans les sections suivantes.

Surveillance du statut d'une interface IPX

La commande **show ipx interface** affiche l'état d'une interface IPX et ses paramètres de configuration IPX, comme illustré Figure 11.10. La première ligne en surbrillance indique l'adresse IPX, le type d'encapsulations, et l'état de l'interface. La seconde portion en surbrillance montre que les filtres SAP ne sont pas configurés. La dernière ligne en surbrillance révèle que la commutation rapide est activée.

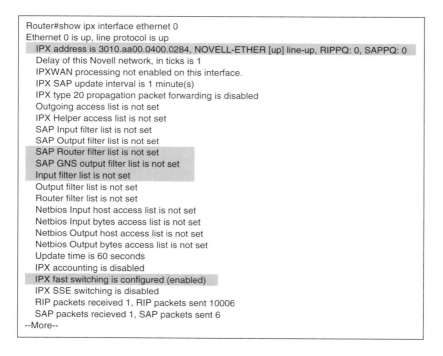

```
Router#show ipx interface ethernet 0
Ethernet 0 is up, line protocol is up
  IPX address is 3010.aa00.0400.0284, NOVELL-ETHER [up] line-up, RIPPQ: 0, SAPPQ: 0
  Delay of this Novell network, in ticks is 1
  IPXWAN processing not enabled on this interface.
  IPX SAP update interval is 1 minute(s)
  IPX type 20 propagation packet forwarding is disabled
  Outgoing access list is not set
  IPX Helper access list is not set
  SAP Input filter list is not set
  SAP Output filter list is not set
  SAP Router filter list is not set
  SAP GNS output filter list is not set
  Input filter list is not set
  Output filter list is not set
  Router filter list is not set
  Netbios Input host access list is not set
  Netbios Input bytes access list is not set
  Netbios Output host access list is not set
  Netbios Output bytes access list is not set
  Update time is 60 seconds
  IPX accounting is disabled
  IPX fast switching is configured (enabled)
  IPX SSE switching is disabled
  RIP packets received 1, RIP packets sent 10006
  SAP packets recieved 1, SAP packets sent 6
--More--
```

Figure 11.10

Utilisez la commande show ipx interface pour recueillir des détails de la configuration d'une interface.

Vous pouvez définir manuellement la métrique du temps d'acheminement (*ticks*) au moyen de la commande **ipx delay** *nombre*, où *nombre* représente le nombre de ticks associés à une interface. Cette commande remplace les paramètres par défaut suivants du routeur Cisco :

- Pour les interfaces LAN, un tick ;
- Pour les interfaces WAN, six ticks.

Certaines des entrées affichées incluent :

- **IPX address...** Adresse de réseau et de nœud de l'interface du routeur local, suivie du type d'encapsulations configuré sur l'interface, et de l'état de cette dernière. Reportez-vous à la commande **ipx network** pour obtenir une liste des valeurs possibles.

- **SAP Input filter list.** Numéro du filtre SAP en entrée, appliqué à l'interface avec la commande **ipx input-sap-filter**.

- **SAP Output filter list.** Numéro du filtre SAP en sortie, appliqué à l'interface avec la commande **ipx output-sap-filter**.

- **SAP Router filter list.** Numéro du filtre SAP de routeur, appliqué à l'interface avec la commande **ipx router-sap-filter**.

- **IPX fast switching.** Indique si la commutation rapide IPX est activée (par défaut) ou désactivée pour cette interface, comme configurée avec la commande **ipx route-cache**.

Surveillance des tables de routage IPX

La commande **show ipx route** affiche le contenu d'une table de routage IPX, comme illustré Figure 11.11.

```
Router#show ipx route
Codes: C  -  Connected primary network,  c - Connected secondary network
        R  -  RIP,  E  -  EIGRP,  S - static,  W  -  IPXWAN connected
5 Total IPX routes

Up to 2 parallel paths allowed Novell routing algorithm variant in use

R   Net   3030  [6/1] via 3021.0000.0c03.13d3,  23 sec,   Serial1
                       via 3020.0000.0c03.13d3,  23 sec,   Serial0
C   Net   3020  (x25),   Serial0
C   Net   3021  (HDLC),   Serial1
C   Net   3010  (NOVELL-ETHER),   Ethernet0
C   Net   3000  (NOVELL-ETHER),   Ethernet1
```

Figure 11.11

Utilisez la commande show ipx route pour visualiser le contenu d'une table de routage IPX.

La première ligne en surbrillance fournit des informations concernant un réseau distant :

- Les informations proviennent d'une mise à jour RIP (indiquée par un R).

- Le numéro de réseau est 3030.

- Il se trouve à six ticks et un saut de distance. Ce renseignement sert à déterminer les meilleures routes. Si le nombre de ticks est identique, le nombre de sauts est utilisé pour départager les chemins.

- Le saut suivant sur le chemin est le routeur 3021.0000.0c03.13d3.

- Les informations ont été mises à jour il y 23 secondes.

- Les mises à jour seront envoyées *via* l'interface Serial1.

La seconde ligne en surbrillance donne des informations sur une connexion directe (indiquée par un C) :

- Le numéro de réseau est 30.10 ;

- Le type d'encapsulations est NOVELL-ETHER.

Les valeurs des métriques sont particulièrement intéressantes. Le facteur de délai est spécifié au moyen de ticks (1/18ème de seconde). Les ticks ne sont pas implémentés par tous les équipements de réseau. Par conséquent, les décisions de chemin peuvent parfois s'appuyer sur des informations imprécises. Les valeurs de métriques 6/1 se réfèrent aux ticks et au compte de sauts.

ASTUCE

A partir de la version 10.0 de Cisco IOS, vous pouvez utiliser le nouveau protocole IPXWAN de Novell pour tester la liaison WAN, lors de l'établissement d'une connexion IPX. Le routeur utilise un temporisateur d'échange de demande et de réponse pour connaître le délai de la liaison. Le routeur peut ensuite utiliser ce délai pour définir la valeur de tick de l'interface WAN. Tapez la commande **ipx ipxwan**, lorsque vous configurez l'interface série.

Surveillance des serveurs Novell IPX

La commande **show ipx servers** liste les services IPX découverts par le biais d'annonces SAP, comme illustré Figure 11.12.

```
Router> show ipx servers
Codes: P - Periodic, I - Incremental, H - Holdown, S - static
1 Total IPX Servers

Table ordering is based on routing and server info

Type    Name     Net      Address         Port     Route      Hops    Itf
P4      Maxine   AD33000.0000.1b04.0288:0451   332800/1   2       Et3
```

Figure 11.12

Utilisez la commande show ipx servers pour visualiser le contenu de la table d'informations de serveur.

Cet exemple apporte les informations suivantes :

■ Le service proposé par le serveur et découvert par une mise à jour SAP ;

■ Le nom de serveur, l'emplacement du réseau, l'adresse de la machine et le numéro de socket source ;

■ Les ticks et le compte de sauts pour la route (extraits de la table de routage) ;

■ Le nombre de sauts (provenant du protocole SAP) ;

■ L'interface par l'intermédiaire de laquelle atteindre le serveur.

Surveillance du trafic IPX

La commande **show ipx trafic** affiche des informations relatives au nombre et aux types de paquets reçus et transmis par le routeur, comme illustré Figure 11.13.

Vous pouvez remarquer qu'un pourcentage important du nombre total de paquets reçus et envoyés concerne des annonces RIP. La raison est que cet écran a été obtenu à parti d'un réseau de test dépourvu de tout trafic utilisateur. Il montre la surcharge non négligeable occasionnée par le trafic SAP et RIP.

```
Router#show ipx traffic
System Traffic for 2018.0000.0000.0001 System-Name: dtp-18
Rcvd:     23916 total, 13795 format errors, 0 checksum errors, 0 bad
hop count,
          0 packets pitched, 23916 local destination, 0 multicast
Bcast:    17111 received, 9486 sent
Sent:     16707 generated, 0 forwarded
          0 encapsulation failed, 0 no route
SAP:      6 SAP requests, 6 SAP replies, 2309 servers
          0 SAP Nearest Name requests, 0 replies
          0 SAP General Name requests, 0 replies
          1521 SAP advertisements received, 2212 sent
          0 SAP flash updated sent, 0 CAP format errors
RIP:      6 Rip request, 6 RIP replies, 2979 routes
          8033 RIP advertisements received, 4300 sent
          154 RIP flash updates sent, 0 RIP format errors
Echo:     Rcvd 0 requests, 0 replies
          Sent 0 requests, 0 replies
          0 unknown: 0 no socket, 0 filtered, 0 no helper
          0 SAPs throttled, freed NDB len 0
Watchdog:
          0 packets received, 0 replies spoofed
Queue Lengths:
          IPX input: 0. SAP 0, RIP 0, GNS 0
          SAP throttling length: 0/(no limit), 0 nets pending lost route
reply
          Delayed process creation: 0
```

Figure 11.13

La commande show ipx trafic liste les paquets reçus et envoyés par le routeur.

Dépannage du routage IPX

La commande **debug ipx routing activity** affiche des informations concernant les paquets de mise à jour de routage IPX, qui sont transmis ou reçus, comme illustré Figure 11.14.

Un routeur envoie une mise à jour toutes les 60 secondes. Chaque paquet de mise à jour peut contenir jusqu'à 50 entrées. S'il y en a davantage, la mise à jour comportera plus d'un paquet.

Dans la Figure 11.14, le routeur envoie des mises à jour, mais n'en reçoit pas. Les mises à jour, reçues de la part d'autres routeurs, apparaissent normalement dans ce listing.

```
Router#debug ipx routing activity
IPX touting debugging is on
Router#
IPXRIP: posting full update to 3010.ffff.ffff.ffff via Ethernet 0 (broadcast)
IPXRIP: posting full update to 3000.ffff.ffff.ffff via Ethernet 1 (broadcast)
IPXRIP: posting full update to 3020.ffff.ffff.ffff via Serial0 (broadcast)
IPXRIP: posting full update to 3021.ffff.ffff.ffff via Serial1 (broadcast)
IPXRIP: sending update to 3020.ffff.ffff.ffff via Serial0
IPXRIP: src=3020.0000.0c03.14d8, dat=3020.ffff.ffff.ffff, packet sent
        network 3021, hops 1, delay 6
        network 3010, hops 1, delay 6
        network 3000, hops 1, delay 6
IPXRIP: sending update to 3021.ffff.ffff.ffff via Serial1
IPXRIP: src=3021.0000.0c03.14d8, dat=3021.ffff.ffff.ffff, packet sent
        network 3020, hops 1, delay 6
        network 3010, hops 1, delay 6
        network 3000, hops 1, delay 6
IPXRIP: sending update to 3010.ffff.ffff.ffff via Ethernet0
IPXRIP: src=3010.aa00.0400.0284, dat=3010.ffff.ffff.ffff, packet sent
        network 3030, hops 2, delay 7
        network 3020, hops 1, delay 1
        network 3021, hops 1, delay 1
        network 3000, hops 1, delay 1
IPXRIP: sending update to 3000.ffff.ffff.ffff via Ethernet1
```

Figure 11.14

Si des problèmes de routage IPX surviennent, exécutez la commande debug ipx routing activity.

Dépannage de SAP pour IPX

La commande **debug ipx sap** [**activity** | **events**] affiche des informations à propos des paquets SAP IPX qui sont transmis ou reçus.

A l'instar des mises à jour RIP, les mises à jour SAP sont envoyées toutes les 60 secondes et peuvent comporter plusieurs paquets. Chaque paquet apparaît sur plusieurs lignes dans la sortie et inclut un message de synthèse et un message de détail de service.

Voici les types de paquets SAP :

■ 0x1. Requête générale.

■ 0x2. Réponse générale.

■ 0x3. Requête GNS.

■ 0x4. Réponse GNS.

Sur chaque ligne, l'adresse et la distance du routeur répondant, ou cible, sont listées.

Chaque mise à jour comprend plusieurs lignes : une de synthèse, les autres formant le détail des informations. La Figure 11.15 montre trois annonces SAP :

- Une mise à jour SAP en entrée, indiquée par un I (*Input*) ;

- Une mise à jour SAP, envoyée vers le réseau IPX 160 ;

- Une mise à jour SAP en sortie, indiquée par un O (*Output*), avec des informations sur le serveur de fichiers intitulé Magnolia.

```
Router#debug ipx sap events
IPX service events debugging is on
Router#
NovellSAP: at 0023F778
I SAP Response type 0x2 len 160 src:160.0000.0c00.070d dest:160.ffff.ffff.ffff(452)
  type 0x4,  "HELLO2", 199.0002.0004.0006 (451), 2 hops
  type 0x4,  "HELLO2", 199.0002.0004.0008 (451), 2 hops
NovellSAP: sending update to 160
NovellSAP: at 00169080
o SAP Update type 0x2 len 96 ssoc:0x452 dest:160.ffff.ffff.ffff(452)
Novell: type 0x4 "Magnolia", 42.0000.0000.0001 (451), 2 hops
```

Figure 11.15
La commande debug ipx sap [activity / events] peut être utilisée pour examiner un problème de disponibilité de service.

Les paramètres activity et events ne représentent pas vraiment des options, car l'un des deux est requis. La commande **debug ipx activity** fournit plus de détails, et la commande **debug ipx events** en donne moins, car elle se concentre sur les paquets SAP qui contiennent des événements intéressants. Pour obtenir le maximum d'informations utiles, utilisez ces deux commandes ensemble.

Résumé

Dans ce chapitre, vous avez découvert les composantes de l'adresse IPX de 10 octets et les options d'encapsulation de Novell. Vous avez également vu comment fonctionnent les mécanismes de découverte de services et les méthodes d'échange d'informations de routage de Novell pour les clients et les serveurs. Vous connaissez à présent les commandes de configuration globales et d'interface pour IPX utilisées par Cisco. Le prochain chapitre examine l'adressage AppleTalk et la configuration d'un routeur Cisco pour se connecter à des réseaux AppleTalk.

Test du Chapitre 11

Durée estimée : 15 minutes

Réalisez tous les exercices suivants pour tester votre connaissance des sujets traités dans ce chapitre. Les réponses sont données dans l'Annexe A.

Question 11.1

Déterminez l'adresse et le type d'encapsulations IPX requis pour un port de routeur donné. Dans cet exercice, quatre routeurs sont configurés pour exécuter Novell IPX, comme le montre la Figure 11.16.

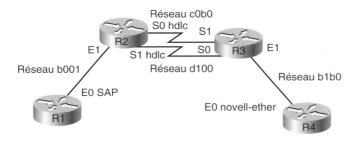

Figure 11.16
Ces quatre routeurs sont configurés pour exécuter Novell IPX.

Vous devez déterminer les adresses de réseau IPX et les types d'encapsulations utilisés pour la configuration du routeur 3. A partir des détails IPX de configuration, fournis pour trois des quatre routeurs, trouvez ceux du routeur 3. Ces informations sont résumées dans le tableau suivant :

Nom de routeur	Nom d'interface	Adresse de réseau IPX	Type d'encapsulations
R1	E0	b001	sap
R2	S1	d100	hdlc
R3	S0	c0b0	hdlc
R4	E0	b1b0	novell-ether

Inscrivez vos réponses dans le tableau suivant :

Nom d'interface R3	*Adresse de réseau*	*Encapsulation*
S0		
S1		
E1		

Question 11.2

Quelle commande devez-vous exécuter pour activer le routage IPX sur un routeur ?

Question 11.3

Dans quel mode de commande le routeur doit-il se trouver pour que vous puissiez exécuter la commande **ipx routing** ?

Question 11.4

Quelle commande devez-vous exécuter pour assigner des numéros de réseau IPX à un routeur ?

Question 11.5

Quelle commande devez-vous exécuter pour vérifier l'assignation d'adresses IPX sur un routeur ?

Question 11.6

Quelle commande devez-vous exécuter pour vérifier les entrées d'une table de routage ?

12

Configuration d'AppleTalk

Ce chapitre propose une introduction à la suite de protocoles AppleTalk, et examine comment elle opère avec des configurations du logiciel Cisco IOS. Il inclut également des informations sur l'adressage AppleTalk, les zones logiques et la localisation de services, ainsi que des détails sur la configuration et le contrôle du routage AppleTalk.

Présentation d'AppleTalk

AppleTalk a été développé par Apple Computer pour permettre la communication et le partage des ressources entre ordinateurs et périphériques Macintosh. Dans cette section, vous étudierez la pile de protocoles AppleTalk, le système d'adressage et le mécanisme de découverte des services.

Pile de protocoles AppleTalk

La Figure 12.1 compare l'architecture de protocoles AppleTalk au modèle de référence OSI

Au niveau des couches matérielles de l'architecture AppleTalk, la plupart des types de média standards sont supportés au moyen d'AppleTalk Phase 2 (un réseau à adressage étendu). De nombreux produits AppleTalk comportent une interface LocalTalk qui fonctionne sur un câblage à paire torsadée opérant à 230 Kbits/s. Cette interface n'est pas disponible sur les produits Cisco. Par conséquent, les équipements LocalTalk peuvent convenir dans des environnements Ethernet ou autres réseaux LAN.

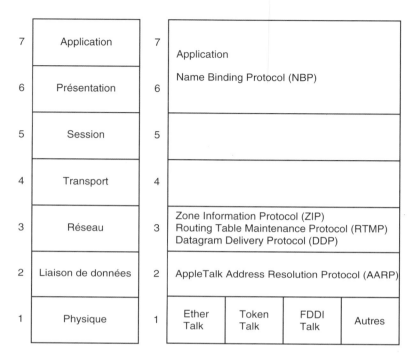

Figure 12.1

L'architecture de protocoles AppleTalk.

Au niveau de la couche 3, le protocole DDP (*Datagram Delivery Protocol*) offre un service de datagrammes sans connexion.

Au niveau de la couche 4, le protocole NBP (*Name Binding Protocol*) assure la correspondance entre noms et adresses. La mise à jour des tables de routage est assurée par le protocole RTMP (*Routing Table Maintenance Protocol*).

Voici d'autres protocoles AppleTalk importants de la couche 4 :

- **ATP** (*AppleTalk Transaction Protocol*). Met en œuvre des transactions pour garantir que les paquets DDP arrivent à destination sans pertes de données.

- **ADSP** (*AppleTalk Data Stream Protocol*). Utilise un transport avec fenêtre de communication (d'anticipation) pour garantir que le flot de données provenant de l'extrémité d'une connexion n'inonde pas l'espace de mémoire tampon d'un nœud plus lent de l'autre côté.

Au niveau de la couche 5, le protocole ZIP (*Zone Information Protocol*) associe des zones logiques à des numéros de réseau, et coordonne la recherche de noms au sein des zones. ZIP est utilisé par NBP pour identifier les réseaux comportant des nœuds qui appartiennent à une zone spécifique. Une autre source d'informations pouvant compléter ce chapitre est l'ouvrage *Inside AppleTalk, Second Edition*, paru chez Addison-Wesley. Le premier chapitre présente le modèle de référence AppleTalk et montre les relations qui existent entre les différents protocoles.

Fonctionnalités AppleTalk

AppleTalk a été conçu comme un *système de réseau distribué client-serveur*. Cela signifie que les utilisateurs se partagent les ressources du réseau, comme les fichiers et imprimantes. Les ordinateurs qui fournissent ces ressources sont appelés *serveurs*, et ceux qui les exploitent sont appelés *clients*. L'interaction avec les serveurs est essentiellement transparente pour les utilisateurs, car un ordinateur détermine l'emplacement des ressources demandées et y accède sans qu'il ait besoin d'informations supplémentaires de leur part.

Les clients emploient la diffusion en mode broadcast pour connaître les services disponibles. L'environnement AppleTalk autorise les routeurs à propager les messages de recherche (*lookups*) pour s'assurer que l'utilisateur pourra localiser les services disponibles.

Les adresses AppleTalk sont composées d'un numéro de réseau de 16 bits et d'un numéro de nœud de 8 bits :

- La portion réseau de l'adresse est configurée manuellement par l'administrateur.

- La portion d'identifiant de nœud est obtenue dynamiquement au moment du démarrage de l'équipement. L'identifiant de nœud peut également être configuré manuellement sur le routeur Cisco. Ce processus est utile lors de la configuration d'AppleTalk sur des réseaux étendus multipoint et pour l'accès distant, au moyen de correspondances de numérotation (*dialer maps*).

La sélection aléatoire des numéros de nœud complique le dépannage avec un analyseur de réseau, mais un Macintosh ou PowerPC conserve généralement son adresse en mémoire NVRAM, de façon à pouvoir la réutiliser dans son environnement de réseau.

RTMP propage des mises à jour d'informations de routage au niveau de la couche 3. Il s'agit d'un dérivé du protocole RIP qui utilise le compte de sauts comme métrique pour ses décisions de routage. AppleTalk est considéré comme un protocole "bavard", car les mises à jour RTMP ont lieu à intervalles de 10 secondes. L'utilisation de *zones* (traitées plus loin dans ce chapitre) permet de limiter les effets négatifs de cette prolixité en regroupant les réseaux et services. Les hôtes écoutent les mises à jour RTMP pour connaître l'adresse du routeur.

Réseaux non étendus et étendus

Les premières versions d'AppleTalk (avant 1988) utilisaient une stratégie d'adressage appelée Phase 1. Cette stratégie n'autorisait qu'un faible nombre d'hôtes sur un même câble. Elle impliquait l'allocation d'un nombre égal de serveurs et d'hôtes de 127. N'importe quel Macintosh pouvait être hôte ou bien serveur. Ces environnements ne pouvaient comporter qu'un seul réseau par câble. Ces caractéristiques définissent un *réseau à adressage non étendu*, comme illustré dans la partie supérieure de la Figure 12.2.

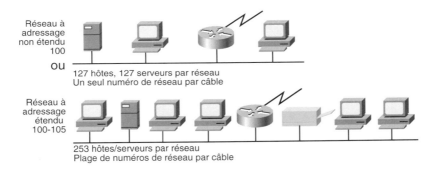

Figure 12.2

Les réseaux AppleTalk à adressage étendu sont plus souples que les réseaux non étendus.

Les versions plus récentes d'AppleTalk utilisent une forme étendue d'adressage, connue sous le nom de Phase 2. Dans un *réseau à adressage étendu*, plusieurs numéros de réseau peuvent exister sur le même câble. Le nombre d'équipements sur un seul réseau logique est limité à 253, mais il peut s'agir de n'importe quelle combinaison d'hôtes et de serveurs. Les adresses de réseau et de nœud sont combinées, ce qui augmente considérablement l'espace d'adresses disponible. La partie inférieure de la Figure 12.2 illustre un réseau à adressage étendu.

Notez que la plupart des réseaux AppleTalk ont évolué vers l'adressage Phase 2. Apple-Talk Phase 1 est encore implémenté, mais pas sur les interréseaux qui emploient des routeurs Cisco. L'adressage Phase 2 est le standard depuis la version 6.3B d'AppleTalk.

Adressage AppleTalk

Sur un réseau Phase 1, un seul numéro de réseau est attribué à chaque câble. Les numéros de nœud sont assignés dynamiquement au démarrage des clients. Sur un réseau Phase 2, plusieurs numéros de réseau sont disponibles pour chaque câble, comme illustré Figure 12.3.

La plage des numéros de réseau logique sur un seul câble physique est appelée *plage de câble* ou *groupe de câble*. Elle est assignée par l'administrateur. Les numéros de nœud de 1 à 253 sont assignés dynamiquement aux hôtes et aux routeurs.

Ces deux stratégies d'adressage requièrent une adresse réseau.nœud unique, appliquée à chaque interface de routeur. Dans la Figure 12.3, vous pouvez remarquer que l'interface S0 indique un même numéro de réseau pour les deux extrêmes de la plage de câble (1000-1000).

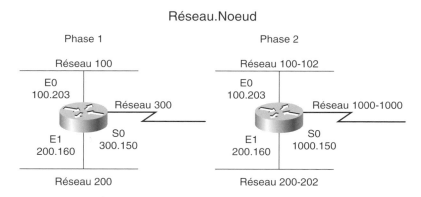

Figure 12.3
Les interfaces Phase 2 doivent utiliser des numéros de réseau.nœud uniques.

Adressage étendu

Sur un réseau à adressage étendu, les numéros de réseau des nœuds peuvent être différents, comme illustré Figure 12.4. Il peut exister une large plage de numéros de réseau sur un seul réseau logique.

■ Numéro de réseau : 16 bits.

Une plage de câble définit la portée des numéros de réseau disponibles sur un média donné.

Les réseaux à plage réduite, comme ceux possédant un seul numéro de réseau, sont supportés.

Le numéro de réseau 0 est réservé par le protocole pour qu'un nœud nouvellement rattaché puisse l'employer lorsqu'il ne connaît pas encore le numéro de réseau à utiliser sur son câble.

■ Numéro de nœud : 8 bits.

Les numéros, dans la plage 1 à 253, représentent n'importe quel nœud (utilisateur, imprimante, ou autre équipement).

Les numéros 0, 254 et 255 sont réservés sur les réseaux à adressage étendu.

Les numéros de nœud sont assignés dynamiquement.

Figure 12.4
L'adressage étendu autorise une plage de numéros de réseau par câble.

Obtention d'adresses AppleTalk

Au démarrage, le système de l'utilisateur 2 ne dispose d'aucune adresse stockée dans sa mémoire RAM. Le logiciel de cet utilisateur sélectionne une adresse de réseau provisoire dans la plage FF00-FFE0 et un numéro de nœud au hasard. Le nouveau nœud envoie 10 paquets de test AARP (*AppleTalk Address Resolution Protocol*) pour vérifier la disponibilité de l'identifiant de nœud, comme illustré Figure 12.5. Le protocole AARP met en correspondance les adresses de protocole et les adresses matérielles, de façon semblable à ARP pour IP. Dans ce cas, le nouveau nœud envoie un paquet de test pour s'assurer qu'aucun autre équipement n'utilise le même numéro de nœud. Si le paquet reste sans réponse, le nouveau nœud en conclut que l'adresse est disponible.

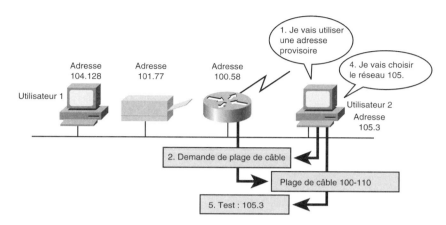

Figure 12.5

L'hôte AppleTalk utilise ZIP et AARP pour obtenir une adresse.

L'utilisateur 2 émet une requête ZIP de demande de plage de câble. Le routeur répond en indiquant la plage de numéros de réseau disponibles sur le câble. Si l'adresse de réseau provisoire de l'utilisateur 2 est invalide, ce dernier choisit un numéro de réseau à partir de la plage de câble reçue.

L'utilisateur 2 émet 10 autres paquets de test AARP pour vérifier le caractère unique de l'identifiant de nœud choisi :

- S'il obtient une réponse signalant que l'identifiant est en cours d'utilisation, il en choisit un autre.

- S'il ne reçoit aucune réponse, il utilise cet identifiant.

L'adresse de l'utilisateur 2 devient 105.3. Une fois acquise, elle est stockée en mémoire RAM. Elle est ensuite testée lors de la prochaine séquence d'initialisation de la machine, puis, si elle est utilisée, une assignation dynamique a lieu.

Réduction des demandes de services

Une méthode permettant de contrôler le trafic en mode broadcast consiste à organiser les nœuds en zones, comme illustré Figure 12.6. Un nœud ne peut se trouver que dans une seule zone à la fois. Une *zone* est un groupe logique de réseaux et de services, qui limite l'échange d'informations AppleTalk, en autorisant les dispositifs à exécuter leurs processus de découverte et de communication dans un espace restreint.

Chaque interface sur le routeur doit être assignée à une zone lors de sa configuration. De nombreux équipements, y compris les interfaces de routeur Cisco, apparaissent dans la zone par défaut d'une plage de câble.

Dans la Figure 12.6, le réseau LAN de Bldg. 1 a été séparé du réseau WAN qui inclut Bldg. 2 et Bldg. 3.

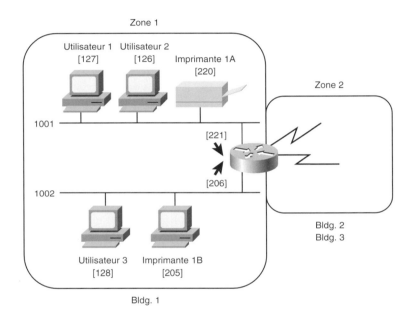

Figure 12.6

Les zones sont implémentées pour contrôler le trafic broadcast.

Services AppleTalk

Dans la Figure 12.7, vous pouvez observer que les nœuds ont été groupés dans des zones. Souvenez-vous qu'un nœud ne peut appartenir qu'à une seule zone. Lorsqu'un utilisateur Macintosh demande un service (comme un serveur de fichiers AppleShare ou une imprimante), les étapes suivantes ont lieu :

■ Le Sélecteur (*Chooser*) envoie une demande de liste de zones au routeur.

■ Le protocole NBP recherche les services de la zone spécifiée par l'utilisateur Macintosh.

■ Le routeur transmet la requête à chaque câble qui se trouve dans la zone en question.

■ Une diffusion multicast est transmise à tous les équipements qui correspondent au type de celui du demandeur.

■ Les services disponibles correspondant répondent en utilisant l'adresse du Macintosh qui a initié le processus NBP.

■ Les routeurs sur le chemin acheminent ces réponses vers le routeur d'origine.

■ Le routeur d'origine envoie une réponse à l'utilisateur final qui sélectionne le service voulu.

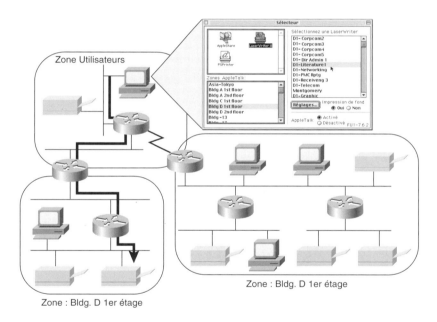

Figure 12.7
Le Sélecteur initie un processus de découverte de services au nom du client.

Le Macintosh conserve en mémoire un lien logique vers ce service pour pouvoir l'exploiter ultérieurement, et le routeur maintient une liste de services et de zones pour s'y référer localement.

> **CONCEPT CLÉ**
>
> ---
>
> N'oubliez pas que chaque dispositif ne peut faire partie que d'une seule zone à la fois.

Localisation de services AppleTalk

Comme mentionné précédemment, les utilisateurs sur un réseau AppleTalk recherchent des services spécifiques au moyen de requêtes NBP.

Dans la Figure 12.8, l'utilisateur 2 recherche des imprimantes dans la zone Utilisateurs. Le routeur consulte une table locale, ou ZIT (*Zone Information Table*, table d'informations de zone), qui contient toutes les correspondances de réseaux et de zones qui existent sur l'interréseau. Le routeur crée alors un paquet pour transmettre les requêtes à chaque segment de la zone sélectionnée. Il créera une requête pour le câble 1001-1001 et une autre pour le câble 1002-1002. Les réponses transmises par le routeur à l'utilisateur 2 informent ce dernier de l'existence des imprimantes 1A et 1B.

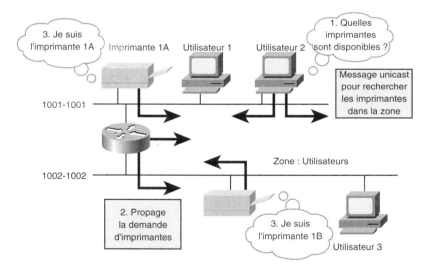

Figure 12.8

L'utilisateur 2 effectue une recherche dans la zone Utilisateurs.

Configuration d'AppleTalk

Maintenant que vous avez étudié les notions de base du protocole AppleTalk, y compris l'adressage et le processus de découverte de services, vous allez apprendre à configurer un routeur Cisco pour qu'il puisse gérer les communications Apple-Talk.

Tâches de configuration AppleTalk

La configuration d'AppleTalk comme protocole de routage implique les paramètres globaux et d'interface suivants :

- Tâche globale :

    Sélectionner le routage AppleTalk pour initier le processus de routage.

- Tâches d'interface :

    Assigner une plage de numéros de réseau à chaque interface. Une plage réduite peut convenir.

    Assigner chaque interface à une zone. L'adressage Phase 2 autorise plusieurs zones par segment. L'assignation de zones est un élément de configuration obligatoire et nécessaire pour que chaque interface puisse être activée.

ASTUCE

Les ingénieurs Cisco recommandent d'utiliser un numéro de réseau pour 50 nœuds.

Après qu'une adresse et un nom de zone ont été attribués, l'interface est prête à traiter les paquets. Tous les routeurs sur un réseau ou liaison de données doivent s'accorder sur la plage de câble, la zone par défaut et la liste de zones.

Commandes de configuration AppleTalk

Il existe quatre commandes de base utilisées pour configurer un réseau AppleTalk :

- tâches/commandes de configuration globale : **appletalk routing** (requise) ;
- commandes d'interface : **appletalk protocol** (optionnelle) ;
- **appletalk cable-range** (requise) ;
- **appletalk zones** (requise).

Chacune de ces commandes est traitée plus en détail dans les sections suivantes.

Commande *appletalk routing*

```
Router(config)#appletalk routing
```

Cette commande démarre le processus de routage AppleTalk.

Commande *appletalk protocol*

```
Router(config-if)#appletalk protocol {rtmp ¦ eigrp ¦ aurp}
```

Cette commande sélectionne un ou plusieurs protocoles de routage à utiliser sur l'interface.

Commande appletalk protocol	Description
rtmp	Le protocole de routage par défaut est RTMP.
eigrp	Spécifie que le protocole de routage à utiliser est Enhanced IGRP.
aurp	Spécifie que le protocole de routage à utiliser est AURP (*AppleTalk Updated-Based Routing Protocol*). C'est une méthode d'encapsulation du trafic AppleTalk dans l'en-tête d'un protocole étranger. Elle permet de relier deux ou plusieurs interréseaux AppleTalk non contigus à travers un réseau étranger (comme TCP/IP) pour former un WAN AppleTalk.

Notez que si cette commande est omise dans la spécification de l'interface, RTMP est sélectionné par défaut.

Commande *appletalk cable-range*

```
Router(config-if)#appletalk cable-range plage-câble [réseau.nœud]
```

Cette commande spécifie une plage de numéros de réseau sur l'interface. Elle comporte deux paramètres décrits ci-dessous.

Commande appletalk cable-range	Description
plage-câble	Cet argument définit la plage de câble en spécifiant les valeurs de début et de fin, séparées par un trait d'union. Celles-ci sont des nombres décimaux entre 0 et 65279. Le numéro de début de plage doit être inférieur ou égal à celui de fin.

Commande appletalk cable-range	*Description*
réseau.nœud	Cet argument est optionnel et définit l'adresse AppleTalk de l'interface. Le paramètre *réseau* est le numéro de réseau de 16 bits, et le paramètre *nœud* est le numéro de nœud de 8 bits. Ces deux numéros sont décimaux. Le numéro de réseau doit être compris dans la plage de numéros de réseau spécifiée.

L'argument optionnel *réseau.nœud* permet à l'administrateur de réseau de spécifier une adresse unique. Utilisez des adresses configurées manuellement pour implémenter AppleTalk sur Frame Relay et SMDS (*Switched Multimegabit Data Service*), et aussi lorsque vous utilisez un module de numérotation.

Commande *appletalk zone*

```
Router(config-if)#appletalk zone nom-zone
```

Cette commande assigne un nom de zone à la liaison de données. Plusieurs zones peuvent être attribuées à une même interface dans une installation Phase 2. Le premier nom de zone est celui par défaut.

Exemple de configuration AppleTalk

La Figure 12.9 donne un exemple de configuration AppleTalk. La liste suivante définit les commandes présentées.

Commande	*Description*
appletalk routing	Démarre le processus de routage AppleTalk.
interface ethernet 0	Définit l'interface qui est configurée.
appletalk cable-range 100-105	Définit une plage de six numéros de réseau disponibles pour les équipements reliés à l'interface E0.
appletalk zone Technique	Place l'interface E0 dans la zone Technique. C'est la zone par défaut, car elle est spécifiée en premier.
interface ethernet 1	Définit l'interface suivante qui est configurée.
appletalk cable-range 200-205	Définit une plage de six numéros de réseau disponibles pour les équipements reliés à l'interface E1.
appletalk zone Technique	Place l'interface E1 dans la zone Technique.

Commande	*Description*
appletalk zone Administration	Place l'interface E1 dans la zone Administration.
interface serial 0	
appletalk cable-range	
1000-1000 1000.128	Assigne une plage de câble réduite de 1000-1000 à l'interface série S0, et spécifie l'adresse réseau.nœud 1000.128.
appletalk zone Technique	Place l'interface S0 dans la zone Technique.

Toutes les interfaces utilisent RTMP comme protocole de routage par défaut, car aucune commande **appletalk protocol** n'est spécifiée.

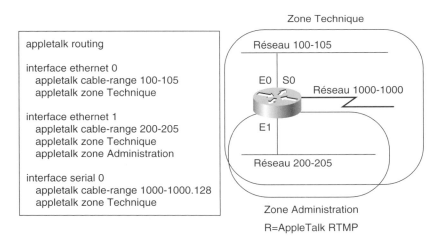

Figure 12.9

Ce réseau AppleTalk supporte deux zones.

Une fois que le routage AppleTalk a été activé, l'interface E0 reçoit dynamiquement un numéro de nœud sur l'un des six réseaux disponibles. L'adresse 1000.128 de l'interface S0 est configurée manuellement. Toutes les interfaces du routeur font partie de la zone Technique. E1 fait également partie de la zone Administration.

Mode de découverte

Les routeurs AppleTalk peuvent découvrir dynamiquement les plages de numéros de réseau et les zones en mettant en œuvre une technique appelée *découverte* (*discovery*). Un routeur *seed* contient des informations de configuration, alors qu'un routeur non *seed* ne les connaît pas.

Les routeurs *seed* propagent sur l'interréseau AppleTalk des informations de configuration concernant les plages de numéros de réseau et les zones. L'administrateur de réseau configure un routeur comme routeur *seed* pour qu'il transmette ces informations aux routeurs qui ne le sont pas.

Le fait de placer une interface de routeur non *seed* en mode de découverte permet à celle-ci d'obtenir dynamiquement sa plage de câble et ses informations de zone auprès d'un routeur *seed*. Il existe deux façons de placer une interface non *seed* en mode de découverte :

- Avec Phase 2 seulement, assigner la plage de câble 0-0 comme suit :

    ```
    Router(config-if)#appletalk cable-range 0-0
    ```

- Assigner une adresse à l'interface en suivant les étapes de configuration normales, puis autoriser la découverte dynamique auprès d'autres routeurs au moyen de la commande **appletalk discovery**. Le mode de découverte d'AppleTalk ne fonctionne pas sur les interfaces série.

    ```
    Router(config-if)#appletalk cable-range plage-câble
    Router(config-if)#appletalk discovery
    ```

> **ASTUCE**
>
> Le mode de découverte est activé au moyen de la commande **appletalk discovery**. Il est activé par défaut. Pour le désactiver, utilisez la commande **no appletalk discovery**.

Exemple du mode de découverte

La Figure 12.10 illustre comment configurer un routeur *seed* et un autre routeur en mode de découverte. La liste suivante liste les commandes de configuration employées :

Commande	*Description*
Interface E0	Place l'interface E0 en mode de découverte.
appletalk cable-range 0-0	

Commande	Description
Interface E1	Assigne une plage de numéros de réseau à E1.
appletalk cable-range 3000-3002	
appletalk discovery	Place l'interface E1 en mode de découverte.

Les interfaces E0 et E1 découvrent leurs adresses et zones de façon dynamique.

Dans le fichier de configuration de l'interface E0, après découverte :

Commande	Description
appletalk cable-range 100-105	La plage de numéros de réseau obtenue.
appletalk Zone Bldg-17	Le nom de zone obtenu.

Dans le fichier de configuration de l'interface E1, après découverte :

Commande	Description
appletalk cable-range 200-205	La plage de numéros de réseau obtenue.
appletalk Zone Bldg-17	Le nom de zone obtenu.

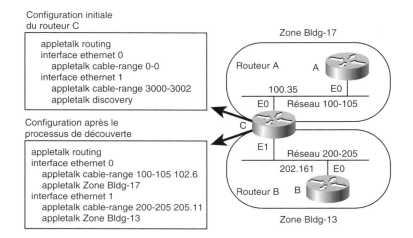

Figure 12.10

Vous devez disposer d'un routeur seed *sur le réseau pour pouvoir exploiter le mode de découverte.*

Vérification de la configuration AppleTalk

Utilisez la commande **show appletalk interface** pour afficher l'état de toutes les interfaces AppleTalk, ainsi que les informations d'adressage individuelles, l'état des lignes, les temporisateurs, les listes d'accès assignées et autres détails (voir Figure 12.11).

```
Router#show appletalk interface ethernet 0
Ethernet0 is up, line protocol is up
   AppleTalk cable range 3010-3019
   AppleTalk address is 3012.93, Valid
   AppleTalk zone is "1d-e0"
   AppleTalk port configuration verified by 3017.170
   AppleTalk address gleaning is enabled
   AppleTalk route cache is enabled
```

Figure 12.11

Utilisez la commande show appletalk interface pour vérifier la configuration du protocole.

Cette commande est particulièrement utile lorsque vous activez AppleTalk pour la première fois sur l'interface d'un routeur. La Figure 12.11 comporte les informations suivantes :

■ L'interface est Ethernet 0.

■ La plage de câble contient des valeurs d'adresse à partir desquelles une adresse a été sélectionnée. L'adresse est marquée comme valide, ce qui signifie qu'elle n'entre en conflit avec aucun autre nœud sur ce segment.

■ Le nom de zone est indiqué.

■ La collecte d'adresses (*gleaning*) AppleTalk est activée, c'est-à-dire que le routeur peut ajouter des adresses dans sa table de résolution d'adresses en examinant les paquets entrants.

■ Le cache de routes AppleTalk est activé, ce qui veut dire que la commutation rapide est activée sur cette interface.

Surveillance d'AppleTalk

Utilisez la commande **show appletalk route** pour afficher le contenu de la table de routage AppleTalk, comme illustré Figure 12.12.

La Figure 12.12 présente la zone assignée à chaque plage de câble. La ligne en surbrillance montre un exemple de grande plage de câble dans l'entrée provenant de RTMP.

La lettre C indique des interfaces directement connectées, et la lettre R des routes apprises par l'intermédiaire des mises à jour du protocole de routage RTMP.

```
Router#show appletalk route
Codes:  R - RTMP derived, E - EIGRP derived, C - connected, A - AURP
        S - static, P - proxy
5 routes in internet

The first zone listed for each entry is its default (primary) zone.

C Net 3000-3005 directly connected, Ethernet1, zone ozone
C Net 3010-3019 directly connected, Ethernet0, zone ld-e0
C Net 3020-3020 directly connected, Serial0, zone dc-s0
C Net 3021-3021 directly connected, Serial1, zone dc-s1
R Net 3030-3039 [1/G] via 3020.259 4 sec, Serial0, zone cfeo
```

Figure 12.12

Utilisez la commande show appletalk route pour vérifier le contenu de la table de routage AppleTalk.

La commande **show appletalk zone** affiche les entrées de la table ZIT, comme illustré Figure 12.13.

```
Router#show appletalk route
Codes: R - RTMP derived, E - EIGRP derived, C - connected, A - AURP
       S - static, P - proxy
5 routes in internet
The first zone listed for each entry is its default (primary) zone.
C Net 3000-3005 directly connected, Ethernet1, zone ozone
C Net 3010-3019 directly connected, Ethernet0, zone 1d-e0
C Net 3020-3020 directly connected, Serial0, zone dc-s0
C Net 3021-3021 directly connected, Serial1, zone dc-s1
R Net 3030-3039 [1/G] via 3020.25, 4 sec, Serial0, zone cf-e0
```

Figure 12.13

Utilisez la commande show appletalk zone pour visualiser la table d'informations de zone du routeur.

Notez que la grande plage de numéros de réseau, 3000-3005, apparaît dans les zones 1d-e0 et ozone. Le processus de recherche NBP se limite à la zone spécifiée par l'utilisateur lors de la sélection de zone dans le Sélecteur Macintosh.

La commande **show appletalk globals** affiche des informations sur les paramètres de configuration globale du routeur, comme illustré Figure 12.14. Les lignes en surbrillance indiquent une compatibilité avec Phase 1 grâce à l'utilisation de plages de câble unaires et d'une zone unique par interface.

```
Router#show appletalk route
Name                      Network(s)
1d-e0                     3010-3019 3000-3005
ozone                     3000-3005
cf-e0                     3030-3039
dc-s0                     3020-3020
dc-s1                     3021-3021
```

Figure 12.14

Utilisez la commande show appletalk globals pour connaître la compatibilité avec Phase 1 et Phase 2.

Deux autres commandes intéressantes sont **show appletalk arp** et **debug appletalk events**.

La commande **show appletalk arp** affiche les entrées du cache AARP. C'est une commande du mode EXEC privilégié. Utilisez la commande EXEC **debug appletalk errors** pour afficher les erreurs qui ont lieu sur le réseau AppleTalk. La forme négative (**no**) de cette commande désactive l'affichage des informations de débogage.

La commande **debug apple routing** affiche le résultat des routines RTMP, comme illustré Figure 12.15. Elle est utilisée pour surveiller la collecte, l'ancienneté et l'annonce des routes. Elle permet également de connaître les numéros de réseau en conflit sur un même réseau.

ATTENTION

La commande **debug apple routing** peut générer de nombreux messages. Elle devrait être employée uniquement lorsque l'utilisation du processeur est inférieure à 50 %.

```
Router#debug apple routing
AppleTalk RTMP routing debugging is on
AppleTalk EIGRP routing debugging is on
Router#
AT:  RTMP from 3002.5 (new 0, old 0, bad 0, ign 0, dwn 0)
AT:  RTMP from 3017.170 (new 0, old 0, bad 0, ign 0, dwn 0)
AT:  src=Ethernet0:3012.93, dst=3010-3019, size=34, 4 rtes, RTMP pkt sent
AT:  Route ager starting on Main AT RoutingTable (5 active nodes)
AT:  Route ager finished on Main AT RoutingTable (5 active nodes)
AT:  RTMP from 3020.25 (new 0, old 1, bad 0, ign 1, dwn 0)
AT:  RTMP from 3021.193 (new 0, old 1, bad 0, ign 3, dwn 0)
AT:  RTMP from 3020.25 (new 0, old 1, bad 0, ign 1, dwn 0)
AT:  RTMP from 3002.5 (new 0, old 0, bad 0, ign 0, dwn 0)
AT:  RTMP from 3017.170 (new 0, old 0, bad 0, ign 0 dwn 0)
AT:  src=Ethernet0:3012.93, dst=3010-3019, size=34, 4 rtes, RTMP pkt sent
AT:  src=Ethernet0:3000.175, dst=3000-3005, size=34, 4 rtes, RTMP pkt sent
AT:  src=Serial0:3020.26, dst=3020-3020, size=28, 3 rtes, RTMP pkt sent
AT:  src=Serial1:3021.144, dst=3021-3021, size=34, 4 rtes, RTMP pkt sent
```

Figure 12.15

La commande debug apple routing affiche toutes les informations de mise à jour RTMP.

Résumé

Dans ce chapitre, vous avez découvert la structure d'adressage AppleTalk, ainsi que les différences qui existent entre des réseaux Phase 1 et Phase 2. Souvenez-vous que AppleTalk a été conçu comme un système de réseau distribué client-serveur, où les utilisateurs se partagent les ressources du réseau. Vous avez étudié la pile de protocoles AppleTalk, les commandes de configuration et de surveillance AppleTalk. Vous connaissez maintenant le processus de découverte des services mis en œuvre par les clients. Le Chapitre 13 couvre les techniques de gestion du trafic au moyen de listes d'accès.

Test du Chapitre 12

Durée estimée : 15 minutes

Réalisez tous les exercices suivants pour tester votre connaissance des sujets traités dans ce chapitre. Les réponses sont données dans l'Annexe A.

Question 12.1

L'adressage AppleTalk suit le format *réseau.nœud*. Vrai ou Faux ?

Question 12.2

Les numéros de nœud sont assignés dynamiquement. Vrai ou Faux ?

Question 12.3

Plusieurs numéros de réseau peuvent exister sur un même câble. Vrai ou Faux ?

Question 12.4

Les serveurs utilisent des messages broadcast pour connaître les clients disponibles. Vrai ou Faux ?

Question 12.5

Quelle commande devez-vous exécuter pour activer le routage AppleTalk sur un routeur ?

Question 12.6

Quelle commande devez-vous exécuter pour assigner des plages de câble aux interfaces d'un routeur ?

Question 12.7

Quelle commande devez-vous exécuter pour assigner des zones aux liaisons d'un routeur ?

Question 12.8

Quelle commande devez-vous exécuter pour vérifier l'assignation d'adresses sur un routeur ?

Question 12.9

Quelle commande devez-vous exécuter pour consulter les entrées de la table de routage ?

Gestion de trafic par listes d'accès

Ce chapitre présente les listes d'accès de base étendues comme moyens de contrôle du trafic sur un réseau. Il explique les concepts généraux sur les listes d'accès et définit comment les configurer pour IP, IPX et AppleTalk.

Le système d'exploitation Cisco IOS dispose de fonctions de listes d'accès pour la plupart des protocoles. Reportez-vous aux Annexes B et C pour plus d'informations sur DECnet et VINES.

Listes d'accès

Cette section présente les listes d'accès et leur fonctionnement et indique où et quand elles devraient être exploitées. Elle traite aussi des caractères génériques utilisés avec les listes d'accès et propose des exemples de configuration de listes d'accès.

Rappelez-vous qu'une *liste d'accès* est utilisée pour définir le type de trafic qui devrait être autorisé ou pas à traverser un routeur.

Rôle des listes d'accès

Les réseaux routés les plus anciens interconnectaient un nombre modeste de réseaux locaux et d'hôtes. L'administrateur étendait ensuite les connexions à d'autres réseaux existants et à ceux de partenaires extérieurs. L'utilisation intensive d'Internet a créé de nouveaux défis en ce qui concerne le contrôle des accès. De nouvelles technologies — des épines dorsales à fibre optique aux services à large bande en passant par les commutateurs LAN — ont multiplié les difficultés à surmonter pour réussir ce contrôle.

Les administrateurs de réseaux sont confrontés au dilemme suivant : comment refuser le trafic indésirable tout en autorisant un accès approprié. Bien qu'il existe d'autres outils utiles tels que les mots de passe, les systèmes de rappel et les équipements de sécurité, ils souffrent souvent d'un manque de souplesse et de fonctionnalités de contrôle spécifiques que la plupart des administrateurs préfèrent.

Les listes d'accès proposent un autre outil puissant pour contrôler le réseau. Elles apportent la possibilité de pouvoir filtrer le flot de paquets en entrée ou en sortie sur les interfaces de routeur. Un tel contrôle peut aider à limiter le trafic ainsi que l'usage de réseaux pour certains utilisateurs ou équipements. Les listes peuvent différencier le trafic selon diverses catégories qui autorisent ou refusent l'accès à d'autres fonctions. Vous pouvez également les utiliser pour les objectifs suivants :

■ Identifier les paquets pour les files d'attente de priorité ou personnalisée. La gestion de la priorité permet qu'un trafic soit traité par un routeur avant un autre trafic, en se basant sur le protocole exploité. La file d'attente personnalisée est utilisée pour gérer le trafic en se basant sur le protocole, le type de trafic ou d'autres caractéristiques.

■ Empêcher ou réduire le contenu de mises à jour de routage. Ces restrictions sont utilisées pour empêcher certaines informations de réseau de se propager.

■ Identifier les paquets qui activent une liaison de routage DDR (ouverture de ligne à la demande). Cela empêche les paquets qui ne sont pas essentiels au processus de communication d'établir une liaison WAN.

Les listes d'accès traitent aussi les paquets pour d'autres fonctions de sécurité :

■ Fournir un contrôle d'accès dynamique du trafic IP avec l'authentification utilisateur avancée au moyen de la fonction *lock-and-key* (verrouillé).

■ Identifier les paquets pour le cryptage.

■ Identifier les accès Telnet autorisés vers les terminaux virtuels de routeur.

Comme noté précédemment, les listes d'accès peuvent être utilisées pour définir le type de trafic qui est autorisé à établir une liaison WAN (voir Figure 13.1). Par rapport au trafic des réseaux LAN ou de campus, celui s'appuyant sur le routage DDR (*Dial-on-Demand Routing*, Routage par ouverture de ligne à la demande) est généralement de faible volume et périodique. Un appel WAN vers un site distant n'est initié que lorsqu'il y a du trafic à transmettre au moyen de DDR. Pour pouvoir identifier ce type de trafic, vous devez spécifier les paquets que les processus DDR sur le routeur jugeront intéressants. Par exemple, les adresses des réseaux de destination et source, et les informations de service ou de réseau pourraient être définies comme étant des données intéressantes et, par conséquent, autorisées à transiter sur la liaison WAN.

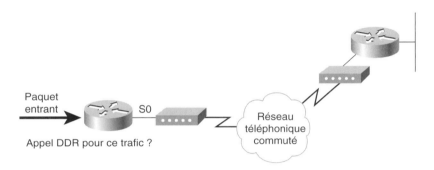

Figure 13.1

Les listes d'accès peuvent être utilisées pour spécifier le trafic pouvant initier un appel de site distant au moyen de DDR.

Lorsque vous configurez DDR, vous devez donc entrer des commandes de configuration qui indiquent les paquets de protocole intéressants qui entraîneront l'ouverture d'une liaison. Pour configurer le processus d'appel, prévoyez des instructions de liste d'accès pour identifier les adresses source et de destination, et choisir le critère spécifique de sélection de protocole qui permettra l'établissement d'un appel.

Vous définissez ensuite les interfaces sur lesquelles l'appel DDR est initié. Cette étape désigne un groupe de numérotation (*dialer group*) qui associe aux interfaces du routeur les résultats de la spécification des paquets intéressants afin d'établir un appel WAN.

Pour DDR, comme pour d'autres applications, les listes d'accès forment un ensemble de règles qui améliorent le contrôle exercé sur les paquets qui arrivent sur les interfaces, transitent par le routeur et sortent par d'autres interfaces. Les listes d'accès n'agissent pas sur les paquets qui émanent du routeur lui-même. Ce sont des instructions qui mettent en place un ensemble de conditions réglementant le comportement du routeur face au flot de trafic traversant les interfaces. Elles représentent un moyen exclusif de contrôle supplémentaire du trafic.

Les deux types principaux de listes d'accès sont les listes standards et étendues.

Listes d'accès standards

Elles permettent à IP de contrôler l'adresse source des paquets qui pourraient être routés. Le résultat permet d'autoriser ou de refuser la transmission en sortie pour la totalité de la suite de protocoles IP en se basant sur l'adresse de réseau, sous-réseau ou d'hôte.

Les listes d'accès étendues

Les listes d'accès étendues vérifient les adresses source et de destination des paquets, mais l'examen peut aussi porter sur le type de protocole, le numéro de port ou d'autres paramètres. Les administrateurs bénéficient ainsi d'une plus grande souplesse pour décrire les contrôles que les listes doivent réaliser. Les paquets peuvent être autorisés ou pas à être transmis en sortie selon leur origine ou leur destination.

Par exemple, dans la Figure 13.2, l'adresse source et de destination et le protocole des paquets entrant sur l'interface E0 sont contrôlés. Si les paquets appartiennent à un protocole autorisé et que leurs adresses associées le sont également, ils sont aiguillés en sortie vers l'interface S0 qui est associée à la liste d'accès. Dans le cas contraire, ils sont abandonnés.

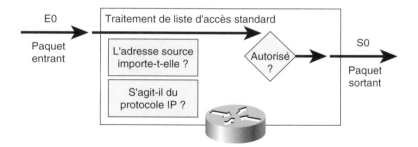

Figure 13.2
Avec une liste d'accès étendue, les adresses source et de destination et le protocole des paquets arrivant sur l'interface E0 sont vérifiés.

La liste d'accès étendue permet aussi des décisions plus fines. Par exemple, elle peut autoriser le trafic du courrier électronique provenant de E0 vers des destinations spécifiques *via* S0, tout en rejetant les ouvertures de session à distance ou les transferts de fichiers.

La liste d'accès étendue peut aussi s'appliquer à d'autres champs de l'en-tête de paquet, comme le protocole IP et le numéro de port TCP.

Fonctionnement des listes d'accès

Le début du processus de routage est le même que des listes d'accès soient utilisées ou pas. Lorsqu'un paquet entre sur une interface, le routeur examine sa table de routage pour savoir s'il peut être routé ou transmis par pont, comme illustré Figure 13.3. Si aucune des deux options n'est possible, il est abandonné. S'il est routable, une entrée figure dans la table de routage avec le réseau de destination, une métrique ou un état de la route, ainsi que l'interface à utiliser pour la transmission.

Ensuite, le routeur vérifie si l'interface vers la destination est associée à une liste d'accès. Si ce n'est pas le cas, le paquet peut être placé dans le tampon de sortie. Par exemple, si le paquet utilise To0 comme interface de destination, et que celle-ci n'est pas soumise au contrôle d'une liste d'accès active, elle peut être utilisée directement.

Si, en revanche, l'interface pour la destination est liée à une liste d'accès, le paquet doit d'abord être filtré par cette liste. Par exemple, supposez qu'une interface E0 ait été associée à une liste d'accès étendue et que l'administrateur ait utilisé des expressions logiques précises pour définir la liste. Avant qu'un paquet ne puisse passer par l'interface, il est soumis à un test combinant les diverses instructions de la liste associée.

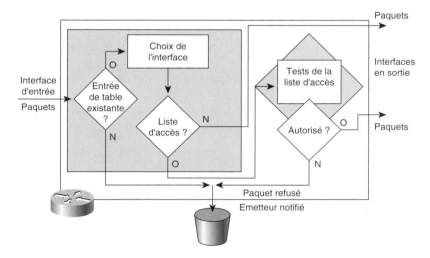

Figure 13.3
Le processus de liste d'accès.

En fonction du résultat des tests de la liste d'accès étendue, le paquet peut être accepté ou refusé. Un refus signifie l'abandon du paquet. Dans cette situation, certains protocoles renvoient un paquet spécial qui avertit l'émetteur de la destination inaccessible. Par exemple, un paquet ICMP peut être envoyé à cet effet. Une acceptation du paquet signifie qu'il peut accéder à l'interface vers la destination. La liste d'accès permet ainsi de contrôler l'emploi de l'interface de sortie.

L'interface représente ici une liste d'accès en sortie. Pour ce type de liste, le processus de test détermine si le paquet est autorisé ou non à emprunter l'interface en sortie. Pour les listes en entrée, le test du processus détermine si le routeur continue ou pas le traitement du paquet après l'avoir reçu sur une interface.

Liste de tests

Les instructions d'une liste d'accès opèrent en séquence selon un ordre logique pour évaluer les paquets, du haut de la liste vers le bas. Si un en-tête de paquet et une instruction de liste d'accès correspondent, le paquet n'est pas soumis aux instructions restantes. Si l'évaluation d'une condition est vraie, le paquet est soit accepté, soit refusé.

Examinez la Figure 13.4. Si, lors du premier test, un paquet n'est pas autorisé à accéder aux interfaces de destination, il n'est soumis à aucun des tests suivants et est supprimé.

Le paquet n'est soumis aux tests successifs que si le résultat du test précédent n'est pas positif. Si un paquet est, par exemple, soumis au deuxième test et que le résultat de l'évaluation est maintenant vrai, le paquet est acheminé vers l'interface de destination appropriée.

Imaginez qu'un autre paquet ne satisfasse pas aux conditions du premier ou du deuxième test, mais à celles du troisième. Une acceptation peut à nouveau en résulter.

Logiquement, une liste d'accès doit prévoir des expressions conditionnelles évaluées comme vraies pour tous les paquets. Une condition finale traite tous les paquets pour lesquels les précédentes n'auront pas été satisfaites et est évaluée comme vraie pour tous les paquets en question. Ce dernier test est souvent un rejet implicite, car aucune ligne de code de configuration n'apparaît réellement. Au lieu de passer par une interface en entrée ou en sortie, tous les paquets soumis au rejet implicite sont alors supprimés.

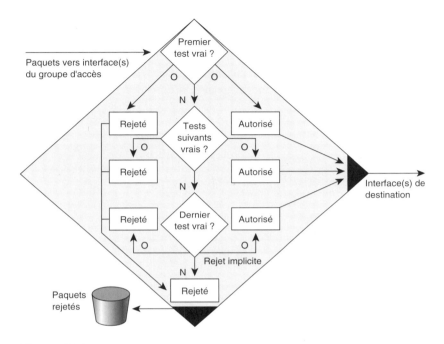

Figure 13.4

La liste d'accès représente un ensemble de conditions d'acceptation ou de refus traitées en séquence.

Commandes de liste d'accès

Il existe deux éléments généraux des commandes de configuration de liste d'accès :

1. Le processus de liste d'accès contient des instructions globales :

```
Router(config)#access-list numéro-liste {permit ¦ deny}
```

- Cette instruction globale identifie la liste d'accès, généralement un numéro de liste. Celui-ci se réfère au type de liste. A partir de la version 11.2 de Cisco IOS, les listes pour IP peuvent aussi utiliser un nom à la place du numéro.

- Le mot clé **permit** (acceptation) ou **deny** (rejet) dans une instruction de liste indique la façon dont les paquets satisfaisant à la condition sont gérés par le système. Une acceptation entraîne généralement la possibilité pour le paquet d'emprunter une ou plusieurs interfaces spécifiées par la suite.

- Le terme (ou les termes) final spécifie les conditions de test utilisées par l'instruction de liste d'accès. Le test peut être aussi simple que la vérification d'une adresse source, mais il s'étend généralement à plusieurs expressions conditionnelles. Utilisez plusieurs instructions de liste d'accès avec le même identifiant pour empiler plusieurs conditions de test dans une séquence logique ou liste de tests.

2. La commande **access-group** active les listes d'accès sur une interface.

```
Router(config)#protocole access-group numéro-liste
```

Identification de listes d'accès

Les listes d'accès peuvent contrôler la plupart des protocoles sur un routeur Cisco. Le Tableau 13.1 illustre les protocoles et les plages de numéros des types de listes d'accès traités dans ce chapitre.

Tableau 13.1 : Protocoles et plages de numéros des listes d'accès

Type de liste d'accès		*Plage de numéros/identifiant*
IP	Standard	1-99
	Etendu	100-199
		Nommée (Cisco IOS version 11.2 et ultérieures)
IPX	Standard	800-899
	Etendu	900-999
	Filtres SAP	1000-1099
		Nommée (Cisco IOS version 11.2F et ultérieures)
AppleTalk		600-699

Un administrateur indique un numéro de la plage de numéros du protocole comme premier argument de l'instruction de la liste d'accès globale. Le routeur identifie le logiciel de liste d'accès à utiliser en se basant sur le numéro entré. Les conditions de test de liste d'accès suivent en tant qu'arguments. Ceux-ci spécifient les tests selon des règles liées à la suite de protocoles donnée. La signification ou la validité de la stratégie d'identification standard ou étendue pour les listes d'accès varie selon le protocole.

ATTENTION

Parmi les exceptions à la stratégie de classification des numérotations, on trouve Apple-Talk et DECnet, où la même plage de numéros peut identifier divers types de listes. Pour la majeure partie, les plages de numéros ne se chevauchent pas entre différents protocoles.

Banyan VINES est une exception notable. Ses numéros s'étendent de 1 à 100 et la plage de 101 à 200 fonctionne avec le groupe unique de serveurs et de nœuds clients dans chaque réseau logique. Les numéros de ces plages n'entrent pas en conflit avec ceux des listes pour IP, car l'administrateur utilise une commande différente, **vines access-list**. L'Annexe C en dit plus à ce sujet.

Il est possible d'employer plusieurs listes d'accès pour un protocole. Associez à chaque liste un numéro différent d'un intervalle approprié pour le protocole. L'administrateur peut toutefois ne spécifier qu'une liste par protocole et par interface.

Les plages de numéros autorisent généralement 100 listes d'accès différentes par type de protocole. Lorsqu'une plage donnée de 100 numéros désigne les listes standards d'un protocole, la règle est que la plage suivante de 100 numéros concerne les listes étendues pour le même protocole.

Avec les versions 11.2 et ultérieures de Cisco IOS, vous pouvez également identifier une liste d'accès IP standard ou étendue par une chaîne alphanumérique (un nom), à la place d'un numéro. Cette méthode peut se révéler plus facile à administrer. Les listes d'accès IP nommées apportent d'autres avantages qui sont traités plus loin dans ce chapitre.

Listes d'accès TCP/IP

Cette section se concentre sur les listes d'accès TCP/IP standards, étendues et nommées. Elle se termine en présentant trois exemples de listes d'accès.

Test de paquets par listes d'accès IP

Pour les filtres de paquets TCP/IP, les listes d'accès du système Cisco IOS vérifient le paquet et les en-têtes de couches supérieures (voir Figure 13.5).

Les listes d'accès peuvent, par exemple, servir à contrôler dans les paquets :

■ L'adresse IP source au moyen d'une liste standard. Identifiez-la avec un numéro de l'intervalle de 1 à 99.

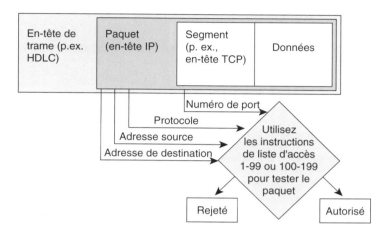

Figure 13.5

Les listes d'accès peuvent contrôler les adresses source et de destination et les numéros de port de couches supérieures.

■ Les adresses source et de destination de IP ou d'autres protocoles spécifiques au moyen de listes étendues. Identifiez celles-ci par un numéro de l'intervalle 100 à 199.

■ Les numéros de port TCP de couches supérieures ou UDP en plus des autres tests de listes d'accès étendues. Identifiez également celles-ci avec un numéro de l'intervalle de 100 à 199.

Après qu'un paquet a été contrôlé avec l'une de ces listes d'accès TCP/IP, il peut être autorisé ou non à employer une interface du groupe d'accès.

Concepts clés liés aux listes d'accès

Vous créez les listes d'accès en utilisant le processus normal de configuration globale de routeur.

La spécification d'un numéro de liste d'accès de la plage 1 à 99 indique au routeur d'accepter des instructions de listes d'accès IP standards. Un numéro de l'intervalle 100 à 199 spécifie des instructions de listes d'accès IP étendues.

L'administrateur doit décider logiquement des contrôles d'accès à effectuer et ordonner des instructions pour atteindre les objectifs de contrôles visés. Les protocoles admis doivent être spécifiés. Tous les autres protocoles TCP/IP seront rejetés.

Sélectionnez les protocoles IP à contrôler. Tous les autres protocoles IP ne seront pas examinés. Plus en avant dans la procédure, l'administrateur peut également spécifier un port de destination optionnel pour obtenir une plus grande finesse de contrôle.

Le filtrage d'adresse est obtenu au moyen de masques binaires génériques de listes d'accès qui spécifient les bits d'adresse IP à vérifier ou ignorer (0 = vérifier, 1 = ignorer). La prochaine section explique comment utiliser ces masques.

Utilisation de masques binaires génériques

Les listes d'accès IP utilisent des masques binaires génériques pour identifier les adresses IP dans les tests d'acceptation ou de rejet. Un masque est associé à une adresse et utilise des valeurs 1 et 0 pour traiter les bits correspondants d'une adresse (voir Figure 13.6) :

■ Un bit 0 signifie "vérifier la valeur du bit correspondant dans l'adresse IP".

■ Un bit 1 signifie "ne pas vérifier (ignorer) la valeur du bit correspondant dans l'adresse IP".

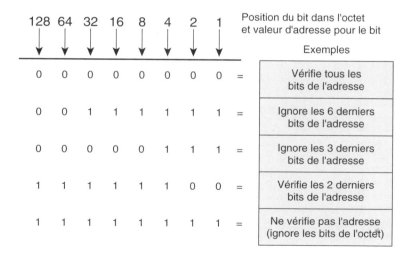

Figure 13.6

Les masques binaires utilisent les valeurs 1 et 0 pour savoir comment traiter les bits d'adresses IP.

Bien que le masque générique de liste d'accès et celui de sous-réseau IP soient tous deux des quantités de 32 bits, ils opèrent différemment. Rappelez-vous que les zéros et les uns d'un masque de sous-réseau déterminent les portions réseau, sous-réseau et hôte, d'une adresse IP donnée. Dans un masque de liste d'accès, les zéros et les uns déterminent les bits correspondants de l'adresse à vérifier ou ignorer, comme il a été expliqué plus haut.

Le terme de *masque générique* désigne en fait le processus de mise en correspondance des bits pour une liste d'accès. Un masque joue le rôle du joker qui remplace n'importe quelle carte dans un jeu de poker.

Vous avez vu comment les bits à 0 et à 1 d'un masque générique de liste d'accès permettent de vérifier ou d'ignorer les bits correspondants d'une adresse IP. La Figure 13.7 illustre un exemple de ce processus.

Condition de test
Réseaux ciblés : 172.30.16.0 à 172.30.31.0

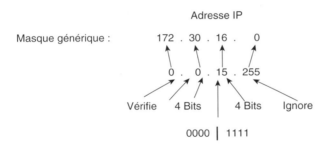

Figure 13.7
Utilisation d'un masque binaire générique 0.0.15.255.

Imaginez le scénario suivant. Un administrateur veut tester une adresse IP pour identifier des sous-réseaux admis ou refusés. Supposez qu'il s'agisse d'une adresse de Classe B (les deux premiers octets représentent le numéro de réseau) avec huit bits pour la subdivision en sous-réseaux (le troisième octet est réservé aux numéros de sous-réseaux). L'administrateur veut utiliser un masque binaire générique pour identifier les sous-réseaux numérotés de 172.30.16.0 à 172.30.31.0. Voici la procédure à suivre pour utiliser le masque à cet effet :

■ Pour commencer, le masque doit vérifier les deux premiers octets (172.30) en utilisant les bits correspondants du masque avec une valeur 0.

■ Comme les adresses d'hôtes individuels ne sont pas intéressantes pour notre exemple, le masque ignore le dernier octet en utilisant la valeur 1 pour les bits correspondants.

■ Dans le troisième octet, celui de l'adresse de sous-réseau, le masque vérifiera que la position binaire correspondant au 16 est activée et que tous les bits de plus haut rang sont désactivés en utilisant des zéros pour les bits correspondants du masque.

Pour les quatre derniers bits (de plus fort poids) de cet octet, le masque ignorera la valeur. Sur ces positions au niveau de l'adresse, la valeur peut être 0 ou 1, et les bits correspondants du masque peuvent donc recevoir la valeur 1.

Dans cet exemple, la combinaison de l'adresse 172.30.16.0 avec le masque 0.0.15.255 ne ciblera que les sous-réseaux 172.30.16.0 à 172.30.31.0.

Cibler toutes les adresses IP

Travailler avec des représentations décimales des bits de masques binaires peut s'avérer fastidieux. Pour les utilisations les plus courantes du masque, vous pouvez utiliser des mots abrégés. Ils permettent de limiter les nombres qu'un administrateur doit entrer lors de la configuration des conditions de tests d'adresses. Vous pouvez, par exemple, utiliser une abréviation à la place d'une longue série binaire, lorsque vous voulez cibler n'importe quelle adresse.

Supposez qu'un administrateur veuille spécifier dans un test que n'importe quelle adresse de destination est autorisée, comme illustré Figure 13.8. Pour cela, il spécifie 0.0.0.0.

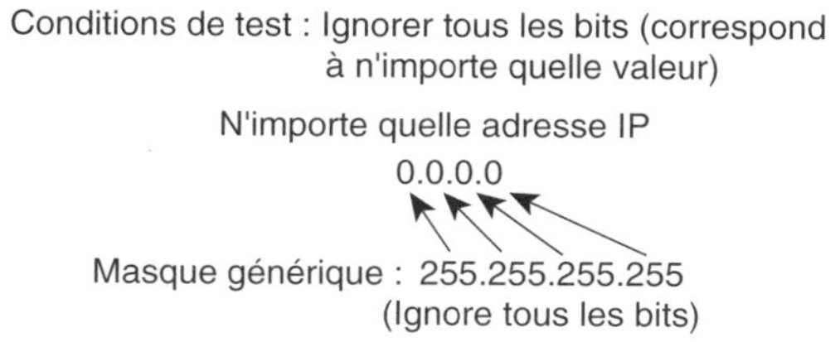

Conditions de test : Ignorer tous les bits (correspond
à n'importe quelle valeur)

N'importe quelle adresse IP
0.0.0.0

Masque générique : 255.255.255.255
(Ignore tous les bits)

Figure 13.8

Cette abréviation indique au logiciel d'ignorer n'importe quelle valeur de bit sur n'importe quelle position ; ce qui correspond à n'importe quelle valeur de n'importe quel octet d'une adresse.

Pour stipuler ensuite que la liste devrait ignorer (autoriser sans vérifier) n'importe quelle valeur, le masque correspondant pour cette adresse ne comporterait que des bits ayant la valeur 1, c'est-à-dire en décimal, 255.255.255.255.

L'administrateur peut utiliser l'abréviation **any** pour spécifier cette même condition de test au logiciel de liste d'accès du système Cisco IOS. Dans ce cas, il n'a pas besoin de taper **0.0.0.0 255.255.255.255**.

Cibler une adresse IP d'hôte spécifique

Une autre situation dans laquelle le logiciel Cisco IOS autorisera l'emploi d'une abréviation dans un masque générique de liste d'accès étendu est lorsque l'administrateur veut cibler tous les bits de la totalité d'une adresse IP d'hôte (comme illustré Figure 13.9).

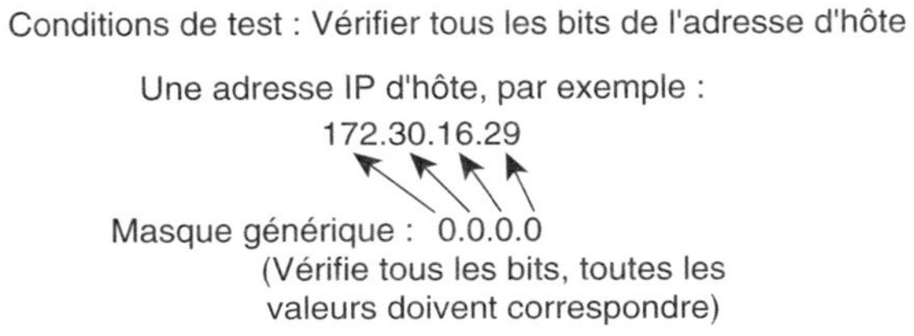

Conditions de test : Vérifier tous les bits de l'adresse d'hôte

Une adresse IP d'hôte, par exemple :
172.30.16.29

Masque générique : 0.0.0.0
(Vérifie tous les bits, toutes les
valeurs doivent correspondre)

Figure 13.9
L'abréviation indique au logiciel de vérifier la valeur de tous les bits de l'adresse d'hôte.

Supposez qu'un administrateur de réseau souhaite rejeter une adresse d'hôte IP spécifique dans un test de liste d'accès. Pour cela, il entre l'adresse complète, par exemple, **172.30.16.29**. Pour indiquer que la liste d'accès doit vérifier tous les bits de l'adresse, il spécifie un masque avec la valeur 0 sur toutes les positions, c'est-à-dire 0.0.0.0.

Dans cet exemple, l'administrateur pourrait utiliser l'abréviation **host 172.30.16.29** pour stipuler le même test au logiciel de liste d'accès au lieu de taper **172.30.16.29 0.0.0.0**.

Configuration d'accès IP standard

La commande **acess-list** crée une entrée dans une liste de filtre de trafic standard. Le format de la commande est :

```
Router(config)#access-list numéro-liste {permit | deny}
    source [masque-source]
```

Les arguments ont la signification suivante :

- **numéro-liste.** Identifie la liste à laquelle l'entrée appartient. Un numéro de l'intervalle 1 à 99.

- **permit | deny.** Indique si cette entrée autorise ou bloque le trafic en provenance de l'adresse spécifiée.

- **source.** Identifie l'adresse IP source. Utilisez le mot clé **any** comme abréviation pour une adresse source et un masque générique ayant respectivement pour valeur 0.0.0.0 et 255.255.255.255.

- **masque-source.** Identifie les bits de l'adresse qui sont vérifiés ou ignorés. La valeur 1 stipule une position non vérifiée, et la valeur 0 une position qui doit être contrôlée.

La commande **ip access-group** relie une liste d'accès existante à une interface de sortie. Seule une liste est autorisée par port, par protocole et par direction. La syntaxe de cette commande est :

```
Router(config)#ip access-group numéro-liste {in | out}
```

Les arguments sont les suivants :

- **numéro-liste.** Indique le numéro de la liste à relier à l'interface.

- **in | out.** Indique si la liste d'accès est appliquée à l'interface entrante ou sortante. Le paramètre par défaut est **out**.

Exemple 1 : acceptation d'un réseau seulement

La Figure 13.10 illustre une situation dans laquelle la liste d'accès autorise la transmission du trafic provenant du réseau source 172.16.0.0 seulement.

Dans la figure, les paramètres de la commande **access-list** sont les suivants :

- **1.** Numéro de la liste d'accès. Indique une liste standard.

- **permit.** Le trafic qui satisfait aux paramètres sélectionnés sera transmis.

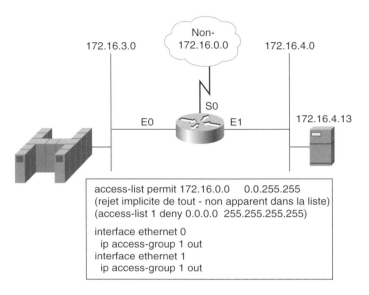

Figure 13.10
Le trafic du réseau 172.16.0.0 est autorisé à transiter.

- **172.16.0.0**. L'adresse IP qui sera utilisée avec le masque générique pour identifier le réseau source.

- **0.0.255.255**. Masque générique. Toujours sur un plan binaire, les valeurs 0 donnent les positions qui doivent correspondre, et les valeurs 1 celles à ignorer.

La commande **ip access-group 1 out** associe la liste d'accès 1 à une interface de sortie.

Pour supprimer une liste d'accès, exécutez d'abord la commande **no access-group** avec tout son ensemble de paramètres, et la commande **no access-list** avec son ensemble de paramètres.

Exemple 2 : refus d'un hôte spécifique

La Figure 13.11 illustre un exemple de liste d'accès servant à bloquer le trafic provenant d'une adresse spécifique, **172.16.4.13**, et autoriser tout autre trafic à être aiguillé vers l'interface Ethernet 0. La première commande **access-list** utilise le paramètre **deny** pour interdire le trafic de l'hôte identifié. Le masque **0.0.0.0** sur cette ligne implique que tous les bits doivent être testés et correspondre. Si ce masque était omis, le routeur emploierait un masque implicite.

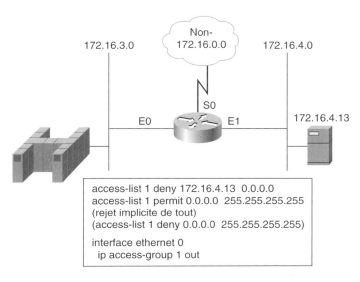

access-list 1 deny 172.16.4.13 0.0.0.0
access-list 1 permit 0.0.0.0 255.255.255.255
(rejet implicite de tout)
(access-list 1 deny 0.0.0.0 255.255.255.255)

interface ethernet 0
  ip access-group 1 out

Figure 13.11

Rejet du trafic en provenance d'un hôte spécifique.

Dans la deuxième commande **access-list**, la combinaison adresse IP/masque **0.0.0.0 255. 255. 255. 255** identifie le trafic provenant de n'importe quelle source. Cette combinaison peut aussi être spécifiée avec le mot clé **any**. Toutes les valeurs 0 de l'adresse représentent un caractère de remplacement, et toutes les valeurs 1 du masque stipulent que les 32 bits de l'adresse source ne seront pas contrôlés.

N'importe quel paquet non correspondant avec le test de la première commande, correspondra à celui de la deuxième commande et sera transmis.

Exemple 3 : refus d'un sous-réseau spécifique

La Figure 13.12 illustre une liste d'accès qui bloque le trafic émanant du sous-réseau **172.16.4.0** et autorise tout autre trafic à être acheminé. Remarquez le masque **0.0.0.255**. Les valeurs 0 des trois premiers octets indiquent les positions binaires qui doivent correspondre et la valeur 255 du dernier octet signale les bits à ignorer. L'abréviation **any** a été utilisée pour l'adresse IP de la source.

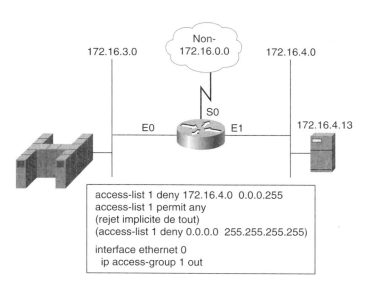

Figure 13.12

Une liste d'accès bloquant le trafic du sous-réseau 172.16.4.0.

Listes d'accès IP étendues

Les listes d'accès standards (numérotées de 1 à 99) peuvent ne pas fournir le contrôle dont vous auriez besoin. Elles basent leur filtrage sur l'emploi d'une adresse source et d'un masque, et autorisent ou interdisent l'accès à l'ensemble de la suite de protocoles IP. Vous pourriez avoir besoin d'une méthode de contrôle d'accès plus précise.

Les liste d'accès étendues permettent de vérifier l'adresse source, mais aussi celle de destination. De plus, une instruction en fin de liste peut apporter une précision supplémentaire en autorisant la spécification d'un numéro de port TCP ou UDP. Il peut s'agir de l'un des numéros de ports dits connus ou réservés pour TCP/IP. Reportez-vous au Tableau 2.1 pour revoir certains des numéros les plus courants.

Vous pouvez indiquer l'opération logique que la liste d'accès étendue exécutera sur des protocoles spécifiques. Les listes d'accès étendues utilisent un numéro de 100 à 199.

─── **Astuce** ───────────────────────────────────

Pour les listes d'accès IP standards et étendues, utilisez un masque binaire (sous forme décimale) générique qui identifie les bits de l'adresse auxquels s'applique la liste. Pour les deux types de listes, la commande **access-group** permet le filtrage de paquet en entrée ou en sortie du routeur.

───

Configuration d'une liste d'accès étendue

La commande **access-list** crée une entrée pour exprimer une instruction conditionnelle dans un filtre complexe. Le format complet est :

```
Router(config)#access-list numéro-liset {permit ¦ deny} protocole
➥source
   masque-source destination masque-destination [opérateur opérande]
   [established]
```

Les paramètres et mot clés sont les suivants :

- **numéro-liste.** Identifie la liste en utilisant un numéro de l'intervalle 100 à 199.

- **permit | deny.** Indique si cette entrée autorise ou bloque l'adresse spécifiée.

- **protocole.** IP, TCP, UDP, ICMP, GRE, IGRP.

- **source et destination.** Identifie les adresses IP source et destination.

- **masque-source et masque-destination.** Masque générique.

- **opérateur et opérande.** lt, et, eq, neq (respectivement inférieur à, supérieur à, égale, non égal) et un numéro ou un nom de port.

- **established.** Autorise un paquet TCP à passer s'il utilise une connexion établie (par exemple, avec le bit ACK positionné).

La commande **ip access-group** associe une liste d'accès étendue à une interface de sortie. En voici la syntaxe :

```
Router(config)#ip access-group numéro-liste {in ¦ out}
```

Les paramètres et mots-clés sont les suivants :

- **numéro-liste.** Indique le numéro de la liste d'accès à associer à cette interface.

- **in | out.** Précise si la liste d'accès est impliquée à une interface en entrée ou en sortie. Le paramètre par défaut est **out**.

CONCEPT CLÉ

Souvenez-vous qu'une seule liste d'accès est autorisée par port et par protocole.

Exemple 1 : rejet du trafic FTP pour une interface donnée

La Figure 13.13 illustre une liste d'accès étendue qui bloque le trafic FTP.

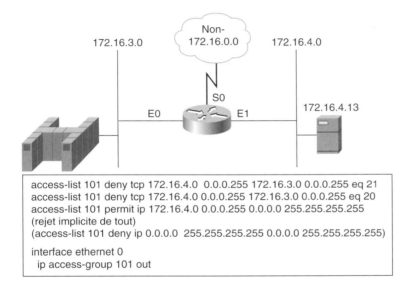

```
access-list 101 deny tcp 172.16.4.0  0.0.0.255 172.16.3.0 0.0.0.255 eq 21
access-list 101 deny tcp 172.16.4.0 0.0.0.255 172.16.3.0 0.0.0.255 eq 20
access-list 101 permit ip 172.16.4.0 0.0.0.255 0.0.0.0 255.255.255.255
(rejet implicite de tout)
(access-list 101 deny ip 0.0.0.0  255.255.255.255 0.0.0.0 255.255.255.255)

interface ethernet 0
  ip access-group 101 out
```

Figure 13.13

Une liste d'accès pour une application de couche supérieure spécifique.

Le paramètre **permit** autorise le trafic du sous-réseau 182.16.4.0 à être transmis à tous les autres réseaux ou sous-réseaux *via* l'interface E0. Les autres paramètres de la liste d'accès sont les suivants :

- **101.** Ce numéro de liste d'accès indique qu'il s'agit d'une liste étendue.

- **deny.** Le trafic qui correspond aux critères sélectionnés sera bloqué.

- **tcp.** Protocole de la couche transport.

- **172.16.4.0** et **0.0.0.255.** L'adresse IP source et le masque. Les trois premiers octets doivent correspondre et le dernier est ignoré.

- ■ **eq 21**. Spécifie le numéro de port connu pour FTP.

- ■ **eq 20**. Spécifie numéro de port connu pour les données FTP.

L'effet de la commande **interface E0 access-group 101** est de lier la liste d'accès 101 à l'interface de port de sortie E0.

Exemple 2 : rejet du trafic Telnet sortant d'une interface donnée et admission de tout autre trafic

La Figure 13.14 illustre une autre liste d'accès étendue.

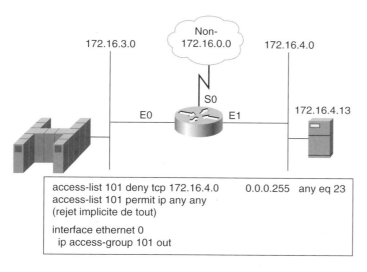

Figure 13.14

Une liste d'accès étendue peut refuser le trafic d'un protocole spécifique provenant d'une source donnée.

Cet exemple rejette le trafic Telnet (**eq 23**) provenant de l'adresse 172.16.4.0 et sortant sur l'interface E0. Tout le trafic en provenance d'une autre source et partant vers n'importe quelle destination est autorisé, comme spécifié par les mots-clés **any any**. L'interface E0 est configurée avec la commande **ip access-group 101 out**, c'est-à-dire que la liste 101 est liée à l'interface de port de sortie E0.

Listes d'accès nommées

Les listes d'accès nommées permettent que les listes d'accès IP simples et étendues soient identifiées au moyen d'une chaîne alphanumérique (nom) à la place d'un nombre (1 à 199).

Avec les instructions de liste d'accès IP numérotées, un administrateur souhaitant modifier une liste d'accès doit supprimer toutes les instructions de la liste. Pour cela, le mot clé **no** doit précéder chaque instruction.

Les listes d'accès IP nommées peuvent être utilisées pour supprimer les entrées individuelles d'une liste spécifique. La suppression d'entrées individuelles permet de modifier une liste sans avoir à la supprimer et à la reconfigurer. Utilisez les listes d'accès nommées dans les situations suivantes :

- Lorsque vous voulez identifier intuitivement des listes d'accès au moyen d'un nom.

- Lorsque plus de 99 listes d'accès simples et 100 listes d'accès étendues doivent être configurées sur un routeur pour un protocole donné.

Considérez les points suivants avant d'implémenter des listes d'accès nommées :

- Les listes d'accès nommées ne sont pas compatibles avec les systèmes Cisco IOS antérieurs à la version 11.2.

- Vous ne pouvez pas utiliser le même nom pour plusieurs listes d'accès. De plus, des listes d'accès de types différents ne peuvent pas avoir le même nom. Par exemple, une liste standard ne peut pas avoir le même nom qu'une liste étendue.

La plupart des commandes de liste d'accès couramment utilisées acceptent les listes nommées.

Les commandes suivantes peuvent être utilisées pour définir des listes nommées :

```
Router(config)#ip access-list {standard ¦ extended} nom
```

Dans le mode de configuration de liste d'accès, spécifiez une ou plusieurs conditions d'admission ou de rejet de paquet.

```
Router(config (std- ¦ ext-)nacl)#
deny {source [masque-source] ¦ any
```

ou

```
permit {isource [masque-source] ¦ any}
```

La configuration suivante crée une liste d'accès standard nommée Filtre_internet et une liste d'accès étendue nommée groupe_marketing :

```
interface Ehternet0/5
ip address 2.0.5.1 255.255.255.0
ip access-group Filtre_internet out
ip access-group groupe_marketing in
. . .
ip access-list standard Filtre_internet
permit 1.2.3.4
deny any
ip access-list extended groupe_marketing
permit tcp any 171.69.0.0 0.0.255.255 eq telnet
deny tcp any any
permit icmp any any
deny udp any 171.69.0.0 0.0.255.255 lt 1024
deny ip any any log
```

Pour activer la liste nommée sur une interface, utilisez la commande suivante :

```
Router(config-if)#ip access-group {nom ¦ 1-199 {in ¦ out}}
```

Voici un autre exemple de configuration :

```
ip access-list extended réseau_A
permit tcp any 171.69.0.0 0.0.255.255 eq telnet
deny tcp any any
permit icmp any any
deny udp any 171.69.0.0 0.0.255.255 lt 1024
deny ip anypermit tcp any 171.69.0.0 0.0.255.255 eq telnet
deny tcp any any
permit icmp any any
deny udp any 171.69.0.0 0.0.255.255 lt 1024
deny ip any any
interface Ethernet0/5
ip address 2.0.5..1 255.255.255.0
ip access-group réseaux_X out
ip access-group réseau_A in
ip access-list standard réseaux_X
permit 1.2.3.4
deny any
```

Placement des listes d'accès

Les listes d'accès sont utilisées pour contrôler le trafic en filtrant et en supprimant les paquets indésirables. L'endroit sur lequel un administrateur place une instruction de liste d'accès peut réduire le trafic inutile. Par exemple, le trafic qui sera refusé sur une destination distante ne devrait pas utiliser les ressources du réseau le long de l'itinéraire vers cette destination.

Supposez qu'une entreprise décide de refuser sur le routeur A le trafic Token Ring à destination du LAN commuté Ethernet sur le port E1 du routeur D, comme illustré Figure 13.15. En même temps, tout autre trafic doit être admis. Plusieurs approches peuvent atteindre cet objectif.

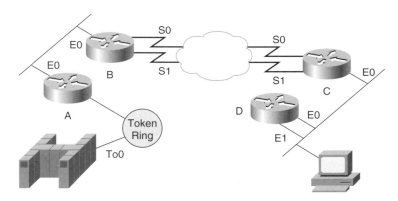

Figure 13.15

Placement des listes d'accès standards près de la destination et des listes d'accès étendues près de la source.

L'approche recommandée utilise une liste d'accès étendue. Celle-ci spécifie les adresses source et de destination. Placez-la sur le routeur A. Les paquets ne traverseront pas l'interface Ethernet du routeur A, les interfaces série des routeurs B et C, et n'entreront pas sur le routeur D. Le trafic dont les adresses source et destination sont différentes est autorisé.

Une règle qu'il est possible de suivre avec les listes d'accès étendues est de les placer aussi près que possible de la source du trafic refusé.

Les listes d'accès standards ne permettent pas de spécifier une adresse de destination. L'administrateur devrait placer la liste aussi près que possible de la destination. Par exemple, dans la Figure 13.15, placez une liste d'accès sur l'interface E0 du routeur D pour rejeter le trafic provenant du routeur A.

Vérification des listes d'accès

La commande **show ip interface** permet d'afficher les informations d'interface IP et de voir si des listes d'accès sont mises en œuvre. La Figure 13.16 illustre le résultat de son exécution.

```
Router#show ip interface
Ethernet 0 is up, line protocol is up
       Internet address is 192.54.222.2, subnet mask is 255.255.255.0
       Broadcast address is 255.255.255.255
       Address determined by non-volatile memory
       MTU is 1500 bytes
       Helper address is 192.52.71.4
       Secondary address 131.192.115.2, subnet mask 255.255.255.0
       Outgoing access list 10 is set
       Inbound access list is not set
       Proxy APR is enabled
       Security level is default
       Split horizon is enabled
       ICMP redirects are always sent
       ICMP unreachables are always sent
       ICMP mask replies are never sent
       IP fast switching is enabled
       Gateway Discovery is disabled
       IP accounting is disabled
       TCP/IP header compression is disabled
       Probe proxy name replies are disabled
Router#
```

Figure 13.16
Le résultat de la commande show ip interface montre qu'une liste d'accès de sortie est définie.

Révision des instructions de listes d'accès

La commande **show access-lists** affiche le contenu de toutes les listes d'accès (voir Figure 13.17). Cette commande du système Cisco IOS permet d'obtenir plus de renseignements sur les instructions de listes d'accès. En indiquant le nom ou le numéro de la liste en option de cette commande, vous pouvez obtenir des informations sur une liste spécifique.

```
Router> show access-list
Standard IP access list 19
      permit  172.16.19.0
      deny    0.0.0.0. wildcard bits 255.255.255.255
Standard IP access list 49
      permit 172.16.31.0  wildcard bits 0.0.0.255
      permit 172.16.194.0  wildcard bits 0.0.0.255
      permit 172.16.195.0  wildcard bits 0.0.0.255
      permit 172.16.195.0  wildcard bits 0.0.0.255
      permit 172.16.196.0  wildcard bits 0.0.0.255
      permit 172.16.197.0  wildcard bits 0.0.0.255
Extended IP access list 101
      permit tcp 0.0.0.0 255.255.255.255 0.0.0.0 255.255.255.255  eq 23
Type code access list 201
      permit 0x6001 0x0000
Type code access list 202
      permit 0x6004 0x0000
      deny   0x0000 0xFFFF
Router>
```

Figure 13.17

*La commande show access-lists permet d'afficher des informations sur le trafic bloqué
ou admis.*

La ligne mise en surveillance indique une instruction de rejet. Si vous tapez de
façon explicite une telle instruction, elle n'est alors pas dynamique et apparaît dans
la liste d'accès. Toutefois, si vous utilisez la fonction de "rejet implicite", aucune
instruction n'apparaîtra dans la liste.

Vous pouvez aussi accéder aux informations de listes d'accès avec les commandes
show running-config et **show startup-config** (Cisco IOS version 10.3 ou ultérieure). Toutefois, avec cette commande, les informations de listes d'accès sont
disséminées parmi les autres instructions du fichier de configuration.

Listes d'accès pour Novell IPX

Dans cette section, vous allez étudier comment bloquer ou admettre un trafic IPX
spécifique au moyen d'un routeur Cisco. Commencez par tester les paquets au
moyen de listes d'accès.

Test de paquets au moyen de listes d'accès Novell

Pour les filtres de paquets Novell IPX traités dans ce chapitre, les listes d'accès de Cisco IOS vérifient les informations suivantes dans l'en-tête des paquets :

■ Les adresses IPX source et de destination au moyen de listes d'accès standards. Identifiez celles-ci par un numéro de l'intervalle 800 à 899, comme illustré Figure 13.18.

■ Les numéros d'annonces de services en plus des autres tests des listes d'accès de filtre SAP. Identifiez celles-ci par un numéro de l'intervalle 1000 à 1099.

Pour toutes ces listes d'accès Novell IPX, il est possible d'interdire ou d'autoriser un paquet à utiliser une interface du groupe d'accès. Le système Cisco IOS offre plusieurs autres formes de listes d'accès pour les paquets Novell IPX. Reportez-vous au site **www.cisco.com** pour plus d'informations.

Concepts clés pour les listes d'accès IPX

L'adressage Novell se base sur le format *réseau.nœud.socket*. Le numéro de réseau est assigné par l'administrateur et celui du nœud dérive de l'adresse MAC de l'interface. Les lignes série adoptent l'adresse MAC d'une autre interface dans la création de leurs adresses logiques. Le numéro de socket se réfère à un processus ou à une application (un peu comme un port TCP).

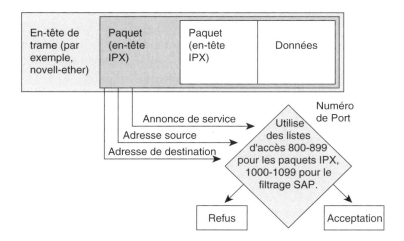

Figure 13.18

Vous pouvez utiliser des listes d'accès pour filtrer le trafic IPX provenant d'une source ou d'un service spécifique.

Par exemple, AABB0001.00001B031C33.0452 peut être interprété de la façon suivante :

■ AABB0001 représente l'adresse de réseau.

■ 00001B031C33 est l'adresse du nœud.

■ 0452 est le numéro de socket.

Chaque serveur de fichier NetWare possède un numéro de réseau IPX interne et assure le routage IPX. Les réseaux IPX externes se connectent à des interfaces de routeur. Le numéro de réseau IPX assigné à une interface de routeur Cisco doit être unique et cohérent avec les numéros de réseaux connus par le serveur de fichier.

Les listes d'accès standards IPX utilisent des numéros de l'intervalle 800 à 899. Elles permettent de vérifier à la fois l'adresse source et celle de destination. Pour identifier les parties de l'adresse à contrôler ou à ignorer, les listes utilisent un masque générique qui fonctionne comme celui utilisé pour les adresses IP.

Pour contrôler le trafic du service SAP, utilisez des filtres SAP identifiés par un numéro de l'intervalle 1000 à 1099. Plusieurs autres types de filtres de paquets et de routes peuvent aider à gérer le trafic lié à la surcharge de service de IPX. Par exemple, les listes d'accès peuvent contrôler les paquets GNS (*Get Nearest Server*) expédiés par les clients vers les serveurs, le trafic RIP (*Routing Information Protocol*) et NLSP (*NetWare Link Services Procotol*).

Les listes d'accès IPX étendues filtrent des protocoles ou des sockets spécifiques. Le filtrage des sockets utilise des listes d'accès numérotées au moyen de l'intervalle 900 à 929.

Contrôle de la surcharge de service IPX

Le routage et les processus d'annonces IPX ont été développés pour être exécutés sur des réseaux locaux. Lorsque ces derniers sont interconnectés avec des liaisons de réseaux étendus plus lentes et plus coûteuses, comme illustré Figure 13.19, la surcharge occasionnée par les paquets de contrôle IPX peut diminuer la bande passante utilisable par le trafic utilisateur. Les serveurs IPX envoient des annonces de service SAP par broadcast toutes les 60 secondes.

Les routeurs envoient des informations de routage et des métriques par broadcast aux autres routeurs IPX. La Figure 13.19 illustre quatre réseaux IPX et plusieurs serveurs qui annoncent des routes et des services.

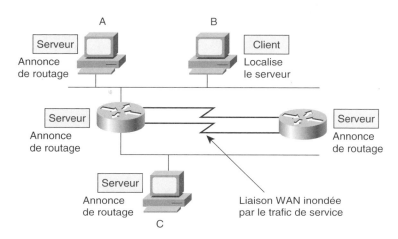

Figure 13.19

Les mises à jour fréquentes réduisent la bande passante utilisable par le trafic utilisateur.

Lorsqu'une station de travail client démarre, elle envoie son propre message broadcast SAP pour localiser un serveur. Ensuite, à partir du serveur le plus proche, elle peut ouvrir une session sur un serveur cible et exécuter des applications en réseau.

Lorsque des paquets de ces protocoles sont indésirables, un administrateur peut définir des listes d'accès IPX. Avec les listes d'accès standards vues dans ce chapitre, le filtrage d'acceptation ou de rejet agit sur tous les paquets IPX des adresses d'interfaces.

Configuration de listes d'accès IPX standards

Utilisez la commande **access-list** pour filtrer le trafic sur un réseau IPX. L'emploi de filtres sur l'interface de sortie du routeur permet d'autoriser ou de refuser l'accès pour différents protocoles ou applications à des réseaux individuels. Voici la syntaxe de la commande :

```
Router(config)#access-list numéro-liste {deny ¦ permit}
    réseau-source [.nœud-source][masque-nœud-source]
    [réseau-destination] [.nœud-destination][masque-nœud-destination]
```

Les paramètres et mots-clés sont les suivants :

■ **numéro-liste.** Le numéro de la liste d'accès. Un nombre décimal de l'intervalle 800 à 899.

- **deny.** Refuse l'accès si la condition est satisfaite.

- **permit.** Autorise l'accès si la condition est satisfaite.

- **réseau-source.** Numéro du réseau à partir duquel le paquet a été envoyé. Il s'agit d'un nombre hexadécimal de huit chiffres qui identifie de façon unique un segment de câble de réseau. Cela peut être n'importe quel numéro de l'intervalle 1 à FFFFFFFE. Un numéro 0 signifie le réseau local. Un numéro –1 correspond à tous les réseaux. Vous n'avez pas besoin de spécifier les zéros de début du numéro de réseau. Par exemple, pour le numéro de réseau 000000AA, il peut suffire de taper AA.

- **nœud-source** (optionnel). Nœud sur le réseau source à partir duquel le paquet a été envoyé. Il s'agit d'une valeur de 48 bits représentée par trois nombres hexadéci-maux de quatre chiffres chacun, séparés entre eux par des points (xxxx.xxxx.xxxx).

- **masque-nœud-source** (optionnel). Masque à appliquer au nœud source. Il s'agit d'une valeur de 48 bits représentée par trois nombres hexadécimaux de quatre chiffres chacun, séparés entre eux par des points (xxxx.xxxx.xxxx). Donnez la valeur 1 aux positions que vous voulez masquer.

- **réseau-destination** (optionnel). Numéro du réseau auquel le paquet doit être envoyé. Il s'agit d'un nombre hexadécimal de huit chiffres qui identifie de façon unique un segment de câble de réseau. Cela peut être n'importe numéro de l'intervalle 1 à FFFFFFFE. Un numéro 0 signifie le réseau local. Un numéro –1 correspond à tous les réseaux. Vous n'avez pas besoin de spécifier les zéros de début du numéro de réseau. Par exemple, pour le numéro de réseau 000000AA, il peut suffire de taper AA.

- **nœud-destination.** Nœud sur le réseau destination auquel le paquet doit être envoyé. Il s'agit d'une valeur de 48 bits représentée par trois nombres hexadéci-maux de quatre chiffres chacun, séparés entre eux par des points (xxxx.xxxx.xxxx).

- **masque-nœud-destionation** (optionnel). Masque à appliquer au nœud de destina-tion. Il s'agit d'une valeur de 48 bits représentée par trois nombres hexadécimaux de quatre chiffres chacun, séparés entre eux par des points (xxxx.xxxx.xxxx). Donnez la valeur 1 aux positions que vous voulez masquer.

Utilisez la commande **ipx access-group** de la manière suivante pour lier un filtre de trafic IPX à une interface :

```
Router(config-if)#ipx access-group numéro-liste [in ¦ out]
```

L'argument *numéro-liste* est un numéro de liste de filtre IPX de l'intervalle 800 à 899.

Exemple de liste d'accès IPX standard

La Figure 13.20 illustre une liste d'accès autorisant le trafic IPX du réseau 2b en direction du réseau 4d à être transmis sur l'interface Ethernet.

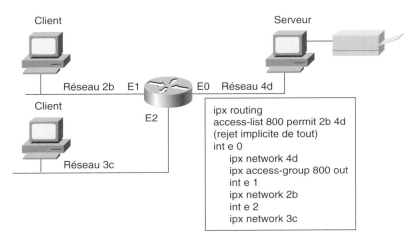

Figure 13.20

Exemple de liste d'accès IPX standard.

Les détails de la commande **access-list 800** de la Figure 13.21 sont les suivants :

■ **800**. Spécifie une liste d'accès standard pour Novell IPX.

■ **permit**. Indique que le trafic satisfaisant aux conditions spécifiées sera transmis.

■ **2b**. Numéro du réseau source.

■ **4d**. Numéro du réseau de destination.

L'interface E0 est configurée avec la commande **ipx access-group 800**, c'est-à-dire que la liste d'accès 800 lui est associée.

La liste d'accès est appliquée à une interface de sortie spécifique et filtre les paquets sortants. Notez que les autres interfaces E1 et E2 ne sont pas soumises aux tests de la liste d'accès, car il leur manque l'instruction de groupe d'accès pour les y associer.

Configuration de listes d'accès IPX étendues

Pour définir une liste d'accès étendue pour Novell IPX, utilisez la version étendue de la commande de configuration globale de liste d'accès. Ces listes peuvent exercer un filtrage sur le type de protocole ainsi que sur d'autres caractéristiques optionnelles. Avec certaines versions de NetWare, le champ type de protocole ne représente pas un indicateur fiable du type de paquet encapsulé par l'en-tête IPX. Dans ce cas-là, utilisez les champs de socket source et de destination pour effectuer cette détermination.

La syntaxe de cette commande est la suivante :

```
Router(config)#access-list numéro-liste {deny ¦ permit} protocole-
➥novell
    réseau-source.[adresse-source [masque-source]] [socket-source]
    réseau-destination.[adresse-destination [masque-destination]]
    [socket-destination] [log]
```

Certains des paramètres de cette instruction de liste d'accès étendue ont été traités plus haut, dans la section concernant les listes d'accès standards. Voici la signification des nouveaux paramètres et mots-clés :

■ **numéro-liste.** Numéro de la liste d'accès. Il s'agit d'un nombre décimal de l'intervalle 900 à 999.

■ **protocole.** Nom ou numéro (nombre décimal) d'un type de protocole IPX. On le désigne parfois par le terme type de paquet.

■ **socket-source.** Nom ou numéro de socket (nombre hexadécimal) à partir duquel le paquet a été envoyé.

■ **socket-destination** (optionnel). Nom ou numéro de socket (nombre hexadécimal) vers lequel le paquet doit être envoyé.

■ **log** (optionnel). Consigne les violations de la liste de contrôle d'accès IPX chaque fois qu'un paquet satisfait à une condition particulière. Les informations enregistrées incluent les adresses source et de destination, les sockets source et de destination, le type de protocole, et l'action réalisée (rejet ou acceptation du paquet).

Utilisez la commande suivante pour activer une liste d'accès étendue IPX sur une interface :

```
Router(config-if)#ipx access-group numéro-liste [in ¦ out]
```

Fonctionnement normal de SAP IPX

Les diffusions broadcast SAP synchronisent la liste des services disponibles. Le serveur de fichiers NetWare agit comme un routeur IPX. Le routeur Cisco agit comme un serveur SAP.

Si un routeur transmettait un paquet SAP chaque fois qu'il en recevait un, la liaison WAN serait inondée par ce type trafic. Le routeur ne transmettra pas les messages broadcast SAP.

A la place de ce comportement, les serveurs de fichiers et les routeurs écoutent les messages SAP et construisent une table SAP, comme illustré Figure 13.21. Tous les équipements qui maintiennent une table annoncent leurs informations toutes les 60 secondes.

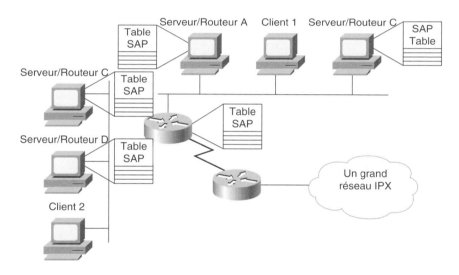

Figure 13.21

Avec le fonctionnement normal de SAP IPX, le routeur ne transmet pas les messages broadcast SAP. Au lieu de cela, les équipements construisent des tables SAP et annoncent les informations.

L'annonce des tables et SAP peut néanmoins résulter en une grande quantité de surcharge de service, car tous les serveurs et les routeurs envoient la totalité de leur table toutes les 60 secondes. Sur une liaison WAN (Cisco vers Cisco), cet intervalle peut être modifié. Toutefois, les autres équipements IPX peuvent ne pas le tolérer.

Pour pouvoir interagir avec les autres équipements, vous devrez alors laisser l'intervalle tel quel.

Utilisez la commande suivante pour changer l'intervalle :

```
ipx sap-interval intervalle
```

L'argument *intervalle* représente le délai exprimé en minutes s'écoulant entre chaque mise à jour SAP. La valeur par défaut est de 1 minute. Si l'intervalle est 0, les mises à jour ne sont jamais envoyées.

Utilisation des filtres SAP

Vous devez planifier avec soin le filtrage SAP avant de le configurer. Assurez-vous que tous les clients peuvent recevoir les annonces nécessaires au traitement de leurs applications. Vous devrez définir les filtres sur tous les routeurs sur lesquels vous voulez qu'ils opèrent. Le Tableau 13.2 présente les numéros SAP les plus courants.

Tableau 13.2 : Numéros SAP couramment utilisés

Numéro SAP	*Type de serveur*
4	Serveur de fichiers NetWare
7	Serveur d'impression
278	Serveur d'annuaire NetWare

Placez les filtres SAP à proximité de la source. Un emplacement correct des filtres permet de préserver la bande passante, tout particulièrement sur les liaisons série.

La liste suivante donne des exemples d'objectifs visés par le filtrage SAP :

- rejeter les messages SAP type 7 (serveur d'impression) du réseau 2a ;
- rejeter les messages SAP type 98 (serveur d'accès) du réseau 5b ;
- rejeter les messages SAP type 24 (routeur) vers le réseau 7c ;
- rejeter les messages SAP type 4 (serveur de fichiers) du réseau 4a ;
- rejeter les messages SAP type 26a (NMS) ;
- rejeter les messages SAP type 7a (NetWare pour VMS) du réseau *8.

Les autres messages SAP sont autorisés.

Lorsqu'une annonce SAP arrive sur une interface de routeur, le contenu est placé dans la portion table SAP de la mémoire principale. Le contenu de la table sera diffusé lors de la prochaine mise à jour SAP.

La Figure 13.22 illustre les deux types suivants de filtres SAP par listes d'accès :

- Filtre d'entrée SAP pour IPX. Lorsqu'un filtre d'entrée SAP est actif, le nombre des services placés dans la table SAP est réduit. Les mises à jour propagées représentent la totalité de la table, mais ne contiennent qu'un sous-ensemble de tous les services. Utilisez ce type de filtrage lorsque vous voulez diminuer la taille de la table SAP.

- Filtre de sortie SAP pour IPX. Lorsqu'un filtre de sortie SAP est actif, le nombre de services propagés à partir de la table est réduit. Les mises à jour SAP représentent une portion du contenu de la table et forment un sous-ensemble de tous les services connus. Lorsque vous utilisez ce filtre, le routeur contient toujours une liste de tous les services connus.

Filtre d'entrée SAP : ne pas ajouter les paquets filtrés dans la table

Filtre de sortie SAP : ne pas ajouter les paquets filtrés dans la table

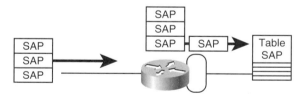

Figure 13.22

Vous pouvez appliquer la liste d'accès à l'interface comme filtre d'entrée ou de sortie SAP.

Commandes de configuration de filtre SAP

Utilisez la commande **access-list** pour contrôler la propagation des messages SAP :

```
Router(config)#access-list numéro-liste {deny ¦ permit}
    réseau[.nœud] [masque-réseau masque-nœud]] [type-service
    ➥[nom-serveur]]
```

Les paramètres et mots-clés sont les suivants :

- **numéro-liste.** Numéro de liste d'accès de l'intervalle 1000 à 1099. Indique une liste de filtrage SAP.

- **réseau[.nœud].** Numéro de réseau source interne avec numéro de nœud optionnel. La valeur –1 signifie tous les réseaux.

- **masque-réseau masque-nœud.** Le masque à appliquer au réseau et au nœud. Donnez la valeur 1 aux bits qui doivent être masqués.

- **type-service.** Le type de service SAP à filtrer. Chaque type de service est identifié par un nombre hexadécimal. Voyez le Tableau 13.2 qui présente certains des types couramment utilisés.

- **nom-serveur.** Nom du serveur offrant le type de service spécifié.

Les commandes **ipx input-sap-filter** et **ipx output-sap-filter** placent un filtre SAP sur une interface. Les paramètres **input** ou **output** déterminent si les messages sont filtrés avant leur entrée dans la table SAP ou si le contenu de la table est filtré lors de la mise à jour suivante :

```
Router(config-if)#ipw output-sap-filter numéro-liste
Router(config-if)#ipx input-sap-filter numéro-liste
```

Pourquoi utiliser un type de filtre plutôt qu'un autre ? Imaginez, par exemple, une situation dans laquelle un routeur connecte deux réseaux Ethernet (E0 et E1) et deux liaisons série (S0 et S1). Supposez maintenant que vous vouliez que les équipements sur les ports LAN connaissent les services locaux proposés, mais que ceux-ci ne soient pas annoncés sur les liaisons série. Vous utiliserez, dans ce cas, un filtre de sortie SAP sur les interfaces S0 et S1.

Le contenu de la table SAP peut être filtré en entrée au moyen de la commande **ipx router-sap-filter** qui identifie le routeur à partir duquel les annonces SAP peuvent être reçues. Notez que seul un des trois types de filtres SAP peut être actif sur une interface à un moment donné.

Exemple 1 : filtrage SAP en sortie

Dans la Figure 13.23, l'administrateur souhaite empêcher les annonces du serveur de fichiers C d'être transmises sur l'interface série 0 (S0). Tous les autres services SAP et provenant de n'importe quelle source sont autorisés à passer par cette interface. La configuration à définir est illustrée Figure 13.23.

Les paramètres de la commande **access-list 1000 deny** illustrée sont les suivants :

■ **1000**. Un numéro de liste d'accès de la plage de filtres SAP pour Novell.

■ **deny**. Les messages SAP correspondant aux critères sélectionnés seront bloqués.

■ **9e1234.5678.1212**. L'adresse du réseau source des annonces SAP.

■ **4**. Type de service SAP, ici un service de fichiers.

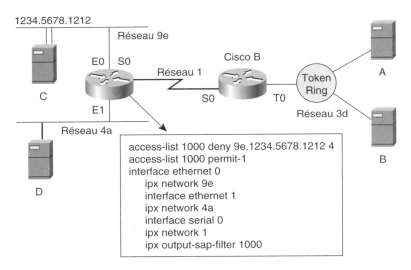

Figure 13.23
Les annonces SAP sont filtrées par l'intermédiaire d'une liste d'accès.

Les paramètres de la commande **access-list 1000 permit –1** sont les suivants :

■ **1000**. Numéro de liste d'accès.

■ **permit**. Les messages SAP correspondant aux critères spécifiés seront transmis.

■ **–1**. Le numéro de réseau source. La valeur –1 signifie tous les réseaux.

La commande **ipx output-sap-filter 1000** place la liste 1000 sur l'interface S0 comme filtre SAP de sortie. En appliquant la liste à une interface de sortie, vous pouvez réduire le nombre des annonces vers la liaison série. Il est préférable de limiter le trafic sur le point le plus proche de la source.

Le serveur C dans la Figure 13.23 se trouve dans le coin supérieur gauche. Le réseau 9e est la source avec une adresse MAC se terminant par 1212. L'identifiant complet du serveur est 9e1234.5678.1212. La valeur 4 à la fin de la première ligne de la liste d'accès identifie le type de service. Cette valeur indique un message SAP de serveur de fichiers. L'instruction complète rejette les messages SAP du serveur 9e1234.5678.1212 vers le routeur.

La commande **access-list 1000 permit–1** autorise toutes les annonces à se propager vers la ligne série.

Exemple 2 : filtrage SAP en entrée

Dans la Figure 13.24, les annonces de service d'impression des serveurs A et B ne seront pas intégrées à la table SAP. Tous les autres services SAP de n'importe quelle source le seront. Notez que la première ligne de la liste d'accès spécifie le type de service 7, un service d'impression. Remarquez la commande **ipx input-sap-filter 1001** qui place la liste 1001 sur l'interface série 0 comme filtre SAP d'entrée.

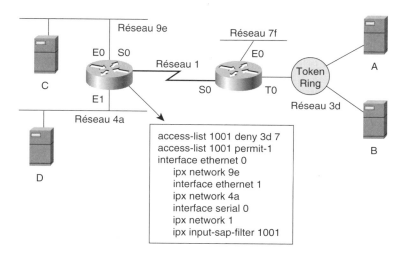

Figure 13.24

Cette liste d'accès n'autorisera pas l'intégration des informations de service d'impression des serveurs A et B dans la table SAP.

Vérification des listes d'accès IPX

La commande **show ipx interface** affiche des informations sur la configuration de l'interface. La Figure 13.25 montre que la liste du filtre d'entrée est 800 et celle du filtre en sortie est 801.

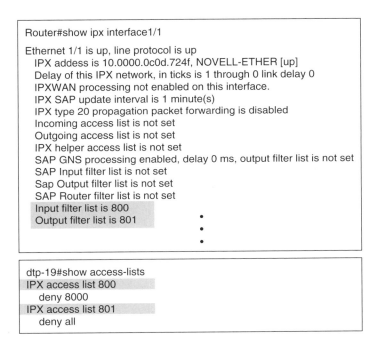

```
Router#show ipx interface1/1

Ethernet 1/1 is up, line protocol is up
  IPX addess is 10.0000.0c0d.724f, NOVELL-ETHER [up]
  Delay of this IPX network, in ticks is 1 through 0 link delay 0
  IPXWAN processing not enabled on this interface.
  IPX SAP update interval is 1 minute(s)
  IPX type 20 propagation packet forwarding is disabled
  Incoming access list is not set
  Outgoing access list is not set
  IPX helper access list is not set
  SAP GNS processing enabled, delay 0 ms, output filter list is not set
  SAP Input filter list is not set
  Sap Output filter list is not set
  SAP Router filter list is not set
  Input filter list is 800
  Output filter list is 801
                                    •
                                    •
                                    •
```

```
dtp-19#show access-lists
IPX access list 800
   deny 8000
IPX access list 801
   deny all
```

Figure 13.25
Vérifiez toujours les listes d'accès IPX après les avoir configurées.

Listes d'accès AppleTalk

Jusqu'à présent, vous avez étudié les listes d'accès pour TCP/IP et Novell. Cette section traite de celles associées à AppleTalk et de leurs différences par rapport aux deux précitées. Commencez en testant les paquets au moyen de listes d'accès AppleTalk.

Contrôle de paquets au moyen de listes d'accès AppleTalk

Comme illustré Figure 13.26, les listes d'accès du système Cisco IOS peuvent vérifier les informations suivantes d'un en-tête de paquet AppleTalk :

- La plage de câble ou les numéros de réseaux. Identifiez ce type de liste d'accès par un nombre de l'intervalle 600 à 629.

- Les réponses du protocole ZIP (*Zone Information Protocol*). Identifiez aussi ce type de liste par un nombre de l'intervalle 600 à 629. Ce type de liste est plus spécifiquement désigné par le nom de filtre de réponse ZIP.

Après qu'un paquet a été vérifié, il peut être autorisé ou pas à utiliser une interface du groupe d'accès. Remarquez que le système Cisco IOS propose plusieurs formes de listes d'accès pour les paquets AppleTalk qui ne seront pas traitées dans ce chapitre.

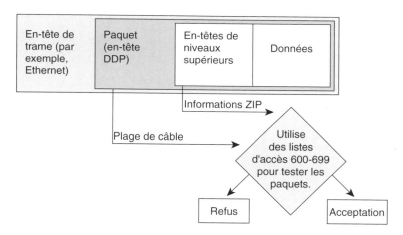

Figure 13.26
Filtrage du trafic AppleTalk.

Structures du réseau AppleTalk

Il est fréquent de voir des réseaux AppleTalk évoluer en interréseaux complexes. Lorsqu'ils s'étendent à travers des réseaux locaux et des lignes série, les contrôles par listes d'accès impliquent plusieurs structures de réseaux.

La première structure est le groupement de réseaux et de leurs ressources en zones. Ces zones sont des sous-ensembles arbitraires de nœuds au sein d'un interréseau AppleTalk. Dans la Figure 13.27, une zone appelée Utilisateurs contient un groupe de ressources séparées de celles situées dans les zones Bldg-D 1er étage et Bldg-13.

Les interréseaux AppleTalk actuels utilisent les adresses de réseaux étendues. Par exemple, un média de transmission Ethernet dans la zone Utilisateurs peut contenir des réseaux dans la plage de numéros contigus de 200 à 205. Les interréseaux plus anciens continuent d'utiliser un adressage non étendu tel que 130 dans la zone Bldg-D 1er étage. Un réseau AppleTalk étendu est un segment de réseau physique qui peut recevoir plusieurs numéros de réseau logique. Un réseau non étendu ne peut contenir qu'un seul numéro de réseau par câble.

L'application utilisateur envoie des données en sortie vers le gestionnaire d'impression. Pour l'accès réseau, les tables de routage et les informations de zone aident à diriger la sortie utilisateur de la zone source vers la zone de destination contenant l'imprimante sélectionnée. L'administrateur peut utiliser des listes d'accès pour contrôler le trafic en se basant sur un choix de réseaux et de plages de réseaux.

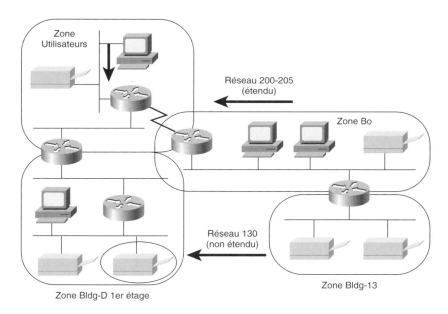

Figure 13.27

Les zones sont des sous-ensembles de nœuds au sein d'un réseau AppleTalk.

Concepts clés pour les listes d'accès AppleTalk

Un concept clé d'AppleTalk permet de dissimuler la numérotation des réseaux aux yeux des utilisateurs. Ils peuvent voir des zones et des ressources, mais la configuration numérique est un problème caché réservé à l'administrateur du réseau.

Les administrateurs peuvent utiliser des filtres AppleTalk pour contrôler le trafic en se référant à la portion numéro de réseau de 16 bits d'une adresse de 24 bits. Comme les adresses de nœud sont assignées dynamiquement au moment où les nœuds démarrent, elles ne peuvent être prévues pour les instructions des listes d'accès.

Les premiers réseaux AppleTalk, Phase 1, ne proposaient qu'un seul réseau non étendu sur un seul média. La version actuelle Phase 2 utilise un adressage étendu qui permet à plusieurs réseaux d'occuper le même média physique. Ce groupe de réseaux est appelé plage de câble (*cable range*).

Un administrateur peut filtrer une plage de câble entière. Les filtres ZIP peuvent réduire le trafic de distribution des mises à jour des informations de zone.

Au moyen de la commande **access-list within cable range**, un administrateur peut sélectionner des portions d'une plage de câble pour effectuer des contrôles par listes d'accès. Voici un exemple d'emploi de portions de plage de câble. Un administrateur définit une grande plage de câble pour une interface vers un site distant, par exemple un bureau régional, et souhaite identifier des sous-ensembles de cette plage pour distinguer les divers départements du bureau régional. L'administrateur spécifie des filtres par listes d'accès appropriés pour les divers départements. L'accès à l'interface peut ensuite être autorisé ou interdit au sein des sous-ensembles appropriés de la plage de câble pour chacun des départements.

Procédures de listes d'accès AppleTalk

Pour configurer des listes d'accès AppleTalk, sélectionnez un numéro unique de l'intervalle 600 à 629. Comme pour les autres protocoles, une instruction de liste d'accès nécessite un paramètre de rejet ou d'admission (**deny** ou **permit**) pour définir les actions à entreprendre suite aux contrôles exercés sur le trafic pour des interfaces spécifiques.

Avec l'adressage Phase 1, spécifiez un seul numéro de réseau tel que 130. Avec Phase 2, spécifiez les adresses de réseaux en entrant une plage de câble telle que 100-105.

Une autre alternative pour l'administrateur est de spécifier une portion de plage de câble. Examinez, par exemple, la Figure 13.28. Une instruction de liste d'accès peut

cibler les réseaux 201 à 204 au sein de la plage de câble totale 200 à 205 avec une
configuration semblable à l'exemple suivant :

```
appletalk routing
access-list 601 deny within cable-range 201-204
access-list 601 permit within cable-range 204-205
interface ethernet 0
appletalk access-group 601
```

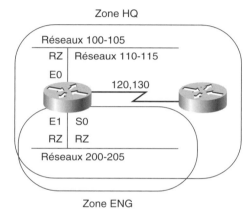

Figure 13.28

Les paquets peuvent être filtrés pour une interface.

A l'instar des autres listes d'accès, un dernier test provoque un rejet implicite. Avec
AppleTalk, l'action par défaut est de rejeter tous les accès aux autres réseaux.
La commande **appletalk access-group** est utilisée pour appliquer la liste d'accès à
une ou plusieurs interfaces. En plus du rejet implicite habituel, la commande
access-list other-access peut définir des contrôles pour des plages de câble ou des
réseaux non testés explicitement dans les instructions précédentes.

En filtrant des réseaux, l'administrateur peut accepter ou refuser des paquets de
données et de mises à jour de routage sur une interface spécifiée. Les mises à jour
de routage utilisent le protocole RTMP (*Routing Table Maintenance Protocol*) de la
couche 3 d'AppleTalk.

Le filtrage de zone est un processus utilisé sur les grands réseaux AppleTalk pour
réduire au minimum le trafic ZIP. Les listes d'accès utilisées à cet effet se concentrent sur les paquets GZL (*GetZoneList*). Ceux-ci sont envoyés par un nœud pour

obtenir une liste de toutes les zones d'un interréseau. L'administrateur doit utiliser des instructions séparées pour ce filtrage.

Commandes de listes d'accès AppleTalk

La command **access-list** accepte ou rejette une plage de câble entière :

```
Router(config)#access-list numéro-liste {permit ¦ deny}
    cable-range plage-câble
```

La commande **access-list other-access** définit l'action par défaut (rejet ou acceptation) à exécuter en ce qui concerne les autres réseaux ou plages de câbles :

```
Router(config)#access-list numéro-liste {permit ¦ deny} other access
```

La commande **appletalk access-group** associe une liste d'accès à une ou plusieurs interfaces :

```
Router(config)# appletalk access-group numéro-liste
```

Pour les réseaux non étendus, utilisez la commande de liste d'accès suivante :

```
Router(config)#access-list numéro-liste {permit ¦ deny}
    network numéro-réseau
```

Dans la Figure 13.29, l'interface E1 connecte un câble qui héberge les réseaux 100 à 105. L'administrateur ne veut autoriser que certains de ces réseaux à accéder à l'interface E0. La liste d'accès illustre les instructions de configuration sur le routeur A.

Le numéro de liste d'accès 601 indique qu'il s'agit d'une liste d'accès AppleTalk. La première ligne de la liste rejette le trafic provenant de la plage de câble 100-102. La deuxième ligne autorise la transmission du trafic provenant de la plage de câble 103-105.

La commande **appletalk access-group 601** applique la liste 601 à l'interface E0 comme filtre de plage de câble.

Configuration de filtre de réponses ZIP

Le protocole ZIP (*Zone Information Protocol*) maintient les correspondances entre numéro de réseau et nom de zone dans des tables d'informations de zone ou ZIT (*Zone Information Table*). Les routeurs prennent connaissance des zones en échangeant leur table d'informations. Comme déjà indiqué plus haut, ce filtrage ZIP peut être mis en application pour réduire au minimum le trafic lié à l'échange des informations.

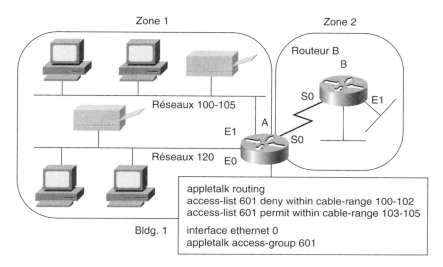

Figure 13.29

La liste d'accès du routeur A autorise ou interdit le trafic de la plage de câble 100-105
d'accéder à l'interface E0.

Utilisez la commande **access-list zone** pour créer une entrée dans le filtre de zone.
Elle doit utiliser un numéro de liste de l'intervalle 600 à 699.

```
Router(config)#access-list zone numéro-liste {permit | deny} zone
➡ nom-zone
Router(config)#access-list zone numéro-liste {permit | deny}
    additional-zones
```

Les paramètres de la commande sont les suivants :

■ **nom-zone.** Le non assigné à la zone devant être filtré.

■ **additional-zones**. Spécifie l'action à entreprendre pour toutes les autres zones
  non spécifiées dans la commande.

Utilisez la commande **appletalk zip-reply-filter** pour assigner la liste d'accès à une
interface entrante :

```
Router(config)#appletalk zip-reply-filter numéro-liste
```

Le paramètre **zip-reply-filter** limite les zones qui sont visibles par les autres
routeurs AppleTalk *via* le routeur configuré.

Vérification des listes d'accès AppleTalk

Utilisez la commande **show appletalk access-lists** pour afficher les listes d'accès qui sont définies pour AppleTalk. Par exemple, le résultat illustré Figure 13.30 vérifie les listes d'accès qui autorisent les informations de zones pour ZoneA et ZoneB.

```
Router>show appletalk access-lists

AppleTalk access list 601:
    permit zone ZoneA
    permit zone ZoneB
    deny additional-zones
    permit network 55
    permit network 500
    permit cable-range 900-950
    deny includes 970-990
    permit within 991-995
    deny other-access
```

Figure 13.30

La commande show appletalk access-lists permet de vérifier les listes d'accès après les avoir configurées.

Résumé

Ce chapitre a traité des listes d'accès suivantes :

■ les listes d'accès IP standards (1-99) ;

■ les listes d'accès IP étendues (100-199) ;

■ les listes d'accès IP nommées, nouvelles depuis la version 11.2 de Cisco IOS ;

■ les listes d'accès standards Novell IPX (800-899) ;

■ les listes d'accès de filtre pour Novell SAP (1000-1099) ;

■ les listes d'accès standards AppleTalk (1-99) ;

■ les listes d'accès pour filtrer les informations de zones AppleTalk (également 600-699).

Ce chapitre s'est concentré sur la façon d'utiliser les listes d'accès pour implémenter une sécurité et réduire le trafic inutile. Vous avez étudié les listes d'accès pour TCP/IP, IPX/SPX et AppleTalk. Vous avez également vu comment tester, configurer et vérifier ces trois types de listes d'accès. Reportez-vous aux Annexes B et C pour obtenir des informations sur DECnet et VINES. Le Chapitre 14 traite des services de réseaux étendus avec les liaisons série et le protocole PPP (*Point-to-Point Protocole*).

Test du Chapitre 13

Durée estimée : 15 minutes

Réalisez tous les exercices suivants pour tester votre connaissance des sujets traités dans ce chapitre. Les réponses sont données dans l'Annexe A.

Question 13.1

Quelle est la commande qui permet de vérifier qu'aucune liste d'accès n'existe déjà sur un routeur ?

Question 13.2

Quelle est la commande qui permet d'activer une liste d'accès IP étendue sur une interface de routeur ?

Question 13.3

Dans quel mode de commande le routeur doit-il se trouver pour pouvoir exécuter la commande de la Question 13.2 ?

Question 13.4

Quelle est la commande qui permet de vérifier qu'une nouvelle liste d'accès IP est active sur une interface ?

Question 13.5

Quelle est la commande qui permet d'afficher le contenu d'une liste d'accès ?

Question 13.6

Quel est l'intervalle des numéros que vous devez utiliser pour identifier une liste d'accès IPX standard ?

Question 13.7

Quelle est la commande qui permet de vérifier qu'une nouvelle liste d'accès IPX est active sur une interface ?

Question 13.8

Quelle est la commande qui permet d'afficher le contenu d'une liste d'accès IPX ?

Question 13.9

Quelle est la plage des numéros de liste que vous devez utiliser pour définir une liste d'accès AppleTalk ?

Question 13.10

Quelle est la commande qui permet d'afficher le contenu d'une liste d'accès AppleTalk ?

III

Réseaux étendus

Chapitres

14

Introduction aux connexions de réseaux étendus

Ce chapitre explique la mise en œuvre des réseaux étendus (WAN), l'abonnement à des services téléphoniques et la structure des trames de réseaux étendus. Il étudie également le protocole PPP (*Point-to-Point*).

Services de réseaux étendus

Un réseau étendu (WAN) est différent d'un réseau local (LAN). Avec un réseau étendu, vous devez vous abonner à un fournisseur extérieur pour pouvoir utiliser les ressources d'un réseau que votre organisation ne possède pas. Le service téléphonique de base est celui qui est le plus couramment utilisé comme service de réseau étendu. Le service téléphonique et le service de données routées depuis le site du client s'interfacent avec le nuage du fournisseur de service au niveau d'un bureau central, comme illustré Figure 14.1.

Une présentation du nuage WAN permet d'organiser les services du fournisseur en trois types principaux :

- le service d'établissement d'appel ;

- le multiplexage temporel (TDM, *Time Division Multiplexing*) ;

- le service X.25 ou Frame Relay.

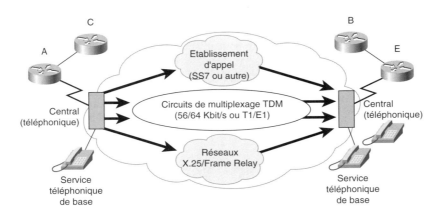

Figure 14.1

Il y a trois types de fournisseurs de services WAN.

Le service d'établissement d'appel se charge de la mise en place et de la libération d'une connexion entre des points d'extrémité. Par exemple, lorsqu'une agence a besoin d'échanger des données avec le siège central, ce processus établit une connexion entre les routeurs situés sur chaque extrémité de la liaison WAN. Lorsque la connexion est ouverte, la liaison peut être utilisée pour transférer des données.

Avec le multiplexage TDM, les informations provenant de plusieurs sources bénéficient d'une allocation de bande passante sur un seul média. La commutation de circuits utilise la signalisation pour déterminer la route de l'appel qui représente un chemin dédié entre l'émetteur et le récepteur. En multiplexant le trafic en tranches de temps fixes, le multiplexage TDM évite les équipements congestionnés et les délais variables. Le service téléphonique de base et RNIS utilisent des circuits TDM.

TDM, pour la plupart des réseaux étendus, utilise des stratégies de multiplexage statistique pour allouer la bande passante aux canaux voix et données qui transportent le trafic de l'abonné.

Avec les services X.25 et Frame Relay, les informations contenues dans les paquets ou les trames partagent la bande passante non dédiée avec d'autres données transitant sur le réseau étendu. La commutation de paquets X.25 utilise le routage de la couche 3 en utilisant les adresses source et de destination contenues dans le paquet. Frame Relay utilise des identifiants de la couche 2 et des circuits virtuels permanents.

Interface avec les fournisseurs de services WAN

Lorsqu'une organisation s'abonne chez un fournisseur WAN pour exploiter des ressources de réseau, le fournisseur lui attribue des paramètres qui permettent d'établir des connexions. L'organisation établit des connexions vers des destinations sous forme d'appel point à point (voir Figure 14.2).

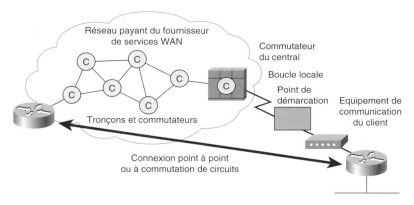

Figure 14.2

Le fournisseur assigne à l'abonné des paramètres de connexion.

Les termes les plus couramment utilisés pour les parties principales d'un réseau étendu entre un utilisateur et le fournisseur sont :

- l'équipement de télécommunication du client (CPE, *Customer Premises Equipment*) ;

- point de démarcation ;

- boucle locale ;

- commutateur du central ;

- réseau payant.

Equipements de télécommunication du client (CPE)

Les équipements de télécommunication du client sont physiquement situés sur le site de l'abonné. Ils incluent à la fois les équipements que possède l'abonné et ceux loués au fournisseur de services. Par exemple, les terminaux, les téléphones et les modems, qui permettent la connexion au service du fournisseur, sont considérés comme des équipements du client. L'abonné doit savoir comment interfacer les dispositifs de son équipement avec le service du fournisseur.

Point de démarcation

Le point de démarcation est l'endroit où l'équipement du client se termine et la portion boucle locale du service commence. Cette limite se situe souvent au niveau d'une armoire de télécommunication (une pièce contenant un bloc de câblage du fournisseur).

Boucle locale

La boucle locale se compose de câbles (généralement en fil de cuivre) qui s'étendent du point de démarcation vers le central du fournisseur de service. La boucle locale s'étend généralement sur une distance relativement courte vers les locaux les plus proches de la compagnie de téléphone.

Commutateur du central

Le commutateur au niveau du central du fournisseur est un équipement de commutation qui fournit le point de présence le plus proche du service WAN du fournisseur.

Le central agit en tant que :

- point d'entrée vers le nuage WAN pour appeler ;
- un point de sortie du WAN pour les équipements appelés ;
- un point de commutation pour les appels qui traversent le service.

Il existe plusieurs types de centraux sur des réseaux interurbains payants. Par exemple, une connexion d'abonné appelant sur une boucle locale peut pénétrer sur un commutateur de central local et accéder à un tronçon intermédiaire vers un central de réseau payant.

Un abonné appelé peut recevoir un appel qui a traversé les tronçons et les commutateurs d'une hiérarchie de centraux avant d'arriver sur la boucle locale *via* son central local.

Réseau payant

Les commutateurs et les services pris collectivement (appelés tronçons) à l'intérieur du nuage du fournisseur du réseau étendu constituent le réseau payant. Le trafic de l'appelant peut traverser un tronçon vers un centre principal, puis arriver sur un centre de section, puis sur un centre de région ou d'un opérateur international à mesure qu'il traverse les longues distances qui le séparent de la destination. Les commutateurs opèrent au niveau des bureaux du fournisseur avec des frais calculés sur la base de tarifs ou de débits autorisés.

Souvent, pour les circuits point à point s'étendant jusqu'à des limites régionales ou nationales, la connexion sur le réseau payant est gérée par plusieurs fournisseurs.

Interface abonné vers fournisseur

Une interface clé au niveau de l'équipement du client se trouve entre l'équipement terminal de traitement de données ou ETTD (DTE) et l'équipement terminal de circuit de données ou ETCD (DCE), comme illustré Figure 14.3. La portion la plus basse de cette figure illustre les dispositifs ETTD/ETCD sur chaque extrémité d'un réseau étendu commuté.

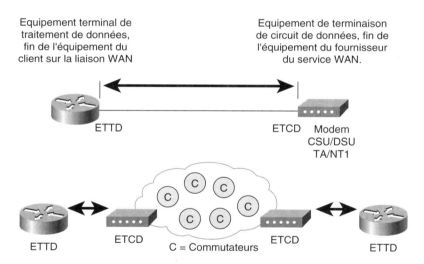

Figure 14.3
Les dispositifs ETTD et ETCD représentent les points de transfert de responsabilité entre l'abonné appelant et le fournisseur, puis entre celui-ci et l'abonné destinataire.

Généralement, l'ETTD est le routeur sur lequel se trouve le module de commutation de paquets. L'ETCD est l'équipement utilisé pour convertir les données utilisateur provenant de l'ETTD dans une forme acceptable pour le service WAN. Comme illustré Figure 14.3, l'ETCD peut être un modem, une unité de service de canal/unité de service de données (CSU/DSU, *Channel Service Unit/Data Service Unit*), ou un adaptateur terminal/terminaison numérique de réseau 1 (*TA/NT1*).

La communication de données sur un réseau étendu interconnecte les ETTD pour qu'ils puissent partager des ressources sur une grande zone. Le chemin WAN entre les ETTD est appelé *liaison*, *circuit*, *canal*, ou *ligne*. L'ETCD fournit principalement l'interface de communication pour l'ETTD vers le nuage WAN et peut assurer la synchronisation. L'interface ETTD/ETCD agit comme une frontière où la responsabilité vis-à-vis du trafic passe de l'abonné au fournisseur.

L'interface ETTD/ETCD utilise un des divers protocoles disponibles, tels que EIA/TRA 232 ou X.25. Ces protocoles établissent les codes que les équipements utilisent pour communiquer entre eux. Cette communication détermine comment le processus d'établissement d'appel opère et comment le trafic utilisateur traverse le réseau étendu.

L'équipement de commutation de données est un terme supplémentaire parfois utilisé pour décrire les composants de commutation qui apparaissent à l'intérieur du nuage WAN. Le commutateur ajoute et supprime des canaux assignés à l'intérieur du réseau étendu. Il aiguille le trafic de diverses sources vers leur destination finale par l'intermédiaire d'autres commutateurs.

Emploi de services WAN avec des routeurs

Vous pouvez accéder à trois formes de services de réseaux étendus avec les routeurs Cisco (voir Figure 14.4) :

■ La première forme utilise des services commutés ou relayés. X.25, Frame Relay et RNIS en sont des exemples. Les chapitres suivants traitent de X.25 et de Frame Relay. RNIS dépasse le cadre de ce livre, mais est traité dans l'ouvrage publié par Cisco Press, *Advanced Cisco Router Configuration*.

■ La deuxième forme de services offre une interface frontale pour les ordinateurs de centres de données IBM. Elle utilise SDLC (*Synchronous Data Link Control*) pour établir une connexion point à point ou point-multipoint depuis des équipements distants vers un système central (mainframe). Ce sujet dépasse le cadre de ce livre.

■ La troisième forme de services utilise des protocoles qui connectent des équipements homologues. Elle utilise l'encapsulation HDLC (*High-Level Data Link Control*) ou PPP sur les équipements. La section "Présentation de PPP", plus loin dans ce chapitre, introduit PPP.

Cette troisième forme peut utiliser DDR (*Dial-on-Demand Routing*) comme déclencheur pour qu'un routeur Cisco initie un appel WAN. Par exemple, un routeur utilise des instructions DDR lorsqu'un trafic utilisateur doit effectuer un appel RNIS à travers un réseau étendu pour pouvoir accéder à un réseau distant. Le routage DDR laisse une liaison inactive jusqu'à ce qu'il y ait des données à transmettre. Lorsque des données sont placées en file d'attente d'envoi, le routeur établit une connexion par circuit commuté. Après l'envoi des données, la connexion est libérée.

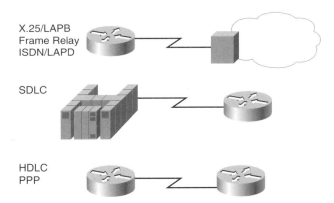

Figure 14.4
Les trois formes de services de réseaux étendus.

Synthèse des formats de trames de réseaux étendus

Les différentes formes de services WAN disponibles sur les routeurs Cisco utilisent des types de trames différents. Si celui par défaut n'est pas utilisé, vous devez spécifier celui qui est requis, car il existe des différences au niveau de leurs champs.

La Figure 14.5 illustre les différences entre les formats de trames WAN couramment utilisés.

LAPB, utilisé par X.25, est dérivé de HDLC. HDLC est un protocole de liaison de données orienté bit, standard de l'ISO, qui encapsule des données sur des liaisons de données série synchrones. Frame Relay utilise aussi une variation de HDLC.

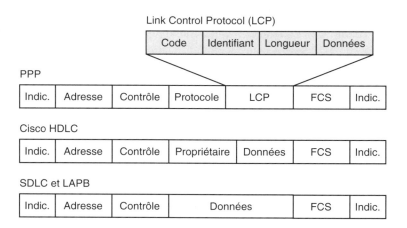

Figure 14.5

Formats de trames de services WAN dédiés.

HDLC ne supporte pas de façon inhérente plusieurs protocoles sur une seule liaison, car il ne possède pas de moyen standard qui lui permettrait d'indiquer celui qu'il transporte. La trame HDLC Cisco utilise un champ propriétaire qui sert pour le type de protocole et permet à plusieurs protocoles de la couche réseau de partager une même liaison série.

PPP étend la trame HDLC de base en incorporant un champ qui identifie le protocole encapsulé dans le champ d'informations de la trame.

Les champs PPP ont hérité de certains attributs qui ne sont généralement pas utilisés. Par exemple, le champ d'adresse reçoit une séquence binaire 11111111, l'adresse de broadcast standard, car PPP n'a pas besoin d'assigner des adresses individuelles de station.

Le protocole LCP (*Link Control Protocol*) utilisé par PPP offre une méthode pour établir, configurer, maintenir et mettre fin à la connexion point à point. LCP propose presque les mêmes fonctionnalités que la sous-couche LLC (*Logical Link Control*) 802.2 des protocoles LAN.

Ce livre traite principalement des formats de trames WAN pour PPP et HDLC. Les connexions série utilisent des trames WAN qui sont similaires.

Il est important de comprendre et reconnaître les formats de trames utilisés par les routeurs WAN pour pouvoir dépanner efficacement les connexions sur réseaux étendus.

Présentation de PPP

Les développeurs sur Internet ont conçu PPP pour établir les connexions sur des liaisons point à point. PPP, à l'origine décrit dans les RFC 1661 et 1332, encapsule des informations de protocoles de la couche réseau sur des liaisons point à point. Le RFC 1661 a été mis à jour par le RFC 2153, "*PPP Vendor Extensions*".

Vous pouvez configurer PPP sur les types d'interfaces physiques suivants :

- série asynchrone ;

- HSSI (*High Speed Serial Interface*, Interface série à haute vitesse) ;

- RNIS ;

- série synchrone.

PPP utilise son composant NCP (*Network Control Program*, Programme de contrôle de réseau) pour encapsuler plusieurs protocoles, comme illustré Figure 14.6. Cet emploi de NCP dépasse les limites du prédécesseur de PPP, SLIP (*Serial Line IP*), qui ne pouvait permettre que le transport de paquets IP.

PPP utilise un autre de ses composants principaux, le protocole LCP (*Link Control Protocol*), pour négocier et définir des options de contrôle sur la liaison de données WAN.

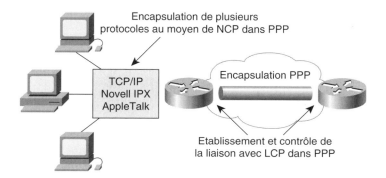

Figure 14.6

PPP peut transporter des paquets de plusieurs suites de protocoles au moyen de NCP.

Composants de PPP en couches

PPP utilise une architecture en couches, comme illustré Figure 14.7. Avec ses fonctions les plus basses, PPP peut employer :

■ un média physique synchrone comme ceux qui connectent RNIS ;

■ un média physique asynchrone comme ceux qui utilisent les services téléphoniques de base pour les connexions par modem commutées.

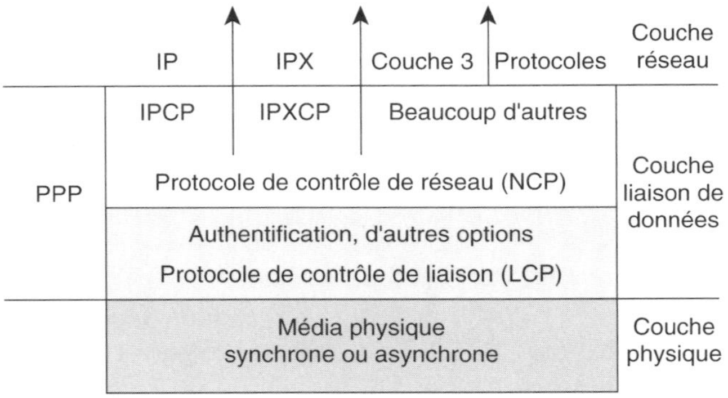

Figure 14.7

L'architecture en couches de PPP.

PPP offre un riche ensemble de services qui contrôle l'établissement d'une liaison de données. Ces services sont des options dans LCP et sont principalement des trames de négociation et de vérification pour implémenter les contrôles point à point qu'un administrateur définit pour l'appel.

Avec ses fonctions de niveaux supérieurs, PPP transporte dans NCP des paquets de plusieurs protocoles de couche réseau. Il s'agit de champs fonctionnels contenant des codes standardisés pour indiquer le type de protocole de couche réseau que PPP encapsule.

Options de configuration de PPP LCP

Le RFC 1548 décrit l'exploitation de PPP et des options de configuration de LCP. Il a été mis à jour par le RFC 1570, "*PPP LCP Extensions*".

Les routeurs Cisco qui utilisent l'encapsulation PPP, incluent les options LCP illustrées dans le Tableau 14.1.

Tableau 14.1 : Options de configuration de PPP LCP

Fonction	*Mode opératoire*	*Protocole*
Authentification	Nécessite un mot de passe	PAP
	Effectue la négociation par tests	CHAP
Compression	Compresse les données sur la source ; reproduit les données sur la destination	Stacker ou Predictor
Détection d'erreurs	Surveille les données supprimées sur la liaison	Quality
	Evite le bouclage de trame	Magic Number
Multilink	Equilibrage de charge sur plusieurs liaisons	Multilink Protocol (MP)

Les options d'authentification nécessitent que le côté appelant de la liaison spécifie des informations qui permettent de vérifier que l'appelant a la permission de l'administrateur d'établir la connexion. Les routeurs homologues échangent des messages d'authentification. Les deux solutions possibles sont :

■ PAP (*Password Authentication Protocol*, Protocole d'authentification de mot de passe) ;

■ CHAP (*Challenge Handshake Authentication Protocol*, Protocole d'authentification par tests).

Pour améliorer la sécurité, la version 11.1 du système Cisco IOS dispose d'une fonction de rappel sur PPP. Avec cette option LCP, un routeur Cisco peut agir comme client de rappel ou serveur de rappel.

Le client envoie la requête d'appel DDR initiale en demandant d'être rappelé et met fin à la connexion. Le serveur de rappel répond à la requête et appelle en retour le client en se basant sur ses instructions de configuration. Cette option est décrite dans le RFC 1570.

Les options de compression augmentent le débit effectif sur des connexions PPP en réduisant la quantité de données dans la trame qui doivent transiter sur la liaison. Le protocole décompresse la trame sur sa destination.

Les deux protocoles de compression disponibles sur les routeurs Cisco sont Stacker et Predictor.

Les mécanismes de détection d'erreurs avec PPP permettent à un processus d'identifier des conditions de faute. Les solutions Quality et Magic Number apportent une aide au maintien d'une liaison de données exempte de boucles.

Depuis la version 11.1 de Cisco IOS, Multilink PPP est supporté. Cette solution apporte l'équilibrage de charge sur les interfaces du routeur que PPP utilise.

La fragmentation et le séquencement de paquets, comme spécifié dans le RFC 1717, scindent la charge de PPP et envoient des fragments sur des circuits parallèles. Dans certains cas, ce "faisceau" de tubes Multilink PPP fonctionne comme une seule liaison logique, améliorant le débit et réduisant la latence entre routeurs homologues. Le RFC 1990, "*The PPP Multilink Protocol (MP)*", rend obsolète le RFC 1717.

Etablissement d'une session PPP

L'établissement d'une session PPP fait intervenir trois phases (voir Figure 14.8).

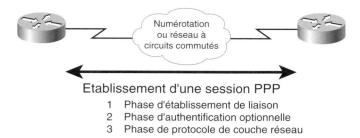

Etablissement d'une session PPP
1   Phase d'établissement de liaison
2   Phase d'authentification optionnelle
3   Phase de protocole de couche réseau

Figure 14.8
L'établissement d'une session PPP se fait en trois phases.

Phase 1 : Etablissement de liaison

Dans cette phase, chaque équipement PPP envoie des paquets LCP pour configurer et tester la liaison de données. Les paquets LCP contiennent un champ d'option de configuration qui permet aux équipements de négocier l'utilisation d'options telles que l'unité maximale de réception, la compression de certains champs PPP et le protocole d'authentification de liaison. Si une option de configuration n'est pas incluse dans un paquet LCP, la valeur par défaut pour cette option sera utilisée.

Phase 2 : authentification optionnelle

Après que la liaison a été établie et que le protocole d'authentification a été choisi, le routeur homologue peut être authentifié. L'authentification, si elle est utilisée, a lieu avant d'entrer dans la phase de protocole de la couche réseau.

PPP supporte deux protocoles d'authentification, PAP et CHAP. Ces deux protocoles sont détaillés dans le RFC 1334, "*PPP Authentication Protocols*". Toutefois, le RFC 1994, "*PPP Challenge Handshake Authentication Protocol*" le rend obsolète.

Phase 3 : protocole de couche réseau

Dans cette phase, les équipements PPP envoient des paquets NCP pour choisir et configurer un ou plusieurs protocoles de la couche réseau (tel que IP). Après que chacun des protocoles choisis a été configuré, des datagrammes de chaque protocole peuvent être envoyés sur la liaison. PPP supporte plusieurs protocoles dont IP, IPX, AppelTalk, OSI, etc.

Sélection d'un protocole d'authentification PPP

Lors de la configuration de l'authentification PPP, vous pouvez choisir entre les protocoles PAP ou CHAP. En général, ce dernier est le protocole préféré.

PAP

PAP fournit une méthode simple pour qu'un nœud distant puisse décliner son identité au moyen d'une négociation en deux temps, comme illustré Figure 14.9. L'authentification n'est réalisée qu'au moment de l'établissement de la liaison initiale.

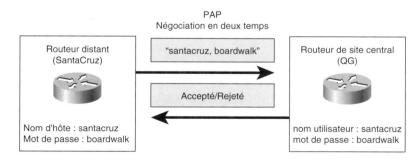

Figure 14.9

Avec PAP, les mots de passe sont envoyés en texte clair.

Après que la phase d'établissement de liaison PPP a été accomplie, un ensemble nom d'utilisateur/mot de passe est envoyé de façon répétée par le nœud distant vers le routeur jusqu'à ce que l'authentification soit acquittée ou que la connexion soit terminée.

PAP n'est pas un protocole d'authentification puissant. Les mots de passe sont envoyés sur la liaison en texte clair et il n'existe aucune protection contre un risque d'attaques par copie ou itération de cycles tentative-échec. Une attaque par copie se produit lorsqu'un analyseur de trafic capture les paquets et les reproduit sur le réseau à partir d'un autre équipement. Le nœud distant est maître de la fréquence et de la synchronisation des tentatives de connexion.

ASTUCE

Utilisez PAP et uniquement si l'équipement nécessitant l'authentification ne supporte pas CHAP.

CHAP

CHAP est utilisé au démarrage d'une liaison et périodiquement pour vérifier l'identité d'un nœud distant au moyen d'une négociation en trois temps.

Après l'établissement de la liaison PPP, le routeur local envoie un message de test vers le nœud distant. Celui-ci répond avec un numéro d'identifiant crypté, un mot de passe secret et un nombre aléatoire. le routeur local compare la valeur de réponse avec le résultat de ses propres calculs. Si les valeurs correspondent, l'authentification est acquittée ; autrement, la connexion est immédiatement terminée. La Figure 14.10 résume ce processus.

CHAP offre une protection contre les attaques par copie par l'intermédiaire d'une valeur de défi variable qui est unique et imprévisible. L'utilisation de tests répétés permet de limiter le temps d'exposition à une seule attaque. Le routeur local (ou un serveur d'authentification tiers tel que TACACS) est maître de la fréquence et de la synchronisation des messages de test.

Utilisez la commande **debug ppp authentication** pour afficher la séquence d'échanges au moment où elle se produit. Voci un exemple de ce processus :

PPP série 1 : Envoi d'un message "challenge" id=34 ;

PPP série 1 : Envoi d'un message "challenge" de P1R2 ;

PPP série 1 : Réponse reçue de P1R2 ;

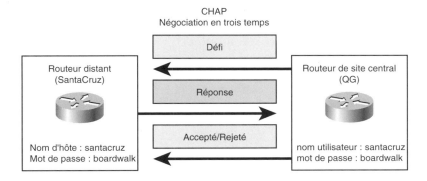

Figure 14.10

CHAP utilise un mot de passe secret connu uniquement de l'authentificateur et de l'équipement homologue.

PPP série 1 : Réponse id=34 reçue de P1R2 ;

PPP série 1 : Envoi d'un message "succès" id=34 au nœud distant ;

PPP série 1 : Authentification réussie pour le nœud distant ;

Configuration de l'authentification PPP

Les routeurs de chaque côté de la liaison doivent être configurés pour l'authentification PPP (voir Figure 14.11).

Pour configurer l'authentification PPP, procédez comme suit :

1. Sur chaque routeur, définissez le nom d'utilisateur et le mot de passe attendus de la part du routeur distant. Voici la syntaxe de la commande :

    ```
    Router(config)#username nom password secret
    ```

Les paramètres de la commande sont les suivants :

■ **nom.** C'est le nom d'hôte du routeur distant. Notez qu'il est sensible à la casse.

■ **secret.** Sur les routeurs Cisco, le mot de passe secret doit être le même pour les deux routeurs.

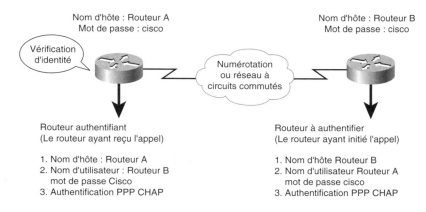

Figure 14.11

Les commandes de configuration d'authentification PPP.

Ajoutez une entrée pour le nom d'utilisateur de chaque système distant avec lequel le routeur local communique et qu'il doit authentifier. L'équipement distant doit également avoir une entrée de nom d'utilisateur concernant le routeur local.

Pour permettre au routeur local de répondre à des messages de test distants, il faut avoir prévu une entrée de nom utilisateur identique au nom d'hôte déjà assigné à l'équipement.

2. Entrez dans le mode de configuration d'interface pour l'interface appropriée.

3. Configurez l'interface pour l'encapsulation PPP.

```
Router(config)#encapsulation ppp
```

4. Configurez l'authentification PPP.

```
Router(config)#ppp authentication {chap ¦ chap pap ¦ pap chap ¦
➥pap}***
```

Il existe quatre options disponibles pour l'authentification PPP :

■ CHAP seulement (CHAP) ;

■ CHAP et ensuite PAP (CHAP PAP) ;

■ PAP et ensuite CHAP (PAP CHAP) ;

■ PAP seulement (PAP).

Si PAP et CHAP sont tous deux activés, la première méthode spécifiée sera demandée durant la négociation de liaison. Si l'homologue suggère l'emploi de la deuxième méthode ou refuse simplement la première, la deuxième méthode sera utilisée.

Les commandes suivantes peuvent être utilisées pour simplifier les tâches de configuration de CHAP sur le routeur :

■ Utilisation du même nom d'hôte sur plusieurs routeurs. Lorsque vous voulez que des utilisateurs distants pensent qu'ils se connectent sur le même routeur lors de l'authentification, configurez le même nom d'hôte sur chacun des routeurs.

```
Router(config)#ppp chap hostname nom-hôte
```

■ Utilisez un mot de passe pour authentifier un hôte inconnu. Pour limiter le nombre d'entrées nom utilisateur/mot de passe sur le routeur, configurez un mot de passe qui sera envoyé aux hôtes qui souhaitent s'authentifier auprès du routeur.

```
Router(config-if)#ppp chap password secret
```

Vérification PPP

Lorsque PPP est configuré, vous pouvez vérifier ses états LCP et NCP au moyen de la commande **show interfaces**.

La Figure 14.12 illustre un exemple dans lequel l'administrateur a utilisé cette commande pour vérifier une interface RNIS.

Résumé

Ce chapitre a présenté les services de réseaux étendus (WAN) et la configuration des divers composants impliqués. En ce qui concerne les services qui peuvent être utilisés sur les routeurs Cisco, ce livre s'est concentré sur X.25 et Frame Relay qui sont traités plus en détail dans les deux chapitres suivants. Souvenez-vous que les routeurs sur chaque extrémité d'une connexion WAN doivent être configurés avec PPP. De plus, il est conseillé de configurer l'authentification PAP ou CHAP (ou les deux) à des fins de sécurité.

```
P1R1#show interfaces s1
Serial1 is up, line protocol is up
Hardware is HD64570
Internet address is 10.1.1.2/24
MTU 1500 bytes, BW 1544 Kbit, DLY 20000 usec, rely 255/255, load 1/255
Encapsulation PPP, loopback not set, keepalive (10 sec)
LCP Open
Open: IPCP, CDP, ATALKCP, IPXCP
Last input 00:00:04, output 00:00:00, output hang never
Last clearing of "show interface" counters never
Input quere: 0/75/0 (size/max/ drops); Total output drops: 0
Queueing strategy: weighted fair
Output queue: 0/64/0 (size/threshold/drops)
   Conversations 0/4 (active/max active)
   Reserved Conversations 0/0 (allocated/max allocated)
5 minute input rate 0 bits/sec, 0 packets/sec
5 minute output rate 0 bits/sec, 0 packets/sec
   51938 packets input, 1634908 bytes, 0 no buffer

- - more - -
```

Figure 14.12

La commande show interfaces est utilisée pour vérifier que l'encapsulation PPP a été configurée sur l'interface.

Test du Chapitre 14

Durée estimée : 15 minutes

Réalisez tous les exercices suivants pour tester votre connaissance des sujets traités dans ce chapitre. Les réponses sont données dans l'Annexe A.

Question 14.1

Un abonné WAN doit savoir comment interfacer son équipement de télécommunication (CPE) au service du fournisseur. Vrai ou Faux ?

Question 14.2

PPP définit une encapsulation de liaison de données capable de transmettre des paquets de plusieurs protocoles. Vrai ou Faux ?

Question 14.3

Pour chacune des définitions suivantes, associez le terme qui s'y rapproche le plus.

Termes :

A. Service d'établissement d'appel

B. Multiplexage temporel (TDM)

C. Service X.25 ou Frame Relay

Définitions :

_____ (a) Utilise un canal séparé pour contrôler les messages entre des points de transfert et une destination appelée.

_____ (b) Alloue statistiquement à plusieurs circuits de la bande passante sur un seul canal.

_____ (c) Egalement connu sous le terme signalisation.

_____ (d) Utilise des tranches de temps fixes pour éliminer la congestion.

_____ (e) Les paquets d'informations partagent un canal non dédié.

_____ (f) Etablit et libère les connexions entre utilisateurs.

_____ (g) Une route est un chemin dédié entre un emplacement émetteur et un emplacement récepteur.

_____ (h) Utilise des circuits virtuels pour éviter des retards d'établissement d'appel.

Question 14.4

Quelles sont les trois formes de services de réseaux étendus décrits dans ce chapitre auxquelles vous pouvez accéder avec des routeurs Cisco ?

A. _____

B. _____

C. _____

Question 14.5

Quelle est la commande à exécuter pour vérifier qu'une interface est configurée pour l'encapsulation PPP ?

_____

Question 14.6

Quelle est la commande à exécuter pour afficher la séquence d'échanges de l'authentification CHAP ?

_____

15

Configuration de X.25

Ce chapitre traite du routage X.25. Il présente le protocole et explique comment les paquets sont adressés et encapsulés. Il étudie aussi la configuration du routage et l'affichage des paramètres pour vérification.

Présentation de X.25

X.25 est un standard qui définit la connexion entre un terminal et un réseau à commutation de paquets. Il représente un moyen qui permet de communiquer des données dans pratiquement tout le monde entier. Presque tous les pays disposent d'un réseau X.25 adressable.

Il tire ses origines du début des années 70. L'industrie des réseaux utilise communément le terme X.25 pour se référer à la totalité de la suite de protocoles X.25.

Les ingénieurs ont conçu X.25 pour que des terminaux passifs alphanumériques puissent envoyer et recevoir des données par l'intermédiaire de lignes téléphoniques analogiques. Il permet à ces terminaux d'accéder à distance à des applications sur des gros ou moyens systèmes.

Comme les applications de bureautique modernes ont eu besoin d'échanger des données entre réseaux locaux (LAN) à travers un réseau étendu (WAN), les ingénieurs ont conçu de nouvelles formes de technologie WAN : RNIS et Frame Relay. Dans de nombreuses situations, ces nouveaux réseaux étendus complètent ou étendent X.25 plutôt qu'ils ne le remplacent.

Beaucoup de protocoles différents de la couche réseau peuvent être transmis sur des circuits virtuels, ou VC (*Virtual Circuit*), X.25 au moyen d'un processus mettant en œuvre un *tunnel*. Avec la technique du tunnel, les datagrammes ou autres paquets de la couche 3 sont encapsulés dans les paquets de la couche 3 de X.25 pour être transportés à travers des réseaux étendus *via* des circuits virtuels (voir Figure 15.1). Chaque paquet de la couche 3 conserve l'adressage du protocole qu'il utilise.

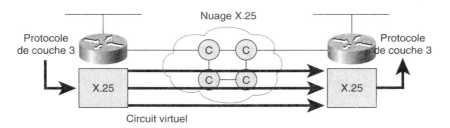

Figure 15.1

X.25 supporte plusieurs types de protocoles sur des circuits virtuels.

X.25 supporte les types de communication suivants :

- IP ;

- AppleTalk ;

- Novell IPX ;

- Banyan VINES ;

- XNS ;

- DECnet ;

- ISO-CLNS ;

- Apollo ;

- TCP compressé ;

- par pont.

Pile de protocoles X.25

La suite de protocoles de commutation de paquets X.25 peut être comparée aux trois couches les plus basses du modèle OSI (voir Figure 15.2).

Vous pouvez généralement voir X.25 comme une liaison de données perfectionnée dans le monde des interréseaux. X.25 au niveau de la couche 3 et LAPB (*Link Access Procedure Balanced*) au niveau de la couche 2 fournissent tous deux une fiabilité et des fenêtres de communication (*sliding windows*). Les couches 3 et 2 ont été conçues avec des fonctions de contrôle de flux et d'erreurs puissantes pour réduire la nécessité de devoir recourir à des fonctions externes.

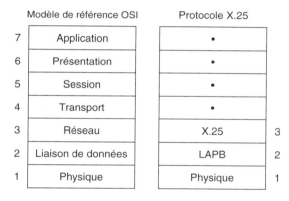

Figure 15.2

X.25 correspond aux couches les plus basses du modèle de référence OSI.

LAPB fournit un service de données confirmé entre deux points. Toutes les données envoyées sont activement acquittées et le service garantit une livraison ordonnée point à point sans abandon ni duplication. Si ce service ne peut assurer la livraison, le protocole se réinitialise en mode SABM (*Set Asynchronous Balanced Mode*, mode équilibré asynchrone) ou SABME (SABM étendu) qui interrompt le service de la couche 3, qui à son tour redémarre (RESTART).

La protocole PLP (*Packet Level Protocol*) dépend du service LAPB garanti. La couche réseau fournit des connexions multiplexées sur la connexion LAPB point à point. PLP assure aussi une livraison ordonnée garantie sans abandon ni duplication. Si le service est interrompu, le circuit virtuel signale la perte possible de données (RESET) ou est libéré (CLEAR).

X.25 a évolué à l'époque des circuits analogiques, lorsque les taux d'erreurs étaient bien plus élevés qu'ils ne le sont aujourd'hui. Pour la technologie de circuit analogique de la couche 1, il est plus efficace de fournir une fiabilité au niveau matériel. Avec des technologies numériques ou à fibre optique, les taux d'erreurs ont chuté considérablement. De nouvelles technologies comme Frame Relay ont tiré avantage de cette baisse en fournissant une liaison de données allégée "non fiable".

X.25 a été conçu à l'époque des terminaux alphanumériques et des ordinateurs centraux à temps partagé. Les exigences en matière de commutation de paquets étaient inférieures, comparé à aujourd'hui. Des applications complexes sur des stations de travail de bureau requièrent plus de bande passante et de vitesse. Des technologies récentes comme RNIS ou X.25 sur Frame Relay apportent des fonctionnalités de commutation de paquets.

ETTD et ETCD X.25

Chaque station sur une connexion X.25 est soit un ETTD (*DTE*), soit un ETCD (*DCE*). L'ETTD est généralement un routeur ou un PAD (*Packet Assembler/Disassembler*). L'ETCD au niveau paquet agit typiquement en tant que dispositif frontière vers le réseau public de données ou PDN (*Public Data Network*) au sein d'un commutateur ou d'un concentrateur. La Figure 15.3 illustre la relation entre les ETTD et les ETCD sur le réseau public de données. Le commutateur X.25 sur le site de l'opérateur peut aussi être appelé un équipement de commutation de données ou DSE (*Data Switching Equipement*).

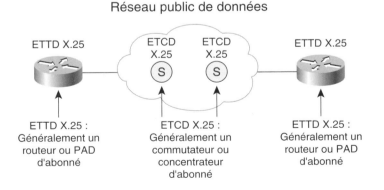

Réseau public de données

ETTD X.25   ETCD X.25   ETCD X.25   ETTD X.25

ETTD X.25 : Généralement un routeur ou PAD d'abonné

ETCD X.25 : Généralement un commutateur ou concentrateur d'abonné

ETTD X.25 : Généralement un routeur ou PAD d'abonné

Figure 15.3
L'ETTD est généralement un routeur ou PAD d'abonné ; l'ETCD est généralement un commutateur ou un concentrateur de réseau public de données.

Bien que les dispositifs ETTD et ETCD interviennent au niveau des trois couches associées à la pile X.25, l'usage illustré Figure 15.3 est indépendant de l'ETTD/ ETCD de la couche physique.

Le protocole X.25 implémente des circuits virtuels entre les ETTD et les ETCD.

Format d'adressage X.25 (X.121)

Le format des adresses X.25 est défini par le standard X.121 de l'UIT-T. La Figure 15.4 illustre le format d'adressage.

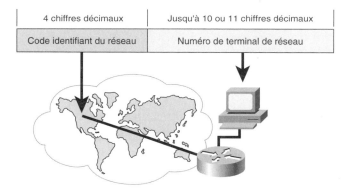

Figure 15.4
Les adresses X.25 suivent un format spécifique.

Les quatre premiers chiffres spécifient le code d'identification du réseau de données ou DNIC (*Data Network Identification Code*). Ce champ d'adresse représente le code de pays et le numéro de fournisseur assigné par l'UIT.

Les dix chiffres restants représentent le numéro du terminal du réseau, le NTN (*Network Terminal Number*). Les huit premiers chiffres sont assignés par le fournisseur de réseau à commutation de paquets ou PSN (*Packet-Switched Network*) et les deux derniers chiffres représentent un sous-numéro assigné localement. Ces deux derniers chiffres peuvent être utilisés pour identifier une application particulière ou un équipement. Les huit premiers chiffres avec le code DNIC de quatre chiffres forment l'adresse unique allouée aux utilisateurs lorsqu'ils démarrent sur le réseau X.25.

Les réseaux privés X.25 permettent d'assigner des adresses qui conviennent le mieux à leur architecture de réseau.

Seuls les chiffres décimaux sont valides pour former une adresse X.121. Le routeur peut accepter une adresse X.121 de 1 à 15 chiffres. Certains réseaux autorisent les abonnés à employer des sous-adresses (les deux derniers chiffres après l'adresse de base assignée).

Pour que des protocoles de réseaux différents puissent se connecter à travers X.25, des instructions sont configurées sur le routeur pour faire correspondre l'adresse de couche réseau du prochain saut à l'adresse X.121. Par exemple, une adresse IP est associée à une adresse X.121 pour identifier l'hôte de l'autre côté du réseau X.25.

Ces instructions sont logiquement équivalentes au protocole ARP sur un réseau local qui associe dynamiquement une adresse de couche réseau à une adresse MAC de liaison de données, comme illustré Figure 15.5. Les correspondances sont requises pour chaque protocole, car ARP n'est pas supporté sur un réseau X.25.

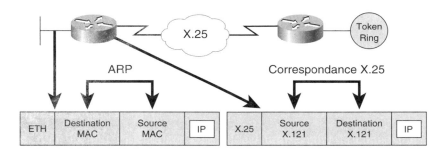

Figure 15.5
L'association d'une adresse de couche réseau à une adresse X.121 est une tâche de configuration manuelle.

CONCEPT CLÉ

Une étape critique dans la configuration d'un routeur Cisco pour X.25 est l'association manuelle des adresses X.121 aux adresses de couche réseau.

Encapsulation X.25

Le déplacement de données de la couche réseau à travers un interréseau implique généralement l'encapsulation de datagrammes dans des trames spécifiques à un média, comme illustré Figure 15.6. Lorsqu'une trame arrive sur un routeur et qu'elle est éliminée, le routeur analyse le datagramme qui y était contenu pour le placer à l'intérieur d'une nouvelle trame et le retransmettre.

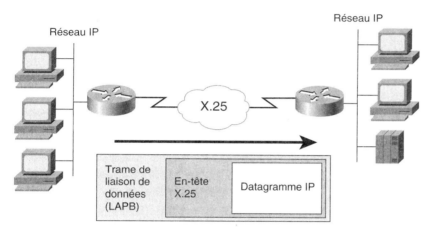

Figure 15.6

Les datagrammes de protocole sont transportés de façon fiable dans des trames X.25.

De la même manière, dans un environnement X.25, la trame LAPB qui arrive sur un routeur, est éliminée et le datagramme est extrait du paquet. Le routeur analyse le datagramme pour identifier le format et le prochain saut. Au moyen du processus de détermination de route, le routeur encapsule à nouveau le datagramme dans une autre trame convenant pour le média de sortie et le transmet.

Circuits virtuels X.25

Le terme *circuit virtuel (VC, Virtual Circuit)* est équivalent aux termes *numéro de circuit virtuel (VCN, Virtual Circuit Number), numéro de canal logique (LCN, Logical Channel Number)* et *identifiant de canal virtuel (VCI, Virtual Channel Identifier).*

Un circuit virtuel peut être un circuit virtuel permanent (ou PVC, *Permanent Virtual Circuit)*, ou plus couramment un circuit virtuel commuté (ou SVC, *Switched Virtual Circuit*). Un circuit virtuel commuté n'existe que pour la durée d'une session.

Trois phases sont associées aux circuits virtuels commutés :

■ l'établissement d'appel ;

■ le transfert d'informations ;

■ la libération d'appel.

Un circuit virtuel permanent est semblable à une ligne louée. Le fournisseur de réseau et l'abonné X.25 doivent le prévoir et le rendre disponible. Il n'utilise pas de phases d'établissement et de libération d'appel qui soient apparentes pour l'abonné. Un tel circuit est toujours présent, même lorsqu'il n'y a pas de données à acheminer.

Comme illustré Figure 15.7, les circuits virtuels transportent des données par l'intermédiaire d'un nuage X.25.

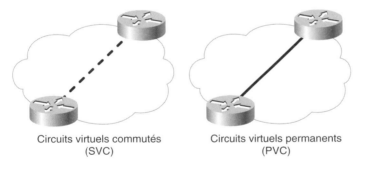

Circuits virtuels commutés (SVC)

Circuits virtuels permanents (PVC)

Figure 15.7
Les circuits virtuels commutés n'existent que pour la durée d'un appel.

Le protocole X.25 offre un service simultané à beaucoup d'hôtes (par exemple, le service de connexion multiplex). Un réseau X.25 peut supporter n'importe quelle configuration légale de circuits virtuels commutés ou permanents sur le même circuit physique connecté à l'interface X.25. Toutefois, la configuration d'un grand nombre de circuits sur une interface série peut entraîner des performances médiocres. La conception initiale de X.25 avait pour objectif la délivrance d'un service pour des applications de type temps partagé ou terminal-hôte et non pour des applications actuelles ordinateur-ordinateur.

Les sections suivantes examinent l'emploi de circuits virtuels commutés pour transporter le trafic d'un ou de plusieurs protocoles.

Emploi de circuits virtuels commutés

Un maximum de 4 095 circuits virtuels commutés peuvent être configurés sur une seule interface X.25.

Le débit d'encapsulation d'un protocole spécifique peut être amélioré au moyen de plusieurs circuits virtuels commutés. Cela permet d'obtenir une taille de fenêtre efficace supérieure, tout particulièrement pour les protocoles qui assurent leur propre reséquencement de couche supérieure. La taille de fenêtre représente la quantité de données qui peut être transférée dans un seul flux, sans intervention d'un acquittement de réception. Le reséquencement de couche supérieure est une fonction importante, car le trafic d'un même flux peut emprunter des chemins différents et arriver dans le désordre. Dans la Figure 15.8, trois circuits virtuels commutés sont combinés pour augmenter le débit à travers le nuage X.25.

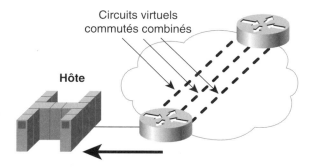

Figure 15.8
La combinaison de plusieurs circuits virtuels commutés augmente le débit.

Circuit virtuel pour un seul protocole

La méthode d'encapsulation traditionnelle d'un routeur Cisco permet à différents protocoles de transporter leurs datagrammes à travers un nuage X.25, car le routeur utilise des circuits virtuels séparés (voir Figure 15.9).

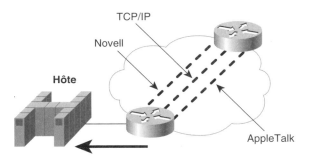

Figure 15.9

*Les circuits virtuels commutés peuvent, en cas de besoin, être configurés
pour ne gérer qu'un protocole.*

Circuit virtuel multiprotocole

A partir de la version 10.2 du système Cisco IOS, un seul circuit virtuel vers un hôte
peut transporter le trafic de plusieurs protocoles (voir Figure 15.10). Une instruction
x25 map contient plusieurs adresses de protocoles mises en correspondance avec
une seule adresse X.121 associée à l'hôte de destination.

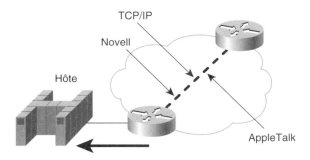

Figure 15.10

*Les circuits virtuels commutés peuvent être définis pour supporter
un trafic multiprotocole.*

Cette fonctionnalité utilise la méthode décrite dans le RFC 1356. Chacun des protocoles supportés peut être associé à un hôte de destination. Comme le routage de

plusieurs protocoles sur un circuit virtuel génère une plus grande charge de trafic, la combinaison de plusieurs circuits virtuels commutés, comme décrit précédemment dans ce chapitre, peut améliorer le débit.

Configuration X.25

Lorsque vous sélectionnez X.25 comme protocole de réseau étendu, vous devez définir des paramètres d'interface appropriés, dont les configurations suivantes :

- définir l'encapsulation X.25 (ETTD est le paramètre par défaut) ;

- assigner l'adresse X.121 (généralement fournie par le fournisseur de service du réseau public de données) ;

- définir des instructions de correspondances pour associer les adresses X.121 à celles de protocoles de plus haut niveau.

D'autres tâches de configuration peuvent être effectuées pour contrôler le débit des données et assurer la compatibilité avec le fournisseur de service du réseau X.25. Parmi les paramètres couramment utilisés, on compte le nombre de circuits virtuels autorisés et la négociation de la taille de paquet.

X.25 est un protocole à flux contrôlé. Les paramètres par défaut de contrôle de flux doivent correspondre sur les deux côtés d'une liaison. Les différences dues à une configuration incohérente peuvent provoquer des problèmes sérieux d'interconnexion.

Les deux côtés d'une liaison X.25, ETTD et ETCD, doivent s'accorder sur un certain nombre de paramètres, y compris la méthode d'encapsulation et la mise en correspondance d'adresses, comme illustré Figure 15.11. Ils doivent également négocier le nombre de circuits virtuels à utiliser, ainsi que l'emploi de ces derniers.

Les standards X.25 demandent une taille de fenêtre par défaut de deux paquets et une taille de paquet par défaut de 128 octets. Ces paramètres reflètent la taille de fenêtre qui représente le dénominateur commun le plus bas. Les tailles de paquets supérieures, par exemple 512 ou 1 024 octets, sont utilisées couramment aux Etats-Unis et en Europe. Des tailles de paquets allant jusqu'à 4 096 octets peuvent aussi être autorisées par certains fournisseurs de réseau.

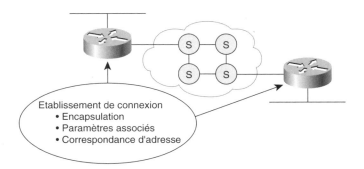

Figure 15.11

Les paramètres sur les deux extrémités de la liaison doivent être cohérents.

Les commandes suivantes peuvent être utilisées pour configurer les paramètres d'interface X.25 sur un routeur Cisco :

- **encapsulation X.25** ;

- **X25 address** ;

- **X25 map**.

Commande encapsulation x25

Utilisez la commande **encapsulation x25** pour spécifier le type d'encapsulation, **dce** (ETCD) ou **dte** (ETTD), à utiliser sur l'interface série. Voici un exemple de configuration :

```
Router(config-if)#encapsulation x25
Router(config-if)#encapsulation x25 dce
```

Le routeur peut être un ETTD X.25. C'est généralement la configuration choisie lorsque le réseau public de données est utilisé pour transporter différents protocoles. Le routeur peut aussi être configuré comme ETCD, configuration typique lorsqu'il agit comme commutateur X.25. Par défaut, il joue le rôle d'ETTD (DTE).

Commande x25 address

La commande **x25 address** définit l'adresse X.121 du routeur local (une adresse par interface). La valeur spécifiée doit correspondre à celle désignée par le réseau X.25. La syntaxe de la commande est :

```
Router(config-if)#x25 address adresse-x121
```

Commande x25 map

La commande **x25 map** assure la conversion statique d'adresses de couches supérieures en adresses X.25. La commande met en correspondance une adresse de couche réseau d'un hôte homologue et une adresse X.121 d'un autre homologue. La syntaxe de la commande est :

```
Router(config-if)#x25 map protocole adresse adresse-x121 [options]
```

Les paramètres de la commande sont les suivants :

- **protocole.** Spécifie le type protocole parmi ceux qui sont supportés : **ip**, **xns**, **decnet**, **ipx**, **appletalk**, **vines**, **apollo**, **bridge** (pont), **clns** et **compressed tcp** (tcp compressé).

- **adresse.** Spécifie l'adresse du protocole (non spécifiée pour les connexions par pont ou CLNS).

- **adresse X.121.** Spécifie l'adresse X.121. L'adresse de protocole et l'adresse X.121 doivent former ensemble la correspondance complète entre le protocole et X.121.

- **options** (optionnel). Personnalise la connexion. Une option couramment utilisée est **broadcast**. Elle indique au système Cisco IOS de diriger tout message broadcast envoyé *via* l'interface concernée vers l'adresse X.121 spécifiée.

L'instruction suivante **x25 map** est utilisée uniquement pour communiquer avec un hôte capable de gérer plusieurs protocoles sur un seul circuit virtuel. Cette communication nécessite une encapsulation multiprotocole comme définie dans le RFC 1356.

```
Router(config-if)# x25 map protocole adresse [protocole2 adresse2]*
    adresse-x121 [options]
```

Dans la commande précédente, le signe astérisque (*) signifie que neuf adresses de protocole de réseau, le maximum, peuvent être associées à une destination d'hôte avec une seule commande de configuration. Le protocole pour pont n'est pas supporté.

Exemple de configuration X.25

Dans la Figure 15.12, deux routeurs sont configurés pour connecter des bureaux distants d'une entreprise.

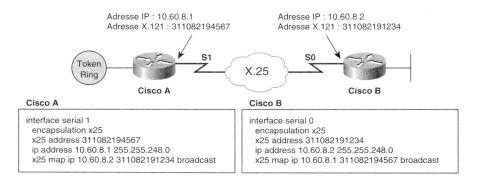

Figure 15.12

Deux routeurs X.25 connectent des bureaux distants.

Pour Cisco A, les informations de configuration sont les suivantes :

- **encapsulation x25**. Définit le type d'encapsulation sur l'interface série 1 vers le type X.25.

- **x25 address 311082194567**. Définit l'adresse X.121 de l'interface série 1.

- **ip address 10.60.8.1 255.255.248.0**. Spécifie un protocole de couche 3 et une adresse à associer à l'adresse X.121 de cette interface.

- **x25 map ip 10.60.8.2 311082191234 broadcast**. Associe une adresse IP à une adresse X.121 pour l'hôte (série 0) qui se trouve sur l'autre extrémité de la connexion X.25. L'option **broadcast** indique à l'interface d'envoyer les informations de routage aux voisins sur X.25.

Le routage IP sur Cisco A transmet les datagrammes à destination du sous-réseau 10.60.8.0 vers l'interface série 1. L'instruction de correspondance de l'interface identifie la destination vers le nuage X.25. Dans cette configuration typique, le routeur tente d'établir un circuit virtuel commuté vers Cisco B en utilisant son adresse X.121 source et l'adresse X.121 de destination 311082191234 lorsqu'il envoie des paquets vers 10.60.8.2.

A la réception de la demande d'établissement de circuit, Cisco B identifie l'adresse IP distante à partir de l'adresse X.121 source et accepte la connexion. Après ouverture du circuit, chaque routeur l'utilise comme liaison de données point à point pour la destination identifiée.

Les deux raccordements X.25 ont besoin d'être configurés avec des correspondances supplémentaires pour établir le circuit virtuel qui encapsulera les datagrammes IP.

Configuration supplémentaire

Il peut s'avérer nécessaire d'effectuer des configurations supplémentaires pour que le routeur fonctionne correctement avec le réseau du fournisseur de service. Les paramètres X.25 cruciaux sont les suivants :

- Plage de circuits virtuels. Entrants, bidirectionnels et sortants.

- Taille de paquet par défaut. En entrée et en sortie.

- Taille de fenêtre par défaut et modulo de fenêtre.

Ces paramètres doivent être définis, mais vous n'avez pas besoin de les configurer directement, car ils dépendent de ceux utilisés par défaut par le fournisseur de service.

Configuration de plage de circuits virtuels

Un maximum de 4 095 circuits virtuels peuvent être configurés sur une interface. Les deux extrémités d'une connexion X.25 doivent s'accorder sur la plage de circuits à utiliser parmi ceux disponibles et sur leur emploi. Le Tableau 15.1 résume les commandes de configuration pour l'assignation de numéros de circuits virtuels. La plage complète des circuits virtuels peut être allouée à des circuits permanents, commutés, ou à une combinaison des deux, selon les besoins. Les circuits commutés sont couramment utilisés.

Tableau 15.1 : Commandes de configuration pour l'assignation de numéros de circuits virtuels

Type de circuit virtuel	Plage	Valeur par défaut	Commande
PVC	1-4 095		**x25 pvc circuit**
SVC			
Entrant seulement	1-4 095	0	**x25 lic circuit**

Tableau 15.1 : Commandes de configuration pour l'assignation de numéros de circuits virtuels *(suite)*

Type de circuit virtuel	*Plage*	*Valeur par défaut*	*Commande*
Initié ETCD	1-4 095	0	**x25 hic circuit**
Bidirectionnel	1-4 095	1	**x25 ltc circuit**
		1 024	**x25 htc circuit**
Sortant seulement	1-4 095	0	**x25 loc circuit**
Initié ETTD (sortant)	1-4 095	0	**x25 hoc circuit**

La configuration de la plage doit prévoir deux valeurs pour les limites inférieure et supérieure, ce qui explique l'emploi de deux commandes. Si elles indiquent toutes deux la valeur 0, la plage n'est pas utilisée.

Les numéros doivent être assignés de façon à ce qu'une plage de circuits entrants précède une plage de circuits bidirectionnels, ces deux types de circuits devant précéder une plage pour circuits sortants. N'importe quel circuit permanent doit recevoir un numéro précédant n'importe quelle plage pour circuits commutés. La stratégie de numérotation suivante donne l'ordre correct pour les commandes d'assignation de numéros de circuits vituels :

   1_PVC<(lic_hic)<(ltc_htc)<(loc_hoc)_4 095

La description suivante peut être utilisée pour interpréter la stratégie de numérotation :

- lic (*lowest incoming circuit number*). Numéro de circuit entrant le plus bas ;

- hic (*highest incoming circuit number*). Numéro de circuit entrant le plus élevé ;

- ltc (*lowest two-way circuit number*). Numéro de circuit bidirectionnel le plus bas ;

- htc (*highest two-way circuit number*). Numéro de circuit bidirectionnel le plus élevé ;

- loc (*lowest outgoing circuit number*). Numéro de circuit sortant le plus bas ;

- hoc (*highest outgoing circuit number*). Numéro de circuit sortant le plus élevé.

L'exemple suivant définit les plages de circuits virtuels 5 à 20 pour les appels entrants seulement (de l'ETCD vers l'ETTD) et 25 à 1 024 pour les appels entrants ou sortants. Il ne spécifie aucun circuit virtuel pour les appels sortants (de l'ETTD vers l'ETCD).

```
x25 lic 5
x25 hic 20
x25 ltc 25
```

X.25 ignore tout événement se produisant sur un numéro de circuit virtuel non assigné dans une plage. Il considère alors le circuit hors plage comme une erreur de protocole. L'administrateur de réseau spécifie les plages de circuits virtuels pour une connexion X.25. Pour un fonctionnement correct, les dispositifs ETTD et ETCD d'une connexion doivent disposer de plages configurées à l'identique. Les numéros configurés pour n'importe quel circuit virtuel permanent doivent également être identiques sur les deux côtés d'une connexion (pas nécessairement de bout en bout).

Configuration des tailles de paquets

Les commandes suivantes sont utilisées pour configurer les tailles de paquets X.25 :

- x25 ips

- x25 ops

Ces commandes définissent les tailles maximales par défaut des paquets entrants et sortants. Les valeurs des deux catégories doivent correspondre, à moins que le réseau ne supporte des transmissions asymétriques. La syntaxe des commandes est :

```
Router(config-if)#x25 ips octets
Router(config-if)#x25 ops octets
```

L'argument *octets* désigne la taille maximale acceptée pour les circuits virtuels qui ne négocient pas de tailles. Les valeurs supportées sont : 16, 32, 64, 128, 256, 512, 1 024, 2 048, et 4 096. La valeur par défaut est de 128 octets.

Si les stations d'une connexion font l'objet d'un conflit au sujet d'une taille de paquet, le circuit virtuel risque de ne pas fonctionner.

Les paquets envoyés sur le réseau X.25 qui excèdent la taille spécifiée, devront être fragmentés par le routeur en paquets autorisés avec le bit M (*More*) activé.

La réorganisation du paquet se produit sur le routeur destinataire. Ce processus consomme des cycles de traitement sur les deux routeurs.

Configuration des paramètres de fenêtre X.25

X.25 utilise une fenêtre de communication pour le contrôle de flux. Une grande fenêtre autorise la transmission de plus de paquets.

Les commandes suivantes sont utilisées pour configurer la taille de la fenêtre :

- x25 win

- x25 wout

- x25 modulo

Utilisez les commandes **x25 win** et **x25 wout** pour définir les tailles de fenêtre pour les paquets entrants et sortants. La taille de fenêtre indique le nombre de paquets qui peuvent être reçus ou envoyés sans nécessiter d'acquittement. Les deux extrémités d'une liaison X.25 doivent utiliser la même taille.

La syntaxe de la commande est la suivante :

```
Router(config-if)#x25 win paquets
Router(config-if)#x25 wout paquets
```

L'argument *paquets* spécifie la taille de fenêtre. Les valeurs possibles vont de la valeur 1 au modulo (décrit ci-dessous) moins 1. La taille par défaut est de deux paquets.

La commande **x25 modulo** spécifie le modulo de numérotation de paquet. Cette valeur influe sur la taille maximale. Par exemple, un modulo 8 est largement utilisé et autorise une taille de fenêtre de circuit virtuel pouvant aller jusqu'à 8 paquets (en utilisant les numéros de séquence de 0 à 7). Un modulo 128 est rare, mais autorise une taille de fenêtre acceptant jusqu'à 128 paquets (numéros 0 à 127).

La syntaxe de la commande est la suivante :

```
Router(config-if)#x25 modulo modulo
```

L'argument *modulo* peut prendre la valeur 8 ou 128.

A partir de la version 10.2 du système Cisco IOS, le support pour un modulo 128 a été ajouté dans LAPB, autorisant un plus grand débit sur les liaisons X.25.

Les deux extrémités d'une liaison X.25 doivent utiliser le même modulo.

Exemple de configuration supplémentaire

La Figure 15.13 illustre la configuration d'une interface série 0. Les tailles de paquets peuvent ne pas être supportées par tous les réseaux publics de données. Les valeurs de fenêtre représentent le maximum autorisé dans un environnement avec un modulo 8.

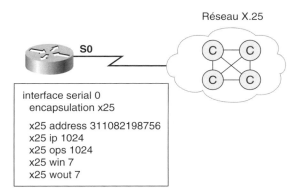

Figure 15.13

Les commandes X.25 utilisées pour configurer l'adresse de routeur et la taille de paquet.

Une adresse X.121 est assignée à l'interface série 0. Sont aussi définis les tailles de paquets entrants, sortants, de fenêtre, ainsi que le nombre maximal de circuits virtuels pour n'importe quel protocole.

Dans la Figure 15.13, les commandes suivantes ont été employées :

■ **x25 address 311082198756**. Spécifie l'adresse de l'interface.

■ **x25 ips/ops 1024**. Définit une taille de paquet par défaut de 1 024 en entrée et en sortie pour respecter les valeurs définies pour la connexion réseau. La valeur maximale est 4 096.

■ **x25 win/wout 7**. Définit une taille de fenêtre de 7 en entrée et en sortie pour respecter les valeurs définies pour la connexion réseau.

La taille de paquet par défaut typique rencontrée dans le monde entier sur les réseaux publics de données est de 128 octets. Aux Etats-Unis et en Europe, une taille de paquet de 1 024 est courante. On peut rencontrer des tailles de paquets supérieures dans les autres pays. La taille de paquet maximale par défaut de la couche 3 est limitée par celle que les couches inférieures sont capables de gérer.

Configuration d'un routeur comme commutateur

Un routeur peut être configuré pour commuter le trafic X.25 sur une connexion TCP, comme illustré Figure 15.14. X.25 sur TCP (appelé XOT) est défini par le RFC 1613.

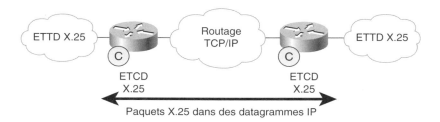

Figure 15.14
Le routeur agit en tant que commutateur local ou distant.

La commande de configuration d'un circuit virtuel permanent pour XOT est :

```
Router(config-if)#x25 pvc numéro1 tunnel adresse interface serial
    chaîne pvc numéro2 [option]
```

Les options de commande sont **packetsize** *in out* et **windowsize** *in out*. Elles autorisent la définition des valeurs de contrôle de flux d'un circuit virtuel permanent si les valeurs par défaut d'interface diffèrent.

Dans ce mode, l'épine dorsale comprend des routeurs commutant des datagrammes IP. Quelques équipements X.25, tels que des PAD, sont connectés entre eux à travers l'épine dorsale IP routée.

Les performances de commutation de IP sont supérieures à l'équipement de commutation X.25 natif. Cette utilisation d'un nuage TCP/IP apporte aux clients de hautes performances, une commutation concurrente de X.25, IP ainsi que d'autres protocoles.

Commutation locale X.25 et XOT

Le trafic X.25 peut être routé localement entre des ports série. Dans ce cas, les instructions de routage statique associent des adresses X.121 à des ports série. Le routeur autorise des interfaces X.25 connectées à différents ports d'établir des connexions par circuit virtuel commuté, une fonctionnalité appelée *commutation X.25 locale* (voir Figure 15.15). Un routeur configuré comme commutateur XOT peut apporter une amélioration conséquente dans le débit par rapport à un équipement de commutation X.25 traditionnel (le RFC 1613 donne des informations sur le routage XOT).

Figure 15.15
Commutation X.25.

La commutation X.25 distante autorise des interfaces X.25 connectées à différents routeurs à établir des circuits virtuels commutés et permanents. La commutation distante X.25 est réalisée en mettant en œuvre un tunnel pour l'établissement de la liaison X.25 et le trafic échangé entre les routeurs sur une connexion TCP.

La syntaxe de la commande est :

```
Router(config-if)#x25 route [numéro-position] adresse-x121 [cud
➥chaîne]
    interface numéro-type
```

Les paramètres de la commande sont les suivants :

- **numéro-position** (optionnel). Une valeur de position qui spécifie le numéro de ligne dans la table où l'entrée sera placée.

- **adresse-x121.** L'adresse X.121 de destination.

- **cud** *chaîne* (optionnel). Chaîne de référence CUD (*Call User Data*, données d'appel utilisateur) qui est une chaîne ASCII.

- **numéro-type.** Le numéro de l'interface de destination, tel que **serial 0**.

ATTENTION

La chaîne **cud** doit représenter la valeur fournie par le fournisseur de services X.25.

Surveillance X.25

Utilisez la commande **show interfaces** pour afficher les informations d'état et de compteur pour une interface. Le résultat de cette commande donne aussi des informations sur LAPB. Dans la Figure 15.16, l'interface série a été configurée avec un type d'encapsulation pour le fonctionnement avec X.25.

```
Router#show interface serial0

Serial0 is up, line protocol is up
    Hardware is MK5025
    Internet address is 183.8.128.129, subnet mask is 255.255.255.128
    MYU 1500 bytes, BW 56 Kbit, DLY 20000 usec, rely 255/255, load 1/255
    Encapsulation X25, loopback not set
    LAPB DCE, state CONNECT, modulo 8, k 7, N1 12048 N2 20
            T1 3000, interface outage (partial T3) 0, T4 0
            VS 1, VR 1 Remote VR 1, Retransmissions 0
            IFRAMEs 1728559/1639143 RNRs 0/0 REJs 0/0 SABM/Es 3/2 FRMRs 0/0 DISCs 0/0
    X25 DCE, address 311012345678, state RI, modulo 8, timer 0
        Defaults: cisco encapsulation, idle 0, nvc 1
            input/output window sizes 2/2, packet sizes 128/128
        Timers: T10 60, T11 180, T12 60, T13 60, TH 0
        Channels: Incoming-only none, two-way 1-1024, Outgoing-only none
        RESTARTs 3/3 CALLs 244+235/266+262/0+0 DIAGs 0/0
    Last input 0:00:00, output 0:00:00, output hang never
    Last clearing of "show interface" counters never
    Output queue 0/40, 0 drops; input queue 2/75, 0 drops
    Five minute input rate 0 bits/sec, 3 packets/sec
    Five minute output rate 0 bits/sec, 3 packets/sec
        3370943 packets input, 113376062 bytes, 0 no buffer
        Received 1971 broadcasts, 0 runts, 0 giants
        57 input errors, 57 CRC, 0 frame, 0 overrun, 0 ignored, 0 abort
- - more - -
```

Figure 15.16

La commande show interfaces affiche des informations d'état et de compteur pour une interface.

Les commandes **show x25 map** et **show x25 vc** sont d'autres commandes utilisables.

La commande **show x25 map** affiche des informations sur les correspondances configurées (définies par la commande **x25 map**), les correspondances définies implicitement par les encapsulations de circuits virtuels permanents (définis par la commande **x25 pvc**), ainsi que les correspondances dynamiques et temporaires.

La commande **show x25 vc** affiche des informations sur les circuits virtuels qui sont utilisés pour le trafic d'encapsulation, et celui commuté localement, à distance et CMNS.

Résumé

L'omniprésence des réseaux X.25 dans le monde entier et leur souplesse dans le transport de différents protocoles de la couche réseau sur des réseaux étendus, font de X.25 une technologie importante à comprendre. Ce chapitre a défini son modèle d'adressage, ses composantes et les paramètres de configuration. Il a présenté des exemples de configuration de routeurs X.25 Cisco. Souvenez-vous que vous devez configurer des correspondances statiques entre les adresses de couche réseau et les adresses X.121 comme étape de base de la configuration d'une interface. Souvenez-vous aussi que les paramètres doivent correspondre sur les deux extrémités d'une connexion X.25. Sinon celle-ci pourrait mal fonctionner ou même ne pas fonctionner du tout.

Test du Chapitre 15

Durée estimée : 15 minutes

Réalisez tous les exercices suivants pour tester votre connaissance des sujets traités dans ce chapitre. Les réponses sont données dans l'Annexe A.

Question 15.1

X.25 définit les trois couches inférieures du modèle de référence OSI. Vrai ou Faux ?

Question 15.2

LAPB est le protocole de réseau. Vrai ou Faux ?

Question 15.3

L'encapsulation d'autres protocoles dans un tunnel à l'intérieur de X.25 est supportée. Vrai ou Faux ?

Question 15.4

Pour configurer une interface X.25, vous devez :

■ (a) Définir l'encapsulation de l'interface. Vrai ou Faux ?

■ (b) Définir les valeurs des paramètres critiques pour la connexion au réseau public de données. Vrai ou Faux ?

■ (c) Configurer l'adresse X.121 de l'interface.

■ (d) Définir pour tout protocole une correspondance X.25.

■ (e) Définir les adresses IP statiques sur les deux extrémités de la liaison.

■ (f) Configurer un routeur comme maître pour exécuter les étapes de configuration.

Question 15.5

Quelle est la commande à exécuter pour définir l'encapsulation X.25 sur l'interface ETTD (DTE) ?

Question 15.6

Quelle est la commande à exécuter pour définir l'encapsulation X.25 sur l'interface ETCD (DCE) ?

Configuration
de Frame Relay

Ce chapitre étudie le fonctionnement de la technologie Frame Relay (relais de trames) et sa configuration sur des interfaces physiques et des sous-interfaces.

Introduction au Frame Relay

Le standard Frame Relay a été développé par le CCITT (Comité Consultatif International de Télégraphie et Téléphonie) — devenu depuis 1993 l'IUT-T (Union Internationale des Télécommunications, secteur standardisation) — et par le comité ANSI (*American National Standards Institute*). Il définit un processus de transmission des données sur un réseau de données public. C'est un protocole de la génération qui a succédé à celle du standard X.25. Il opère au niveau liaison de données et a été simplifié pour être plus performant et efficace. Afin d'assurer la fiabilité du transport, il s'appuie sur les protocoles de couche supérieure pour la correction d'erreurs et le contrôle de flux, et sur les réseaux fiables à fibre et numériques actuels.

Comme illustré Figure 16.1, le Frame Relay définit un processus d'interconnexion entre l'équipement de télécommunication du client, ou ETTD (Equipement Terminal de Traitement de Données), comme un routeur, et l'équipement de commutation d'accès local du fournisseur de services, ou ETCD (Equipement Terminal de Circuit de Données). Il ne spécifie pas la façon dont les données sont transmises au sein du nuage Frame Relay du fournisseur. C'est essentiellement un protocole de la couche 2.

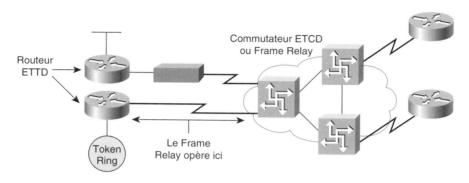

Figure 16.1

Le Frame Relay définit la connexion entre ETCD et ETTD.

Le Frame Relay permet le multiplexage statistique de nombreuses connexions de données logiques (appelées circuits virtuels) sur une seule liaison de transmission physique grâce à l'assignation d'identifiants de connexion à chaque couple de ETTD. L'équipement de commutation du fournisseur de services construit une table associant les identifiants de connexion aux ports sortants. Lorsqu'il reçoit une trame, il analyse l'identifiant de connexion et transmet la trame au port sortant correspondant. Le chemin complet vers la destination est établi avant l'envoi de la première trame.

Avec les recommandations ANSI T1.617 et UIT Q.933 (couche) 3 et Q.922 (couche 2), le Frame Relay supporte maintenant les circuits virtuels commutés (SVC, *Switched Virtual Circuit*). Depuis la version 11.2, le logiciel Cisco IOS gère les circuits virtuels commutés Frame Relay. Vous devrez déterminer si votre opérateur prévoit leur support avant de les implémenter. Ils ne sont pas traités dans ce chapitre, mais pour obtenir plus d'informations à ce sujet, reportez-vous au site **www.cisco.com.**

Terminologie Frame Relay

La terminologie associée au Frame Relay étant peut-être nouvelle pour vous, cette section propose une brève présentation. Gardez à l'esprit que les termes utilisés par les fournisseurs de service Frame Relay peuvent être différents de ceux donnés ici. Pour obtenir plus d'informations sur cette technologie, et notamment un glossaire Frame Relay, reportez-vous à la page Web suivante :

http://www.frforum.com/4000/4000index.html

La Figure 16.2 illustre les termes qui sont fréquemment utilisés lorsqu'il est question du Frame Relay.

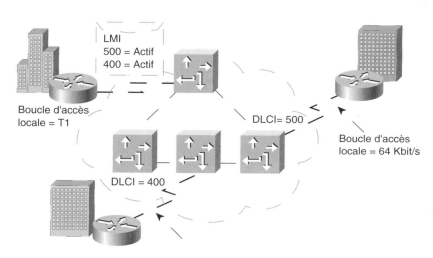

Figure 16.2

Eléments Frame Relay.

Débit d'accès local

La vitesse d'horloge (vitesse de port) de la connexion (boucle locale) avec le nuage Frame Relay représente le débit d'accès local. Il s'agit de la vitesse à laquelle les données entrent sur le réseau ou en sortent, indépendamment des autres paramètres.

Identifiant de connexion de données (DLCI)

L'identifiant DLCI (*Data-Link Connection Identifier*) est un numéro qui identifie le circuit logique entre l'équipement de communication du client et le commutateur Frame Relay. Ce dernier associe les DLCI de chaque couple de routeurs pour créer un circuit virtuel permanent (PVC, *Private Virtual Circuit*). Ces numéros ont une signification locale dans ce sens qu'ils se réfèrent au point de connexion du routeur local avec le commutateur Frame Relay.

Interface de gestion locale (LMI)

LMI (*Local Management Interface*) est un standard de signalisation qui opère entre l'équipement du client et le commutateur Frame Relay. Il s'occupe de gérer et de maintenir l'état de la connexion entre les équipements, et offre les fonctionnalités suivantes :

- Un mécanisme *keepalive* qui vérifie que les données circulent.

- Un mécanisme multicast qui fournit au serveur de réseau son identifiant DLCI local.

- L'adressage multicast qui donne aux DLCI une signification globale plutôt que locale sur les réseaux Frame Relay.

- Un mécanisme d'état qui fournit continuellement des informations d'état sur des DLCI connues du commutateur.

Bien que cette interface soit configurable depuis la version 11.2 de Cisco IOS, le routeur Cisco tente de détecter le type de LMI utilisé par le commutateur Frame Relay en lui envoyant une ou plusieurs requêtes d'état complet. Ce dernier répond en fournissant un ou plusieurs types LMI. Le routeur s'autoconfigure avec le dernier type de LMI reçu. Trois types de LMI sont supportés :

- **cisco.** Type de LMI défini conjointement par Cisco, StrataCom, Northern Telecom et DEC.

- **ansi.** Annexe D définie par le standard ANSI t1.617.

- **q933a.** Annexe A du standard IUT-T Q.933.

Débit contracté (CIR)

Le CIR (*Committed Information Rate*), exprimé en bits par seconde, est le débit contracté que le commutateur Frame Relay accepte d'utiliser pour transmettre les données. Le débit moyen est généralement calculé sur une période de temps appelée *intervalle de mesure du débit contracté* (Tc). Le terme MIR (*Measurement Interval Rate*, débit d'intervalle de mesure) est utilisé à la place de CIR par certains fournisseurs Frame Relay.

Dépassement de capacité contractée

Lorsque la somme des CIR sur tous les circuits virtuels arrivant sur un équipement dépasse la vitesse de la ligne d'accès, la capacité de la connexion Frame Relay est dépassée. Cela peut se produire lorsque la ligne d'accès peut gérer la totalité des débits prévus au contrat, mais pas le débit en rafales des circuits virtuels en plus. Lorsque cet événement a lieu, des paquets sont supprimés.

Salves garanties (Bc)

Les salves garanties (*Commited Burst*) représentent la quantité maximale de bits que le réseau Frame Relay accepte de transmettre durant un intervalle Tc. Plus le ratio Bc-CIR est élevé, et plus le réseau peut gérer de longues rafales.

Salves en excès (Be)

Les salves en excès (*Excess Burst*) représentent la quantité maximale de bits non prévus au contrat que le commutateur Frame Relay accepte de transmettre au-delà du CIR. Ce paramètre dépend de l'offre de services de votre fournisseur, mais se limite généralement à la vitesse du port de la boucle d'accès locale.

Notification de congestion explicite en aval (FECN)

Lorsqu'un commutateur Frame Relay détecte une congestion sur le réseau, il active le bit FECN (*Forward Explicit Congestion Notification*) d'un paquet Frame Relay envoyé à l'équipement de destination, indiquant qu'une congestion a eu lieu entre la source et la destination, comme illustré Figure 16.3.

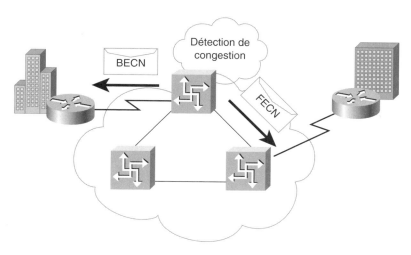

Figure 16.3

Les paquets FECN indiquent qu'une congestion s'est produite.

Notification de congestion en amont explicite (BECN)

Lorsqu'un commutateur Frame Relay détecte une congestion sur le réseau, il active le bit BECN (*Backward Explicit Congestion Notification*) d'un paquet Frame Relay envoyé au routeur source, lui demandant de ralentir le débit d'émission des paquets. Avec les versions 11.2 et ultérieures de Cisco IOS, les routeurs Cisco peuvent répondre aux notifications BECN.

Indicateur DE (*Discard Eligibility*)

Lorsque le routeur détecte une congestion, il active le bit DE (*Discard Eligibility*) des paquets faisant partie du trafic en dépassement de capacité contractée. Si le réseau est victime d'une congestion, les paquets dont le bit DE est activé seront les premiers supprimés.

Fonctionnement du Frame Relay

Le protocole Frame Relay qui opère au niveau de la couche 2, décrit comment un équipement ETTD Frame Relay communique avec un commutateur Frame Relay et s'y connecte. La Figure 16.4 illustre son fonctionnement.

Les étapes suivantes décrivent le fonctionnement du protocole Frame Relay en rapport avec la Figure 16.4 :

1. Vous commandez un service Frame Relay à votre fournisseur de services, ou bien vous implémentez un nuage Frame Relay privé.

2. Chaque routeur se connecte au commutateur Frame Relay et reçoit un identifiant DLCI, soit directement, soit par l'intermédiaire d'unités de services de canal (CSU, *Channel Service Unit*) et de services de données (DSU, *Data Service Unit*).

3. Lorsque le routeur du client est activé, il envoie un message de demande d'état (*Status Inquiry*) au commutateur Frame Relay, indiquant son état et demandant au commutateur l'état des autres routeurs distants.

4. Lorsque le commutateur Frame Relay reçoit la requête, il répond par un message d'état (*Status*) qui inclut les DLCI des routeurs distants auxquels le routeur local peut envoyer des données.

5. Pour chaque DLCI actif qu'il peut atteindre, le routeur envoie une requête ARP inverse pour se présenter et demander à chaque routeur distant de s'identifier en renvoyant son adresse de couche réseau.

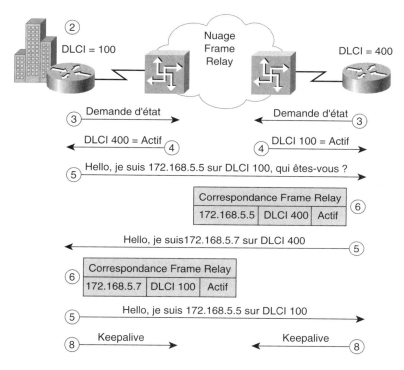

Figure 16.4

Fonctionnement du protocole Frame Relay.

6. Pour chaque DLCI pour lequel le routeur reçoit un message ARP inverse, il crée une entrée dans sa table de correspondances Frame Relay qui inclut son propre DLCI et l'adresse de couche réseau du routeur distant, ainsi que l'état de la connexion. Notez que le DLCI est celui configuré localement pour le routeur, pas celui que le routeur distant utilise. Trois états de connexion apparaissent dans la table de correpondances Frame Relay :

■ *Etat actif.* Indique que la connexion est active et que les routeurs peuvent échanger des données.

■ *Etat inactif.* Indique que la connexion locale au commutateur Frame Relay est opérationnelle, mais que la connexion du routeur distant au commutateur Frame Relay est indisponible.

■ *Etat supprimé.* Indique que le commutateur Frame Relay ne reçoit aucun LMI et qu'aucun service n'est exécuté entre le routeur du client et le commutateur Frame Relay.

Si le protocole ARP inverse ne fonctionne pas ou que le routeur ne le supporte pas, vous devez configurer les routes des routeurs distants (DLCI et adresse IP). Des routes ainsi configurées sont appelées correspondances statiques. Ce sujet est traité plus loin dans la section "Commandes de configuration optionnelles".

7. Les routeurs échangent des messages ARP inverse toutes les 60 secondes.

8. Le routeur du client envoie un message *keepalive* au commutateur Frame Relay toutes les 10 secondes (paramètre configurable). L'objectif des messages *keepalive* est de vérifier que le commutateur Frame Relay est toujours actif.

Configuration de Frame Relay

Une configuration Frame Relay de base implique que vous souhaitiez implémenter le Frame Relay sur une ou plusieurs interfaces physiques et que LMI et ARP inverse soient supportés sur les routeurs distants. Dans ce type d'environnement, l'interface LMI indique au routeur les DLCI disponibles. La Figure 16.5 illustre une configuration correspondant à cette situation.

Suivez les étapes décrites ci-dessous pour une configuration de base du Frame Relay sur un routeur Cisco :

1. Sélectionnez l'interface et placez-vous dans le mode de configuration d'interface.

2. Configurez une adresse de couche réseau, par exemple une adresse IP.

3. Sélectionnez le type d'encapsulation utilisé pour encapsuler le trafic de bout en bout. La syntaxe de la commande d'encapsulation est comme suit :

```
Router(config-if)#encapsulation frame-relay [cisco ¦ ietf]
```

où **cisco** est le paramètre par défaut. Utilisez cette commande pour une connexion à un autre routeur Cisco. Utilisez le paramètre **ietf** pour une connexion à un routeur non Cisco.

4. Si vous utilisez une version de Cisco IOS antérieure à 11.2, spécifiez le type de LMI utilisé par le commutateur Frame Relay :

```
Router(config-if)#frame-relay lmi-type {ansi ¦ cisco ¦ q933i]
```

où **cisco** est le paramètre par défaut.

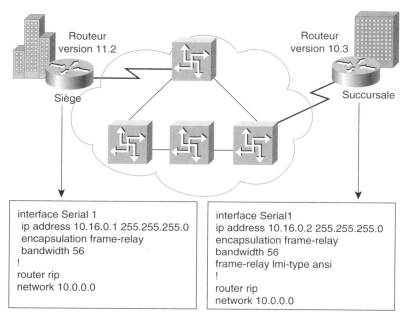

interface Serial 1
  ip address 10.16.0.1 255.255.255.0
  encapsulation frame-relay
  bandwidth 56
!
router rip
network 10.0.0.0

interface Serial1
  ip address 10.16.0.2 255.255.255.0
  encapsulation frame-relay
  bandwidth 56
  frame-relay lmi-type ansi
!
router rip
network 10.0.0.0

Figure 16.5

Une configuration Frame Relay de base sur une interface physique.

A partir de la version 11.2 de Cisco IOS, le type de LMI est détecté automatiquement. Par conséquent, aucune configuration n'est nécessaire.

5. Configurez la bande passante de la liaison en Kbit/s :

```
Router(config-if)#bandwidth kilobits
```

Cette commande affecte le fonctionnement du routage avec des protocoles comme IGRP et EIGRP, car elle sert à définir la métrique de la liaison. De plus, elle permet à EIGRP de déterminer la quantité de données devant être transmises en un temps donné. En l'absence de cette commande, EIGRP suppose que la bande passante est de 1,544 Mbit/s (T1). Elle permet aussi d'obtenir des statistiques telles que l'utilisation de la bande passante.

6. Si ARP inverse a été désactivé sur le routeur, réactivez-le. Il est activé par défaut. La syntaxe de la commande est comme suit :

```
Router(config-if)#frame-relay inverse-arp [protocole] [dlci]
```

Les protocoles supportés incluent ip, ipx, appletalk, decnet, vines et xns. Le paramètre *dlci* spécifie l'identifiant DLCI sur l'interface locale avec laquelle vous souhaitez échanger des messages ARP inverse.

Commandes de configuration optionnelles

Normalement, le protocole ARP inverse est utilisé pour demander l'adresse de protocole du prochain saut pour une connexion spécifique. Les réponses sont enregistrées dans une table de mise en correspondance d'adresses et de DLCI (correspondances Frame Relay). Cette table sert ensuite à router le trafic sortant. Lorsque ARP inverse n'est pas supporté par le routeur distant, quand OSPF est configuré sur Frame Relay, ou lorsque vous souhaitez contrôler le trafic en mode broadcast lors du routage, vous devez définir la table de correspondances de façon statique. Ses entrées sont alors appelées correspondances statiques. Elles sont implémentées au moyen de la commande **frame-relay map**. La forme complète de cette commande est :

```
Router(config-if)#frame-relay protocole adresse-protocole dlci
↳[broadcast][ietf] ¦ cisco ¦ payload-compress packet-by-packet]
```

Voici la signification des paramètres et des mots-clés de cette commande :

- **protocole.** Définit le protocole, pontage ou contrôle de liaison logique supporté.

- **adresse-protocole.** Définit l'adresse de couche réseau de l'interface du routeur de destination.

- **dlci.** Définit l'identifiant DLCI local utilisé pour la connexion à l'adresse de protocole distante.

- **broadcast** (optionnel). Transmet des messages broadcast à cette adresse lorsque le mode multicast n'est pas activé. Utilisez ce paramètre si vous voulez que le routeur transmette les mises à jour de routage. S'il n'est pas activé, vous devez définir des routes statiques, et si IPX est utilisé, des mises à jour SAP statiques.

- **ietf | cisco** (optionnel). Sélectionne le type d'encapsulation Frame Relay à utiliser. Employez **ietf** uniquement si le routeur distant n'est pas un produit Cisco. Sinon, utilisez **cisco**.

■ **payload-compress packet-by-packet** (optionnel). La compression de données paquet par paquet, au moyen de STAC est une méthode de compression propriétaire de Cisco.

D'autres commandes optionnelles peuvent être utilisées pour gérer le trafic de routage, les messages *keepalive* et la numérotation.

Par exemple, si vous utilisez EIGRP, vous pouvez définir le pourcentage de bande passante alloué au trafic de routage EIGRP. La valeur par défaut est de 50 %. Notez que la syntaxe de cette commande varie selon que vous l'employez pour EIGRP, IP, IPX ou AppleTalk. Voici un exemple :

```
Router(config-if)#ip bandwidth-percent eigrp numéro-sa pourcentage
```

où *numéro-sa* représente le numéro de système autonome, et *pourcentage* le pourcentage de bande passante que peut exploiter EIGRP. Souvenez-vous que la quantité totale de bande passante a été configurée avec la commande **bandwidth**, dont la valeur par défaut est 1,544 Mbit/s.

Vous pouvez augmenter ou réduire l'intervalle selon lequel l'interface du routeur envoie des messages *keepalive* (demande d'état) au commutateur Frame Relay. La valeur par défaut est de 10 secondes. La syntaxe de la commande est la suivante :

```
Router(config-if)#keepalive secondes
```

où *secondes* est l'intervalle exprimé en secondes. Cette valeur est généralement de deux ou trois secondes inférieure (intervalle plus court) au paramètre d'intervalle du commutateur Frame Relay afin de garantir une synchronisation correcte.

Si aucun type de LMI n'est utilisé sur le réseau, ou si vous effectuez des tests dos à dos entre routeurs, vous devez spécifier le DLCI de chaque interface locale au moyen de la commande suivante :

```
Router(config-if)#frame-relay local dlci numéro
```

où *numéro* est le DLCI sur l'interface locale à utiliser.

Reportez-vous à l'ouvrage *Cisco IOS WAN Configuration Guide* pour déterminer si d'autres commandes optionnelles pourraient vous intéresser.

Vérification du fonctionnement du Frame Relay

Après avoir configuré le Frame Relay, vous pouvez vérifier que les connexions sont actives en utilisant les commandes **show** suivantes :

Commande	*Description*
show interfaces serial	Affiche des informations concernant le DLCI multicast, les DLCI utilisés sur l'interface série configurée pour Frame Relay, et le DLCI LMI utilisé pour l'interface de gestion locale.
show frame-relay pvc	Affiche l'état de chaque connexion configurée ainsi que des statistiques de trafic. Cette commande est également utile pour connaître le nombre de paquets BECN et FECN reçus par le routeur.
show frame-relay map	Affiche l'adresse de couche réseau et le DLCI associé à chaque destination distante à laquelle le routeur local est connecté.
show frame-relay lmi	Affiche les statistique de trafic LMI, comme le nombre de messages échangés entre le routeur local et le commutateur Frame Relay.

Choix d'une topologie Frame Relay

Le Frame Relay vous permet d'interconnecter vos sites distants de différentes façons (voir Figure 16.6). Ces topologies incluent :

- topologie en étoile ;

- topologie totalement maillée ;

- topologie partiellement maillée.

Topologie en étoile

La topologie en étoile, ou *hub-and-spoke* (en rayons), est la plus connue des topologies de réseau Frame Relay. Les sites distants sont connectés au site central qui fournit habituellement un service ou une application. Il s'agit de la topologie la moins coûteuse, car elle requiert le plus petit nombre de circuits virtuels permanents, ou PVC. Le routeur central offre une connexion multipoint, car il utilise généralement une seule interface pour interconnecter plusieurs PVC.

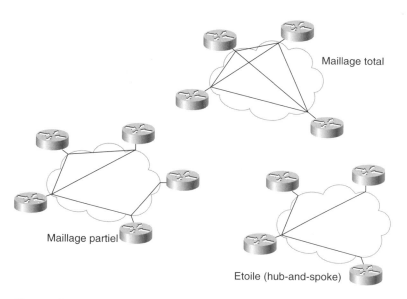

Figure 16.6
Topologies Frame Relay.

Topologie totalement maillée

Dans une topologie totalement maillée, tous les routeurs disposent de circuits virtuels vers les autres destinations. Bien qu'elle soit coûteuse, cette topologie fournit des connexions directes entre les sites et autorise la redondance. Par exemple, trois routeurs, A, B et C, sont totalement interconnectés. Si la liaison entre le routeur A et le routeur B est défaillante, le routeur A peut toujours atteindre le routeur B en reroutant le trafic par le routeur C. Plus le nombre de nœuds augmente dans cette topologie, plus celle-ci devient coûteuse.

Topologie partiellement maillée

Dans une topologie partiellement maillée, tous les sites ne disposent pas d'un accès direct au site central. En fonction des modèles de trafic sur votre réseau, il se peut que vous ayez besoin d'ajouter des circuits virtuels permanents supplémentaires sur les sites distants dont les exigences en matière de trafic de données sont élevées.

Problèmes d'accessibilité et de ressources Frame Relay

Dans n'importe laquelle des trois topologies, lorsqu'une seule interface doit être utilisée pour interconnecter plusieurs sites, des problèmes d'accessibilité peuvent se produire, car le Frame Relay met en œuvre une connectivité NBMA (*Non Broadcast Media Access*), c'est-à-dire avec accès au média sans diffusion, et utilise l'algorithme d'horizon éclaté (*split horizon*).

Par défaut, un réseau Frame Relay fournit une connectivité NBMA entre les sites distants. En fonction de la topologie, les mises à jour de routage en mode broadcast reçues par un routeur ne sont pas systématiquement transmises vers d'autres destinations.

Observez la conception Frame Relay illustrée Figure 16.7. La fonction d'horizon éclaté réduit les boucles de routage en n'autorisant pas la transmission d'une mise à jour de routage sur la même interface que celle par laquelle elle est arrivée. Par conséquent, si le routeur B envoie une mise à jour au routeur A qui connecte plusieurs circuits virtuels permanents sur une même interface physique, le routeur A ne peut pas diffuser ce message broadcast sur la même interface aux autres routeurs (C et D).

Pour résoudre ce problème, le routeur doit dupliquer le trafic broadcast pour chaque connexion. C'est-à-dire que la distribution de ce trafic ne peut avoir lieu que si le même message est envoyé sur chaque connexion virtuelle dans l'ordre. Cette méthode requiert l'allocation de ressources considérables sur le routeur.

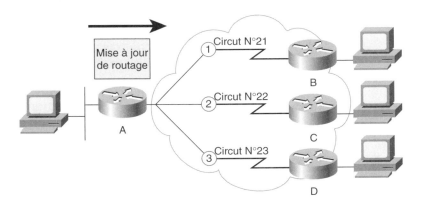

Figure 16.7

Le trafic broadcast doit être dupliqué pour chaque connexion active.

Les messages broadcast ne posent aucun problème s'il existe un seul circuit virtuel permanent sur une interface physique, car une telle configuration implique une connexion de type point à point.

La quantité de trafic broadcast et le nombre de circuits virtuels permanents, qui se terminent sur chaque routeur, devraient être évalués au cours de la phase de conception du réseau Frame Relay. La surcharge de trafic, comme celle liée aux mises à jour de routage, peut influer sur la livraison de données utilisateurs critiques, plus particulièrement lorsque le chemin comporte des liaisons à faible bande passante (56 Kbit/s).

Résolution des problèmes d'accessibilité et de ressources au moyen de sous-interfaces

Le meilleur moyen de résoudre les problèmes d'accessibilité provoqués par la fonction d'horizon éclaté pourrait être de la désactiver. Cette solution présente néanmoins deux inconvénients. Tout d'abord, seul IP autorise sa désactivation, IPX et AppleTalk ne le permettant pas. Lorsqu'une interface est configurée avec la commande **encapsulation frame-relay**, la fonction d'horizon éclaté est désactivée pour IP et activée pour IPX et AppleTalk, par défaut.

Le second inconvénient est que la désactivation de cette fonction augmente le risque de boucles de routage sur le réseau.

Pour permettre la transmission des mises à jour de routage en mode broadcast sur un réseau Frame Relay, vous pouvez configurer le routeur avec des interfaces assignées logiquement appelées *sous-interfaces*. Les sous-interfaces sont des subdivisions logiques d'une interface physique (voir Figure 16.8). Dans des environnements de routage exploitant la fonction d'horizon éclaté, les mises à jour de routage reçues sur une sous-interface peuvent être transmises sur une autre sous-interface. Dans la configuration d'une interface, chaque circuit virtuel peut être défini comme une connexion point à point, ce qui permet à la sous-interface d'agir comme une ligne louée.

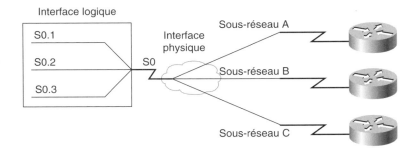

Figure 16.8

Une seule interface physique (S0) peut simuler plusieurs interfaces logiques
(S0.1, S0.2 et S0.3) appelées sous-interfaces.

Vous pouvez configurer des sous-interfaces pour qu'elles supportent les types de connexion suivants :

■ **Point à point.** Une seule sous-interface est utilisée pour établir une connexion de circuit virtuel permanent vers une autre interface physique ou sous-interface sur un routeur distant. Dans ce cas, les interfaces se trouveraient dans le même sous-réseau et chaque interface posséderait son propre DLCI. Chaque connexion point à point représente un seul sous-réseau. Dans cet environnement, les messages broadcast ne posent pas de problème, car les routeurs sont connectés en point à point et agissent comme des lignes louées.

■ **Multipoint.** Une seule sous-interface est utilisée pour établir plusieurs connexions de circuits virtuels permanents vers plusieurs interfaces physiques ou sous-interfaces sur les routeurs distants. Dans ce cas, toutes les interfaces impliquées se trouveraient sur le même sous-réseau, et chaque interface disposerait de son propre DLCI local. Dans cet environnement, étant donné que l'interface agit comme un réseau Frame Relay NBMA traditionnel, le trafic broadcast est soumis à la règle de l'horizon éclaté.

CONCEPT CLÉ

Plutôt que de migrer vers un protocole qui supporte la désactivation de la fonction d'horizon éclaté, les sous-interfaces peuvent être utilisées pour résoudre le problème.

Les sous-interfaces sont particulièrement utiles dans une configuration Frame Relay NBMA partiellement maillée qui exécute un protocole de routage par vecteur de distance.

Configuration de sous-interfaces

Pour configurer des sous-interfaces sur une interface physique, suivez les étapes décrites ci-dessous :

1. Sélectionnez l'interface sur laquelle vous voulez créer les sous-interfaces et placez-vous dans le mode de configuration d'interface.

2. Supprimez toute adresse physique assignée à l'interface. Si elle en possède une, les trames ne pourront pas être reçues par les sous-interfaces locales.

3. Configurez le type d'encapsulation Frame Relay, comme décrit dans la section "Configuration de Frame Relay".

4. Sélectionnez la sous-interface que vous voulez configurer. La syntaxe de la commande est :

   ```
   Router(config-if)#interface serial numéro.numéro-sous-interface
   ⮕{multipoint ¦ point-to-point}
   ```

Les paramètres et mots-clés de cette commande possèdent la signification suivante :

- **.numéro-sous-interface.** Numéro de sous-interface dans la plage 1 à 4294967293. Le numéro d'interface qui précède le point (.) doit correspondre à celui de l'interface à laquelle la sous-interface appartient.

- **multipoint.** Utilisez ce paramètre si vous souhaitez que le routeur transmette les messages broadcast et les mises à jour de routage qu'il reçoit, et si vous routez IP et voulez que tous les routeurs se trouvent sur le même sous-réseau.

- **point-to-point.** Utilisez ce paramètre si vous ne souhaitez pas que le routeur transmette les messages broadcast et les mises à jour de routage, et si vous voulez que chaque couple de routeurs point à point possède son propre sous-réseau, comme illustré Figure 16.9.

Vous devez spécifier **multpoint** ou **point-to-point**, car aucun de ces deux arguments n'est pris en compte par défaut.

5. Configurez une adresse de couche réseau sur la sous-interface. S'il s'agit d'une sous-interface point à point et que vous utilisez IP, vous pouvez employer la commande **ip unnumbered** :

   ```
   Router(config-if)#ip unnumbered interface
   ```

- Multipoint
  - Sous-interfaces agissant comme un réseau NBMA par défaut
  - Peut économiser des sous-réseaux car n'utilise qu'un seul sous-réseau
  - Convient pour les topologies totalement maillées

- Point à point
  - Sous-interfaces agissant comme des lignes louées
  - Chaque connexion point à point requiert son propre sous-réseau
  - Convient pour les topologies en étoile ou partiellement maillées

Figure 16.9
Chaque couple de routeurs possède son propre sous-réseau.

Si vous utilisez cette commande, il est recommandé que l'interface numérotée (celle avec l'adresse de couche réseau) soit celle de bouclage (*loopback*). La liaison Frame Relay ne fonctionnera pas si cette commande pointe sur une interface qui n'est pas complètement opérationnelle, et une interface de bouclage est moins susceptible de tomber en panne. L'interface de bouclage représente l'adresse de l'équipement lui-même.

6. Si vous avez configuré la sous-interface pour qu'elle soit point à point, ou multipoint avec ARP inverse, vous devez configurer son DLCI local de façon à pouvoir la distinguer de l'interface physique. Utilisez la commande suivante :

```
Router(config-if)#frame-relay interface-dlci numéro-dlci
```

où *numéro-dlci* définit le numéro DLCI local associé à la sous-interface. Il existe d'autres moyens d'associer un circuit virtuel permanent dérivé de LMI à une sous-interface, car LMI ignore l'existence de sous-interfaces.

Cette commande n'est pas nécessaire pour les sous-interfaces multipoint configurées avec des correspondances de routes statiques.

Ne l'utilisez pas sur des interfaces physiques.

ATTENTION

Si vous avez défini une sous-interface pour des communications point à point, vous ne pouvez pas réutiliser un même numéro de sous-interface pour ce genre de communication sans d'abord redémarrer le routeur. Vous pouvez éviter d'employer un même numéro et en utiliser un autre à la place.

Exemple de configuration de sous-interfaces multipoint

Observez le réseau illustré à la Figure 16.10.

Les informations présentées dans la Figure 16.11 montrent comment configurer des sous-interfaces multipoint. Plus particulièrement, les sous-interfaces de la Figure 16.10 ont été configurées sur l'interface S2.2, le routeur de site central. Avec ce type de configuration, les sous-interfaces héritent des caractéristiques de l'interface physique. C'est-à-dire que chaque sous-interface est NBMA et exploite la fonction d'horizon éclaté. Toutefois, l'avantage est que vous avez besoin d'une seule adresse de réseau.

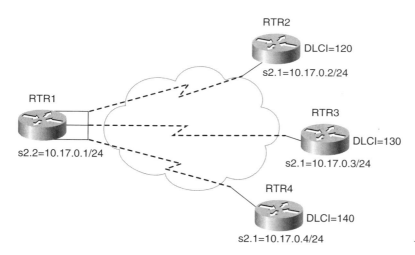

Figure 16.10

Sous-interfaces multipoints.

Exemple de configuration de sous-interfaces point à point

Examinez la configuration de sous-interfaces point à point illustrée Figure 16.12. La Figure 16.13 illustre la configuration de ce réseau Frame Relay.

La Figure 16.14 illustre la configuration du routeur 2 de la Figure 16.12.

La Figure 16.15 illustre comment configurer des sous-interfaces point à point en utilisant la commande **ip unnumbered**.

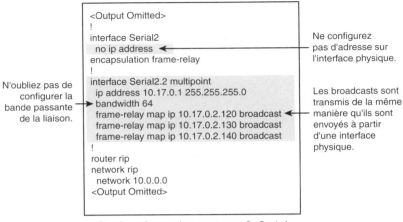

Configuré pour les routeurs 2, 3 et 4

Figure 16.11

Le routeur 1 sur le site central est connecté aux sites distants au moyen d'une seule adresse IP dans cette configuration.

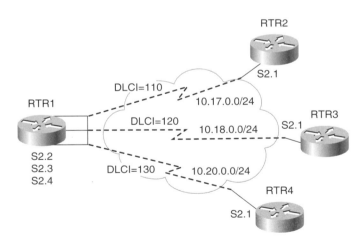

Figure 16.12

Sous-interfaces point à point.

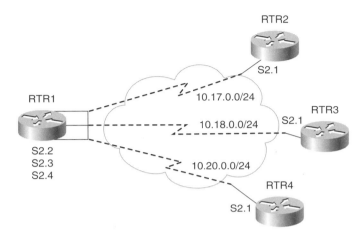

Figure 16.13

Le routeur 1 sur le site central est connecté à tous les sites distants au moyen d'adresses IP distinctes dans cette configuration.

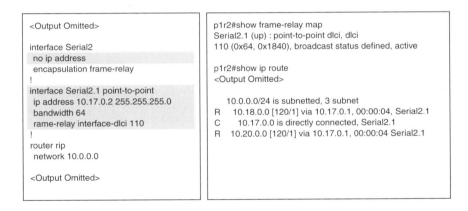

Figure 16.14

Le routeur 2 sur le site distant est uniquement connecté au site central dans cette configuration.

```
<Output Omitted>
!
interface Serial0
 ip address 100.4.2.1 255.255.255.0
!
ip address 172.7.2.9 255.255.255.0
 no fair-queue
 clockrate 56000
!
interface Serial2
 no ip address
 encapsulation frame-relay
!
!
interface Serial2.2 point-to-point
 ip unnumbered Serial1
 bandwidth 64
 frame-relay interface-dlci 220
!
interface Serial2.3 point-to-point
 ip unnumbered Serial0
 bandwidth 64
 frame-relay interface-dlci 230
!
<Output Omitted>
!
router rip
network 10.0.0.0
```

Figure 16.15

La commande ip unnumbered.

Lorsque vous employez cette commande, gardez à l'esprit ce qui suit :

■ L'interface ne peut pas se trouver dans un état "no shut". C'est-à-dire qu'elle doit se trouver dans un état totalement opérationnel.

■ Pour garantir que l'interface la plus stable est mentionnée, il est recommandé de configurer une interface de bouclage avec une adresse IP et de vous y référer.

Résumé

Ce chapitre a décrit les termes et éléments utilisés sur un réseau Frame Relay. Cette technologie vous permet de configurer plusieurs connexions WAN à partir d'un seul routeur. Ces connexions peuvent être physiques ou logiques. Les connexions logiques sont appelées sous-interfaces. Elles permettent de résoudre les problèmes d'accessibilité et d'utilisation des ressources dus au caractère NBMA du Frame Relay à son utilisation de la fonction d'horizon éclaté.

Test du Chapitre 16

Durée estimée : 15 minutes

Réalisez tous les exercices suivants pour tester votre connaissance des sujets traités dans ce chapitre. Les réponses sont données dans l'Annexe A.

Question 16.1

Les sous-interfaces vous permettent de configurer des réseaux Frame Relay point à point. Vrai ou Faux ?

Question 16.2

Le Frame Relay peut être utilisé sur une variété de topologies, en fonction des exigences de votre réseau. Vrai ou Faux ?

Question 16.3

Les routeurs et hubs Frame Relay peuvent participer à la gestion des congestions du trafic. Vrai ou Faux ?

IV

Annexes

A

Réponses
aux tests de chapitre

Chapitre 1, "Modèle d'interconnexion de réseaux"

1.1 Réseaux locaux (LAN), réseaux étendus (WAN) et réseaux d'entreprise.

1.2 Couche 7 : application

Couche 6 : présentation

Couche 5 : session

Couche 4 : transport

Couche 3 : réseau

Couche 2 : liaison de données

Couche 1 : physique

1.3 [b] paquets et [d] datagrammes.

1.4 [c] définit l'adressage de réseau et détermine le meilleur chemin à travers l'interréseau.

1.5 [d] données, segments, paquets, trames, bits.

Chapitre 2, "Applications et couches supérieures"

2.1   Applications informatiques : traitement de texte, graphiques de présentation, feuille de calcul, base de données, planification de projets, etc.

Applications de réseau : messagerie électronique, transfert de fichiers, accès distant, processus client-serveur, localisation d'informations, administration de réseau, etc.

Applications d'interréseau : échange de données informatisées (EDI), World Wide Web, passerelles de messagerie, BBS à thèmes, services de transaction financière, utilitaires de navigation Internet, conférence (vidéo, voix, données), etc.

2.2   1F, 2C, 3E, 4D, 5A, 6B.

2.3   Hôte B envoie une acquittement indiquant que le paquet données2 doit être retransmis. L'hôte A retransmet le paquet données2. L'hôte B envoie un acquittement demandant le paquets données4. A partir de là, le flot de données devrait reprendre normalement.

Chapitre 3, "Couches physiques et liaison de données"

3.1   E = Ethernet, To = Token Ring, Fo = FDDI.

3.2   Types de trame Ethernet II et SNAP.

3.3   MAC (contrôle d'accès au média) et LLC (contrôle de lien logique).

3.4   C : SDLC

B : EIA/TIA-232

E : 802.3

F : Frame Relay

D : Ethernet II

G : FDDI

A : Token Ring

Chapitre 4, "Couche réseau et détermination du chemin"

4.1 Vrai

4.2 Faux

4.3 Vrai

4.4 Vrai

4.5 Vrai

4.6 Faux

4.7 IP

4.8 Ethernet/802.3

4.9 B

4.10 A

4.11 C

Chapitre 5, "Fonctionnement de base des routeurs"

5.1 RAM : **show version**, **show running-config**

NVRAM : **show startup-config**

Flash : **show flash**

Mode EXEC privilégié de console : **enable**

Interfaces : **show interfaces**

5.2 Tapez ? à l'invite de commande du mode EXEC privilégié.

5.3 La commande **enable** est utilisée pour entrer dans le mode EXEC privilégié.

5.4 Le système affiche les dix dernières commandes enregistrées lorsque vous tapez la commande **show history**.

5.5 Le routeur quitte le mode EXEC privilégié et retourne dans le mode utilisateur lorsque vous tapez **exit**.

Chapitre 6, "Configuration d'un routeur"

6.1 Vrai

6.2 Vrai

6.3 Vrai

6.4 Faux

6.5 Faux

6.6 Vrai

6.7 Vrai

6.8 Faux

6.9 La commande **configure terminal** est utilisée pour entrer dans le mode de configuration globale.

6.10 La forme **banner login** de la commande **banner** définit un bandeau d'ouverture de session.

6.11 La commande **banner motd** crée un bande de message du jour.

6.12 Vous devez entrer un caractère de délimitation après la commande **banner motd** pour indiquer la fin du bandeau de message.

6.13 La chaîne de commande **interface serial 1** vous place dans le mode de configuration d'interface pour l'interface Serial1.

6.14 Si vous définissez à la fois les mots de passe **enable** et **secret**, le mot de passe **secret** remplace le mot de passe **enable** et est utilisé pour accéder au mode EXEC privilégié.

6.15 La commande **show controllers serial** est utilisée pour déterminer si l'interface Serial1 est câblée en tant que dispositif ETCD.

6.16 La commande **no shutdown** est utilisée pour activer une interface.

6.17 Vous devez vous trouver dans le mode de configuration d'interface pour pouvoir activer une interface spécifique.

6.18 La commande **show version** affiche les valeurs courantes du registre de configuration.

6.19 Les commandes suivantes créent et copient un fichier image vers :

Flash : **boot system flash** [*nom-fichier_IOS*]

ROM : **boot system rom**

Serveur TFTP : **boot system TFTP** [*nom-fichier*][*adresse-serveur-TFTP*]

6.20 Le routeur doit se trouver dans le mode de configuration globale avant que vous ne puissiez taper la commande **boot system**.

Chapitre 7, "Découverte de routeurs Cisco"

7.1 Vrai

7.2 Faux

7.3 Vrai

7.4 Vrai

7.5 Faux

7.6 Faux

7.7 Faux

7.8 Ce paramètre spécifie l'intervalle de temps entre les mises à jour CDP.

7.9 Sur un réseau comportant un seul routeur Cisco, sur un réseau très stable qui ne peut supporter une charge de trafic supplémentaire.

7.10 Ce paramètre indique combien de temps l'équipement récepteur devrait conserver un paquet CDP reçu de la part du routeur local.

7.11 Ils utilisent une adresse multicast 0100.0ccc.cccc et la valeur 2000 dans l'en-tête SNAP.

Chapitre 8, "Présentation de TCP/IP"

8.1 interface de réseau, Internet, transport et application.

8.2 Couche 3

8.3 Couche 4

8.4 A. ARP

B. IP

C. ICMP

D. TCP

E. TCP

F. UDP

G. UDP ou IP

H. TCP

I. TCP

J. ICMP

K. UDP ou IP

L. TCP

M. UDP

Chapitre 9, "Adressage IP"

9.1 Classe : B

Sous-réseau : 172.16.2.0

9.2 Classe : A

Sous-réseau : 10.6.0.0

9.3 Classe : A

Sous-réseau : 10.30.36.0

9.4 Classe : C

Sous-réseau : 201.222.10.56

Broadcast : 201.222.10.63

9.5 Classe : A

Sous-réseau : 15.16.192.0

Broadcast : 15.16.199.255

9.6 Classe : B

Sous-réseau : 128.16.32.12

Broadcast : 128.16.32.15

Chapitre 10, "Configuration du routage IP"

10.1 Faux

10.2 Vrai

10.3 Faux

10.4 Faux

10.5 Faux

10.6 Les réseaux qui ont été découverts par le protocole RIP sont précédés de la lettre R. Les réseaux qui sont directement connectés au routeur et qui ont été configurés avec la commande **network** sont précédés de la lettre C.

10.7 La commande **debug ip rip** affiche les mises à jour de routage RIP envoyées et reçues par le routeur.

10.8 La commande **no debug ip rip** désactive l'affichage des mises à jour de routage RIP envoyées et reçues par le routeur.

10.9 La commande **router igrp** *système-autonome* active le protocole de routage IGRP.

10.10 Non. Une nouvelle commande **router igrp** doit être utilisée lors de l'activation du protocole de routage IGRP pour chaque système autonome.

10.11 La commande **show ip protocols** permet de vérifier que le protocole de routage IGRP est activé.

10.12 La commande **show ip route** permet d'afficher l'état courant de la table de routage IGRP.

10.13 La commande **debug ip igrp events** permet d'afficher les événements de mise à jour de routage IGRP envoyés par le routeur.

10.14 IGRP utilise une métrique composite comme métrique de routage. Celle-ci inclut les composants suivants :

(a) Bande passante

(b) Délai

(c) Fiabilité

(d) Chargement

(e) Unité de transmission maximale (MTU)

Chapitre 11, "Configuration de Novell IPX"

11.1

Nom d'interface R3	Adresse de réseau	Encapsulation
S0	d100	hdlc
S1	c0b0	hdlc
E1	b1b0	novell-ether

11.2 La commande **ipx routing** est utilisée pour activer le routage IPX sur un routeur.

11.3 Le routeur doit se trouver dans le mode de configuration globale avant que vous ne puissiez taper la commande **ipx routing**.

11.4 La commande **ipx network** *numéro* est utilisée pour assigner des numéros de réseau IPX à un routeur.

11.5 Utilisez la commande **show ipx interface** pour vérifier l'assignation d'adresses IPX sur un routeur.

11.6 Utilisez la commande **show ipx route** pour vérifier les entrées d'une table de routage.

Chapitre 12, "Configuration d'AppleTalk"

12.1 Vrai

12.2 Vrai

12.3 Vrai

12.4 Faux

12.5 La commande **appleTalk routing** est utilisée pour activer le routage Apple-Talk sur un routeur.

12.6 La commande **appleTalk cable-range** *plage-câble* est utilisée pour assigner des plages de câble aux interfaces d'un routeur.

12.7 Utilisez la commande **appleTalk zones** *nom-zone* pour assigner des zones aux liaisons d'un routeur.

12.8 Utilisez la commande **show appleTalk interface** pour vérifier l'assignation d'adresses sur un routeur.

12.9 Utilisez la commande **show appleTalk route** pour consulter les entrées de la table de routage.

Chapitre 13, "Gestion de trafic par listes d'accès"

13.1 La commande **show ip interface** permet de vérifier qu'aucune liste d'accès n'existe déjà sur un routeur.

13.2 La commande **ip access-group** *numéro-liste-accès* **in** permet d'associer une liste d'accès à une interface.

13.3 Le routeur doit se trouver dans le mode de configuration d'interface pour pouvoir exécuter la commande.

13.4 Utilisez la commande **show ip interface** pour vérifier qu'une nouvelle liste d'accès IP est active sur une interface.

13.5 La commande **show access-lists** permet d'afficher le contenu d'une liste d'accès.

13.6 Utilisez les numéros de liste dans la plage 800-899 pour identifier une liste d'accès IPX standard.

13.7 La commande **show ipx interface** *interface* permet de vérifier qu'une nouvelle liste d'accès IPX est active sur une interface.

13.8 La commande **show ipx access-lists** permet d'afficher le contenu de toutes les listes d'accès.

13.9 Utilisez la plage de numéros de liste 600-699 pour définir une liste d'accès AppleTalk.

13.10 La commande **show appleTalk access-lists** permet d'afficher le contenu des listes d'accès AppleTalk.

Chapitre 14, "Introduction aux connexions de réseaux étendus"

14.1 Vrai

14.2 Vrai

14.3 (a) A

(b) B

(c) A

(d) B

(e) C

(f) A

(g) B

(h) C

14.4 (A) Services commutés ou de relais.

(B) Ordinateur frontal vers ordinateur central de données d'entreprise IBM.

(C) Connexion entre équipements homologues.

14.5 La commande **show interfaces** *numéro-interface* permet de vérifier qu'une interface est configurée pour l'encapsulation PPP.

14.6 Utilisez la commande **debug ppp authentication** pour afficher la séquence d'échanges de l'authentification CHAP. Cette commande doit être émise avant l'établissement de la ligne.

Chapitre 15, "Configuration de X.25"

15.1 Vrai

15.2 Faux

15.3 Vrai

15.4 (a) Vrai

(b) Vrai

(c) Vrai

(d) Vrai

(e) Faux

(f) Faux

15.5 Utilisez la commande **encapsulation x25** pour définir l'encapsulation X.25 sur l'interface ETTD (DTE).

15.6 Utilisez la commande **encapsulation x25 dce** pour définir l'encapsulation X.25 sur l'interface ETCD (DCE).

Chapitre 16, "Configuration de Frame Relay"

16.1 Faux

16.2 Vrai

16.3. Faux

B

Configuration de DECnet

Cette annexe décrit comment configurer les routeurs Cisco sur des réseaux DECnet. Vous étudierez tout d'abord la pile de protocoles DECnet, puis les paramètres de configuration globale et d'interface pour DECnet. Pour finir, vous découvrirez des exemples de différentes configurations DECnet et obtiendrez des informations sur la façon de contrôler une configuration DECnet.

Présentation de DECnet

DECnet est un protocole propriétaire de la société DEC (*Digital Equipment Corporation*). DECnet Phase V est la version actuelle, même si l'on rencontre toujours la version DECnet Phase IV dans de nombreuses installations. Ce chapitre traite de la version Phase IV, à moins qu'il en soit spécifié autrement. La Figure B.1 compare l'architecture DECnet au modèle OSI.

Une adresse DECnet comporte 16 bits : 6 bits pour la zone et 10 bits pour l'adresse de nœud. Dans la Figure B.2, le routeur DECnet reçoit l'adresse 5.14, où 5 est l'adresse de zone et 14 l'adresse de nœud. Chaque entité adressable est appelée un nœud et reçoit une adresse. L'adresse *zone.nœud* est modifiée et devient une adresse MAC logicielle utilisée sur toutes les interfaces.

Le trafic est localisé en plaçant les nœuds dans des groupements logiques ou physiques appelés *zones*.

Modèle de référence OSI

7	Application
6	Présentation
5	Session
4	Transport
3	Réseau
2	Liaison de données
1	Physique

Architecture DECnet

7	Utilisateur Administration de réseau
6	Application de réseau
5	Contrôle de session
4	Communication de bout-en-bout
3	Routage
2	Liaison de données
1	Physique

Figure B.1
Pile de protocoles DECnet.

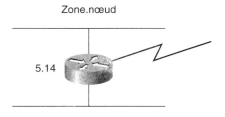

Zone.nœud

5.14

Figure B.2
Adresse DECnet de 16 bits.

DECnet Phase IV utilise un protocole à vecteur de distance. La détermination de chemin s'appuie sur le coût des interfaces sortantes. Les routeurs maintiennent des informations de coût sur tous les hôtes qui se trouvent dans leur zone. En raison de l'incorporation de l'adressage logique dans l'adresse MAC, aucune résolution d'adresse n'est requise, comme avec IP.

DECnet Phase IV utilise le protocole de routage DRP (*DECnet Routing Proto-col*). DECnet Phase V utilise le protocole de routage OSI standard IS-IS (*Intermediate System-to-Intermediate System*) qui exploite des informations d'état de lien.

Chaque équipement qui exécute DECnet est un nœud, et les adresses sont assignées aux nœuds et non aux interfaces ou câbles individuels. En tant que nœud, le routeur reçoit par conséquent une adresse. Un numéro de 6 bits autorise un maximum de 63 zones, et tous les nœuds d'une zone doivent être contigus (utiliser une séquence de numéros ininterrompue).

Sur un réseau local (LAN), un routeur est choisi comme *routeur désigné*, ou DR (*Designated Router*). Les nœuds d'extrémité connaissent toujours ce routeur en raison des annonces DR périodiques qu'il envoie. Tout le trafic provenant d'une extrémité est envoyé initialement au routeur DR pour être transmis. Par la suite, à mesure que les nœuds d'extrémité acquièrent des informations concernant le réseau, ils utilisent des chemins plus directs.

Plusieurs nœuds dans une zone reçoivent le statut de *routeur intra-zone*. Ces nœuds conservent dans leurs tables de routage des informations concernant tous les nœuds de cette zone.

Un ou plusieurs nœuds dans une zone reçoivent le statut de *routeur inter-zones*. La tâche de ces routeurs est d'acheminer le trafic vers un routeur spécifique situé dans une autre zone (voir Figure B.3). La table de routage d'un routeur inter-zones liste tous les nœuds d'une zone, ainsi que les chemins vers les autres zones *via* les routeurs inter-zones.

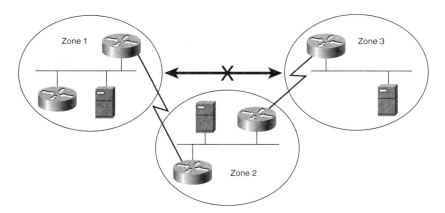

Figure B.3
Les zones sont des groupes logiques de nœuds.

Assignation de nœuds

L'utilisation d'un numéro de nœud de 10 bits autorise un maximum de 1 023 nœuds dans chaque zone. L'adresse de nœud est incluse dans l'adresse MAC de chaque interface, comme illustré Figure B.4.

Lorsque DECnet est initialisé, l'adresse MAC (logicielle) modifiée est propagée sur toutes les interfaces.

Zone   Zone
  5   17

- Concaténation pour former un numéro hexadécimal de 16 bits

0001010000010001 or 0x1411

- Permute deux octets de plus faible poids et les ajoute dans l'en-tête de l'adresse MAC DEC standardisée

AA-00-04-00-11-14

Figure B.4

Assignations de nœuds.

Lorsqu'un hôte démarre, il annonce sa présence. Dans une situation normale, l'accessibilité de l'hôte est annoncée au routeur local toutes les quinze secondes.

Les nœuds d'extrémité (les hôtes ne participant pas au routage) n'ont aucune connaissance du réseau après avoir démarré. Seul le routeur DR est connu grâce à ses annonces périodiques.

Tout le trafic des nœuds d'extrémité est envoyé au routeur désigné. Lorsqu'ils reçoivent les réponses des nœuds de destination, les adresses de ces derniers sont placées dans un cache. Le trafic destiné aux nœuds déjà dans le cache ne sera plus envoyé au routeur désigné.

Echange d'informations entre routeurs

Des mises à jour périodiques sont envoyées par chaque routeur (voir Figure B.5). Elles contiennent des informations sur les nœuds accessibles dans la zone de chaque routeur. Un coût est associé à chaque interface sortante. Les décisions de routage sont basées sur le coût total d'un chemin.

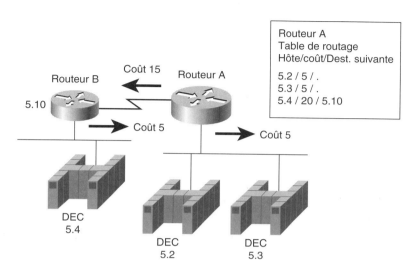

Figure B.5

Echange d'informations entre routeurs.

Routeurs désignés

Chaque fois qu'un nœud est démarré, il annonce sa présence au moyen du protocole Hello. Ce protocole est utilisé par les routeurs pour signaler leur présence sur le réseau auquel ils sont connectés localement. Les annonces périodiques sont envoyées par chaque nœud pour signaler son accessibilité.

Le routeur désigné est toujours connu des nœuds d'extrémité grâce à ses annonces DR périodiques, (voir Figure B.6). Comme mentionné précédemment, tout le trafic des nœuds d'extrémité est initialement envoyé au routeur DR pour être acheminé. Ensuite, lorsque les nœuds connaissent mieux le réseau, ils utilisent des chemins plus directs.

Routage de niveaux 1 et 2

Les routeurs qui acheminent le trafic au sein de leur propre zone sont appelés *routeurs de niveau 1*. Ils détiennent des informations complètes sur tous les nœuds dans leur zone. On se réfère au processus de routage qu'ils exécutent par l'expression *routage-iv* (en rapport avec DECnet Phase IV).

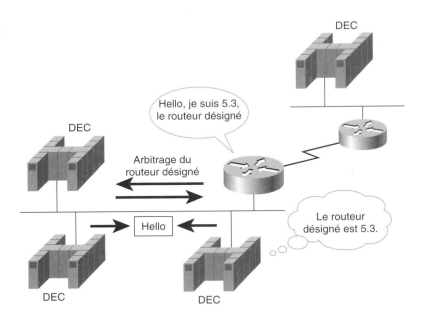

Figure B.6
Le routeur DR se fait connaître par ses annonces.

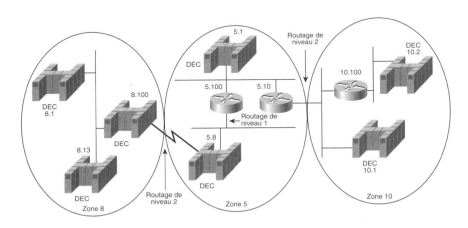

Figure B.7
Le routage de niveau 1 achemine le trafic au sein d'une zone. Le routage de niveau 2 achemine le trafic entre les zones.

Les routeurs qui communiquent entre les zones connaissent tous les nœuds dans leur propre zone, mais aussi tous ceux qui représentent un point d'entrée dans d'autres zones. Ces *routeurs de niveau 2* sont configurés comme routeurs de zone (voir Figure B.7).

Configuration de DECnet

Dans cette section, vous allez étudier les paramètres de configuration globale DECnet et les commandes de configuration dont vous avez besoin pour implémenter le protocole. Elle propose également un exemple de configuration DECnet.

Tâches de configuration DECnet

L'activation de DECnet comme protocole de routage requiert la configuration de paramètres globaux et d'interface.

Les tâches globales incluent :

- démarrer le processus de routage DECnet et assigner une adresse de nœud ;
- définir le routeur comme routeur de niveau 1 ou 2.

La tâche d'interface nécessaire consiste à assigner un coût sortant à chaque interface. Il n'existe pas de valeur par défaut. La Figure B.8 illustre un interréseau qui a été configuré avec des adresses de zone et de nœud, et une métrique de coût pour traverser la liaison WAN.

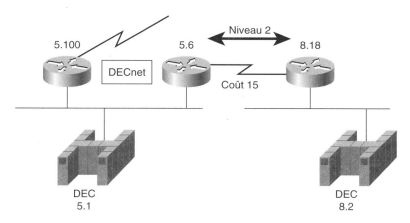

Figure B.8
Un réseau DECnet complètement configuré.

Commandes de configuration DECnet

Les commandes de configuration suivantes sont nécessaires pour le routage avec DECnet :

■ La commande **decnet routing** lance le processus de routage et assigne une adresse nœud.réseau au routeur.

■ La commande **decnet node-type** définit les caractéristiques de routage d'un routeur. Les routeurs de niveau 1 exécutent des tâches de routage intra-zone.

Le routage de niveau 1 est spécifié par le paramètre **routing-iv**, l'option par défaut.

Le routage de niveau 2 ou inter-zones est spécifié par le paramètre **area**.

■ La commande **decnet cost** active DECnet sur une interface et lui assigne un coût (de 1 à 63). Il n'y a pas de coût par défaut. Les valeurs suggérées sont de 1 pour FDDI, 4 pour Ethernet, et un minimum de 10 pour les liaisons séries.

Le coût assigné devrait être proportionnel à la vitesse du média. Plus la bande passante est importante, plus le coût associé est faible.

Reportez-vous à votre documentation Cisco ou visitez le site **www.cisco.com** pour obtenir plus d'informations sur ces commandes.

Exemple de configuration DECnet

La Figure B.9 illustre un exemple de configuration DECnet.

Les détails de cette configuration sont donnés ci-dessous :

Commande	*Description*
decnet routing 5.6	Active le routage DECnet et assigne au routeur une adresse de zone.nœud 5.6
decnet node-type area	Définit le routeur comme routeur inter-zones de niveau 2
decnet cost 15	Assigne un coût sortant de 15 à l'interface série 0

Le routeur reçoit l'adresse 5.6 et est chargé de relier la 5 aux autres zones. Le coût d'une interface est spécifié, car il n'existe pas de valeur par défaut.

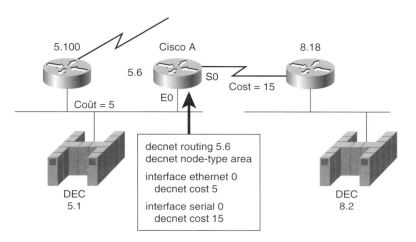

Figure B.9
Exemple de configuration DECnet.

Configuration de listes d'accès DECnet

Pour configurer des listes d'accès standards et étendues pour DECnet, l'administrateur doit choisir un numéro de liste d'accès dans la plage 300-399. L'adresse source peut être celle d'une zone entière ou une adresse zone.nœud.

Les masques génériques optionnels correspondent au bit prêt à l'adresse zone.nœud DECnet. Comme avec les autres protocoles, un zéro dans le masque générique indique que le bit correspondant dans l'adresse DECnet sera activé. Un bit positionné à 1 dans le masque générique signifie que la position du bit correspondant dans l'adresse DECnet peut être ignorée lors du test de la liste d'accès.

Cependant, comme l'adressage DECnet utilise des nombres décimaux, les masques génériques diffèrent des masques utilisés avec l'adressage IP. Par exemple, pour masquer tous les bits d'une adresse de zone DECnet, exprimez le masque avec la valeur 1 sur toutes les positions comme suit : 1023 (1111111111).

Si la destination du trafic qui doit être contrôlée se trouve sur une autre zone DECnet, le trafic doit traverser un routeur de niveau 2. Une liste d'accès spécifiant uniquement l'adresse source doit être placée à proximité de la destination. En fonction des mécanismes de contrôle et des masques spécifiques requis, elle doit être placée sur l'interface de niveau 2 appropriée.

Commandes de liste d'accès DECnet

La commande **access-list** est utilisée pour enregistrer une entrée dans une liste de filtres de trafic.

La commande **decnet access-group** est utilisée pour associer une liste d'accès à l'interface sélectionnée.

Exemple de contrôle du trafic DECnet

La Figure B.10 illustre un exemple de contrôle du trafic DECnet.

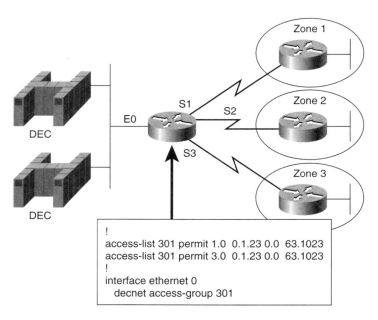

Figure B.10

Exemple de contrôle du trafic DECnet.

La liste d'accès 301 est configurée pour autoriser le trafic provenant des nœuds des zones 1 et 3 à être transmis sur l'interface Ethernet 0. Cela implique qu'aucun autre trafic ne sera autorisé. La fin de la liste contient une instruction de rejet implicite de tous les autres trafics.

Surveillance de DECnet

Le commandes suivantes sont utilisées pour contrôler l'exécution de DECnet :

■ Utilisez la commande **show decnet interface** pour afficher l'état d'une interface DECnet, y compris l'état de la ligne, les temporisateurs et les listes d'accès assignées.

■ Utilisez la commande **show decnet route** pour afficher le contenu de la table de routage DECnet.

■ Utilisez la commande **show decnet trafic** pour afficher les différents types de trafics qui arrivent sur le routeur.

■ Utilisez la commande **debug decnet routing** pour afficher les messages de mises à jour de routage.

Pour obtenir plus d'informations sur la configuration de DECnet, reportez-vous au CD-ROM de documentation Cisco ou visitez le site **www.cisco.com.**

C

Configuration
de Banyan VINES

Cette annexe décrit comment configurer le routage Banyan VINES sur des routeurs Cisco. Elle débute par une présentation du protocole VINES, puis examine les commandes de configuration et de surveillance dont vous avez besoin pour maintenir ce protocole sur les routeurs Cisco.

Présentation de VINES

Banyan VINES (*Virtual Integrated Network Service*) est un protocole propriétaire des systèmes Banyan. A l'instar du modèle OSI, la pile de protocoles VINES comporte sept couches. Les différences d'implémentation de VINES interviennent au niveau des couches 3 et 4, comme illustré Figure C.1.

La couche 3 contient le protocole IP pour VINES (VIP ou VinesIP) qui assure la livraison de datagrammes en mode non connecté. Il ressemble au protocole IP de la suite TCP/IP et peut interopérer dans un environnemt TCP/IP.

Les protocoles de transport de la couche 4 sont IPC (*Interprocess Communications Protocol*, protocole de communications interprocessus) et SPP (*Sequenced Packet Protocol*, protocole de séquencement de paquets). Ces protocoles spécifiques à la pile VINES offrent un mécanisme de transport fiable orienté connexion. IPC supporte aussi des services de datagrammes non fiables.

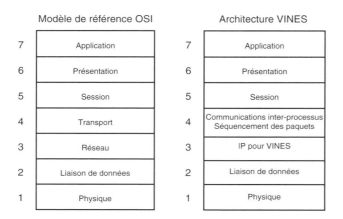

Figure C.1

La pile de protocoles VINES comparée au modèle de référence OSI.

Le protocole RTP (*Routing Update Protocol*) opère au niveau de la couche réseau et est chargé de la propagation des mises à jour de routage. Les décisions de routage sont basées sur une *métrique de délai*. L'administrateur peut assigner cette métrique à chaque interface. Si elle n'est pas définie de façon statique, une métrique de délai basée sur la bande passante est assignée à l'interface. Cette métrique est multipliée par 200 millisecondes (ms) pour la représenter dans un format "d'intervalle de temps" exploitable. Les valeurs des intervalles de temps des différentes interfaces peuvent ensuite être comparées plus facilement.

Les messages VINES sont générés toutes les quatre-vingt-dix secondes :

■ Les clients envoient des messages Hello.

■ Les serveurs envoient des messages Hello et des mises à jour.

■ Les routeurs envoient des mises à jour de routage.

Cisco supporte également le protocole SRTP (*Sequenced Routing Update Protocol*). Ce protocole plus récent met en œuvre une stratégie basée sur les mises à jour permettant aux routeurs et aux serveurs d'échanger des informations de routage modifiées. SRTP est semblable au processus de routage RIP dans son utilisation de mises à jour de routage périodiques.

Une adresse VINES comporte 48 bits : 32 bits (4 octets) pour l'adresse de réseau et 16 bits (2 octets) pour l'adresse de sous-réseau.

Numéro de réseau

Un *numéro de réseau* est une valeur unique attribuée à chaque serveur. Il s'agit du premier numéro de l'adresse au format réseau:sous-réseau illustrée C.2. Les serveurs Banyan possèdent une clé matérielle qui leur fournit leur adresse.

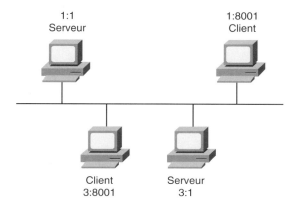

Figure C.2
L'adressage VINES utilise un format d'adresse réseau:sous-réseau à la fois pour les serveurs et les clients.

Numéro de sous-réseau

Le numéro de sous-réseau est équivalent au numéro d'hôte. Ces valeurs sont au format hexadécimal et sont assignées selon la fonction : 1 est utilisé pour les serveurs et 8001-FFFF pour les clients.

Les numéros des clients sont généralement assignés de façon incrémentielle à partir de 8001.

Numéro de réseau VINES Cisco

L'adresse de bloc de réseau assignée par Cisco est le nombre 300. Les adresses Cisco sont créées à partir des 21 bits de poids le plus faible de l'adresse MAC Ethernet ou Token Ring. Ces bits sont placés à la suite de l'adresse de bloc 300. Le routeur utilise la valeur résultante comme numéro de réseau.

Prenons par exemple l'adresse Ethernet 0000.0c01.58b4. Le routeur Cisco utilise les derniers 21 bits de cette adresse (0158b4) et place l'adresse de bloc Cisco 300 devant. Le routeur Cisco prend le numéro de serveur Banyan 300158b4:1. La valeur de sous-réseau 1 du serveur est assignée aux routeurs.

Assignation d'adresses d'hôtes

Un client VINES ne possède aucune adresse au démarrage. A l'aide du protocole ARP (*Address Resolution Protocol*), un message broadcast est envoyé pour notifier les serveurs qu'un nouveau client demande une assignation d'adresse, comme illustré Figure C.3.

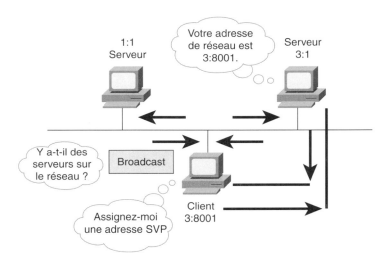

Figure C.3

Un nouveau client envoie une requête ARP en mode broadcast pour obtenir une adresse.

Le premier serveur qui répond à la requête assigne au client une adresse constituée du numéro de réseau du serveur et du numéro de sous-réseau suivant disponible.

Messages Hello

Les clients envoient des messages Hello toutes les 90 secondes. Les serveurs envoient des messages Hello et de mises à jour toutes les 90 secondes. Les informations de routage sont incluses dans les mises à jour périodiques.

Configuration de VINES

La sélection de VINES comme protocole de routage requiert les paramètres de configuration globale et d'interface suivants :

■ La tâche globale consiste à démarrer le processus de routage VINES.

■ La tâche d'interface consiste à attribuer une métrique VINES à chaque interface. Une métrique par défaut est sélectionnée si l'administrateur réseau n'en spécifie aucune. La valeur de la métrique est basée sur la capacité de la bande passante de chaque média.

■ Sur les segments ne comportant aucun serveur VINES, le routeur assigne des adresses de client et transmet les broadcasts de services clients au serveur le plus proche.

Commandes de configuration VINES

La commande **vines routing** démarre le processus de routage VINES. Cisco associe une adresse de réseau de serveur réservée en se basant sur un bloc d'adresses assignées par Banyan. L'adresse créée comporte 21 bits de l'adresse MAC d'une interface Ethernet ou FDDI. Utilisez le paramètre optionnel **address** si vous ne disposez d'aucune adresse MAC Ethernet ou FDDI sur le routeur.

Si deux routeurs sur le même média possèdent la même adresse, car leurs adresses respectives n'ont pas été configurées manuellement, utilisez le mot clé optionnel **recompute** pour la sélection aléatoire d'une adresse.

La commande **vines metric** active l'interface pour le traitement des paquets VINES. Cette commande est requise pour chaque interface.

Si aucune métrique n'est spécifiée, le routeur Cisco utilise une métrique par défaut basée sur la bande passante de la liaison, comme suit :

Type d'interface	*Valeur de métrique de délai*
Ethernet	2
Token Ring 16 Mbit/s	2
Token Ring 4 Mbit/s	4
Série 6 Kbit/s	45
Série 9600	90

La commande **vines arp-enable** permet au routeur d'assigner des adresses de client. Le mot clé optionnel **dynamic** devrait être utilisé sur les segments dépourvus de serveurs VINES. Si aucune option n'est spécifiée, le routeur répond à toutes les requêtes, même si un serveur VINES est présent sur le réseau.

La commande **vines serveless** autorise la propagation de certains paquets broadcast par le routeur. Ces paquets sont transmis au serveur le plus proche. L'utilisation de cette commande se limite aux segments sur lesquels il n'existe pas de serveur.

Dans la Figure C.4, les deux routeurs Cisco sont configurés pour router les communications VINES sur une liaison série.

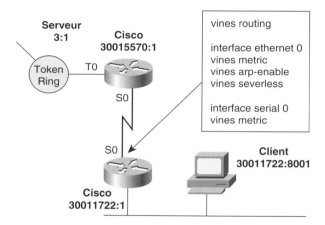

Figure C.4

Un exemple de configuration VINES dans lequel deux routeurs Cisco sont configurés pour router les communications VINES sur une liaison série.

■ La commande **vines routing** lance le processus de routage VINES.

■ La commande **vines metric** active l'interface Ethernet 0 pour le traitement des paquets VINES. Une métrique par défaut est utilisée sur cette interface.

■ La commande **vines arp-enable** permet au routeur de répondre aux requêtes ARP VINES. Ces requêtes sont émises lorsque le client demande une assignation d'adresse au démarrage.

■ La commande **vines serveless** permet au routeur de transmettre les messages broadcast de services au serveur VINES le plus proche.

Avec ces commandes, le processus de routage VINES est activé. Le routeur répond aux demandes d'assignation d'adresse et transmet les requêtes de services en mode broadcast qui arrivent sur son interface Ethernet 0.

Listes d'accès VINES

Contrairement aux autres protocoles de réseau, le numéro de réseau VINES s'applique à un équipement, c'est-à-dire au serveur lui-même, plutôt qu'à une liaison entre des équipements. Ce mode de référence concerne aussi un routeur Cisco configuré pour router VINES.

L'adresse de réseau VINES comporte 32 bits et est exprimée sous la forme de 8 chiffres hexadécimaux. Les numéros de sous-réseaux se réfèrent aux hôtes ou clients qui se connectent au serveur. Le numéro de sous-réseau comporte 16 bits et est exprimé sous la forme d'un chiffre hexadécimal de 4 bits. Les numéros de réseaux et de sous-réseaux sont séparés par deux points (:).

Les sous-réseaux (nœud et hôtes) utilisent le chiffre 1 s'ils sont serveurs. S'ils sont clients, ils utilisent un numéro assigné dynamiquement à partir d'une plage hexadécimale de 8001-FFFF.

La forme simple d'une liste d'accès VINES inclut seulement une adresse VINES source. Le routeur accepte ou rejette tous les paquets VINES en utilisant ce type de liste d'accès.

Les administrateurs qui emploient une liste d'accès VINES standard peuvent également filtrer un protocole VINES spécifique ainsi que des adresses source et de destination.

Avec VINES, la commande globale pour une liste d'accès standard inclut le mot "vines". Elle utilise un numéro de liste d'accès dans la plage 1-100 (par exemple, vines access list 1).

A l'aide de listes d'accès standards, l'administrateur peut également spécifier un protocole par son nom ou son numéro. Pour obtenir plus de détails sur les mots-clés ou numéros d'identifiant des protocoles VINES, reportez-vous aux informations du document de référence des commandes.

Les arguments d'adresses source et de destination VINES des instructions de listes d'accès pointent vers le réseau. L'administrateur utilise les listes d'accès pour contrôler le trafic de paquets entre des systèmes.

Une fois que l'administrateur a appliqué une liste d'accès à une interface de routeur, celle-ci permettra au routeur d'autoriser ou de refuser le trafic sortant correspondant aux instructions de la liste. Les paquets générés par le routeur ne sont pas soumis aux mécanismes de contrôle des listes d'accès.

La commande **vines access-list** est utilisée pour créer une entrée dans la liste de filtrage du trafic. Cette liste définit le trafic qui devrait être transmis ou non. Reportez-vous à la documentation Cisco ou visitez le site **www.cisco.com** pour obtenir plus d'informations sur cette commande.

Surveillance de VINES

Les commandes suivantes sont utilisées pour surveiller le fonctionnement du protocole VINES :

- Utilisez la commande **show vines interface** pour afficher l'état d'une interface. Ces informations d'état incluent les adresses, les temporisateurs de mise à jour et les listes d'accès.

- Utilisez la commande **show vines route** pour afficher le contenu de la table de routage VINES comprenant les zones connues.

- Utilisez la commande **show vines neighbor** pour afficher le contenu de la table de voisinage. Elle contient des informations à propos des noms d'hôtes, des adresses MAC, des types d'encapsulations et des ports d'interface.

- Utilisez la commande **debug vines routing** pour afficher le contenu des mises à jour périodiques, y compris l'interface en entrée et le coût de chaque réseau.

D

Données de configuration d'auto-installation

La procédure AutoInstall permet à un administrateur de réseau de configurer un routeur à distance sur le réseau. Cette configuration est très utile pour mettre en œuvre de nouveaux routeurs sur des emplacements distants où le personnel détient des connaissances et compétences limitées en matière de réseaux.

Le nouveau routeur doit être connecté à un routeur existant sur une liaison WAN ou LAN (voir Figure D.1). Le nouveau routeur et celui existant doivent exécuter la version 9.1 ou ultérieure du système d'exploitation Cisco IOS pour pouvoir utiliser des types d'encapsulations autres que le Frame Relay. Pour une encapsulation Frame Relay, ils doivent exécuter la version 10.3 ou ultérieure.

Le routeur existant agit comme un serveur BOOTP (*Bootstrap Protocol,* protocole d'amorce) ou RARP (*Reverse Address Resolution Protocole*, protocole de résolution d'adresse inverse). Il doit être configuré pour aider le nouveau routeur à obtenir son adresse IP, et contient une adresse auxiliaire pour le serveur TFTP.

ASTUCE

Vérifiez que les fichiers de configuration du nouveau routeur se trouvent sur le serveur TFTP. Préparez ces fichiers pour la procédure AutoInstall dans le mode de configuration du logiciel Cisco IOS. Utilisez ensuite la commande **copy running-config tftp** pour stocker la configuration actuelle en RAM sur un serveur TFTP de réseau.

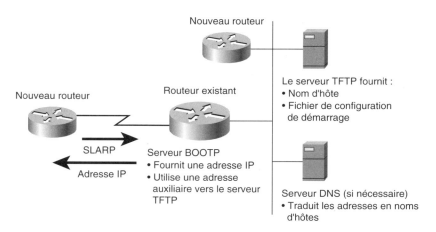

Figure D.1

La procédure AutoInstall vous permet de configurer un nouveau routeur automatiquement et à distance.

Le serveur fournit un nom d'hôte pour l'adresse présentée par le nouveau routeur. Si la traduction de l'adresse IP en nom d'hôte n'a pas lieu sur le serveur TFTP, le nouveau routeur utilise le serveur DNS (*Domain Name System*). La configuration du nouveau routeur est ensuite téléchargée vers celui-ci à partir d'un serveur TFTP accessible.

La procédure AutoInstall comporte plusieurs étapes, comme illustré Figure D.2.

Les étapes de la procédure AutoInstall sont décrites ci-dessous :

1. Tout d'abord, le nouveau routeur envoie un paquet de requête SLARP (*Serial Line Reverse Address Resolution Protocol*) sur la liaison série. Le routeur existant répond en envoyant son adresse IP. Si l'adresse correspond au premier hôte sur le sous-réseau (par exemple xx.xx.xx.1 sur un réseau de Classe B avec le masque de sous-réseau 255-255-255-0), le nouveau routeur recevra automatiquement la seconde adresse d'hôte de sous-réseau pour son interface série, par exemple xx.xx.xx.2.

2. Une fois qu'il a obtenu une adresse IP, le nouveau routeur demande au serveur TFTP de la traduire en un nom d'hôte. La réponse à cette requête prend la forme d'un fichier de configuration de réseau contenant le nom d'hôte pour le nouveau routeur.

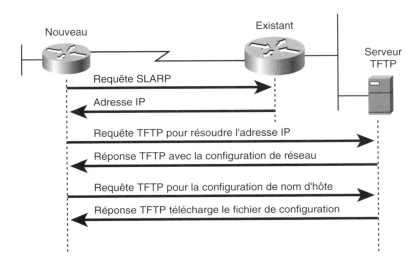

Figure D.2
Le nouveau routeur obtient son adresse IP, son nom d'hôte et sa configuration.

3. Le nouveau routeur utilise son nom d'hôte pour demander le fichier de configuration de nom d'hôte qui contient ses entrées spécifiques. Le serveur TFTP télécharge ce fichier vers le nouveau routeur.

4. Le processus AutoInstall prévoit aussi plusieurs requêtes de reprise (*fallback*) au cas où le nouveau routeur ne recevrait pas les réponses correctes.

   Si la requête de nom d'hôte vers le serveur TFTP ne permet pas au nouveau routeur d'obtenir son nom d'hôte, il entamera une autre procédure en envoyant une requête au serveur DNS afin d'obtenir la résolution de son adresse IP en nom d'hôte. La Figure D.3 illustre le processus de reprise.

5. Ensuite, si le nouveau routeur demande un fichier de configuration de nom d'hôte, mais que le serveur TFTP ne puisse l'envoyer, ce dernier enverra alors une configuration plus générique dans un fichier de configuration de routeur. L'administrateur pourra ouvrir une session sur le nouveau routeur et effectuer tous les changements de configuration nécessaires.

Pour obtenir des exemples de procédures AutoInstall, connaître les commandes utilisées et les détails de configuration, reportez-vous à la documentation Cisco ou visitez le site **www.cisco.com**.

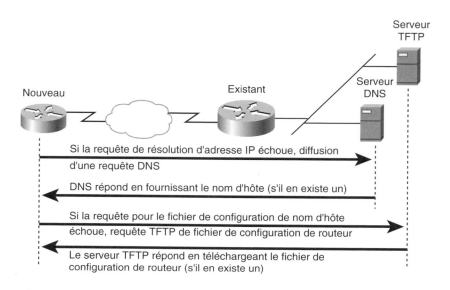

Figure D.3

Si la résolution de l'adresse IP en nom d'hôte par TFTP échoue, le nouveau routeur envoie une requête au serveur DNS.

E

Table de conversion des systèmes décimal, hexadécimal et binaire

Valeur décimale	Valeur hexadécimale	Valeur binaire
0	00	0000 0000
1	01	0000 0001
2	02	0000 0010
3	03	0000 0011
4	04	0000 0100
5	05	0000 0101
6	06	0000 0110
7	07	0000 0111
8	08	0000 1000
9	09	0000 1001
10	0A	0000 1010
11	0B	0000 1011
12	0C	0000 1100

Valeur décimale	*Valeur hexadécimale*	*Valeur binaire*
13	0D	0000 1101
14	0E	0000 1110
15	0F	0000 1111
16	10	0001 0000
17	11	0001 0001
18	12	0001 0010
19	13	0001 0011
20	14	0001 0100
21	15	0001 0101
22	16	0001 0110
23	17	0001 0111
24	18	0001 1000
25	19	0001 1001
26	1A	0001 1010
27	1B	0001 1011
28	1C	0001 1100
29	1D	0001 1101
30	1E	0001 1110
31	1F	0001 1111
32	20	0010 0000
33	21	0010 0001
34	22	0010 0010
35	23	0010 0011
36	24	0010 0100
37	25	0010 0101
38	26	0010 0110
39	27	0010 0111

Valeur décimale	Valeur hexadécimale	Valeur binaire
40	28	0010 1000
41	29	0010 1001
42	2A	0010 1010
43	2B	0010 1011
44	2C	0010 1100
45	2D	0010 1101
46	2E	0010 1110
47	2F	0010 1111
48	30	0011 0000
49	31	0011 0001
50	32	0011 0010
51	33	0011 0011
52	34	0011 0100
53	35	0011 0101
54	36	0011 0110
55	37	0011 0111
56	38	0011 1000
57	39	0011 1001
58	3A	0011 1010
59	3B	0011 1011
60	3C	0011 1100
61	3D	0011 1101
62	3E	0011 1110
63	3F	0011 1111
64	40	0100 0000
65	41	0100 0001
66	42	0100 0010

Valeur décimale	*Valeur hexadécimale*	*Valeur binaire*
67	43	0100 0011
68	44	0100 0100
69	45	0100 0101
70	46	0100 0110
71	47	0100 0111
72	48	0100 1000
73	49	0100 1001
74	4A	0100 1010
75	4B	0100 1011
76	4C	0100 1100
77	4D	0100 1101
78	4E	0100 1110
79	4F	0100 1111
80	50	0101 0000
81	51	0101 0001
82	52	0101 0010
83	53	0101 0011
84	54	0101 0100
85	55	0101 0101
86	56	0101 0110
87	57	0101 0111
88	58	0101 1000
89	59	0101 1001
90	5A	0101 1010
91	5B	0101 1011
92	5C	0101 1100
93	5D	0101 1101

Valeur décimale	Valeur hexadécimale	Valeur binaire
94	5E	0101 1110
95	5F	0101 1111
96	60	0110 0000
97	61	0110 0001
98	62	0110 0010
99	63	0110 0011
100	64	0110 0100
101	65	0110 0101
102	66	0110 0110
103	67	0110 0111
104	68	0110 1000
105	69	0110 1001
106	6A	0110 1010
107	6B	0110 1011
108	6C	0110 1100
109	6D	0110 1101
110	6E	0110 1110
111	6F	0110 1111
112	70	0111 0000
113	71	0111 0001
114	72	0111 0010
115	73	0111 0011
116	74	0111 0100
117	75	0111 0101
118	76	0111 0110
119	77	0111 0111
120	78	0111 1000

Valeur décimale	Valeur hexadécimale	Valeur binaire
121	79	0111 1001
122	7A	0111 1010
123	7B	0111 1011
124	7C	0111 1100
125	7D	0111 1101
126	7E	0111 1110
127	7F	0111 1111
128	80	1000 0000
129	81	1000 0001
130	82	1000 0010
131	83	1000 0011
132	84	1000 0100
133	85	1000 0101
134	86	1000 0110
135	87	1000 0111
136	88	1000 1000
137	89	1000 1001
138	8A	1000 1010
139	8B	1000 1011
140	8C	1000 1100
141	8D	1000 1101
142	8E	1000 1110
143	8F	1000 1111
144	90	1001 0000
145	91	1001 0001
146	92	1001 0010
147	93	1001 0010

Valeur décimale	Valeur hexadécimale	Valeur binaire
148	94	1001 0100
149	95	1001 0101
150	96	1001 0110
151	97	1001 0111
152	98	1001 1000
153	99	1001 1001
154	9A	1001 1010
155	9B	1001 1011
156	9C	1001 1100
157	9D	1001 1101
158	9E	1001 1110
159	9F	1001 1111
160	A0	1010 0000
161	A1	1010 0001
162	A2	1010 0010
163	A3	1010 0011
164	A4	1010 0100
165	A5	1010 0101
166	A6	1010 0110
167	A7	1010 0111
168	A8	1010 1000
169	A9	1010 1001
170	AA	1010 1010
171	AB	1010 1011
172	AC	1010 1100
173	AD	1010 1101
174	AE	1010 1110

Valeur décimale	Valeur hexadécimale	Valeur binaire
175	AF	1010 1111
176	B0	1011 0000
177	B1	1011 0001
178	B2	1011 0010
179	B3	1011 0011
180	B4	1011 0100
181	B5	1011 0101
182	B6	1011 0110
183	B7	1011 0111
184	B8	1011 1000
185	B9	1011 1001
186	BA	1011 1010
187	BB	1011 1011
188	BC	1011 1100
189	BD	1011 1101
190	BE	1011 1110
191	BF	1011 1111
192	C0	1100 0000
193	C1	1100 0001
194	C2	1100 0010
195	C3	1100 0011
196	C4	1100 0100
197	C5	1100 0101
198	C6	1100 0110
199	C7	1100 0111
200	C8	1100 1000
201	C9	1100 1001

Valeur décimale	Valeur hexadécimale	Valeur binaire
202	CA	1100 1010
203	CB	1100 1011
204	CC	1100 1100
205	CD	1100 1101
206	CE	1100 1110
207	CF	1100 1111
208	D0	1101 0000
209	D1	1101 0001
210	D2	1101 0010
211	D3	1101 0011
212	D4	1101 0100
213	D5	1101 0101
214	D6	1101 0110
215	D7	1101 0111
216	D8	1101 1000
217	D9	1101 1001
218	DA	1101 1010
219	DB	1101 1011
220	DC	1101 1100
221	DD	1101 1101
222	DE	1101 1110
223	DF	1101 1111
224	E0	1110 0000
225	E1	1110 0001
226	E2	1110 0010
227	E3	1110 0011
228	E4	1110 0100

Valeur décimale	Valeur hexadécimale	Valeur binaire
229	E5	1110 0101
230	E6	1110 0110
231	E7	1110 0111
232	E8	1110 1000
233	E9	1110 1001
234	EA	1110 1010
235	EB	1110 1011
236	EC	1110 1100
237	ED	1110 1101
238	EE	1110 1110
239	EF	1110 1111
240	F0	1111 0000
241	F1	1111 0001
242	F2	1111 0010
243	F3	1111 0011
244	F4	1111 0100
245	F5	1111 0101
246	F6	1111 0110
247	F7	1111 0111
248	F8	1111 1000
249	F9	1111 1001
250	FA	1111 1010
251	FB	1111 1011
252	FC	1111 1100
253	FD	1111 1101
254	FE	1111 1110
255	FF	1111 1111

F

Récupération
de mots de passe

Cette annexe étudie les techniques de récupération de mots de passe pour les routeurs et les commutateurs Catalyst Cisco. Vous pouvez procéder à la récupération de mots de passe sur la plupart des plates-formes sans avoir à déplacer les cavaliers (*jumpers*), mais elles requièrent toutes que le routeur soit rechargé. Cette tâche peut être réalisée uniquement à partir du port de console physiquement relié au routeur.

Il existe trois façons de rétablir l'accès à un routeur lorsque le mot de passe a été perdu. Vous pouvez visualiser le mot de passe, le modifier ou effacer la configuration pour la redéfinir comme si l'équipement était nouveau.

Chaque procédure respecte les étapes suivantes :

1. Configurez le routeur pour qu'il s'amorce sans lire la configuration en mémoire (NVRAM). Cette configuration est parfois appelée *mode de test du système*.

2. Redémarrez le système.

3. Accédez au mode *enable*. Lorsque vous utilisez le mode de test du système, vous n'avez pas besoin de fournir de mot de passe.

4. Visualisez ou modifiez le mot de passe, ou bien effacez la configuration.

5. Reconfigurez le routeur pour qu'il s'initialise et lise la mémoire NVRAM comme à son habitude.

6. Redémarrez le système.

ATTENTION

Certaines techniques de récupération de mots de passe requièrent l'utilisation d'un terminal pour pouvoir émettre un signal BREAK. Vous devez maintenant savoir comment votre terminal ou émulateur de terminal pour PC émet ce signal. Par exemple, avec ProComm, la combinaison de touches Alt-B génère par défaut un signal BREAK, et sur le terminal de Windows, il faut appuyer sur Break ou Ctrl-Break. Ce dernier vous permet également de configurer une touche de fonction BREAK.

Les sections suivantes donnent des instructions détaillées pour les routeurs et les commutateurs Catalyst Cisco. Recherchez votre produit au début de chaque section pour déterminer la technique à employer.

Technique n°1

Les équipements concernés sont : Cisco AGS, les séries Cisco 2000, Cisco 2500, Cisco 3000, Cisco 4000 basée 680x0, Cisco 7000 exécutant Cisco IOS 10.0 ou plus en ROM, et IGS exécutant Cisco IOS 9.1 ou plus en ROM.

Cette technique peut être utilisée sur les séries Cisco 7000 et 7100 seulement si le routeur a de la mémoire ROM pour Cisco IOS 10.0 installée sur la carte RP. Bien qu'il puisse amorcer le logiciel Cisco IOS 10.0 en mémoire flash, il a également besoin de mémoire ROM sur la carte processeur.

1. Raccordez un terminal ou un PC avec émulation de terminal au port de console du routeur.

2. Tapez **show version** et enregistrez le paramètre du registre de configuration, habituellement 0x2102 ou 0x102.

3. Eteignez le routeur, puis rallumez-le.

4. Appuyez sur la touche Break du terminal pendant 60 secondes au moment du démarrage. Vous verrez l'invite > apparaître sans nom de routeur. Si elle n'apparaît pas, cela signifie que le terminal n'envoie pas le signal Break correct. Dans ce cas, vérifiez la configuration du terminal ou de l'émulation de terminal.

5. Tapez **o/r 0x42** sur l'invite > pour amorcer le routeur à partir de la mémoire flash, ou **o/r 0x41** pour l'amorcer à partir de la mémoire ROM d'amorçage. Notez que la lettre "o" n'est pas un zéro numérique. Si vous disposez de mémoire flash et qu'elle est intacte, 0x42 est le paramètre le plus approprié. Utilisez 0x41 seulement si la mémoire flash est effacée ou non installée.

ATTENTION

Si vous utilisez 0x41, vous pourrez uniquement visualiser ou effacer la configuration, mais pas modifier le mot de passe.

---

6. Tapez **i** sur l'invite >. Le routeur redémarrera en ignorant sa configuration enregistrée.

7. Répondez non à toutes les questions de configuration.

8. Tapez **enable** sur l'invite > du routeur. Vous entrerez dans le mode *enable* et verrez l'invite Router#.

9. Choisissez l'une des trois options suivantes :

■ Pour visualiser le mot de passe, tapez **show config**.

■ Pour modifier le mot de passe (dans le cas où il serait crypté, par exemple), suivez les étapes décrites ci-dessous :

   a. Tapez **config mem** pour copier le contenu de la NVRAM en mémoire.

   b. Tapez **wr term**.

      Si vous obtenez **enable secret xxxx**, alors :

         Tapez **config term** et effectuez les modifications.
         Tapez **enable secret <password>**.
         Appuyez sur **Ctrl-Z**.

      Si ce n'est pas le cas, alors :

         Tapez **enable password <password>**.
         Appuyez sur **Ctrl-Z**.

   c. Tapez **write term** pour valider les modifications.

■ Pour effacer la configuration, tapez **write erase**.

10. Tapez **config term** sur l'invite de commande.

11. Tapez **config-register 0x2102**, ou toute autre valeur que vous aurez enregistrée à l'étape 2.

12. Appuyez sur **Ctrl-Z** pour quitter l'éditeur.

13. Tapez **reload** sur l'invite de commande. Vous n'avez pas besoin d'écrire en mémoire.

Technique n°2

Les équipements concernés sont : Cisco 1003, Cisco 4500, Cisco 3600 basé IDT Orion, ou Cisco 2600 basé Motorola 860.

1. Raccordez un terminal ou un PC avec émulation de terminal au port de console du routeur.

2. Tapez **show version** et enregistrez le paramètre du registre de configuration, habituellement 0x2102 ou 0x102.

3. Eteignez le routeur, puis rallumez-le.

4. Appuyez sur la touche Break du terminal pendant 60 secondes au moment du démarrage. Vous verrez l'invite rommon> apparaître. Si elle n'apparaît pas, cela signifie que le terminal n'envoie pas le signal Break correct. Dans ce cas, vérifiez la configuration du terminal ou de l'émulation de terminal.

5. Tapez **confreg** sur l'invite rommon>.

6. Répondez par **y** (yes) à la question "Do you wish to change configuration[y/n]?".

7. Répondez par **n** (no) à toutes les autres questions qui apparaissent jusqu'à celle vous demandant "Ignore system config info[y/n]?". Répondez par **y**.

8. Répondez par **n** aux questions suivantes jusqu'à celle vous demandant "Change boot characteristics[y/n]?". Répondez par **y**.

9. A l'invite "Enter the boot:", tapez **2** et appuyez sur la touche Retour.

   Si la mémoire flash a été effacée, tapez **1**. Si toute la mémoire flash a été effacée, vous devez retourner l'équipement chez Cisco pour être dépanné.

ATTENTION

Si vous utilisez la valeur **1**, vous pouvez seulement visualiser ou effacer la configuration. Vous ne pouvez pas changer le mot de passe.

---

10. Un résumé de la configuration est imprimé. Répondez non à la question "Do you wish to change configuration[y/n]?".

11. Tapez **reset** sur l'invite rommon>, ou éteignez puis démarrez votre équipement.

12. Une fois qu'il a démarré, répondez non à toutes les questions de configuration.

13. Tapez **enable** sur l'invite Router>. Vous entrerez dans le mode *enable* et verrez apparaître l'invite Router#.

14. Choisissez l'une des trois options suivantes :

▪ Pour visualiser le mot de passe, tapez **show config**.

▪ Pour modifier le mot de passe (dans le cas où il serait crypté, par exemple), suivez les étapes décrites ci-dessous :

   a. Tapez **config mem** pour copier le contenu de la NVRAM en mémoire.

   b. Tapez **wr term**.

      Si vous obtenez **enable secret xxxx**, alors :

         Tapez **config term** et effectuez les modifications.
         Tapez **enable secret <password>**.
         Appuyez sur **Ctrl-Z**.

      Si ce n'est pas le cas, alors :

         Tapez **enable password <password>**.
         Appuyez sur **Ctrl-Z**.

   c. Tapez **write term** pour valider les modifications.

▪ Pour effacer la configuration, tapez **write erase**.

15. Tapez **config term** sur l'invite.

16. Tapez **config-register 0x2102**, ou toute autre valeur que vous aurez enregistrée à l'étape 2.

17. Appuyez sur **Ctrl-Z** pour quitter l'éditeur.

18. Tapez **reload** sur l'invite. Vous n'avez pas besoin d'écrire en mémoire.

Vous pouvez vous procurer des informations sur les procédures de récupération de mots de passe pour les commutateurs Catalyst de Cisco et les anciens routeurs et serveurs de communications Cisco à l'adresse **www.cisco.com/warp/customer/ 701/22.htm**.

G

Exemples de configuration Frame Relay

Cette annexe inclut des exemples de configuration d'AppleTalk et IPX sur Frame Relay, et un exemple de commutation de Frame Relay.

AppleTalk sur Frame Relay

Dans l'exemple illustré Figure G.1, les deux routeurs utilisent AppleTalk sur Frame Relay pour communiquer entre eux.

Pour le routeur A, les commandes suivantes configurent AppleTalk sur Frame Relay :

Commande	Description
encapsulation frame-relay	Active le Frame Relay.
appletalk cable-range 18-18 18.47	Active un réseau AppleTalk à adressage étendu et définit la plage de câble et l'adresse de nœud.
appletalk zone eng	Configure le nom de zone pour le réseau Apple-Talk connecté.
frame-relay map appletalk 18.65 23 broadcast	Associe l'adresse AppleTalk 18.65 au numéro de DLCI 23.

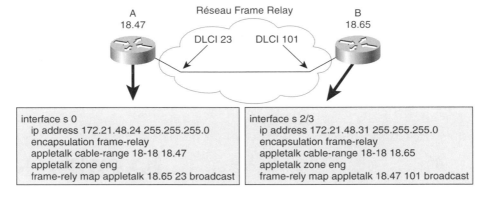

Figure G.1

Utilisation d'AppleTalk sur le réseau Frame Relay.

Pour le routeur B, les commandes suivantes sont utilisées :

Commande	*Description*
encapsulation frame-relay	Active le Frame Relay.
appletalk cable-range 18-18 18.65	Active un réseau AppleTalk à adressage étendu et définit la plage de câble et l'adresse de nœud.
appletalk zone eng	Configure le nom de zone pour le réseau Apple-Talk connecté.
frame-relay map appletalk 18.47 101 broadcast	Associe l'adresse AppleTalk 18.47 au numéro de DLCI 101.

Dans l'exemple de la Figure G.1, le Frame Relay est configuré sur l'interface principale.

Configuration de IPX sur Frame Relay

Dans l'exemple de la Figure G.2, le routeur A relie deux réseaux IPX représentés par des sous-interfaces Frame Relay. Le routeur B gère un seul réseau IPX basé sur le Frame Relay et configuré de façon statique.

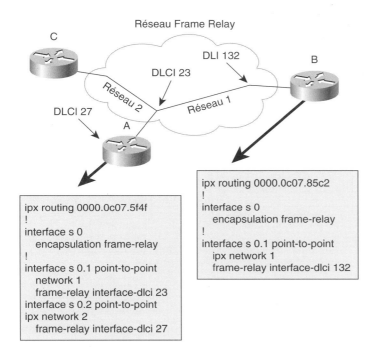

Figure G.2

Le routeur A relie les routeurs B et C à travers un nuage Frame Relay.

Sur le routeur A, les commandes suivantes sont utilisées pour configurer IPX sur Frame Relay :

Commande	*Description*
interface S0	Définit l'interface.
encapsulation frame-relay	Active le Frame Relay.
interface s 0.1 point-to-point	Configure la sous-interface S0.1 comme interface point à point.
ipx network 1	Configure le réseau IPX 1 sur la sous-interface S0.1.
frame-relay interface-dlci 23	Configure le réseau 1 en utilisant le DLCI 23.
interface s 0.2 point-to-point	Configure la sous-interface S0.2 comme interface point à point.

Commande	Description
ipx network 2	Configure le réseau 2 sur la sous-interface S0.2.
frame-relay interface-dlci 27	ConFigure ARP inverse sur le réseau 2 en utilisant le DLCI 27.

Sur le routeur B, les commandes suivantes sont utilisées :

Commande	Description
interface s 0.1 point-to-point	Configure la sous-interface S0.1 comme interface point à point pour le Frame Relay.
frame-relay interface-dlci 132	Configure le réseau 1 en utilisant le DLCI 132.

Commutation Frame Relay

La commutation Frame Relay locale autorise un routeur Cisco à commuter les trames Frame Relay entre des interfaces, en se basant sur le numéro de DLCI contenu dans l'en-tête de trame. Une interface de routeur qui exécute une commutation locale de circuits virtuels permanents, ou PVC (*Permanent Virtual Circuit*), est généralement configurée comme un équipement ETCD (DCE) Frame Relay (commutateur), comme illustré Figure G.3.

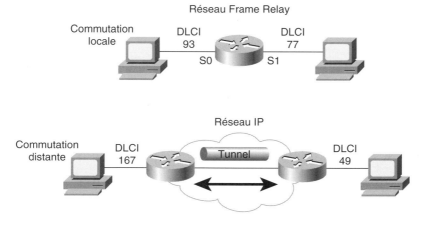

Figure G.3
La commutation peut être configurée pour un fonctionnement local ou distant.

La commutation Frame Relay distante permet au routeur d'encapsuler les trames Frame Relay dans des datagrammes IP et de les acheminer *via* un tunnel sur l'épine dorsale IP, comme illustré dans la partie inférieure de la Figure G.3. Le protocole de tunnel GRE (*Generic Routing Encapsulation*) de Cisco est utilisé pour la commutation Frame Relay distante.

La configuration de la Figure G.4 montre comment définir la commutation Frame Relay pour une connexion IP.

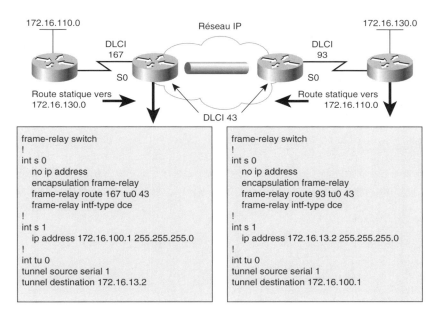

Figure G.4
Une configuration de commutation Frame Relay distante.

Le routeur est configuré en tant que commutateur Frame Relay distant. Le trafic qui arrive sur l'interface S0 en utilisant le DLCI 167 sera commuté sur l'interface de sortie S1et le DLCI 43 sera utilisé dans l'identifiant source. Le trafic sera acheminé à travers un réseau IP au moyen d'un tunnel GRE dont la destination de prochain saut est 172.16.100.1. Le tunnel utilise le même numéro DLCI.

Dans l'encadré de gauche de la Figure G.4, les paramètres de la commande **frame-relay** possèdent la signification suivante :

- **167**. Le DLCI du trafic en entrée (source) qui doit être commuté.

- **tu0**. L'interface de sortie à utiliser.

- **43**. Le DLCI en sortie à utiliser pour l'acheminement du trafic.

Voici les autres commandes essentielles :

Commande	Description
frame-relay intf-type dce	Définit l'interface comme ETCD (DCE). Dans cette connexion Frame Relay dos à dos, une interface doit agir en tant que ETCD.
tunnel source serial 1	Définit que l'interface 0 de tunnel logiciel utilisera l'interface physique 1 comme point d'entrée dans le tunnel.
tunnel destination 172.16.13.2	Définit que le tunnel livrera le trafic à une adresse IP 172.16.13.2, la destination du tunnel.

H

Glossaire

A

AARP (*AppleTalk Address Resolution Protocol*). Protocole de la suite AppleTalk qui fait correspondre une adresse de liaison de données à une adresse de réseau.

ABM (*Asynchronous Balanced Mode*). Mode de communication HDLC (et protocole dérivé) supportant des communications point à point orientées homologues entre deux stations, chacune d'elles pouvant initier une transmission.

accès de base RNIS (BRI). Consiste en deux canaux B et un canal D pour la communication par circuit commuté de la voix, de la vidéo et des données. Comparer avec *accès primaire RNIS*.

accès primaire RNIS (PRI). Consiste en un seul canal D à 64 Kbit/s plus 23 canaux B (T1) ou 30 canaux B (E1) pour la voix ou les données. Comparer avec *accès de base RNIS*.

ACK. Voir *acquittement*.

acquittement. Notification envoyée par un équipement de réseau à un autre pour confirmer que certains événements se sont produits, comme la réception d'un message. Il apparaît souvent sous la forme ACK, l'abréviation du terme équivalent anglais. Comparer avec *NAK*.

adaptateur. Voir *carte d'interface réseau*.

administrateur de réseau. Personne responsable de l'exploitation, de la maintenance et de la gestion d'un réseau.

administration de réseau. Terme générique utilisé pour décrire des systèmes ou des actions qui visent à maintenir, caractériser ou dépanner un réseau.

adressage linéaire. Stratégie d'adressage qui n'utilise pas une hiérarchie logique pour déterminer l'emplacement des équipements.

adresse de broadcast. Adresse spéciale réservée pour l'envoi d'un message à toutes les stations d'un réseau. C'est généralement une adresse de destination MAC dont tous les bits reçoivent la valeur 1. Comparer avec *adresse multicast* et *adresse unicast*. Voir aussi *broadcast*.

adresse de couche liaison. Voir *adresse MAC*.

adresse de destination. Adresse d'un équipement de réseau recevant des données. Voir aussi *adresse source*.

adresse de la couche MAC. Voir *adresse MAC*.

adresse de présentation OSI. Adresse utilisée pour localiser une entité de couche application OSI. Elle se compose d'une adresse de réseau OSI et de trois sélecteurs, chacun étant utilisé respectivement par les entités transport, session et présentation.

adresse de protocole. Voir *adresse de réseau*.

adresse de réseau. Adresse de la couche réseau se référant à un équipement logique plutôt qu'à un équipement physique. Egalement appelé *adresse de protocole*. Comparer avec *adresse MAC*.

adresse de sous-réseau. Portion d'une adresse IP définie comme identifiant de sous-réseau par le masque de sous-réseau.

adresse d'hôte. Voir *numéro d'hôte*.

adresse IP. Adresse de 32 bits assignée à des hôtes utilisant TCP/IP. Une adresse IP appartient à l'une des cinq Classes : A, B, C, D ou E, et est écrite sur 4 octets séparés par des points (en format décimal). Chaque adresse se compose d'un numéro de réseau, d'un numéro optionnel de sous-réseau et d'un numéro d'hôte. Les numéros de réseau et de sous-réseau sont utilisés ensemble pour le routage, alors que le numéro d'hôte est utilisé pour joindre une station individuelle sur le réseau ou le sous-réseau. Un masque de sous-réseau est utilisé pour extraire des informations de réseau et de sous-réseau à partir de l'adresse IP. CIDR représente une nouvelle méthode de représentation des adresses IP ainsi que des masques de sous-réseaux. L'adresse IP est parfois appelée *adresse Internet*.

adresse MAC. Adresse standardisée de la couche liaison de données, requise pour chaque équipement qui se connecte à un réseau local. D'autres équipements sur le réseau utilisent ces adresses pour y localiser des machines spécifiques et pour créer et mettre à jour des tables de routage et des structures de données. Les adresses MAC font 6 octets de long et sont contrôlées par l'IEEE. Egalement connue sous la désignation *adresse matérielle*, *adresse de couche MAC* ou *adresse physique*. Comparer avec *adresse de réseau*.

adresse matérielle. Voir *adresse MAC*.

adresse multicast de zone. Adresse multicast dépendante de la liaison de données par laquelle un nœud reçoit les messages broadcast NBP destinés à sa zone.

adresse multicast. Adresse unique qui se réfère à plusieurs équipements de réseau. Synonyme d'adresse de groupe. Comparer avec *adresse broadcast* et *adresse unicast*. Voir aussi *multicast*.

adresse physique. Voir *adresse MAC*.

adresse source. Adresse d'un équipement de réseau qui envoie des données.

adresse unicast. Adresse spécifiant un seul équipement de réseau. Comparer avec *adresse de broadcast* et *adresse multicast*.

adresse. Structure de données ou convention logique utilisée pour identifier une entité unique, telle qu'un processus particulier ou un équipement de réseau.

AEP (*AppleTalk Echo Protocol*). Protocole de test utilisé pour vérifier la connectivité entre deux nœuds AppleTalk. Un nœud envoie un paquet vers un autre nœud et reçoit en retour une copie, *l'écho* du paquet.

AFP (*AppleTalk Filing Protocol*). Protocole de la couche présentation qui autorise les utilisateurs à partager des fichiers de données et des programmes hébergés sur un serveur de fichiers. Ce protocole supporte AppleShare et Mac OS File Sharing.

agent. (1) Généralement, un module logiciel qui traite les requêtes et renvoie des réponses pour le compte d'une application. (2) Avec NMS, un processus qui réside sur tous les équipements gérés et transmet aux stations d'administration les valeurs de variables spécifiées.

algorithme de routage par état de lien. Algorithme de routage prévoyant que chaque routeur envoie en mode broadcast ou multicast à tous les nœuds de l'interréseau, des informations sur le coût de l'accessibilité à ses voisins. Les algorithmes par état de lien créent une vue cohérente du réseau et ne sont par conséquent pas sujets aux boucles de routage, mais impliquent des calculs plus complexes et un trafic diffusé plus largement par rapport aux algorithmes de routage par vecteur de distance. Comparer avec *algorithme de routage par vecteur de distance.*

algorithme de routage par vecteur de distance. Catégorie d'algorithmes de routage qui procèdent par incrémentation du compte de sauts d'une route et se basent sur cette métrique pour calculer un arbre recouvrant des plus courts chemins. Le routage par vecteur de distance implique que chaque routeur envoie la totalité de sa table de routage lors de chaque mise à jour, mais seulement à ses voisins immédiats. Ce type d'algorithme est sujet aux boucles de routage, mais les calculs nécessaires sont plus simples que ceux des algorithmes de routage par état de lien. Il est aussi appelé algorithme de routage Bellman-Ford. Voir aussi *algorithme de routage par état de lien.*

algorithme spanning-tree. Algorithme utilisé par le protocole Spanning-Tree pour créer un arbre recouvrant. L'acronyme STA (*Spanning Tree Algorithm*) est souvent utilisé.

algorithme. Règle ou processus bien défini servant à trouver une solution à un problème. Dans le domaine des réseaux, les algorithmes sont couramment utilisés pour déterminer la meilleure route à emprunter pour acheminer un trafic d'une source vers une destination particulière.

analyseur de réseau. Equipement matériel ou logiciel offrant diverses fonctions de dépannage de réseau, y compris des moyens pour décoder des paquets de protocoles donnés, des tests de dépannage pré-programmés, le filtrage de paquets et la transmission de paquets.

anneau. Connexion de deux ou plusieurs stations selon une topologie circulaire logique. Les informations sont transmises en séquence entre stations actives. Les réseaux Token Ring, FDDI et CDDI s'appuient sur cette topologie.

anneaux doubles contra-rotatif. Topologie de réseau dans laquelle deux chemins de signaux, dont les directions sont opposées, existent sur un réseau à passage de jeton. FDDI et CDDI s'appuient sur ce concept.

annonce. Processus de routeur par lequel des mises à jour de routage ou de services sont envoyées afin que d'autres routeurs sur le réseau puissent maintenir des listes de routes utilisables.

ANSI (*American National Standards Institute*). Organisation à but non lucratif composée d'entreprises, de gouvernements et d'autres membres, qui coordonne des activités relatives à la spécification de standards, approuve des standards nationaux américains et défend les positions des Etats-Unis au sein des organisations internationales de normalisation. L'ANSI apporte son concours au développement de standards internationaux et américains relatifs, entre autres choses, aux communications et aux réseaux. L'ANSI est un membre de l'IEC et de l'ISO.

AppleTalk. Série de protocoles de communication conçue par la société Apple Computer et se décomposant en deux phases. Phase 1, la première version, supporte un seul réseau physique ne pouvant recevoir qu'un seul numéro de réseau situé dans une zone unique. Phase 2 peut gérer plusieurs réseaux logiques sur un seul réseau physique et leur permet de se trouver dans plus d'une zone à la fois. Voir aussi *zone*.

application. Programme qui exécute une fonction directement pour un utilisateur. Les logiciels client FTP et Telnet sont des exemples d'applications de réseau.

arbre recouvrant. Voir *spanning tree*.

ARP (*Address Resolution Protocol*). Protocole Internet utilisé pour associer une adresse IP à une adresse MAC. Il est défini dans le RFC 826. Comparer avec *RARP*.

ARPA (*Advanced Research Projects Agency*). Organisation de recherche et de développement qui fait partie du département de la défense américain (*DoD*). Elle est responsable de nombreuses avancées technologiques dans les domaines de la communication et des réseaux. Elle est devenue dans le temps DARPA, et a repris sa première appellation ARPA en 1994.

ARPANET (*Advanced Research Projects Agency Network*). Réseau à commutation de paquets créé en 1969. Il a été développé dans les années 70 par BBN et a été financé par l'ARPA (et plus tard DARPA). Il a finalement évolué pour devenir le réseau Internet. Le terme *ARPANET* a été officiellement supprimé en 1990.

ASCII (*American Standard Code for Information Interchange*). Code sur 8 bits servant à représenter des caractères (7 bits plus celui de parité).

ATM (*Asynchronous Transfer Mode*). Standard international pour le relais de cellules dans lequel plusieurs types de services, tels que le transport de la voix, de la vidéo ou des données, sont transportés dans des cellules de taille fixe de 53 octets. Ces cellules peuvent ainsi être traitées au niveau matériel, ce qui réduit les délais d'acheminement. ATM est conçu pour tirer parti de médias de transmission à haute vitesse, tels que E3, SONET et T3. Voir aussi *Forum ATM*.

ATP (*AppleTalk Transaction Protocol*). Protocole de niveau transport qui fournit un service de transactions entre sockets exempt de pertes. Le service permet des échanges entre deux sockets clients, au cours desquels un client demande à l'autre d'exécuter une tâche particulière et de rapporter les résultats. Le protocole lie la requête et la réponse ensemble pour garantir l'échange fiable des couples requête-réponse.

AURP (*AppleTalk Update-Based Routing Protocol*). Méthode d'encapsulation du trafic AppleTalk dans l'en-tête d'un protocole étranger. Il autorise ainsi la communication entre deux ou plusieurs interréseaux AppleTalk non contigus par l'intermédiaire d'un réseau étranger, tel que TCP/IP, pour former un réseau étendu AppleTalk. Ce type de connexion est appelé un tunnel AURP. Outre sa fonction d'encapsulation, il maintient des tables de routage pour la totalité du réseau étendu AppleTalk en échangeant des informations de routage avec des routeurs extérieurs.

authentification. Sur le plan de la sécurité, il s'agit de la vérification de l'identité d'une personne ou d'un processus.

B

bande passante. Différence entre les fréquences les plus hautes et les plus basses disponibles pour les signaux du réseau. Ce terme est également utilisé pour décrire le débit évalué d'un média de transmission ou d'un protocole donné.

Banyan VINES. Voir *VINES*

binaire. Système de numérotation en base 2, n'utilisant que des valeurs 0 et 1.

BOOTP (*Bootstrap Protocol*). Protocole utilisé par un nœud de réseau pour déterminer l'adresse IP de ses interfaces Ethernet pour influer sur l'amorçage.

boucle locale. Ligne partant des locaux de l'abonné jusqu'au central téléphonique de la société de télécommunications.

boucle. Route par laquelle les paquets n'atteignent jamais leur destination, mais circulent simplement de façon répétée à travers une même série de nœuds de réseau.

BRI (*Basic Rate Interface*). Interface pour un accès de base RNIS. Voir aussi *accès de base RNIS (BRI)*.

broadcast. Paquet de données qui doit être envoyé à tous les nœuds d'un réseau. Ce type de diffusion générale est identifié par une adresse de broadcast. Comparer avec *multicast* et *unicast*. Voir aussi *adresse de broadcast*.

bus à jeton. Architecture de réseau local utilisant une méthode d'accès par passage de jeton sur une topologie en bus. Cette architecture LAN est la base de la spécification IEEE 802.4.

C

câble à fibre optique. Média physique capable de conduire un rayon lumineux modulé. Comparé aux autres médias de transmission, le câble à fibre optique est plus coûteux, mais n'est pas sensible aux interférences électromagnétiques. Il est parfois simplement appelé *fibre optique*.

cache (placement en). Forme de duplication permettant d'utiliser des informations acquises durant une transaction précédente pour traiter une transaction courante.

canal B. Canal porteur. Avec RNIS, il s'agit du canal duplex de 64 Kbit/s utilisé pour envoyer des données utilisateur. Comparer avec *canal D*, *canal E* et *canal H*.

canal D. (1) Canal Delta. Canal RNIS duplex à 16 Kbit/s (interface BRI) ou 64 Kbit/s (interface PRI). Comparer *canal B*, *canal E* et *canal H*. (2) Sous SNA, c'est un équipement qui connecte un ordinateur et la mémoire principale avec des périphériques.

canal E. Canal d'écho. Canal de contrôle de commutation de circuit RNIS à 64 Kbit/s. Le canal E a été défini dans la spécification UIT-T RNIS 1984, mais a été abandonné dans la spécification 1998. Comparer avec *canal B*, *canal D* et *canal H*.

canal H. Canal à haute vitesse. Canal duplex d'accès primaire RNIS opérant à 384 Kbit/s. Comparer avec *canal B*, *canal D* et *canal E*.

carte d'interface de réseau. Carte apportant à un ordinateur des fonctions de communication en réseau. Egalement appelée *carte adaptateur*

CCITT (Comité Consultatif International Télégrahique et Téléphonique). Organisation internationale responsable du développement de standards de communication. Aujourd'hui appelée UIT-T. Voir *UIT-T*.

CDDI (*Copper Distributed Data Interface*). Implémentation des protocoles FDDI sur câble STP ou UTP. CDDI transmet sur des distances relativement faibles (environ 100 mètres), en fournissant des débits de 100 Mbit/s au moyen d'une architecture à double anneau pour offrir une redondance. Cette technologie se base sur le standard ANSI TPPMD (*Twisted-Pair Physical Medium Dependent*).

central téléphonique. Central de l'opérateur téléphonique local auquel toutes les boucles locales d'une zone donnée se connectent et dans lequel la commutation de circuit des lignes de l'abonné se produit.

CHAP (*Challenge Handshake Authentication Protocol*). Fonction de sécurité supportée sur des lignes utilisant l'encapsulation PPP qui empêche les accès non autorisés. CHAP n'empêche pas lui-même les accès non autorisés. Il identifie simplement le nœud distant. Le routeur ou le serveur d'accès détermine ensuite si l'utilisateur peut être autorisé à accéder aux ressources. Comparer avec *PAP*.

charge utile. Portion d'une cellule, d'une trame ou d'un paquet qui contient des informations de couches supérieures (données).

circuit virtuel commuté (*SVC*). Circuit virtuel qui est établi dynamiquement à la demande et qui est libéré à l'issue de la transmission. Les circuits virtuels commutés sont utilisés dans le cas de transmissions de données sporadiques. Dans la terminologie ATM, ils sont appelés *connexions virtuelles commutées*. Comparer avec *circuit virtuel permanent (PVC)*.

circuit virtuel permanent (*PVC*). Circuit virtuel qui est établi de façon permanente. Ces circuits épargnent la bande passante qui est autrement utilisée lors des processus d'établissement et de libération de circuits dans les situations où des circuits virtuels doivent exister en continu. Dans la terminologie ATM, il est appelé *connexion virtuelle permanente*. Comparer avec *circuit virtuel commuté (SVC)*.

circuit virtuel. Circuit logique créé pour garantir une communication fiable entre deux équipements de réseau. Un circuit virtuel est défini par une paire VPI/VCI et peut être permanent ou commuté. Les circuits virtuels sont utilisés avec Frame Relay et X.25. Avec ATM, un circuit virtuel est appelé un canal virtuel, parfois abrégé VC (*Virtual Channel*).

circuit. Chemin de communication entre deux ou plusieurs points.

client. Nœud ou programme (dispositif frontal) qui demande des services à un serveur.

codage. Techniques électriques utilisées pour transporter des signaux binaires.

comptage à l'infini. Problème pouvant se produire avec les algorithmes de routage qui convergent lentement. Les routeurs incrémentent continuellement le compte de sauts (hops) de certains réseaux. Généralement, une limite de compte de sauts est imposée pour empêcher que cela ne se produise.

compte de sauts. Métrique de routage utilisée pour mesurer la distance entre une source et une destination. RIP utilise le compte de sauts comme seule métrique. Voir aussi *saut* et *RIP*.

congestion. Trafic excédant la capacité d'un réseau.

connexion point à point. Un des deux types de connexion fondamentaux. Dans ATM, une connexion point à point peut être unidirectionnelle ou bidirectionnelle entre deux systèmes terminaux ATM. Comparer avec *connexion point-multipoint*.

connexion multipoint. Un des deux types de connexion fondamentaux. Dans ATM, une connexion multipoint est une connexion unidirectionelle dans laquelle un système terminal source unique (le nœud racine) se connecte à plusieurs systèmes terminaux de destination (les feuilles). Comparer avec *connexion point à point*.

console. ETTD par l'intermédiaire duquel des commandes sont entrées sur un hôte.

contiguïté. Relation entre des routeurs voisins et nœuds d'extrémité sélectionnés dans le but d'échanger des informations de routage. Elle se base sur l'emploi d'un segment de média commun.

contrôle de flux avec fenêtre de communication. Méthode de contrôle de flux dans laquelle un destinataire autorise l'émetteur à transmettre des données jusqu'à atteindre la taille maximale de la fenêtre. Lorsque la fenêtre est pleine, l'émetteur doit stopper l'envoi de données jusqu'à ce que le récepteur annonce une fenêtre plus grande. TCP, d'autres protocoles de transport et plusieurs protocoles de liaison de données utilisent cette méthode pour contrôler le flux des données.

contrôle de flux. Technique permettant de garantir qu'une entité en cours de transmission ne submerge pas l'entité réceptrice avec des données. Lorsque les tampons de l'équipement destinataire sont pleins, un message est envoyé à l'équipement émetteur pour qu'il suspende la transmission jusqu'à ce que les données placées dans les tampons aient été traitées.

convergence. Vitesse et capacité d'un groupe d'équipements interconnectés utilisant un protocole de routage spécifique à s'accorder sur la topologie d'un interréseau suite à un changement intervenu au niveau de cette topologie.

correspondances de routes. Méthode de contrôle de la redistribution des routes entre domaines de routage.

correspondances d'adresses. Technique qui permet à différents protocoles d'interopérer au moyen de la traduction d'adresses d'un format en un autre. Par exemple, lors du routage IP sur X.25, l'adresse IP doit être associée à une adresse X.25 pour que les paquets IP puissent être transmis par le réseau X.25.

couche application. Couche 7 du modèle de référence OSI. Cette couche offre des services aux processus d'applications (telles que le courrier électronique, le transfert de fichiers ou l'émulation de terminal), qui se situent en dehors du modèle de référence. La couche application identifie et établit la disponibilité des partenaires de communication, les ressources requises pour se connecter avec eux, synchronise les applications coopérant et définit des accords sur les procédures de récupération après erreur et de contrôle d'intégrité des données. Elle correspond en gros à la couche services de transactions du modèle SNA. Voir aussi *couche liaison de données*, *couche physique*, *couche présentation*, *couche réseau*, *couche session* et *couche transport*.

couche contrôle de flux de données. Couche 5 du modèle d'architecture SNA. Cette couche détermine et gère les interactions entre les partenaires de session, en particulier les flux de données. Correspond à la couche session du modèle de référence OSI. Voir aussi *couche contrôle de chemin*, *couche contrôle de liaison de données*, *couche contrôle de transmission*, *couche contrôle physique*, *couche services de présentation* et *couche services de transaction*.

couche contrôle de liaison de données. Couche 2 du modèle d'architecture SNA. Elle est responsable de la transmission des données sur une liaison physique particulière. Elle correspond approximativement à la couche liaison de données du modèle OSI. Voir aussi *couche contrôle de chemin*, *couche contrôle de flux de données*, *couche contrôle physique*, *couche contrôle de transmission*, *couche services de présentation*, et *couche services de transaction*.

couche contrôle de chemin. Couche 3 du modèle architectural SNA. Cette couche assure des services de séquencement associés au réassemblage correct des données. La couche contrôle de chemin est également responsable du routage. Elle correspond approximativement à la couche réseau du modèle de référence OSI. Voir aussi *couche contrôle de flux de données*, *couche contrôle de liaison de données*, *couche contrôle physique*, *couche contrôle de transmission*, *couche services de présentation* et *couche services de transaction*.

couche contrôle de transmission. Couche 4 du modèle architectural SNA. Elle est responsable de l'établissement, la maintenance et la terminaison des sessions SNA, du séquencement des messages de données et du contrôle du niveau de flux de la session. Elle correspond à la couche transport du modèle OSI. Voir aussi *couche contrôle de chemin*, *couche contrôle de flux de données*, *couche contrôle de liaison de données*, *couche contrôle physique*, *couche services de présentation* et *couche services de transaction.*.

couche contrôle physique. Couche 1 du modèle architectural SNA. Cette couche est responsable des spécifications physiques pour les liaisons entre systèmes terminaux. Elle correspond à la couche physique du modèle OSI. Voir aussi *couche contrôle de chemin*, *couche contrôle de flux de données*, *couche contrôle de liaison de données*, *couche contrôle de transmission*, *couche services de présentation* et *couche services de transaction*.

couche services de présentation. Couche 6 du modèle architecturale SNA. Cette couche fournit des services de gestion de ressources du réseau, de présentation de session et certaines fonctions de gestion d'applications. Elle correspond approximativement à la couche présentation du modèle OSI. Voir aussi *couche contrôle de chemin, couche contrôle de flux de données, couche contrôle de liaison de données, couche contrôle physique, couche contrôle de transmission* et *couche services de transaction*.

couche services de transaction. Couche 7 dans le modèle architectural SNA. Représente des fonctions d'applications utilisateur, telles que tableurs, traitement de texte ou courrier électronique, par lesquelles les utilisateurs interagissent avec le réseau. Correspond approximativement à la couche application du modèle de référence OSI. Voir aussi *couche contrôle de chemin, couche contrôle de flux de données, couche contrôle de liaison de données, couche contrôle physique, couche contrôle de transmission,* et *couche services de présentation*.

couche liaison de données. Couche 2 du modèle de référence OSI. Elle assure le transit des données à travers une liaison physique. La couche liaison de données est concernée par l'adressage physique, la topologie de réseau, la gestion de ligne, les notifications d'erreur, la livraison ordonnée des trames et le contrôle de flux. L'IEEE a divisé cette couche en deux sous-couches : la sous-couche MAC et la sous-couche LLC. Elle est parfois simplement désignée par le terme *couche liaison*. Elle correspond approximativement à la couche contrôle de liaison de données du modèle SNA. Voir aussi *couche application, couche physique, couche présentation, couche réseau, couche session* et *couche transport*.

couche physique. Couche 1 du modèle de référence OSI. La couche physique définit des spécifications électriques, mécaniques, procédurales et fonctionnelles pour activer, maintenir et désactiver la liaison physique entre des systèmes terminaux. Elle correspond à la couche contrôle physique du modèle SNA. Voir aussi *couche application, couche liaison de données, couche présentation, couche réseau, couche session* et *couche transport*.

couche présentation. La Couche 6 du modèle de référence OSI. Cette couche garantit que les informations envoyées par la couche application d'un système seront lisibles par la couche application d'un autre équipement. Elle est également concernée par les structures de données utilisées par les programmes et par conséquent négocie la syntaxe de transfert des données pour la couche application. Elle correspond approximativement à la couche services de présentation du modèle SNA. Voir aussi *couche application, couche liaison de données, couche physique, couche réseau, couche session* et *couche transport*.

couche réseau. Couche 3 du modèle de référence OSI. Cette couche fournit la connectivité et la sélection d'itinéraire entre deux systèmes terminaux. La couche réseau est la couche à l'intérieur de laquelle le routage se produit. Elle correspond approximativement à la couche contrôle de chemin du modèle SNA. Voir aussi *couche application, couche liaison de données, couche physique, couche présentation, couche session* et *couche transport.*

couche session. Couche 5 du modèle de référence OSI. Cette couche établit, gère et termine les sessions entre des applications et gère l'échange de données entre les entités de la couche présentation. Correspond à la couche contrôle de flux de données du modèle SNA. Voir aussi *couche application, couche liaison de données, couche physique, couche présentation, couche réseau* et *couche transport.*

couche transpoı ᵗ. Couche 4 du modèle de référence OSI. Cette couche est responsable de la communication fiable sur le réseau entre nœuds d'extrémité. Elle fournit des mécanismes pour l'établissement, la maintenance et la terminaison des circuits virtuels, la détection d'erreur de transport et la récupération, et le contrôle des flux d'informations. Elle correspond à la couche contrôle de transmission du modèle SNA. Voir aussi *couche application, couche liaison de données, couche physique, couche présentation, couche réseau* et *couche session.*

CSMA/CD (*Carrier Sense Multiple Access with Collision Detection*). Signifie littéralement accès multiple par écoute de la porteuse avec détection des collisions. Il s'agit d'un mécanisme d'accès au média dans lequel un équipement prêt à émettre des données vérifie d'abord le canal pour détecter la porteuse. Si aucune porteuse n'est détectée pendant un certain délai, il peut transmettre. Si un autre équipement transmet en même temps, une collision se produit et est détectée par les équipements concernés. Ceux-ci attendent un délai aléatoire avant de retransmettre. Cette technique d'accès est utilisée par Ethernet et IEEE 802.3.

CSU (*Channel Service Unit*). Signifie littéralement unité de service de canal. Il s'agit d'un équipement avec interface numérique qui connecte l'équipement de l'utilisateur final à la boucle téléphonique numérique locale. Ce terme est souvent associé à celui désignant une unité de service de données, DSU (*Data Service Unit*), sous la forme CSU/DSU.

D

DARPA (*Defense Advanced Research Projects Agency*). Agence gouvernementale américaine qui finance des recherches et des expérimentations concernant Internet. Elle tire son origine de l'agence ARPA, son ancien nom, qu'elle a d'ailleurs à nouveau repris en 1994. Voir aussi *ARPA*.

DAS. (1) (*Dual Attachment Station*). Station connectée au double anneau FDDI. Cette connexion double assure la redondance pour chaque anneau. Si l'anneau principal est défaillant, la station peut le boucler sur le deuxième anneau en isolant le point de panne, conservant ainsi l'intégrité du réseau. On la désigne aussi par le nom de Station de classe A. Comparer avec *SAS*. (2) (*Dynamically Assigned Socket*). Socket qui est assigné dynamiquement par DDP à la demande d'un client. Sur un réseau AppleTalk, les sockets numérotés de 128 à 254 sont alloués en tant que DAS.

datagramme IP. Unité fondamentale d'informations transmise sur Internet. Le datagramme contient les adresses source et de destination, ainsi que des données et un certain nombre de champs qui définissent certaines de ses caractéristiques, telles que sa longueur, le total de contrôle de l'en-tête et des indicateurs pour spécifier si le datagramme peut être, ou a été, fragmenté.

datagramme. Groupement logique d'informations envoyé sous forme d'une unité de la couche réseau sur un média de transmission, sans qu'aucun circuit virtuel n'ait été établi au préalable. Les datagrammes IP représentent les unités d'informations principales sur Internet. Les termes *cellule*, *trame*, *message*, *paquet* et *segment* sont également utilisés pour décrire des groupements d'informations logiques aux différents niveaux du modèle de référence OSI et dans le contexte de différentes technologies.

DDP (*Datagram Delivery Protocol*). Protocole de la couche réseau AppleTalk responsable de la livraison socket vers socket de datagrammes sur un interréseau AppleTalk.

DDR (*Dial-on Demand Routing*). Technique de routage par ouverture de ligne à la demande dans laquelle un routeur peut automatiquement établir et libérer une session par circuit commuté lorsque des stations émettrices le demandent. Le routeur simule des paquets *keepalive* pour que les stations finales traitent la session comme active. DDR autorise le routage sur RNIS ou sur des lignes téléphoniques en utilisant parfois un adaptateur de terminal RNIS externe ou un modem.

débit en excès. Trafic excédant le débit garanti pour une connexion donnée. Plus spécifiquement, le débit en excès est égal au débit maximal moins le débit garanti.

Le trafic en excès n'est livré que si les ressources du réseau sont disponibles, et peut être supprimé lors de périodes de congestion. Comparer avec *débit garanti* et *débit maximal*.

débit garanti. Le débit de données en bits ou cellules par seconde octroyé à long terme, qu'un réseau ATM s'engage à assurer dans des conditions normales de fonctionnement du réseau. Le débit garanti est alloué à 100 %. La quantité totale est déduite de la bande passante totale du tronçon le long du chemin du circuit. Comparer avec *débit en excès* et *débit maximal*.

débit maximal. Débit de données total maximal autorisé sur un circuit virtuel donné. Il est égal à la somme du trafic garanti et non garanti de la source du trafic. Les données non garanties peuvent être supprimées si le réseau connaît une période de congestion. Le débit maximal, qui ne peut excéder le débit du média, représente le débit le plus élevé que le circuit virtuel pourra fournir, exprimé en bits ou en cellules par seconde. Comparer avec *débit en excès* et *débit garanti*.

DECnet. Groupe de produits de communication comprenant une suite de protocoles développés et supportés par DEC (*Digital Equipment Corportation*). DECnet/OSI (aussi appelé *DECnet Phase V*) est la version la plus récente et gère à la fois les protocoles OSI et les protocoles Digital propriétaires. Phase IV Prime supporte les adresses MAC autorisant les nœuds DECnet à cohabiter avec des systèmes qui exécutent d'autres protocoles soumis à des restrictions d'adresses MAC.

découverte d'adresses MAC. Service d'un commutateur qui stocke les adresses MAC sources de paquets reçus pour que, dans le futur, un paquet à destination d'une adresse connue puisse être transmis uniquement vers l'interface à laquelle elle correspond. Un paquet dont l'adresse de destination n'est pas reconnue est transmis sur chaque interface à l'exception de celle d'origine. Cette stratégie aide à réduire le trafic sur les LAN connectés. Le processus de découverte d'adresses MAC est défini dans le standard IEEE 802.1.

délai expiré. Evénement qui se produit lorsqu'un équipement de réseau, qui s'attend à recevoir des données de la part d'un autre équipement de réseau pendant une période spécifique, ne reçoit rien. L'expiration de délai résulte en une retransmission des informations ou de la terminaison de la session entre les deux équipements.

démultiplexage. Séparation de plusieurs flux d'entrée, auparavant multiplexés en un seul signal physique, en plusieurs flux de sortie. Voir aussi *multiplexage*.

DHCP (*Dynamic Host Control Protocol*). Protocole qui fournit un mécanisme d'allocation dynamique des adresses IP, lesquelles peuvent ainsi être réutilisées lorsque les hôtes n'en ont plus besoin.

dial-on-demand routing. Voir *DDR*.

DNS (*Domain Name System*). Système utilisé sur Internet pour convertir les noms de nœuds de réseau en adresses.

DoD (*Department of Defense*). Organisation gouvernementale américaine qui est responsable de la défense nationale. Elle a souvent financé le développement de protocoles de communication.

domaine de diffusion (*broadcast domain*). Ensemble de tous les équipements qui reçoivent les trames diffusées en mode broadcast et émanant de n'importe quel équipement de cet ensemble. Les domaines de diffusion générale sont généralement limités par les routeurs (ou par des réseaux locaux virtuels sur un réseau commuté), car ceux-ci ne transmettent par les trames envoyées dans ce mode.

double hébergement. Topologie de réseau dans laquelle un équipement est connecté au réseau au moyen de deux points d'accès indépendants (points de connexion). L'un d'eux représente la connexion principale et l'autre une connexion de secours qui est activée en cas de défaillance de la première.

DRP (*DECnet Routing Protocol*). Stratégie de routage propriétaire introduite par DEC avec DECnet Phase III. Dans DECnet Phase V, le protocole a achevé sa transition vers les protocoles de routage OSI (ES-IS et IS-IS).

DSAP (*Destination Service Access Point*). Point d'accès au service du nœud de réseau désigné dans le champ Destination d'un paquet. Comparer avec *SSAP*. Voir aussi *SAP (Service Access Point)*.

duplex (intégral). Mode de transmission permettant à deux stations en communication d'envoyer simultanément des données. Comparer avec *semi-duplex* et *simplex*.

durée de vie. Champ d'un en-tête IP qui indique la durée durant laquelle un paquet est considéré comme étant valide.

E

E1. Stratégie de transmission numérique de zone étendue utilisée principalement en Europe. Elle peut transporter des données à une vitesse de 2 048 Mbit/s. Les lignes E1 peuvent être louées à un opérateur pour une utilisation privée. Comparer avec *T1*.

E3. Stratégie de transmission numérique de zone étendue utilisée principalement en Europe. Elle peut transporter des données à une vitesse de 34 368 Mbit/s. Les lignes E3 peuvent être louées à un opérateur pour une utilisation privée. Comparer avec *T3*.

EEPROM. Mémoire en lecture seule programmable et effaçable électriquement. Elle peut être effacée au moyen de signaux électriques appliqués sur des broches spécifiques.

EIA (*Electronic Industries Association*). Groupe à l'origine des standards de transmission électriques. Les organismes EIA et TIA ont développé de nombreux standards de communication connus, dont EIA/TIA-232 et EIA/TIA-449.

encapsulation. Empaquetage de données dans un en-tête de protocole particulier. Par exemple, des données de couche supérieure sont empaquetées dans un en-tête Ethernet avant d'être envoyées sur le réseau. De la même manière, lorsque des réseaux dissemblables sont reliés au moyen d'un pont, la trame entière d'un réseau peut simplement être placée dans l'en-tête utilisé par le protocole de la couche liaison de données de l'autre réseau. Voir aussi *tunnel*.

en-queue. Informations de contrôle ajoutées aux données lors de leur encapsulation avant leur transmission. Comparer avec *en-tête*.

en-tête. Informations de contrôle placées devant les données lors de leur encapsulation avant leur transmission sur le réseau. Comparer avec *en-queue*.

entreprise de télécommunications. Entreprise privée autorisée à vendre des services de communication au public à des prix réglementés.

épine dorsale. Partie d'un réseau qui fait office de chemin principal pour le trafic qui émane le plus souvent d'autres réseaux et leur est destiné.

EPROM. Mémoire en lecture seule programmable et effaçable. Il s'agit de circuits de mémoire non volatile qui sont programmés après avoir été fabriqués et peuvent être effacés si nécessaire par certains moyens pour être à nouveau programmés. Comparer avec *EEPROM* et *PROM*.

équilibrage de charge. Dans le domaine du routage, capacité d'un routeur à distribuer le trafic sur tous ses ports de réseau situés à une même distance d'une adresse de destination. Un bon algorithme d'équilibrage de charge utilise à la fois des informations de vitesse de ligne et de fiabilité. Cette fonction accroît l'utilisation de segments de réseau, augmentant ainsi la bande passante efficace du réseau.

ETCD (Equipement de terminaison de circuit de données). Equipements et connexions d'un réseau de communication qui englobent l'extrémité du réseau de l'interface utilisateur vers le réseau. Le dispositif ETCD offre une connexion physique vers le réseau, transmet le trafic et fournit un signal d'horloge utilisé pour synchroniser la transmission des données avec un dispositif ETTD. Les modems et cartes d'interface de réseau sont des exemples d'équipements ETCD. Comparer avec *ETTD*.

Ethernet. Spécification d'un réseau local à bande de base conçue par Xerox Corporation et développée conjointement par Xerox, Intel et Digital Equipement Corporation. Les réseaux Ethernet utilisent la technique d'accès au média CSMA/CD et sont exécutés sur une variété de types de câbles à 10, 100 et 1 000 Mbit/s. Ethernet est similaire à la série de standards IEEE 802.3.

ETTD (Equipement terminal de traitement de données). Equipement situé sur le côté utilisateur d'une interface utilisateur vers le réseau et qui peut servir de source de données, de destination, ou remplir les deux fonctions. Un ETTD se connecte à un réseau de données par l'intermédiaire d'un dispositif ETCD, comme un modem, et utilise généralement les signaux de synchronisation générés par ce dernier. L'équipement ETTD peut être un ordinateur, un routeur ou un multiplexeur. Comparer avec *ETCD*.

évitement de congestion. Mécanisme au moyen duquel un réseau ATM contrôle le trafic entrant sur le réseau pour réduire les délais. Pour utiliser plus efficacement les ressources, le trafic de plus faible priorité est abandonné à la frontière du réseau si des conditions révèlent qu'il ne pourra pas être livré.

F

FDDI (*Fiber Distributed Data Interface*). Standard de réseau local défini par ANSI X3T9.5, spécifiant un réseau à passage de jeton à 100 Mbit/s avec un câblage à fibre optique, et des distances de transmission pouvant aller jusqu'à 2 km. FDDI utilise une architecture à double anneau pour offrir une redondance. Comparer avec *CDDI* et *FDDI II*.

FDDI II. Standard ANSI qui étend FDDI. FDDI II fournit une transmission isochrone pour les circuits de données en mode non connecté et les circuits connectés pour la voix, la vidéo. Comparer avec *FDDI*.

fibre optique. Voir *câble à fibre optique*.

file d'attente de priorité. Fonction de routage par laquelle les trames dans une file d'attente de sortie d'une interface font l'objet d'un traitement de priorité basé sur diverses caractéristiques telles que le protocole, la taille de paquet et le type d'interface.

file d'attente. (1) Généralement, une liste ordonnée d'éléments en attente de traitement. (2) Dans le domaine du routage, une accumulation de paquets en attente d'être transmis sur une interface du routeur.

filtrage de trafic local. Processus par lequel un pont filtre (supprime) les trames dont les adresses source et de destination sont situées sur la même interface sur le pont. Il empêche ainsi le trafic d'être inutilement transmis à travers le pont. Il est défini dans le standard IEEE 802.1.

filtre. Généralement, processus ou équipement qui filtre le trafic de réseau, en recherchant certaines caractéristiques telles que les adresses source ou/et de destination, ou le type de protocole, et détermine s'il doit le transmettre ou le supprimer en se basant sur ces critères.

flux. Flux de données circulant entre deux points d'extrémité à travers un réseau, par exemple, d'une station de réseau local vers une autre. Plusieurs flux peuvent être transmis sur un seul circuit.

Forum ATM. Organisation internationale fondée conjointement en 1991 par Cisco Systems, NET/ADAPTIVE, Northern Telecom et Sprint, qui développe et promeut des accords d'implémentation basés sur des standards concernant la technologie ATM. Elle travaille sur les standards officiels développés par l'ANSI et l'UIT-T et développe des accords d'implémentation précédant les standards officiels.

fragment. Partie d'un paquet qui a été divisé en unités plus petites. Sur les réseaux Ethernet, on parle parfois de trames dont la taille est inférieure à la limite légale de 64 octets.

fragmentation. Processus de morcellement d'un paquet en unités plus petites lors de sa transmission sur un média de réseau ne pouvant supporter sa taille originale.

Frame Relay. Protocole de liaison de données commutée, standard de l'industrie, qui gère plusieurs circuits virtuels au moyen d'un type d'encapsulation HDLC entre des équipements connectés. Frame Relay est plus efficace que X.25 et représente souvent une solution de remplacement pour ce dernier. Voir aussi *X.25*.

FTP (*File Transfer Protocol*). Protocole applicatif faisant partie de la suite de protocoles TCP/IP, utilisé pour transférer des fichiers entre des nœuds de réseau. FTP est défini dans le RFC 959.

G

gestion de trafic. Technique permettant d'éviter la congestion et de réglementer le trafic. Elle permet à des liaisons d'opérer avec de hauts niveaux d'utilisation en bloquant le trafic de faible priorité ou insensible aux délais aux frontières du réseau lorsque celui-ci souffre d'une congestion.

Gigabit. Environ 1 000 000 000 bits.

GNS (*Get Nearest Server*). Paquet de requête envoyé par un client sur un réseau IPX pour localiser le serveur actif le plus proche d'un type donné. Un client de réseau IPX émet une requête GNS pour solliciter soit une réponse directe de la part d'un serveur connecté ou une réponse de la part d'un routeur qui lui indique où le service peut être localisé sur l'interréseau. GNS fait partie de IPX SAP. Voir aussi *IPX* et *SAP (Service Advertisement Protocol)*.

groupe de circuits. Groupement de lignes série qui relie deux ponts. Si une des liaisons série dans un groupe de circuit fait partie de l'arbre recouvrant du réseau, n'importe quelle liaison série du groupe peut être employée pour l'équilibrage de charge. Cette stratégie de répartition évite les problèmes de reséquencement des données en assignant chaque adresse de destination à une liaison série particulière.

H

HDLC (*High-level Data Link Control*). Protocole synchrone orienté bit de la couche liaison de données développé par l'ISO. HDLC spécifie une méthode d'encapsulation de données sur des liaisons série synchrones au moyen de caractères et de sommes de contrôle de trame.

hôte. Système informatique sur un réseau. Similaire à un *nœud*, excepté qu'un hôte implique en général un système informatique alors qu'un nœud s'applique plus généralement à n'importe quel système en réseau, y compris à un serveur d'accès ou un routeur. Voir aussi *nœud*.

HTML (*Hypertext Markup Language*). Langage simple de mise en forme de documents hypertexte qui utilise des balises, ou *tags*, pour indiquer comment une partie spécifique d'un document doit être interprétée par une application de visualisation telle qu'un navigateur Web.

HTTP (*Hypertext Transfer Protocol*). Protocole utilisé par les navigateurs Web et les serveurs Web pour transférer des fichiers, comme du texte et des graphiques.

hub. (1) Généralement, un terme utilisé pour décrire un équipement servant de point central d'une topologie de réseau en étoile et qui connecte des stations terminales. Il opère au niveau de la couche 1 du modèle OSI. (2) Sur Ethernet et IEEE 802.3, un répéteur Ethernet multiport parfois appelé *concentrateur*.

I

IANA (*Internet Assigned Numbers Authority*). Organisation qui dépend de l'ISOC dans le cadre de l'IAB. L'IANA délègue son autorité à l'InterNIC et à d'autres organisations pour l'allocation d'espaces d'adresses IP et l'assignation de noms de domaines. L'IANA maintient aussi une base de données d'identifiants de protocoles assignés utilisés dans la pile TCP/IP, y compris les numéros de systèmes autonomes.

ICMP (*Internet Control Message Protocol*). Protocole Internet de la couche réseau qui signale des erreurs et fournit d'autres informations relatives au traitement des paquets IP. Il est documenté dans le RFC 792.

IEEE (*Institute of Electrical and Electronics Engineers*). Organisation professionnelle dont les activités portent sur le développement de communications et de standards de réseau. Les standards LAN de l'IEEE sont les standards prédominants aujourd'hui.

IEEE 802.2. Protocole LAN de l'IEEE qui spécifie une implémentation de la sous-couche LLC de la couche liaison de données. IEEE 802.2 gère les erreurs, les trames, le contrôle de flux et l'interface de service de la couche réseau (couche 3). Il est utilisé sur les réseaux locaux IEEE 802.3 et IEEE 802.5. Voir aussi *IEEE 802.3* et *IEEE 802.5*.

IEEE 802.3. Protocole LAN de l'IEEE qui spécifie une implémentation de la couche physique et de la sous-couche MAC de la couche liaison de données. IEEE 802.3 utilise l'accès CSMA/CD à différentes vitesses sur une variété de médias physiques. Les extensions du standard IEEE 802.3 spécifient des implémentations pour Fast Ethernet. Les variantes physiques de la spécification IEEE 802.3 originale incluent 10Base2, 10Base5, 10BaseF, 10BaseT et 10Broad36. Celles pour Fast Ethernet incluent 100BaseTX et 100BaseFX.

IEEE 802.5. Protocole LAN de l'IEEE qui spécifie une implémentation de la couche physique et de la sous-couche MAC de la couche liaison de données. IEEE 802.5 utilise un accès par passage de jeton à 4 ou 16 Mbit/s sur un câblage STP ou UTP et représente l'équivalent fonctionnel et opérationnel du réseau Token Ring IBM. Voir aussi *Token Ring*.

IETF (*Internet Engineering Task Force*). Ensemble de 80 groupes de travail responsables du développement de standards Internet. L'IETF opère sous la direction de l'ISOC.

IGP (*Interior Gateway Protocol*). Protocole Internet utilisé pour échanger des informations de routage à l'intérieur d'un système autonome. IGRP, OSPF et RIP sont des exemples de protocoles de routage interne.

informatique client-serveur. Terme décrivant les systèmes d'informatique distribuée (traitement) en réseau dans lesquels les responsabilités sont réparties entre deux entités : le client (dispositif frontal) et le serveur (dispositif arrière). Ces deux termes sont applicables au niveau logiciel comme au niveau matériel. Cette forme d'informatique est aussi appelée *informatique distribuée (traitement)*. Comparer avec *informatique entre homologues (peer-to-peer)*.

informatique peer-to-peer ou entre homologues. Modèle d'exploitation de réseau demandant que chaque équipement de réseau exécute les parties client et serveur d'une application. Décrit également la communication entre des implémentations de même couche du modèle de référence OSI sur deux équipements de réseau différents. Comparer avec *informatique client-serveur*.

interception. Message envoyé par un agent SNMP vers un NMS, une console ou un terminal pour indiquer la présence d'un événement significatif, tel qu'une condition spécifiquement définie ou une valeur de seuil atteinte.

interconnexion. Terme général utilisé pour désigner l'activité de connexion des réseaux entre eux. Le terme peut se référer à des produits, des procédures et des technologies.

interface de réseau. Limite entre le réseau d'un opérateur et une installation privée.

interface. (1) Connexion entre deux systèmes ou équipements. (2) Dans la terminologie du routage, connexion de réseau sur le routeur. (3) En téléphonie, frontière partagée définie par les caractéristiques d'interconnexion physique communes, les caractéristiques de signal et la signification de signaux échangés. (4) Limite entre les couches adjacentes du modèle OSI.

Internet. Le plus grand interréseau mondial, connectant des dizaines de milliers de réseaux à travers le monde et possédant une "culture" qui se concentre sur la recherche et la standardisation basées sur une utilisation réelle. Beaucoup de technologies de réseau proviennent de la communauté Internet. Internet est issu à l'origine du réseau d'ARPANET et a été appelé à une époque DARPA Internet.

InterNIC. Organisation qui aide la communauté Internet en fournissant une assistance utilisateur, de la documentation, des informations, un service d'enregistrement pour les noms de domaines Internet, des adresses de réseau, ainsi que d'autres services. Son ancien nom était NIC.

interopérabilité. Capacité des équipements informatiques fabriqués par différents vendeurs à communiquer entre eux sur un réseau.

interréseau. Ensemble de réseaux interconnectés par des routeurs ou autres équipements fonctionnant (généralement) comme un seul réseau.

intervalle keepalive. Période de temps entre chaque message *keepalive* envoyé par un équipement de réseau.

IP (*Internet Protocol*). Protocole de la couche réseau appartenant à la pile TCP/IP et offrant un service d'interréseau en mode non connecté. IP fournit des fonctions pour l'adressage, la spécification de type de service, la fragmentation, le réassemblage et la sécurité. Il est défini dans le RFC 791. IPv4 (*Internet Protocol version 4*) est un protocole de commutation de paquets fournissant un service dit au mieux (*best effort*). Voir aussi *IPv6*.

IPv6. Version de remplacement de IP (version 4). IPv6 inclut le support d'un identifiant de flux dans l'en-tête de paquet qui peut être utilisé pour distinguer les flux. IPv6 a été auparavant appelé IPng (*IP next generation*).

IPX (*Internetwork Packet eXchange*). Protocole de la couche réseau (couche 3) de NetWare utilisé pour le transfert de données d'un serveur vers des stations de travail. IPX est similaire à IP et à XNS.

IPX WAN (*IPX Wide Area Network*). Protocole qui négocie les options de bout en bout pour les nouvelles liaisons. Lorsqu'une liaison est établie, les premiers paquets IPX envoyés sont des paquets IPX WAN qui négocient les options pour la liaison. Lorsque les options ont été déterminées avec succès, la transmission IPX peut commencer. Ce protocole est défini dans le RFC 1362.

J

jeton. Trame qui contient des informations de contrôle. La possession du jeton permet à un équipement de transmettre des données sur le réseau.

K

Kbit/s. Kilobits par seconde.

kilobit. Environ 1 000 bits.

L

LABP (*Link Access Procedure Balanced*). Protocole de la couche liaison de données de la pile de protocoles X.25. LAPB est un protocole orienté bit dérivé de HDLC. Voir aussi *HDLC* et *X.25*.

LAN (*Local Area Network*). Voir *réseau local*.

LAPD (*Link Access Procedure on the D channel*). Protocole de la couche liaison de données RNIS pour le canal D. LAPD dérive du protocole LABP et a été conçu principalement pour répondre aux besoins de signalisation de l'accès de base RNIS. Il est défini par les recommandations de l'UIT-T Q.920 et Q.921.

LAT (*Local Area Transport*). Protocole de terminal virtuel de réseau développé par Digital Equipment Corporation.

liaison. Canal de communication de réseau se composant d'un circuit ou chemin de transmission et de tous les équipements entre un émetteur et un destinataire. Elle est le plus souvent utilisée pour désigner une connexion WAN. Elle est parfois appelée ligne ou lien de transmission.

ligne commutée. Circuit de communication établi au moyen d'une connexion par circuit commuté *via* le réseau téléphonique.

ligne louée. Ligne de transmission réservée par un opérateur pour l'utilisation privée d'un client. Une ligne louée est un type de liaison dédiée.

liste d'accès. Liste maintenue par des routeurs pour contrôler les paquets qui arrivent sur leurs interfaces ou en sortent pour un certain nombre de services, dans le but d'empêcher, par exemple, des paquets comportant une certaine adresse IP de quitter une interface donnée du routeur.

LLC (*Logical Link Control*). La plus élevée des deux sous-couches de la couche liaison de données définies par l'IEEE. La sous-couche LLC gère le contrôle d'erreurs, le contrôle de flux, la délimitation de trame et l'adressage de sous-couche MAC. Le protocole LLC le plus répandu est IEEE 802.2 qui comprend des variantes en mode non connecté et en mode connecté.

M

MAC (*Media Access Control*). La plus basse des deux sous-couches de la *couche liaison de données* définies par l'IEEE. La sous-couche MAC gère l'accès au média partagé, en décidant de la méthode d'accès à utiliser, à savoir par passage de jeton ou par contention. Voir aussi *couche liaison de données* et *LLC*.

maillage partiel. Réseau sur lequel les équipements sont organisés selon une topologie maillée, et où certains nœuds sont organisés selon un maillage total et d'autres ne sont connectés qu'à un ou deux autres nœuds du réseau. Un maillage partiel ne fournit pas le niveau de redondance d'une topologie totalement maillée, mais son coût d'implémentation est inférieur. Les topologies partiellement maillées sont généralement utilisées sur les réseaux périphériques qui se connectent à une épine dorsale totalement maillée.

maillage total. Terme décrivant un réseau sur lequel les équipements sont organisés selon une topologie totalement maillée, où chaque nœud de réseau dispose d'un circuit physique ou virtuel le connectant à chacun des autres nœuds. Un maillage total fournit un haut niveau de redondance, mais comme son implémentation peut être très coûteuse, il est généralement réservé pour les épines dorsales. Voir aussi *maillage partiel*.

maillage. Topologie de réseau dans laquelle les équipements suivent une organisation segmentée avec de nombreuses interconnexions souvent redondantes reliant de façon stratégique différents nœuds de réseau.

MAN (*Metropolitan Area Network*). Voir *réseau métropolitain*.

mapping d'adresses. Voir *correspondances d'adresses*

masque de réseau. Combinaison binaire utilisée pour décrire la portion d'une adresse qui se réfère au réseau ou au sous-réseau et celle qui se rapporte à l'hôte.

masque de sous-réseau. Masque d'adresse de 32 bits utilisé par IP pour identifier les bits d'une adresse IP qui sont utilisés pour l'adresse de sous-réseau.

masque. Voir *masque d'adresse* et *masque de sous-réseau*.

MAU (*Media Attachment Unit*). Equipement utilisé sur un réseau Ethernet ou IEEE 802.3 qui fournit l'interface entre le port AUI d'une station et le média partagé Ethernet. Le MAU, qui peut être intégré à une station ou installé comme équipement séparé, assure des fonctions de la couche physique, parmi lesquelles la conversion de données numériques de l'interface Ethernet, la détection de collision et l'envoi de bits sur le réseau. Il est parfois appelé unité d'accès au média (*Media Access Unit*) ou même transceiver. Sur un réseau Token Ring, un MAU prend le sens d'unité d'accès multistation (*Multisation Access Unit*), désignée généralement par l'acronyme MSAU.

Mbit/s. Nombre de mégabits par seconde.

MBS (*Maximum Burst Size*). Signifie littéralement quantité maximale de trafic en rafale. Dans un message de signalisation ATM, cette valeur est spécifiée par le paramètre MBS qui est codé en nombre de cellules. La quantité maximale de trafic en rafale plus les valeurs SCR et GCRA déterminent la MBS qui peut être transmise avec le débit de pointe et en conformité avec le GCRA.

média. Support physique par l'intermédiaire duquel des signaux de transmission circulent. Parmi les médias de réseau courants, on trouve le câble à paire torsadée, le câble coaxial, le câble à fibre optique et l'air (par l'intermédiaire duquel les micro-ondes, les rayons laser et infra-rouges peuvent être transmis). Parfois aussi appelé *média physique*.

mégabit. Environ 1 000 000 bits.

mégaoctet. Environ 1 000 000 octets.

mémoire flash. Espace de stockage non volatile qui peut être effacé électriquement et reprogrammé pour que des images logicielles puissent être stockées, amorcées et réécrites si nécessaire. La mémoire flash a été développée par Intel, et son exploitation par d'autres fabricants de semi-conducteurs est soumise à licence.

message. Groupement logique d'informations de la couche application (couche 7), souvent composé d'un certain nombre de groupements logiques de couches inférieures tels que des paquets. Les termes *datagramme*, *trame*, *paquet* et *segment* sont aussi utilisés pour décrire des groupements logiques d'informations à divers niveaux du modèle de référence OSI et dans le contexte de différentes technologies.

méthode d'accès. (1) Généralement, la façon dont les équipements de réseau accèdent au média de transmission. (2) Le logiciel dans un ordinateur SNA qui contrôle le flot d'informations circulant sur un réseau.

métrique de routage. Méthode au moyen de laquelle un algorithme de routage détermine qu'une route est meilleure qu'une autre. Ces informations sont stockées dans des tables de routage et envoyées sous forme de mises à jour. Les métriques peuvent inclure la bande passante, le coût de la communication, le délai, le compte de sauts, la charge, la taille de l'unité maximale de transmission (MTU), le coût du chemin et la fiabilité. On la désigne parfois simplement par le terme de *métrique*.

MIB (*Management Information Base*). Base de données de gestion de réseau utilisée et maintenue par un protocole d'administration de réseau tel que SNMP. La valeur d'un objet MIB peut être modifiée ou extraite au moyen de commandes SNMP, généralement par l'intermédiaire d'un système d'administration de réseau GUI. Les objets MIB sont organisés selon une structure arborescente qui inclut des branches publiques (standard) et privées (propriétaire).

mise à jour de routage. Message envoyé à partir d'un routeur pour indiquer l'accessibilité du réseau et les informations de coût associées. Les mises à jour de routage sont généralement envoyées à des intervalles réguliers et après un changement dans la topologie du réseau. Comparer avec *mise à jour flash*.

mise à jour flash. Mise à jour de routage envoyée de façon asynchrone en réponse à un changement dans la topologie du réseau. Comparer avec *mise à jour de routage*.

mises à jour *poison reverse*. Mise à jour de routage qui indique explicitement qu'un réseau ou sous-réseau est inaccessible, plutôt que de simplement suggérer qu'il est inaccessible en ne l'incluant pas dans les mises à jour. Les mises à jour par *poison reverse* sont envoyées pour éliminer les grandes boucles de routage.

mises à jour *split-horizon*. Technique de routage qui stipule qu'une information de route ne peut pas être transmise sur la même interface de routeur que celle par laquelle elle est arrivée. Les mises à jour split-horizon (horizon éclaté) sont utiles pour éviter les boucles de routage.

Mo. Voir *mégaoctet*.

mode connecté. Terme utilisé pour décrire un transfert de données qui nécessite l'établissement d'un circuit virtuel. Voir aussi *mode non connecté* et *circuit virtuel*.

mode non connecté. Terme utilisé pour décrire le transfert de données en l'absence d'un circuit virtuel. Comparer avec *mode connecté*.

modèle client-serveur. Méthode courante pour décrire les services de réseau et les processus utilisateur (programmes) qui les exploitent. Le paradigme serveur de noms/résolveur de noms du système DNS et la relation serveur de fichiers/client de fichier telle que NFS et les hôtes sans disque en sont des exemples.

modèle de référence OSI. Modèle architectural développé par l'ISO et l'UIT-T. Il se compose de sept couches, chacune spécifiant des fonctions de réseau particulières telles que l'adressage, le contrôle de flux, le contrôle d'erreur, l'encapsulation, et le transfert fiable de messages. La couche la plus basse, la couche physique, est la plus proche d'une technologie de média. Les deux couches les plus basses sont implémentées au niveau du matériel et du logiciel, alors que les cinq autres couches supérieures ne sont implémentées qu'au niveau logiciel. La couche la plus haute, application, est la plus proche de l'utilisateur. Le modèle de référence OSI est utilisé universellement comme méthode d'enseignement et pour mieux comprendre les fonctionnalités de réseau. Il est semblable à bien des égards au modèle SNA. Voir *couche application*, *couche liaison de données*, *couche réseau*, *couche physique*, *couche présentation*, *couche session* et *couche transport*.

moniteur actif. Equipement chargé de l'exécution de fonctions de maintenance sur un réseau Token Ring. Un nœud de réseau est sélectionné comme moniteur actif s'il possède l'adresse MAC la plus élevée sur l'anneau. Le moniteur actif est responsable de tâches de maintenance de l'anneau, comme celles consistant à s'assurer que les jetons ne sont pas perdus et que les trames ne circulent pas indéfiniment.

MSAU (*Multisation Access Unit*). Concentrateur de câblage auquel toutes les stations sur un réseau Token Ring sont connectées. Il fournit une interface entre ces équipements et l'interface Token Ring d'un routeur. Parfois abrégé sous la forme MAU.

MTU (*Maximum Transmission Unit*). Unité maximale de transmission représentant la taille maximale de paquet en octets qu'une interface particulière peut gérer.

multicast. Mode de diffusion dans lequel les paquets uniques copiés par le réseau sont envoyés vers un sous-ensemble spécifique d'adresses de réseau. Celles-ci sont spécifiées dans le champ d'adresse de destination. Comparer avec *broadcast* et *unicast*.

multiplexage. Stratégie qui autorise plusieurs signaux logiques à être transmis simultanément sur un seul canal physique. Comparer avec *démultiplexage*.

N

NAK (*Negative Acknowlegment*). Réponse envoyée à partir d'un équipement récepteur vers un équipement émetteur indiquant que les informations reçues contiennent des erreurs. Comparer avec *acquittement*.

NAT (*Network Address Translation*). Mécanisme réduisant le besoin d'adresses IP uniques. NAT permet à une organisation possédant des adresses non uniques de se connecter à Internet, en traduisant celles-ci en un espace d'adressage routable.

NAUN (*Nearest Active Upstream Neighbor*). Sur un réseau Token Ring ou IEEE 802.5, l'équipement en amont le plus proche de n'importe quel autre équipement en activité.

NBP (*Name Binding Protocol*). Protocole AppleTalk de niveau transport qui traduit un nom en adresse DDP du socket client correspondant. NBP permet aux protocoles AppleTalk d'identifier des zones définies par l'utilisateur et les noms d'équipement, en fournissant et maintenant des tables de traduction qui associent aux noms des adresses de socket.

négociation. Séquence d'échange de messages entre deux ou plusieurs équipements de réseau pour assurer la synchronisation de la transmission avant l'envoi de données utilisateur.

NetBEUI (*NetBIOS Extended User Interface*). Version étendue du protocole NetBIOS utilisé par des systèmes d'exploitation de réseau tels que LAN Manager, LAN Server, Windows for Workgroups et Windows NT. NetBEUI formalise le transport de trame et ajoute des fonctions. NetBEUI implémente le protocole OSI LLC2.

NetBIOS (*Network Basic Input/output System*). API utilisée par des applications sur un LAN IBM pour demander des services auprès de processus de réseau de niveaux inférieurs. Ces services peuvent inclure l'ouverture et la terminaison de session, et le transfert d'informations.

NetWare. Système d'exploitation de réseau populaire développé par Novell. Il fournit un accès transparent à distance aux fichiers et de nombreux autres services de réseau distribués.

NFS (*Network File System*). Une suite de protocoles de système de fichiers distribué développé par Sun Microsystems qui permet d'accéder à distance à des fichiers par l'intermédiaire d'un réseau. En réalité, NFS n'est qu'un protocole de cette suite. L'ensemble comprend aussi RPC, XDR et d'autres protocoles. Ils font partie d'une architecture plus grande à laquelle Sun se réfère par la désignation ONC.

NIC. (1) (*Network Interface Card*). Voir *carte d'interface de réseau*. (2) (*Network Information Center*). Organisation dont les fonctions ont été reprises par l'InterNIC. Voir *InterNIC*.

NLM (*NetWare Loadable Module*). Programme individuel qui peut être chargé en mémoire et fonctionner en tant que partie du système d'exploitation de réseau NetWare.

NLSP (*NetWare Link Services Protocol*). Protocole de routage par état de lien basé sur IS-IS.

nœud. (1) Point terminal d'une connexion de réseau ou point de jonction de deux ou plusieurs lignes d'un réseau. Les nœuds peuvent être des processeurs, des contrôleurs ou des stations de travail. Les nœuds, qui varient en termes de fonctionnalités de routage ou autres, peuvent être interconnectés par des liens et servir de points de contrôle sur le réseau. Ce terme est parfois utilisé de façon générique pour désigner n'importe quelle entité pouvant accéder à un réseau et est fréquemment utilisé de façon interchangeable avec *équipement*. (2) Sous SNA, le nœud se réfère au composant de base d'un réseau et au point sur lequel une ou plusieurs unités fonctionnelles connectent des canaux ou des circuits de données.

Novell IPX. Voir *IPX*.

NTP (*Network Time Protocol*). Protocole construit au-dessus de TCP qui permet de respecter avec précision l'heure. Ce protocole est capable de synchroniser des horloges distribuées en quelques millisecondes pendant de longues périodes.

numéro de réseau. Partie d'une adresse IP qui spécifie le réseau auquel un hôte appartient.

numéro de socket. Numéro de 8 bits qui identifie un socket. Un maximum de 254 numéros de sockets différents peut être assigné à un nœud AppleTalk.

numéro d'hôte. Partie d'une adresse IP qui désigne le nœud sur le sous-réseau auquel un message est adressé. Egalement appelée *adresse d'hôte*.

NVRAM. RAM non volatile. RAM qui conserve son contenu lorsqu'une unité est éteinte.

O

octet. Grandeur composée de 8bits.

ODI (*Open Data-Link Interface*). Spécification Novell d'une interface standardisée qui permet d'installer plusieurs cartes d'interface de réseau sur un même ordinateur et le support simultané de plusieurs protocoles de réseau.

orienté connexion. Voir *mode connecté*.

OSI (*Open System Interconnection*). Programme de standardisation international créé par l'ISO et l'UIT-T pour développer des standards concernant le transport de données en réseau qui facilitent l'interopérabilité entre équipements de divers fabricants.

OSPF (*Open Shortest Path First*). Algorithme de routage interne hiérarchique par état de lien proposé comme successeur de RIP à la communauté Internet. Les fonctions OSPF incluent le routage par coût le plus faible, le routage multichemin et l'équilibrage de charge. Il dérive d'une ancienne version du protocole IS-IS.

OUI (*Organisation Unique Identifier*). 3 octets assignés par l'IEEE dans un bloc d'adresses LAN de 48 bits.

P

PAP (*Password Authentication Protocol*). Protocole d'authentification qui permet à des homologues PPP de s'authentifier. Un routeur distant qui veut se connecter à un routeur local doit envoyer une requête d'authentification. A l'inverse de CHAP, PAP transmet le mot de passe et le nom d'hôte ou d'utilisateur en texte clair (non crypté). PAP n'empêche pas en lui-même les accès non autorisés, mais permet d'identifier l'extrémité distante. Le routeur ou le serveur d'accès détermine ensuite si l'utilisateur est autorisé à accéder aux ressources. PAP n'est supporté que sur les lignes PPP. Comparer avec *CHAP*.

paquet hello. Paquet multicast utilisé par les routeurs exécutant certains protocoles de routage pour la découverte et le rétablissement de voisins. Les paquets *hello* indiquent aussi qu'un client est toujours en fonctionnement et prêt à opérer.

paquet watchdog. Utilisé pour garantir qu'un client est toujours connecté à un serveur NetWare. Si un serveur n'a pas reçu de paquet de la part d'un client pendant une certaine période de temps, il lui envoie une série de paquets watchdog. Si la station ne répond pas après un certain nombre de paquets prédéfini, le serveur en conclut que la station n'est plus connectée et il libère sa connexion.

paquet. Groupement logique d'informations qui inclut un en-tête contenant des informations de contrôle et généralement des données utilisateur. Les paquets sont le plus souvent utilisés pour se référer aux unités de données de la couche réseau. Les termes *datagramme*, *trame*, *message* et *segment* sont également utilisés pour décrire des groupements logiques d'informations à divers niveaux du modèle de référence OSI et dans le contexte de différentes technologies.

Paquets de test AARP. Il s'agit des paquets transmis par le protocole AARP qui déterminent si un identifiant de nœud sélectionné de façon aléatoire est utilisé par un autre nœud sur un réseau AppleTalk non étendu. S'il n'est pas utilisé, le nœud émetteur l'utilise. Dans le cas contraire, il choisit un identifiant différent et envoie d'autres paquets de test.

pare-feu. Equipement qui contrôle les tentatives d'accès à un réseau privé et qui est lui-même protégé contre toute pénétration.

passage de jeton. Méthode d'accès dans laquelle les stations d'un réseau accèdent au média physique de façon ordonnée en se basant sur la possession d'une petite trame appelée jeton. Comparer avec *commutation de circuit* et *contention*.

passerelle. Dans la communauté IP, ancien terme désignant un équipement de routage. Aujourd'hui, le terme *routeur* est utilisé pour décrire les nœuds qui exécutent cette fonction, et *passerelle* se réfère à un équipement assurant la tâche spéciale de convertir des informations de la couche application d'une pile de protocoles pour une autre. Comparer avec *routeur*.

payload. Voir *charge utile*.

PHY. (1) Sous-couche physique. Une des deux sous-couches de la couche physique FDDI. (2) Couche physique. Dans ATM, la couche physique fournit la transmission des cellules sur un média physique qui connecte deux équipements ATM. La sous-couche PHY est comprise entre deux sous-couches : PMD et TC.

pile de protocoles. Ensemble de protocoles de communication associés qui opèrent ensemble et gèrent en groupe la communication à certains niveaux, ou à tous, des sept couches du modèle OSI. Tous les protocoles ne couvrent pas chaque couche du modèle, et souvent un seul protocole de la pile gérera un certain nombre de couches en même temps. TCP/IP est une pile de protocoles.

ping (*packet internet groper*). Utilitaire permettant d'envoyer un message d'écho ICMP pour obtenir une réponse. Il est souvent utilisé sur les réseaux IP pour tester l'accessibilité d'un équipement de réseau.

plage de câble. Plage de numéros de réseaux qui peuvent être utilisés par les nœuds sur un réseau AppleTalk étendu. La plage de câble peut comprendre un seul numéro de réseau ou une séquence contiguë de plusieurs numéros. Les adresses de nœuds sont assignées par rapport à son étendue.

PLP (*Packet Level Protocol*). Protocole de la couche réseau de la pile de protocoles X.25. Parfois appelé *X.25 Niveau 3* ou *Protocole X.25*. Voir aussi *X.25*.

point d'accès au service de destination. Voir *DSAP*.

pont. Equipement qui connecte et transmet des paquets entre deux segments de réseau qui utilisent le même protocole de communication. Les ponts opèrent au niveau de la couche liaison de données (couche 2) du modèle de référence OSI. En général, un pont peut filtrer, transmettre ou diffuser par inondation une trame entrante en se basant sur son adresse MAC.

port. (1) Interface sur un équipement d'interconnexion, tel qu'un routeur. (2) Dans la terminologie IP, un processus de couches supérieures qui reçoit des informations en provenance de couches inférieurs. Les ports sont numérotés et beaucoup sont associés à des processus spécifiques. Par exemple, SMTP est associé au port 25. Un numéro de port de ce type est appelé adresse connue ou réservée. (3) Pour réécrire un logiciel ou un microcode afin qu'il puisse être exécuté sur une plate-forme matérielle différente ou dans un environnement logiciel différent de celui pour lequel il a été conçu à l'origine.

porteuse. Onde électromagnétique ou courant alternatif d'une seule fréquence, pouvant être modulée par une autre fréquence, un signal porteur de données.

POST (*Power-On Self Test*). Ensemble de diagnostics matériels qui sont exécutés sur un équipement lorsqu'il est démarré.

PPP (*Point-to-Point Protocol*). Successeur de SLIP qui fournit des connexions entre routeurs ou entre un hôte et un réseau sur des circuits synchrones ou asynchrones. Alors que SLIP avait été conçu pour fonctionner avec IP, PPP a été prévu pour opérer avec plusieurs protocoles de la couche réseau, tels que IP, IPX et ARA. Il possède aussi des mécanismes de sécurité intégrés, tels que CHAP et PAP. PPP s'appuie sur deux protocoles : LCP et NCP.

PRI (*Primary Rate Interface*). Interface RNIS pour un accès primaire RNIS. Voir aussi *accès primaire RNIS (PRI)*.

PROM (*Programmable Read-Only Memory*). Mémoire en lecture seule qui peut être programmée au moyen d'un équipement spécial. Les mémoires PROM ne peuvent être programmées qu'une fois. Comparer avec *EPROM*.

protocole d'authentification de mot de passe. Voir *PAP*.

protocole de routage. Protocole qui réalise le routage au moyen de l'implémentation d'un algorithme de routage spécifique. IGRP, OSPF et RIP sont des exemples de protocoles de routage.

protocole Internet. N'importe quel protocole faisant partie de la pile de protocoles TCP/IP. Voir *IP* et aussi *TCP/IP*.

protocole point à point. Voir *PPP*.

protocole routé. Protocole qui peut être acheminé par un routeur. Un routeur doit être capable d'interpréter l'interréseau logique comme spécifié par le protocole routé. AppleTalk, DECnet et IP sont des exemples de ce type de protocoles.

protocole Spanning-Tree. Protocole de pont qui utilise l'algorithme spanning-tree (arbre recouvrant) et permet à un commutateur d'éviter de façon dynamique les boucles de routage sur une topologie de réseau commuté en créant un arbre recouvrant. Les commutateurs échangent des messages BPDU avec d'autres ponts pour détecter les boucles, puis les suppriment en désactivant les interfaces de commutation en cause. Si la liaison principale est défaillante, une ligne de secours est activée. Le protocole se réfère au standard IEEE 802.1 du protocole Spanning-Tree et au protocole Spanning-Tree de DEC (*Digital Equipment Corporation*) plus ancien sur lequel il se base. La version IEEE supporte les domaines de commutation et permet au commutateur de mettre en œuvre une topologie exempte de boucle sur un LAN étendu. La version IEEE est généralement préférée à la version de DEC. L'acronyme STP est parfois utilisé pour s'y référer.

protocole. Description formelle d'un ensemble de règles et de conventions qui réglementent la façon dont les équipements sur un réseau échangent des informations.

proxy ARP. Variante du protocole ARP dans laquelle un équipement intermédiaire, par exemple un routeur, envoie une réponse ARP pour le compte d'un nœud d'extrémité à un hôte demandeur. Ce protocole peut consommer de la bande passante sur des liaisons lentes de réseau étendu.

proxy. Entité qui, pour des raisons d'efficacité, assure un rôle à la place d'une autre entité.

PVC (*Permanent Virtual Circuit*). Voir *circuit virtuel permanent*.

Q

QoS. Voir qualité de service.

qualité de service (QoS). Mesure des performances d'un système de transmission qui reflète la qualité et le service offerts.

R

RAM (*Random Access Memory*). Mémoire volatile qui peut être lue et écrite par un microprocesseur.

RARP (*Reverse Address Resolution Protocol*). Protocole de la pile TCP/IP qui fournit une méthode permettant de trouver des adresses IP en se basant sur des adresse MAC. Comparer avec *ARP*.

réassemblage. Processus de réorganisation d'un datagramme IP sur la destination après qu'il a été fragmenté soit sur la source, soit sur un nœud intermédiaire.

redirection. Partie des protocoles ICMP et ES-IS qui autorise un routeur à indiquer à un hôte que l'utilisation d'un autre routeur serait plus efficace.

redondance. (1) Dans le monde de l'interconnexion des réseaux, la duplication d'équipements, de services ou de connexions pour que dans l'éventualité d'une panne, les dispositifs redondants puissent effectuer le travail de ceux qui sont défaillants. (2) En téléphonie, portion d'un message qui peut être éliminée sans perte d'informations essentielles ou significatives.

réseau étendu. Réseau de communication de données qui dessert des utilisateurs séparés par une grande zone géographique et qui utilise souvent des équipements de transmission fournis par un opérateur. Frame Relay, SMDS et X.25 sont des exemples de réseau étendu. Comparer avec *réseau local* et *réseau métropolitain*.

réseau hybride. Interréseau constitué de plusieurs types de technologies de réseau, dont des réseaux locaux ou étendus.

réseau local. Réseau de données à haute vitesse et à faible taux d'erreurs couvrant une zone géographique relativement petite (jusqu'à quelques milliers de mètres). Les réseaux locaux interconnectent des stations de travail, des périphériques, des terminaux et d'autres équipements dans un seul immeuble ou autre zone géographique limitée. Les standards de réseaux locaux spécifient le câblage et la signalisation au niveau des couches physiques et liaison de données du modèle OSI. Ethernet, FDDI et Token Ring sont des technologies de réseau local largement utilisées. Comparer avec *réseau métropolitain* et *réseau étendu*.

réseau métropolitain. Réseau qui peut couvrir une ville. Il s'étend généralement sur une zone géographique supérieure à celle d'un réseau local (LAN), mais inférieure à celle d'un réseau étendu (WAN). Comparer avec *réseau local* et *réseau étendu*.

réseau multifabricant. Réseau utilisant des équipements provenant de plusieurs fabricants. Un tel réseau pose plus de problèmes de compatibilité qu'un réseau issu d'un seul constructeur. Comparer avec *réseau mono-fabricant*.

réseau non étendu. Réseau AppleTalk Phase 1 qui supporte l'adressage de 253 nœuds au maximum et de seulement une zone.

réseau. Ensemble d'ordinateurs, d'imprimantes, de routeurs, de commutateurs et d'autres équipements qui sont capables de communiquer par l'intermédiaire d'un média de transmission.

réservation de bande passante. Processus d'assignation de la bande passante à des utilisateurs et des applications qui exploitent les services d'un réseau. Implique l'assignation de niveaux de priorité à différents flux de trafic en fonction de leur importance et leur sensibilité aux délais de livraison. Ce processus fournit l'utilisation la plus efficace de la bande passante disponible et, en cas de congestion, le trafic de plus faible priorité peut être abandonné. Ce processus est parfois appelé *allocation de bande passante*.

résolution d'adresse. Généralement, une méthode qui permet de résoudre les différences existant entre les stratégies d'adressage de réseau. La résolution d'adresse spécifie habituellement une méthode pour associer une adresse de la couche réseau (couche 3) à une adresse de la couche liaison de données (couche 2).

résolution de nom. Généralement, le processus qui permet d'associer un nom à une adresse de réseau.

retenue (*holddown*). Etat dans lequel une route est placée pour que les routeurs ne fassent, ni n'acceptent, aucune annonce la concernant pendant une durée spécifique (la période de retenue). Cette fonction est utilisée pour purger les mauvaises informations provenant de routeurs du réseau. Une route est généralement placée en retenue lorsqu'un de ses liens est défaillant.

RFC (*Request For Comment*). Série de documents utilisés comme moyen principal de communication d'informations sur Internet. Certains RFC ont été conçus par l'IAB comme standards Internet. La plupart des RFC documentent des spécifications de protocoles tels que Telnet et FTP, mais certains ont plutôt un contenu humoristique ou historique.

RIP (*Routing Information Protocol*). Protocole de routage interne (IGP) fourni avec les systèmes UNIX BSD. C'est le protocole de routage interne le plus courant sur Internet. Il utilise le compte de sauts comme métrique de routage.

RMON (*Remote Monitoring*). Spécification d'agent MIB décrite dans le RFC 1271 qui définit des fonctions pour la surveillance à distance d'équipements de réseau. Cette spécification prévoit de nombreuses fonctionnalités de surveillance, de détection de problèmes et de reporting.

RNIS (Réseau Numérique à Intégration de Services). Protocole de communication proposé par une compagnie de téléphone, qui permet au réseau téléphonique de transporter des données, la voix et d'autres types de trafic.

ROM (*Read Only Memory*). Mémoire en lecture seule non volatile qui peut être lue, mais pas écrite par le microprocesseur.

routage du plus court chemin. Routage qui réduit la distance ou le coût grâce à l'application d'un algorithme.

routage dynamique. Routage qui s'adapte automatiquement à la topologie du réseau ou au changement du trafic. Egalement appelé *routage adaptatif*. Il nécessite qu'un protocole de routage soit exécuté sur les routeurs.

routage. Processus d'identification d'un chemin vers un hôte de destination. Il peut être très complexe sur de grands réseaux en raison de nombreuses destinations intermédiaires qu'un paquet peut éventuellement traverser avant d'atteindre la destination finale.

route par défaut. Entrée de la table de routage qui est utilisée pour diriger des trames pour lesquelles aucun prochain saut n'a été explicitement spécifié dans la table.

route statique. Route qui est explicitement configurée et enregistrée dans la table de routage, par défaut. Les routes statiques sont prioritaires par rapport aux autres routes sélectionnées par les protocoles de routage dynamique.

routeur désigné. Routeur OSPF qui génère des paquets LSA pour un réseau multi-accès et ayant en charge d'autres responsabilités spéciales dans l'exécution de OSPF. Chaque réseau OSPF multi-accès disposant d'au moins deux routeurs connectés possède un routeur désigné qui est élu par le protocole OSPF Hello. Ce routeur permet de réduire le nombre de routeurs adjacents requis sur un réseau multi-accès, lequel à son tour, réduit la quantité de trafic de protocoles de routage et la taille de la base de données topologiques.

routeur non *seed*. Sous AppleTalk, un routeur devant d'abord obtenir, puis vérifier sa configuration auprès d'un routeur *seed* d'informations avant de pouvoir commencer à fonctionner. Voir aussi *routeur seed*.

routeur *seed*. Sur un réseau AppleTalk, routeur dont le numéro de réseau ou la plage de câble sont intégrés à son descripteur de port. Le routeur *seed* définit le numéro de réseau ou la plage de câble des autres routeurs sur le même segment réseau et répond aux requêtes de configuration des routeurs non *seed* sur son réseau AppleTalk connecté, permettant ainsi à ces routeurs de confirmer ou modifier leur configuration en conséquence. Chaque réseau AppleTalk doit comporter au moins un routeur *seed*.

routeur. Equipement de la couche réseau qui utilise une ou plusieurs métriques pour déterminer le chemin optimal sur lequel le trafic de réseau devrait être transmis. Les routeurs transmettent les paquets d'un réseau à un autre en se basant sur les informations de la couche réseau contenues dans les mises à jour de routage.

routeurs adjacents. Sous OSPF, deux routeurs possédant des interfaces vers un réseau commun. Sur les réseaux multi-accès, les routeurs adjacents ou voisins sont découverts dynamiquement par le protocole OSPF Hello.

RPF (*Reverse Path Forwading*). Technique multicast dans laquelle un datagramme multicast est transmis sur toutes les interfaces sauf sur celle par laquelle il est arrivé, s'il s'agit de celle qui est utilisée pour transmettre des datagrammes unicast vers la source du datagramme multicast.

RSVP (*Resource Reservation Protocol*). Protocole qui permet de réserver des ressources à travers un réseau IP. Les applications exécutées sur des systèmes terminaux IP peuvent l'utiliser pour indiquer à d'autres nœuds les caractéristiques (bande passante, gigue, trafic maximal rafale, etc.) des flux de paquets qu'il souhaite recevoir. Ce protocole dépend de IPv6.

RTMP (*Routing Table Maintenance Protocol*). Protocole de routage propriétaire de Apple Computer. Il établit et maintient les informations de routage qui sont nécessaires pour router des datagrammes de n'importe quel socket source vers n'importe quel socket de destination sur un réseau AppleTalk. Grâce à lui, les routeurs maintiennent dynamiquement des tables de routage pour refléter les changements intervenus dans la topologie. Il dérive du protocole RIP.

RTP. (1) (*Routing Table Protocol*). Protocole de routage VINES basé sur RIP. Il distribue des informations de topologie de réseau et apporte son concours au serveur VINES dans la découverte des clients, des serveurs et des routeurs voisins. Il utilise le délai comme métrique de routage. (2) (*Rapid Transport Protocol*) fournit des fonctions d'équilibrage et de récupération d'erreur pour les données APPN lorsqu'elles traversent le réseau APPN. Avec RTP, la récupération d'erreurs et le contrôle de flux sont effectués de bout en bout plutôt que sur chaque nœud. Il empêche les situations de congestion plutôt que de réagir contre elles. (3) (*Real-Time Transport Protocol*) Un des protocoles de IPv6. RTP a été conçu pour fournir des fonctions de transport de bout en bout pour les applications transmettant des données en temps réel, comme pour l'audio, la vidéo ou la simulation, sur des services de réseau multicast ou unicast. RTP fournit aux applications en temps réel, des services tels que l'identification de type de charge, la numérotation de séquence, l'horodatage et la surveillance de livraison.

S

sans connexion. Voir *mode non connecté*.

SAP. (1) (*Service Access Point*, point d'accès au service). Champ défini par le standard IEEE 802.2 qui identifie le processus de couche supérieure et qui fait partie d'une spécification d'adresse. Par conséquent, la destination plus le point d'accès au service destination, ou DSAP (Destination Service Access Point) définissent le récepteur d'un paquet. Il en va de même pour le point d'accès au service source, ou SSAP (Source Service Access Point). (2) (*Service Advertising Protocol,* protocole d'annonce de services). Le protocole IPX offre un moyen d'informer les clients du réseau, *via* les routeurs et les serveurs, des ressources et services de réseau disponibles.

SAS (*Single Attachment Station*). Equipement connecté uniquement à l'anneau principal d'un double anneau FDDI. Egalement connu sous le nom de station de Classe B. Comparer avec DAS. Voir aussi FDDI.

saut. Passage d'un paquet de données d'un nœud de réseau, typiquement un routeur, vers un autre. Voir aussi compte de sauts.

SDLC (*Synchronous Data Link Control*). Protocole de communication de niveau liaison de données SNA. SDLC est un protocole série orienté bit et duplex qui a engendré de nombreux protocoles similaires, tels que HDLC et LAPB.

segment. (1) Section d'un réseau qui est reliée au moyen de ponts, de routeurs ou de commutateurs. (2) Sur un LAN utilisant une topologie en bus, un segment est un circuit électrique continu qui est souvent connecté à d'autres segments par l'intermédiaire de répéteurs. (3) Terme utilisé dans la spécification TCP pour décrire une seule unité d'informations de la couche transport. Les termes datagramme, trame, message et paquet sont également utilisés pour décrire des groupements logiques d'informations à différents niveaux du modèle de référence OSI et dans le contexte de différentes technologies.

semi-duplex. Parfois appelé à l'aternat. Mode de transmission autorisant l'envoi de données dans une seule direction à la fois entre deux équipements communiquant. Comparer avec duplex (intégral) et simplex.

serveur de noms. Serveur d'un réseau qui résout les noms de réseau en adresses.

serveur. Nœud ou programme logiciel qui fournit des services à des clients.

session. (1) Ensemble relatif de transactions de communications orientées connexion entre deux ou plusieurs équipements de réseau. (2) Sur les réseaux SNA, connexion logique permettant à deux NAU de communiquer.

simplex. Mode de transmission dans une seule direction seulement entre une station émettrice et une station réceptrice. La télévision broadcast est un exemple de technologie simplex. Comparer avec duplex et semi-duplex.

simulation watchdog. Fonction de simulation dans laquelle un routeur agit spécialement pour le compte d'un client en envoyant des paquets watchdog à un serveur NetWare, afin de conserver la session active qu'il a établie avec lui. Cette fonction est utile lorsque le client et le serveur sont séparés par une liaison WAN DDR.

SLIP (*Serial Line Internet Protocol*). Protocole standard pour les connexions point à point qui utilise une variante du protocole TCP/IP. Prédécesseur de PPP.

SMI (*Structure of Management Information*). Document (RFC 1155) qui spécifie les règles à utiliser pour définir les objets gérés dans la MIB.

SNA (*Systems Network Architecture*). Architecture pour réseaux de grande taille, complexe et riche en fonctionnalités. Elle a été développée dans les années 70 par IBM. Elle ressemble par certains côtés au modèle de référence OSI, mais comporte néanmoins un certain nombre de différences. Elle se compose essentiellement de sept couches. Voir *couche contrôle de chemin*, *couche contrôle de flux de données*, *couche contrôle de liaison de données*, *couche contrôle physique*, *couche contrôle de transmission*, *couche services de présentation* et *couche services de transaction*.

SNMP (*Simple Network Management Protocol*). Protocole de gestion de réseaux utilisé presque exclusivement sur les réseaux TCP/IP. SNMP permet de surveiller et contrôler les équipements de réseau, et de gérer les configurations, la collecte de statistiques, les performances et la sécurité.

socket. (1) Structure logicielle opérant comme point d'extrémité d'une communication au sein d'un équipement de réseau (semblable au port). (2) Entité adressable au sein d'un nœud connecté à un réseau AppleTalk. Les sockets appartiennent à des processus logiciels connus sous le nom de *sockets clients*. Les sockets AppleTalk sont divisés en deux groupes : SAS, qui sont réservés pour des clients comme les protocoles principaux d'AppleTalk, et DAS, qui sont assignés dynamiquement par DDP lorsque les clients sur le nœud en font la demande. Un socket AppleTalk est semblable au concept de port TCP/IP.

sous-réseau. (1) Sur les réseaux IP, un réseau qui partage une adresse de sous-réseau spécifique. Les sous-réseaux sont des réseaux segmentés par un administrateur de réseau dans le but de fournir une structure de routage hiérarchique à plusieurs niveaux, tout en préservant le sous-réseau de la complexité d'adressage des réseaux connectés. (2) Sur les réseaux OSI, un ensemble de systèmes terminaux et intermédiaires sous le contrôle d'un seul domaine administratif et utilisant un seul protocole d'accès au réseau.

spanning tree (arbre recouvrant). Sous-ensemble exempt de boucle de routage d'une topologie de réseau de couche 2 (commuté).

SPF (*Shortest Path First*). Algorithme de routage qui parcourt les chemins pour déterminer un arbre recouvrant de plus courts chemins. Généralement utilisé dans les algorithmes de routage par informations d'état de lien. Parfois appelé *algorithme Dijkstra*.

spoofing. (1) Stratégie de simulation utilisée par les routeurs pour qu'un hôte considère une interface active, comme si une session était en cours. Le routeur simule (*spoof*) des réponses aux messages *keepalive* provenant de l'hôte afin de le convaincre que la session existe toujours. Cette technique est utile dans le cadre d'environnements de routage comme DDR, dans lequel une liaison à circuit commuté est désactivée lorsqu'il n'y a pas de trafic à transmettre afin de réduire les frais de communication. (2) Décrit une situation dans laquelle un paquet illégal prétend provenir d'une adresse alors qu'il provient d'ailleurs. Il s'agit ici d'une usurpation d'identité qui vise à déjouer les mécanismes de sécurité tels que les filtres et listes d'accès.

SPX (*Sequenced packet Exchange*). Protocole fiable orienté connexion qui complète le service de datagrammes proposé par les protocoles de la couche réseau (couche 3). Ce protocole de transport Novell NetWare couramment exploité est dérivé du protocole SPP de la suite de protocoles XNS.

SQE (*Signal Quality Error*). Sur Ethernet, transmission envoyée par un transceiver vers le contrôleur pour permettre à ce dernier de savoir si le circuit de collision est opérationnel.

SSAP (*Source Service Access Point*). Point d'accès au service, ou SAP, du nœud de réseau désigné dans le champ source d'un paquet. Comparer avec *DSAP*. Voir aussi *SAP*.

standard. Ensemble de règles ou procédures largement utilisées ou bien officiellement spécifiées.

station multi-hébergée. Equipement connecté à plusieurs concentrateurs FDDI pour assurer une redondance.

station secondaire. Avec des protocoles de liaison de données synchrones comme HDLC, station qui répond aux commandes d'une station principale.

SVC (*Switched Virtual Circuit*). Voir *Circuit virtuel commuté*.

synthèse de routes. Consolidation de numéros de réseaux annoncés sous OSPF et IS-IS. Sous OSPF, elle provoque l'annonce d'une seule route de synthèse aux autres zones par l'intermédiaire d'un routeur inter-zones.

système d'exploitation de réseau. Terme générique utilisé pour se référer à ce qu'est réellement un système de fichiers distribué. LAN Manager, NetWare, NFS, VINES et Windows NT sont des exemples de système d'exploitation de réseau.

T

T1. Service numérique de fournisseur de réseaux étendus. T1 transmet des données formatées DS-1 à 1 544 Mbit/s par l'intermédiaire du réseau téléphonique commuté, au moyen du codage AMI ou B8ZS. Comparer avec *E1*.

T3. Service numérique de fournisseur de réseaux étendus. T3 transmet des données formatées DS-4 à 44 736 Mbit/s par l'intermédiaire du réseau téléphonique commuté. Comparer avec *E3*.

table de routage. Table stockée sur un routeur ou un autre équipement d'interconnexion qui maintient des informations d'itinéraires vers des destinations de réseau spécifiques et, dans certains cas, également les métriques qui leur sont associées.

TACACS (*Terminal Access Controller Access Control System*). Protocole d'authentification développé par la communauté DDN qui fournit l'authentification d'accès distant et des services associés, tels que la journalisation d'événements. Les mots de passe utilisés sont administrés dans une base de données centrale plutôt que sur des routeurs individuels, en fournissant ainsi une solution de sécurité de réseau évolutive.

TCP (*Transmission Control Protocol*). Protocole de la couche transport orienté connexion qui assure une transmission fiable en duplex des données. TCP fait partie de la pile de protocoles TCP/IP.

TCP/IP (*Transmission Control Protocol/Internet Protocol*). Nom courant de la suite de protocoles développés par le département américain de la défense (DoD) dans les années 70 pour supporter la construction d'interréseaux dans le monde entier. TCP et IP sont les deux protocoles les mieux connus de la suite.

Telnet. Protocole standard d'émulation de terminal de la pile de protocoles TCP/IP. Telnet est utilisé pour la connexion à distance avec un terminal, en permettant aux utilisateurs d'accéder à des systèmes distants et utiliser des ressources comme s'ils étaient connectés localement. Telnet est défini dans le RFC 854.

temporisateur watchdog. (1) Mécanisme matériel ou logiciel utilisé pour déclencher un événement ou la sortie d'un processus à moins que le temporisateur ne soit périodiquement réinitialisé. (2) Sous NetWare, un temporisateur qui indique la durée maximale pendant laquelle un serveur attendra la réponse d'un client à un paquet watchdog. Si le temporisateur expire, le serveur envoie un autre paquet watchdog. Ce cycle peut se répéter jusqu'à atteindre un maximum défini.

temps d'établissement d'appel. Temps requis pour établir une liaison commutée entre des équipements ETTD.

test de bouclage. Tests dans lesquels les signaux sont envoyés puis à nouveau dirigés vers leur source à partir d'un point situé le long du chemin de communication. Les tests de bouclage sont souvent utilisés pour vérifier l'exploitabilité d'une interface de réseau.

Token Ring. Réseau local utilisant la méthode d'accès par passage de jeton développée et supportée par IBM. Token Ring fonctionne à 4 ou 16 Mbit/s sur une topologie en étoile. Il est similaire à IEEE 802.5.

TokenTalk. Produit de liaison de données de Apple Computer qui permet à un réseau AppleTalk d'être connecté par des câbles Token Ring.

topologie en anneau. Topologie de réseau qui se compose d'une série de répéteurs connectés les uns aux autres par des liaisons unidirectionnelles pour former une seule boucle fermée. Chaque station sur le réseau est raccordée au niveau d'un répéteur. Une topologie en anneau est souvent organisée en étoile physique. Comparer avec *topologie en bus*, *topologie en étoile* et *topologie en arbre*.

topologie en arbre. Topologie de réseau local similaire à une topologie en bus, excepté que les réseaux en arbre peuvent contenir des branches avec plusieurs nœuds. Les émissions d'une station se propagent sur toute la longueur du média et sont reçues par toutes les autres stations. Comparer avec *topologie en bus*, *topologie en anneau* et *topologie en étoile*.

topologie en bus. Architecture LAN linéaire dans laquelle les transmissions des stations du réseau se propagent sur la longueur du média et sont reçues par toutes les stations. Comparer avec *topologie en anneau*, *topologie en étoile* et *topologie en arbre*.

topologie en étoile. Topologie LAN dans laquelle les points d'extrémité de connexion sur un réseau sont reliés à un commutateur central par l'intermédiaire de liaisons point à point. Une topologie en anneau qui est organisée en étoile implémente une boucle fermée unidirectionnelle, au lieu de liaisons point à point. Comparer avec *topologie en bus*, *topologie en anneau* et *topologie en arbre*.

topologie. Configuration physique de nœuds de réseau et de média au sein d'une structure de réseau d'entreprise.

traceroute. Programme disponible sur de nombreux systèmes qui permet de suivre le chemin qu'un paquet emprunte vers une destination. Il est le plus souvent utilisé pour déboguer des problèmes de routage entre des hôtes. Il existe également un protocole traceroute défini par le RFC 1393.

trame. Groupement logique d'informations envoyé en tant qu'unité de la couche liaison de données sur un média de transmission. Désigne souvent l'en-tête et à l'en-queue, parties utilisées pour la synchronisation et le contrôle d'erreur, et qui encadrent les données contenues dans l'unité. Les termes *cellule*, *datagramme*, *message*, *paquet*, et *segment* sont également utilisés pour décrire des groupements logiques d'informations aux divers niveaux du modèle de référence OSI et dans le contexte de différentes technologiques.

transmission asynchrone. Terme décrivant les signaux numériques qui sont transmis sans synchronisation précise. De tels signaux possèdent généralement diverses fréquences et relations de phase. Les transmissions asynchrones encapsulent généralement des caractères individuels dans des bits de contrôle (appelés bits de départ et bits d'arrêt) qui désignent le commencement et la fin de chaque caractère. Comparer avec *transmission synchrone*.

transmission de trame. Mécanisme par lequel un trafic basé sur l'envoi de trames, tel que HDLC et SDLC, traverse un réseau comme ATM.

transmission parallèle. Méthode de transmission de données dans laquelle les bits d'un caractère de données sont transmis simultanément sur un certain nombre de canaux. Comparer avec *transmission série*.

transmission série. Méthode de transmission des données dans laquelle les bits de données sont transmis séquentiellement sur un seul canal. Comparer avec *Transmission parallèle*.

transmission synchrone. Terme décrivant la transmission de signaux analogiques selon une cadence précise. Ces signaux possèdent la même fréquence et un caractère individuel est encapsulé dans des bits de contrôle (appelés bits de départ et bits d'arrêt) qui identifient le début et la fin de chaque caractère. Comparer avec *Transmission asynchrone*.

transmission. Processus d'envoi d'une trame vers sa destination finale au moyen d'un équipement d'interconnexion de réseau.

trap. Voir *interception*.

TTL (*Time To Live*). Voir *durée de vie*.

tunnel. Architecture conçue pour fournir les services nécessaires à l'implémentation de n'importe quelle stratégie d'encapsulation point à point standard.

U

UDP (*User Datagram Protocol*). Protocole de couche transport de la pile de protocoles TCP/IP fonctionnant en mode non connecté. C'est un protocole simple qui échange des datagrammes sans acquittement ni livraison garantie, et nécessite que le traitement des erreurs et des retransmissions soit géré par d'autres protocoles. Il est défini dans le RFC 768.

UIT-T (Union Internationale des Télécommunications, secteur Normalisation). Auparavant appelée le CCITT. C'est une organisation internationale qui développe des standards de communication. Voir aussi *CCITT*.

unicast. Message envoyé vers une seule destination de réseau. Comparer avec *broadcast* et *multicast*.

unité d'accès multisation. Voir *MSAU*.

URL (*Universal Resource Locator*). Stratégie d'adressage standardisée pour accéder à des documents hypertexte et à d'autres services au moyen d'un navigateur.

V

VINES (*Virtual Integrated Network Service*). Système d'exploitation de réseau développé et commercialisé par Banyan Systems.

W

WAN. Voir réseau étendu.

X

X.25. Standard UIT-T qui définit comment les connexions entre ETTD et ETCD sont maintenues pour un accès terminal à distance et des communications informatiques sur les réseaux publics de données (PDN). La spécification X.25 décrit LAPB, un protocole de la couche liaison de données, et PLP, un protocole de la couche réseau. Frame Relay a en quelque sorte supplanté X.25.

Z

ZIP (*Zone Information Protocol*). Protocole de la couche session d'Appletalk qui associe des numéros de réseaux à des noms de zones. Il est utilisé par NBP pour déterminer les réseaux qui contiennent des nœuds qui appartiennent à une zone.

zone non *stub*. Zone OSPF consommatrice en ressources, transportant une route par défaut et des routes statiques, intra-zone, inter-zones et externes. C'est la seule zone OSPF qui peut être traversée par des liens virtuels configurés et qui peut contenir un ASBR. Comparer avec *zone stub*.

zone stub. Zone OSPF qui transporte une route par défaut, des routes intra-zone, et des routes inter-zones, mais pas de routes externes. Les zones OSPF ne peuvent pas contenir de routeur ASBR et ne supportent pas la configuration de liaisons virtuelles. Comparer avec *zone non stub*.

zone. Ensemble logique de segments de réseau (basé sur CLNS, DECnet ou OSPF) et de leurs équipements connectés. Les zones sont généralement connectées à d'autres zones par l'intermédiaire de routeurs, constituant ainsi un seul système autonome.

zone. Sous Appletalk, un groupe logique d'équipements de réseau.

Index

Achevé d'imprimer le 14 janvier 2000
sur les presses de l'imprimerie «La Source d'Or»
63200 Marsat
Dépôt légal : 1er trimestre 2000
Imprimeur n° 8361